EEN DUISTER
DOMEIN

Val McDermid

EEN DUISTER DOMEIN

SIJTHOFF

© 2008 Val McDermid
All rights reserved
© 2009 Nederlandse vertaling
Uitgeverij Luitingh ~ Sijthoff B.V., Amsterdam
Alle rechten voorbehouden
Oorspronkelijke titel: *A Darker Domain*
Vertaling: Annemieke Oltheten
Omslagontwerp: Wouter van der Struys / Twizter.nl
Omslagfotografie: Arcangel / Image Store

ISBN 978 90 218 0252 7
NUR 332

www.boekenwereld.com & www.uitgeverijsijthoff.nl

Dit boek is geschreven ter nagedachtenis aan Meg en Tom McCall, mijn grootouders van moederszijde. Van hen heb ik geleerd wat liefde en gemeenschapszin kunnen betekenen. Ze hebben hun hand moeten ophouden voor voedsel voor hun kinderen en die schande zijn ze eigenlijk nooit te boven gekomen. Dankzij hen ben ik opgegroeid met een liefde voor de zee, de bossen en de romans van Agatha Christie. Ik heb veel aan hen te danken.

Woensdag 23 januari 1985; Newton of Wemyss
De stem is gedempt, net als de duisternis die hen omhult. 'Ben je er klaar voor?'

'Helemaal.'

'Heb je haar verteld wat ze moet doen?' De woorden tuimelen over elkaar heen, ze vinden struikelend hun weg naar buiten, een chaos van klanken.

'Rustig maar. Ze weet precies hoe het ervoor staat. Ze weet wie ervoor gaat opdraaien als dit fout gaat.' Harde woorden, een harde toon. 'Om haar maak ik me geen zorgen.'

'Waar slaat dat nu weer op?'

'Nergens op. Het slaat nergens op, oké? We hebben geen keuze. Niet hier. Niet nu. We doen gewoon wat we moeten doen.' De woorden hebben de lege klank van overmoed. Het is niet duidelijk wat erachter steekt. 'Kom op, laten we de klus klaren.'

Zo begint het.

Woensdag 27 juni 2007; Glenrothes
De jonge vrouw liep met grote passen de hal door. Met haar platte hakken sloeg ze een ritmische roffel op het vinyl dat aan glans had ingeboet door de duizenden voeten die eroverheen waren gegaan. Ze zag eruit als een vrouw met een missie, dacht de man achter de balie, toen ze dichterbij kwam. Maar hij moest toegeven dat de meesten er zo uitzagen. De posters over misdaadpreventie en de affiches met overheidsinformatie, die aan de muren hingen, waren nooit besteed aan de mensen die naar de balie liepen; zij hadden maar één doel voor ogen.

Ze kwam op hem af lopen; haar mond was een vastberaden,

rechte streep. Niet onaantrekkelijk, dacht hij. Maar zoals veel vrouwen die hier terechtkwamen, zag ze er niet op haar best uit. Ze had wel wat meer make-up kunnen gebruiken om die levendige blauwe ogen beter te laten uitkomen. En een spijkerbroek met een vest met capuchon was ook niet de meest flatteuze kleding van de wereld. Dave Cruickshank zette zijn beste glimlach op. 'Waarmee kan ik u helpen?' vroeg hij.

De vrouw stak haar kin iets naar voren, alsof ze een aanval moest pareren. 'Ik kom aangifte doen van een vermissing.'

Dave probeerde niet te laten zien dat hij baalde. Als het niet over burenoverlast ging, ging het wel over vermissing. In dit geval was het vast geen vermiste peuter, daar was deze vrouw te rustig voor, en ook geen vermiste tiener, want daar was ze te jong voor. Ruzie met een vriendje, dat was het natuurlijk. Of een seniele opa die weer eens de hort op was. Alsof hij verdomme niets anders te doen had. Hij trok een blok met formulieren over de balie naar zich toe, legde het recht voor zich neer en pakte een pen. Hij liet de dop er nog op zitten; hij wilde eerst antwoord hebben op één belangrijke vraag voordat hij de gegevens in ging vullen. 'En hoe lang wordt deze persoon al vermist?'

'Tweeëntwintigenhalf jaar. Sinds vrijdag 14 december 1984, om precies te zijn.' Ze keek hem recht in de ogen, een en al strijdvaardigheid. 'Is dat voor jullie lang genoeg om er werk van te maken?'

Brigadier Phil Parhatka bekeek het einde van de videoclip en sloot toen het scherm af. 'Eerlijk waar,' zei hij, 'je kunt in deze tijd maar het beste bij Cold Cases zitten.'

Inspecteur Karen Pirie keek nauwelijks op van het bestand dat ze aan het updaten was. 'Hoezo?'

'Logisch toch? We zitten tot over onze oren in de oorlog tegen het terrorisme. En ik heb net zitten kijken hoe Gordon Brown, het parlementslid voor mijn district, samen met zijn vrouw zijn intrek heeft genomen in Downing Street 10.' Hij sprong overeind en liep naar de minikoelkast die boven op de dossierkast stond. 'Wat zou jij liever doen? Oude zaken oplossen en door de pers in het zonnetje worden gezet, of proberen te voorkomen dat de moslims vlak onder onze neus ergens iets groots opblazen?' Karen hield haar vinger bij de plek waar ze was gebleven en schonk Phil haar volle aandacht. Ze realiseerde zich opeens dat ze zich al zo lang uitsluitend met het verleden had beziggehouden dat ze nauwelijks meer oog had voor de gevaren van het heden. 'Ze hebben het kiesdistrict van Tony Blair altijd ongemoeid gelaten toen hij nog aan de macht was.'

'Dat klopt.' Phil tuurde in de ijskast, dubbend of hij een Irn Bru, een Pepsi of een Vimto zou nemen. Vierendertig jaar oud en hij was nog steeds verslingerd aan de frisdrankjes uit zijn jeugd. 'Maar deze lui noemen zich leden van de Islamitische Jihad en Gordon Brown is een domineeszoon. Ik zou niet graag in de schoenen van de hoofdcommissaris staan als ze besluiten dat ze om hun doel te bereiken de vroegere kerk van zijn pa op moeten blazen.' Hij koos voor de Pepsi.

Karen rilde van afschuw. 'Ik snap niet hoe je dat spul kunt drinken,' zei ze. 'Heb je nooit gezien dat het bijna een anagram van pies is?'

Phil nam een grote slok en liep terug naar zijn bureau. 'Daar word je een echte man van,' zei hij.

'Dan kun je beter meteen nog een blikje nemen.' Er klonk iets van afgunst door in Karens stem. Phil kon zich rustig te goed doen aan mierzoete drankjes en verzadigde vetzuren, hij was nog net zo gestroomlijnd en pezig als toen ze allebei pas bij de politie waren. Zijzelf hoefde maar naar een colaatje te kijken of ze voelde de ponden er al aan vliegen. Het was echt niet eerlijk.

Phil kneep zijn donkere ogen tot spleetjes en vertrok zijn gezicht in een goedmoedige grijns. 'Leuk hoor.' En toen: 'Het voordeel is dat de chef nu misschien wat extra geld van de regering kan lospeuteren, als hij weet waar te maken dat er een verhoogde dreiging bestaat.'

Karen schudde haar hoofd. Nu was ze op bekend terrein. 'Denk je dat Gordon met zijn beroemde morele kompas zich een richting uit zal laten sturen die riekt naar eigenbelang?' Tijdens het praten nam ze de telefoon op die net begon te rinkelen. Er waren politiemensen met een lagere rang aanwezig in de grote teamkamer van het Cold Case Team, maar sinds haar promotie was Karen nog geen steek veranderd. Als er ergens bij

haar in de buurt een telefoon ging, móést ze hem gewoon opnemen. 'cct, met inspecteur Pirie,' zei ze verstrooid. Ze was nog
steeds bezig met wat Phil had gezegd. Zou hij diep in zijn hart
niet veel liever op een wat spannender plek willen zitten?

'Met Dave Cruickshank van de balie, inspecteur. Ik heb hier
iemand die volgens mij eens met u zou moeten praten.' Cruickshank klonk wat onzeker. Dat was zo uitzonderlijk, dat Karen
meteen weer bij de les was.

'Waar gaat het over?'

'Een vermiste persoon,' zei hij.

'Eentje die op onze lijst staat?'

'Nee, ze wil juist aangifte doen van een vermissing.'

Karen onderdrukte een zucht van ergernis. Cruickshank
moest toch onderhand beter weten. Hij deed al lang genoeg ba-
liewerk. 'Dan moet ze toch bij de recherche zijn, Dave.'

'Nou, misschien wel. Normaal gesproken zou ik die ook eerst
hebben gebeld. Maar kijk, dit is een beetje anders dan anders. En
daarom dacht ik dat ik het beter eerst even bij u kon checken.'

Man, kom toch ter zake. 'Wij doen cold cases, Dave. We beginnen niet aan nieuwe onderzoeken.' Karen keek even wanhopig naar Phil, die zat te grijnzen om haar zichtbare frustratie.

'Dit kun je niet bepaald nieuw noemen, inspecteur. Deze vent
wordt al tweeëntwintig jaar vermist.'

Karen schoot overeind in haar stoel. 'Tweeëntwintig jaar? En
ze komen er nu pas aangifte van doen?'

'Inderdaad. Dan is het toch wel "cold" genoeg?'

Karen wist dat Cruickshank de vrouw eigenlijk zou moeten
verwijzen naar de recherche. Maar ze had altijd al een zwak gehad voor zaken waar anderen niets in zagen, om vervolgens
stomverbaasd te moeten erkennen dat zij het hem toch weer had
geflikt. Een sprong in het duister, daar kreeg ze een enorme kick
van. Door op haar intuïtie te vertrouwen had ze zich in drie jaar
tijd twee keer hogerop gewerkt, waarbij ze leeftijdgenoten links
en rechts passeerde en collega's onzeker maakte. 'Stuur haar maar
naar boven, Dave. Ik praat wel even met haar.'

Ze legde de telefoon neer en duwde haar stoel achteruit.
'Waarom zou iemand in godsnaam pas na tweeëntwintig jaar
aangifte doen van een vermissing?' zei ze meer tegen zichzelf

dan tegen Phil, terwijl ze in haar bureau naar een nieuw notitieboekje en een pen zocht.

Phil tuitte zijn lippen als een koikarper. 'Misschien is ze het land uit geweest. Misschien is ze net terug en is ze er nu pas achter gekomen dat deze persoon niet meer op de plek is waar ze dacht dat hij was.'

'En misschien heeft ze ons nodig om een overlijdensverklaring in handen te krijgen. Geld, Phil. Daar draait het meestal om.' Karens glimlach was wrang. Het leek net alsof hij nog een tijdje bleef hangen, net als bij de grijnzende kat in *Alice in Wonderland*. Ze haastte zich de teamkamer uit en liep naar de liften.

Met haar geoefende oog nam ze de vrouw op die zonder een spoor van verlegenheid uit de lift stapte. Een spijkerbroek en een zogenaamd sportief vestje met capuchon van Gap. De stijl en de kleur van dit seizoen. De schoenen waren van leer en vertoonden nog geen teken van slijtage. Ze hadden dezelfde kleur als de tas die ze vanaf haar schouder tegen een heup liet zwieren. Haar vakkundig geknipte, donkerblonde haren droeg ze in een halflang kapsel dat bij de punten modieus slordig zat. Niet iemand die van een uitkering moest rondkomen. Waarschijnlijk ook geen intrigante. Gewoon een aardige vrouw die ergens over inzat. Ze was tussen de vijfentwintig en de dertig en had blauwe ogen met de bleke schittering van topaas. Bijna geen makeup. Ofwel ze deed haar best niet meer, of ze was al onder de pannen. De huid rondom haar ogen verstrakte toen ze merkte hoe Karen haar stond op te nemen.

'Ik ben inspecteur Pirie,' zei ze, en doorbrak daarmee de potentiële impasse van twee vrouwen die elkaar de maat nemen. 'Karen Pirie.' Ze vroeg zich af wat voor indruk ze op de vrouw maakte een klein, dik vrouwtje in een te krap zittend mantelpak van Marks & Spencer; donkerblonde haren waar de kapper zich wel eens mee zou mogen bemoeien; iemand die best knap zou kunnen zijn als er onder al dat vlees nog jukbeenderen zichtbaar waren. Als Karen zichzelf zo tegenover haar vriendinnen beschreef, begonnen ze te lachen. Dan zeiden ze altijd dat ze er fantastisch uitzag, waarna ze er nog aan toevoegden dat ze een te lage dunk van zichzelf had. Daar was ze het niet mee eens. Ze had een redelijk hoge dunk van zichzelf. Maar als ze in de spiegel keek, kon ze niet ontkennen wat ze zag. Leuke ogen, dat wel. Blauw met lichtbruine streepjes. Niet alledaags.

Of het nu kwam door wat ze zag of door wat ze hoorde, de vrouw leek gerustgesteld. 'Godzijdank,' zei ze. Het was duidelijk te horen dat ze uit Fife kwam, hoewel de scherpe kantjes ervan af waren gesleten doordat ze op een goede school had gezeten of doordat ze een tijd weg was geweest.

'Pardon?'

De vrouw glimlachte en liet daarbij kleine, regelmatige tanden zien die eruitzagen als een melkgebit. 'Het betekent dat u me serieus neemt. Dat u me niet afscheept met een agentje dat verder alleen maar thee mag zetten.'

'Ik laat mijn agenten hun tijd niet verdoen met theezetten,' zei Karen droog. 'Ik was toevallig degene die de telefoon aannam.' Ze draaide zich half om, keek over haar schouder en zei: 'Loopt u even mee?'

Karen liep een zijgang af naar een kleine kamer. Een lang raam keek uit op de parkeerplaats en, in de verte, op het onnatuurlijk gelijkmatige groen van de golfbaan. Vier stoelen, bekleed met het grijze tweed van overheidsinstellingen, stonden om een ronde tafel van vrolijk kersenhout die dankzij vlijtig poetsen een doffe glans had gekregen. Het enige waaraan je kon zien waarvoor de kamer diende, was de verzameling ingelijste foto's aan de muur, allemaal van politiemensen in actie. Telkens als ze gebruikmaakte van deze kamer, vroeg Karen zich af waarom de hoge pieten in het korps precies het soort foto's hadden uitgekozen dat je meestal in de pers zag als er iets heel ergs was gebeurd.

De vrouw keek onzeker om zich heen toen Karen een stoel naar achteren trok en haar met een gebaar uitnodigde te gaan zitten. 'Het ziet er heel anders uit dan op tv,' zei ze.

'Dat geldt voor het hele politiekorps hier in Fife,' zei Karen, en ze ging half naast de vrouw zitten in plaats van tegenover haar. Dat was minder confronterend en werkte meestal positief bij een getuigenverhoor.

'Waar is de cassetterecorder?' De vrouw ging zitten; ze trok haar stoel niet dichter bij de tafel en ze omknelde de tas die op haar schoot stond.

Karen glimlachte. 'U verwart een getuigenverklaring met een

ondervraging van een verdachte. U komt ergens aangifte van doen. U bent hier niet om verhoord te worden in verband met een misdrijf. Dus mag u op een gemakkelijke stoel zitten en kunt u ook nog naar buiten kijken.' Ze sloeg haar schrijfblok open. 'U bent hier toch om aangifte te doen van een vermissing?'

'Dat klopt. Hij heet...'

'Een ogenblikje. Rustig aan. Om te beginnen wil ik graag weten hoe u heet.'

'Michelle Gibson. Dat is de naam van mijn man. Mijn meisjesnaam is Prentice. Maar iedereen noemt me Misha. En zegt u maar jij, hoor.'

'Oké, Misha. Ik moet ook je adres en telefoonnummer hebben.'

Misha ratelde de gegevens af. 'Dat is het adres van mijn moeder. Ik ben hier eigenlijk namens haar, als u begrijpt wat ik bedoel.'

Karen kende het dorp, maar niet de straat. Oorspronkelijk was het een van de gehuchten geweest die door de plaatselijke landheer voor zijn mijnwerkers waren gebouwd toen die arbeiders nog van hem waren, net als de mijnen zelf. Uiteindelijk werd het een dorp voor forensen die geen enkele band meer hadden met het dorp of met het verleden. 'Dat kan wel zo zijn,' zei ze, 'maar ik moet jouw gegevens ook hebben.'

Misha fronste even haar wenkbrauwen, maar noemde toen een adres in Edinburgh. Het zei Karen niets. Haar kennis van de sociale geografie van de hoofdstad, een kleine veertig kilometer verderop, was gering, maar dat gold voor veel mensen uit de provincie. 'En nu wil je aangifte doen van een vermissing,' zei ze.

Misha snoof even en knikte. 'Mijn vader, Mick Prentice. Nou ja, eigenlijk Michael, als je het helemaal goed wilt zeggen.'

'En sinds wanneer wordt je vader vermist?' Nou gaat het interessant worden, dacht Karen. Als het überhaupt nog interessant werd.

'Dat heb ik al tegen die man beneden verteld, tweeëntwintigenhalf jaar geleden. Vrijdag 14 december 1984 was de laatste keer dat we hem gezien hebben.' Misha Gibsons gefronste wenkbrauwen straalden iets uitdagends uit.

'Jullie hebben er nogal lang over gedaan om hem als vermist op te geven,' zei Karen.

Misha zuchtte en keek opzij om uit het raam te kunnen kijken. 'We dachten niet dat hij vermist was. Niet echt vermist.'

'Dit snap ik even niet. Wat bedoel je met "niet echt vermist"?'

Misha draaide zich weer om en ontmoette Karens strakke blik. 'U klinkt alsof u hier uit de buurt komt.'

Karen vroeg zich af welke kant het gesprek op ging. 'Ik ben opgegroeid in Methil.'

'Oké. Ik wil niet onbeleefd zijn, maar u bent oud genoeg om nog te weten wat er in 1984 aan de hand was.'

'De mijnstaking?'

Misha knikte. Haar kin bleef hoog, haar blik uitdagend. 'Ik ben opgegroeid in Newton of Wemyss. Mijn vader was mijnwerker. Vóór de staking werkte hij op de Lady Charlotte. U weet vast nog wel wat de mensen hier zeiden – dat de mijnwerkers van de Lady Charlotte het strijdlustigst van allemaal waren. Maar op een avond in december, toen de staking al negen maanden duurde, verdwenen er een stuk of zes. Nou ja, ik zeg wel verdwenen, maar iedereen kende de waarheid. Dat ze naar Nottingham waren gegaan om zich aan te sluiten bij de stakingsbrekers.' Ze trok een grimas alsof ze ergens pijn had. 'Bij vijf van de mannen stond men er niet van te kijken dat ze onderkruipers bleken te zijn, maar volgens mijn moeder was iedereen stomverbaasd dat mijn pa met ze mee was gegaan. Zijzelf ook.' Ze wierp Karen een smekende blik toe. 'Ik ben te jong om het te kunnen weten, maar iedereen zegt dat hij een vakbondsman was in hart en nieren. De laatste van wie je zou verwachten dat hij de zaak zou verraden.' Ze schudde haar hoofd. 'Maar wat moest ze anders denken?'

Karen begreep maar al te goed wat een dergelijk verraad voor Misha en haar moeder moest hebben betekend. In de radicale mijnstreek van Fife lag de sympathie bij degenen die de staking volhielden tot het bittere einde. Door de daad van Mick Prentice werden zijn gezinsleden automatisch paria's. 'Wat zal het moeilijk zijn geweest voor je moeder,' zei ze.

'In een bepaald opzicht was het helemaal niet moeilijk,' zei Misha bitter. 'Wat haar betreft was daarmee de kous af. Voor haar was hij dood. Ze wilde niets meer met hem te maken hebben. Hij stuurde geld, maar dat gaf ze aan het stakingsfonds.

Later, toen de staking voorbij was, heeft ze het aan het Welzijnswerk gegeven. Ik ben opgegroeid in een huis waar mijn vaders naam taboe was.'

Karen voelde een brok in haar keel, iets tussen medelijden en sympathie in. 'Heeft hij nooit contact opgenomen?'

'Alleen het geld. Altijd gebruikte bankbiljetten. Altijd met Nottingham op de poststempel.'

'Misha, ik bedoel dit niet beledigend, maar ik krijg niet de indruk dat jouw vader vermist wordt.' Karen probeerde haar stem zo vriendelijk mogelijk te laten klinken.

'Dat dacht ik ook niet. Totdat ik naar hem op zoek ging. U kunt gerust van mij aannemen, inspecteur, dat hij niet is waar hij zou moeten zijn. En dat hij daar ook nooit geweest is. En ik moet hem per se vinden.'

De naakte wanhoop in Misha's stem overviel Karen een beetje. Die wanhoop was veel interessanter dan de verblijfplaats van Mick Prentice. 'Hoe dat zo?' vroeg ze.

Dinsdag 19 juni 2007; Edinburgh

Het was nooit bij Misha Gibson opgekomen om te tellen hoe vaak ze het kinderziekenhuis had verlaten met een gevoel van verontwaardiging dat het leven buiten gewoon doorging, al gebeurde er nog zoveel verschrikkelijks in het ziekenhuis. Ze had er gewoon nooit aan gedacht, omdat ze zichzelf nooit had toegestaan te geloven dat het op een dag voor het laatst zou kunnen zijn. Vanaf het moment dat de artsen hadden uitgelegd wat de misvormde duimen en de 'café-au-lait'-vlekken overal op het smalle ruggetje te betekenen hadden, had ze zichzelf wijsgemaakt dat ze er op de een of andere manier voor kon zorgen dat haar zoontje zijn genetisch bepaalde lotsbestemming kon ontlopen. Nu zag het ernaar uit dat die overtuiging nergens op gebaseerd was.

Misha bleef even staan. Ze verfoeide de zonneschijn, want ze wilde weersomstandigheden die pasten bij haar sombere stemming. Ze had nog geen zin om naar huis te gaan. Ze wilde schreeuwen en met dingen gooien, en in een lege flat zou ze wel eens in de verleiding kunnen komen dat inderdaad te gaan doen.

John zou niet thuis zijn om haar in zijn armen te nemen en om haar tegen te houden; hij was op de hoogte geweest van haar afspraak met de specialist, dus natuurlijk was er op zijn werk opeens iets onoverkomelijks aan de hand, iets waar alleen hij een oplossing voor wist.

Misha ging dit keer niet via Marchmont naar hun huurflat; in plaats daarvan nam ze de kortere route en stak ze de drukke weg over naar de Meadows, het park aan de zuidkant van het stadscentrum, waar ze vaak met Luke ging wandelen. Toen ze een keer op Google Earth hun eigen straat had bekeken, had ze ook een blik op de Meadows geworpen. Vanuit de ruimte zag het eruit als een met bomen versierde rugbybal; de paden die er kriskras doorheen liepen waren net veters die de bal bij elkaar hielden. Ze had geglimlacht bij de gedachte dat zij en Luke er als mieren overheen klauterden. Vandaag was er geen troostrijke glimlach voor Misha. Vandaag moest ze het feit onder ogen zien dat ze hier misschien nooit meer met Luke zou wandelen.

Ze schudde haar hoofd in een poging de sombere gedachten kwijt te raken. Koffie, dat had ze nodig om haar hoofd op orde te krijgen en om de dingen weer in de juiste proporties te zien. Een pittige wandeling dwars door de Meadows, daarna doorlopen naar het voorste stuk van Princes Street, waar zich tegenwoordig achter iedere voorgevel een café of een restaurant bevond.

Tien minuten later zat Misha aan een tafel in een hoekje, met voor zich een opbeurende beker *latte macchiato*. Het was niet het einde van het verhaal. Dat kon niet. Dat kon ze gewoon niet toelaten. Er moest een manier zijn om Luke nog een kans te geven.

Ze had geweten dat er iets mis was vanaf het moment dat ze hem voor het eerst in haar armen had gehouden. Ook al was ze versuft door de medicijnen en uitgeput door de bevalling, ze had het geweten. John had het niet willen zien, hij had geweigerd een conclusie te trekken uit het feit dat hun zoon bij de geboorte zo weinig woog en dat hij zulke stompachtige duimen had. Maar de angst had zich met een kille zekerheid om Misha's hart geklemd. Luke was anders. De enige vraag die haar bezighield was: hoe anders?

Het enige kleine lichtpuntje was dat ze in Edinburgh woonden, op tien minuten loopafstand van het Royal Hospital for Sick Children, een instelling die regelmatig voorkwam in verhalen over wonderbaarlijke genezingen waar de sensatiebladen zo gek op waren. De specialisten in het ziekenhuis waren er algauw achter wat het probleem was. En ook dat er in het geval van Luke geen wonder te verwachten was.

Fanconi-anemie. Als je het vlug uitsprak, klonk het als een Italiaanse tenor of als een stadje in de heuvels van Toscane. Maar achter de zangerige klanken van het woord ging een dodelijke boodschap schuil. In het DNA van Lukes beide ouders hielden zich recessieve genen schuil, die waren samengekomen en een zeldzame afwijking veroorzaakten die hun zoon zou veroordelen tot een kort leven vol pijn. Op een bepaalde leeftijd, ergens tussen de drie en de twaalf, zou hij bijna zeker deze aplastische anemie ontwikkelen, waardoor het beenmerg wordt afgebroken. Uiteindelijk zou hij hieraan doodgaan, tenzij er een geschikte donor werd gevonden. Het bittere vonnis was dat Luke zonder een succesvolle beenmergtransplantatie waarschijnlijk nog voor zijn twintigste zou overlijden.

Die informatie had haar een missie gegeven. Ze was er al snel achter gekomen dat, bij gebrek aan broertjes en zusjes, Lukes grootste kans op een haalbare beenmergtransplantatie bij een familielid lag – bij wat de artsen een HLA-identiek verwante donor noemden. Aanvankelijk had Misha niet begrepen wat dat inhield. Ze had gelezen dat er een register bestond voor beenmergtransplantaties en was ervan uitgegaan dat ze daar moest zijn voor de juiste donor. Maar volgens de specialist was er minder kans op complicaties als de donor een familielid was met leukocyten die hetzelfde antigen bevatten als ook bij Luke aanwezig was. Een donor die geen lid was van hun uitgebreide familie was minder geschikt.

Vanaf dat moment had Misha geprobeerd van beide kanten van de familie genetische gegevens binnen te krijgen, waarbij ze bij verre neven en nichten en tantes op leeftijd gebruik had gemaakt van haar overredingskracht en van emotionele chantage. Ze had zelfs aangeboden ervoor te betalen. Het had tijd gekost, omdat ze alles in haar eentje had moeten doen. John had zich teruggetrokken achter een muur van een op niets gebaseerd optimisme. Er zou bijvoorbeeld een medische doorbraak komen op het gebied van stamcelonderzoek. Ergens op de wereld zou een arts een behandeling ontdekken waarbij het succes niet afhankelijk was van gedeelde genen. Er zou ergens een register gevonden worden waarin een donor voorkwam die precies matchte. John was goed in het verzamelen van positieve verhalen en goede aflopen. Hij speurde het internet af naar gevallen die bewezen dat de artsen geen gelijk hadden. Hij kwam elke week aanzetten met medische wonderen en onverklaarbare genezingen. En daar putte hij hoop uit. Hij zag het nut niet in van Misha's voortdurende zoektocht. Hij wist dat het wel goed zou komen. Zijn vermogen om de kop in het zand te steken was een olympische medaille waard.

Ze kon hem soms wel vermoorden.

In plaats daarvan was ze in alle takken van hun beider stambomen blijven klauteren op zoek naar de perfecte kandidaat. Een paar dagen voor het verschrikkelijke oordeel van vandaag was ze tot de conclusie gekomen dat het allemaal niets had uitgehaald. Er was nog maar één mogelijkheid over. En dat was nu net de mogelijkheid waarvan ze vurig had gehoopt dat ze die over kon slaan.

Voordat ze op die gedachtegang door kon gaan, viel er een schaduw over haar heen. Ze keek op, onmiddellijk bereid om de eventuele indringer terecht te wijzen. 'John,' zei ze mat.

'Ik dacht wel dat ik je hier ergens zou treffen. Dit is het derde café waar ik heb gekeken,' zei hij, en hij schoof bij haar aan tafel. Hij moest wat onhandig manoeuvreren zodat hij naast haar kon gaan zitten, zo dicht bij haar dat hij haar kon aanraken als een van hen beiden daar behoefte aan had.

'Ik kon nog niet tegen het vooruitzicht van een lege flat.'

'Nee, daar kan ik inkomen. Wat heb je te horen gekregen?' Zijn verweerde gezicht was verwrongen van angst. Niet, dacht ze, omdat hij bang was voor het vonnis van de arts. Hij geloofde nog steeds dat zijn geliefde zoon op de een of andere manier onoverwinnelijk was. Nee, John was bang voor haar reactie. Ze pakte zijn hand, omdat ze behalve contact ook troost nodig had. 'Het is zover. Zonder transplantatie heeft hij nog maximaal een halfjaar.' Zelfs in haar eigen oren klonk haar stem kil. Maar ze kon zich geen warmte permitteren. Warmte zou haar bevroren toestand doen smelten en dit was niet de geschikte plaats voor een uitbarsting van verdriet of van liefde.

John hield haar hand stevig in de zijne. 'Misschien is het nog niet te laat,' zei hij. 'Misschien dat ze nog...'

'John, alsjeblieft. Niet nu.'

Hij rechtte zijn schouders onder het jasje van zijn pak, zijn lichaam gespannen omdat hij geen uiting kon geven aan zijn afwijkende mening. 'Zo,' zei hij. Het woordje klonk meer als een zucht dan als iets anders. 'Dan ga je dus op zoek naar die klootzak.'

Woensdag 27 juni 2007; Glenrothes
Karen krabde met de pen over haar hoofd. *Waarom krijg ik altijd de moeilijke gevallen?*

'Waarom heb je er zo lang mee gewacht om je vader op te sporen?' Heel even zag ze iets van ergernis rondom Misha's mond en ogen.

'Omdat ik was grootgebracht met het idee dat mijn vader een egoïstische klootzak was die zijn vrienden had verraden. Mijn moeder is door zijn daad geïsoleerd geraakt van haar eigen gemeenschap. En ik werd ermee gepest op de speelplaats en op school. Ik had niet het idee dat een man die zijn gezin op een zodanige manier in de stront liet zitten, zou malen om zijn kleinzoon.'

'Hij heeft geld gestuurd.'

'Af en toe een paar pond. Bloedgeld,' zei Misha. 'En zoals ik al zei, mijn moeder heeft het niet aangeraakt. Ze heeft het weggegeven. Ik heb er nooit voordeel van gehad.'

'Misschien probeerde hij het goed te maken met je moeder. Ouders vertellen ons niet altijd de waarheid, vooral niet als die hun niet uitkomt.'

Misha schudde haar hoofd. 'U kent mijn moeder niet. Zelfs nu het leven van Luke op het spel staat, zit het haar nog niet lekker dat ik mijn vader probeer op te sporen.'

Voor Karen was dat niet voldoende reden om geen contact te

hebben met een man die de sleutel tot de toekomst van een jongen in handen zou kunnen hebben. Maar ze wist hoe diep dingen konden zitten in de oude mijnwerkersfamilies, dus liet ze het er maar bij. 'Je zegt dat hij niet was waar hij zou moeten zijn. Hoe verging het je toen je naar hem op zoek ging?'

Donderdag 21 juni 2007; Newton of Wemyss
Jenny Prentice tilde een zak aardappelen uit het groenterek en begon ze te schillen. Ze stond diep gebogen over de gootsteen, met de rug naar haar dochter. De vraag van Misha hing onbeantwoord tussen hen in, en leek wel wat op de barrière die er vanaf het moment van de verdwijning van haar vader tussen hen in had gelegen. Misha deed nog een poging. 'Ik zei...'

'Ik heb je wel gehoord. Mijn oren doen het nog prima,' zei Jenny. 'En het antwoord is dat ik geen flauw idee heb. Hoe zou ik moeten weten waar ik moest gaan zoeken naar die egoïstische zak met stront, die verrader? We hebben het de afgelopen tweeëntwintig jaar prima zonder hem gered. We hadden geen reden om naar hem op zoek te gaan.'

'Nou, die reden is er nu wel.' Misha keek naar de gekromde schouders van haar moeder. Het zwakke licht dat door het keukenraam naar binnen viel, deed het zilver in haar ongeverfde haren nog beter uitkomen. Ze was net vijftig, maar kennelijk had ze de middelbare leeftijd overgeslagen en had ze meteen de kwetsbare houding van een oud vrouwtje aangenomen. Het leek wel alsof ze had geweten dat deze aanval op een keer zou komen en alsof ze had gekozen voor de beste verdediging: zielig doen.

'Hij helpt toch niet,' zei Jenny schamper. 'Hij heeft laten zien hoe hij over ons dacht toen hij ons aan ons lot overliet. Hij heeft zichzelf altijd op de eerste plaats gezet.'

'Misschien wel. Maar ik moet het toch proberen, voor Luke,' zei Misha. 'Heeft er nooit een afzender gestaan op de enveloppen waar het geld in zat?'

Jenny sneed een geschilde aardappel doormidden en liet hem in een pan met water plonzen. 'Nee. Hij heeft zelfs nooit de moeite genomen er een briefje bij te doen. Alleen een bundeltje vieze bankbiljetten, meer niet.'

'En hoe zit het met die kerels met wie hij ervandoor is gegaan?'

Jenny wierp Misha een minachtende blik toe. 'Wat denk je? Die laten zich hier niet meer zien.'

'Maar sommigen van hen hebben hier, of in East Wemyss, nog familie wonen. Broers, neven en nichten. Misschien weten zij iets over mijn vader.'

Jenny schudde gedecideerd haar hoofd. 'Ik heb nooit meer iets over hem gehoord sinds de dag dat hij is weggegaan. Niet iets goeds en niet iets slechts. Die andere mannen, met wie hij is meegereden, waren geen vrienden van hem. De enige reden waarom hij met ze is meegegaan, is omdat hij geen geld had om op eigen houtje te gaan. Hij heeft ze gebruikt, net zoals hij ons gebruikt heeft. Daarna, toen hij er eenmaal was, is hij gewoon zijn eigen weg gegaan.'

Ze liet nog een aardappel in de pan vallen en vroeg zonder veel enthousiasme: 'Blijf je eten?'

'Nee, ik heb nog een paar dingen te doen,' zei Misha. Ze was een beetje boos omdat haar moeder weigerde haar zoektocht serieus te nemen. 'Er moet toch íémand zijn met wie hij contact heeft gehouden? Met wie zou hij hebben gepraat? Wie zou hij over zijn plannen hebben verteld?'

Jenny ging rechtop staan, strooide zout in het water en zette de pan op het ouderwetse gasfornuis. Elke keer als ze aan tafel gingen wanneer ze plichtsgetrouw op zondag kwamen eten, boden Misha en John aan om een ander fornuis voor haar te kopen in plaats van dit armoedige, gammele exemplaar, maar Jenny weigerde altijd met de martelaarsblik waarmee ze op elk vriendelijk aanbod reageerde. 'Daar heb je ook al pech mee.' Ze liet zich voorzichtig op een van de twee stoelen zakken die aan weerszijden van het piepkleine tafeltje in de overvolle keuken stonden. 'Hij had maar één echte vriend. Andy Kerr. Dat was een rasechte communist, die Andy. Neem maar van mij aan dat er in 1984 niet veel meer over waren die nog met de rode vlag liepen te zwaaien, maar Andy was er een van. Hij zat al ver voor de staking in het vakbondsbestuur. Hij en je vader waren sinds hun schooltijd elkaars beste vrienden.' Heel even kreeg ze een zachte uitdrukking op haar gezicht en Misha zag een glimp van haar moeder als jonge vrouw. 'Ze haalden altijd kattenkwaad uit, die twee.'

'En waar kan ik die Andy Kerr vinden?' Misha ging tegenover haar moeder zitten; ze had ineens geen haast meer om weg te gaan.

Haar moeder vertrok haar gezicht in een wrange grimas. 'De arme ziel. Als jij Andy kunt vinden, ben je beter dan menige politieman.' Ze leunde over de tafel en gaf een klopje op Misha's hand. 'Hij is ook een van jouw vaders slachtoffers.'

'Hoe bedoel je?'

'Andy adoreerde je vader. Hij was helemaal weg van hem. Die arme Andy. Door de staking stond hij onder enorme druk. Hij geloofde in de staking, hij geloofde in de strijd. Hij kon het bijna niet aanzien hoe moeilijk de mannen het hadden. Hij stond op instorten en de plaatselijke vertegenwoordiger van het hoofdbestuur heeft hem, niet lang voordat jouw vader de benen nam, gedwongen met ziekteverlof te gaan. Daarna heeft niemand hem meer gezien. Hij woonde ergens ver van de bewoonde wereld, dus niemand had in de gaten dat hij er niet was.' Ze slaakte een lange, vermoeide zucht. 'Hij heeft nog een ansichtkaart naar je vader gestuurd vanuit een plaats ergens in het noorden. Maar die heeft hij nooit gekregen, want toen was hij er al vandoor. Wat later heeft Andy zijn zus nog een briefje geschreven waarin stond dat hij er niet meer tegen kon. Hij heeft zelfmoord gepleegd, de stakker.'

'Wat heeft dat met mijn vader te maken?' wilde Misha weten.

'Ik heb altijd gedacht dat je vader de druppel was die de emmer deed overlopen.' Jenny had een brave, bijna zelfgenoegzame uitdrukking op haar gezicht. 'Dat hij een stakingsbreker was, heeft Andy het laatste zetje gegeven.'

'Dat kun je niet weten.' Misha ging vol walging achteruit zitten.

'Ik ben niet de enige hier in de buurt die er zo over denkt. Als je vader al iemand in vertrouwen zou hebben genomen, dan was het Andy wel. En dat zou voor die tere ziel net te veel zijn geweest. Hij heeft zich van het leven beroofd in de wetenschap dat zijn enige echte vriend alles had verraden waar hij in geloofde.'

Met die melodramatische woorden stond Jenny op en tilde een zak met wortelen uit het groentcrck. Het was duidelijk dat ze over Mick Prentice niets meer te vertellen had.

Karen keek heimelijk op haar horloge. Misha Gibson had ongetwijfeld een heleboel goede eigenschappen, maar kort en bondig iets samenvatten kon ze niet. 'Andy Kerr was dus letterlijk een dood spoor?'

'Mijn moeder denkt van wel. Maar zijn lichaam is kennelijk nooit gevonden. Misschien heeft hij toch geen zelfmoord gepleegd.'

'Ze worden niet altijd gevonden,' zei Karen. 'Soms eist de zee ze op. Of anders wel de bergen. Er zijn nog steeds veel lege plekken in dit land.' Berusting nam bezit van Misha's gezicht. Ze was, dacht Karen, een vrouw die geneigd was te geloven wat haar werd verteld. En als iemand dat wist, was het haar moeder wel. Misschien lag alles niet zo duidelijk als Jenny Prentice haar dochter wilde doen geloven.

'Dat is waar,' zei Misha. 'Maar mijn moeder heeft wel gezegd dat hij een briefje heeft achtergelaten. Zou de politie dat briefje nog hebben?'

Karen schudde haar hoofd. 'Dat betwijfel ik. Als ze het al ooit hebben gehad, dan is het zeker teruggegeven aan de familie.'

'Is er dan geen gerechtelijk onderzoek ingesteld? Zou dat niet nodig zijn geweest?'

'Je bedoelt een onderzoek in geval van een dodelijk ongeluk,' zei Karen. 'Niet zonder lichaam, nee. Als er al een dossier van is, dan valt het onder vermiste personen.'

'Maar hij wordt niet vermist. Zijn zus heeft hem officieel dood laten verklaren. Hun ouders zijn allebei omgekomen bij de veerbootramp bij Zeebrugge. Blijkbaar had hun vader nooit willen geloven dat Andy dood was, dus had hij het testament niet veranderd om het huis aan de zus na te laten. Ze moest ermee naar de rechtbank om Andy dood te laten verklaren, zodat zij kon erven. Volgens mijn moeder tenminste.' Naar haar gezichtsuitdrukking te oordelen was Misha heel zeker van haar zaak.

Karen maakte een aantekening: *De zus van Andy Kerr*, en zette er een sterretje bij. 'Dus als Andy zelfmoord heeft gepleegd, zijn we weer terug bij af. De enige mogelijke verklaring voor de verdwijning van je vader is dat hij de staking heeft gebroken. Heb je ooit geprobeerd contact op te nemen met de kerels met wie hij zou zijn weggelopen?'

Maandag 25 juni 2007; Edinburgh
Het was tien over negen op maandagmorgen, en Misha was al uitgeput. Ze zou eigenlijk al in het ziekenhuis moeten zijn om Luke alle aandacht te geven. Met hem te spelen, hem voor te lezen, therapeuten over te halen om nog meer therapieën uit te proberen, behandelplannen te bespreken met de artsen en verpleegkundigen, al haar energie te gebruiken om ook hen te laten geloven dat er nog redding voor haar zoon mogelijk was. En dat hij het, als er nog een redding was, verdiende dat ze elke nieuwe therapeutische vondst voor hem uit de kast zouden halen.

Maar in plaats daarvan zat ze op de grond met haar rug tegen de muur, de telefoon op schoot en een blocnote naast zich. Ze probeerde zichzelf wijs te maken dat ze moed bij elkaar aan het rapen was voor het telefoontje, maar als ze eerlijk was, wist ze dat ze gewoon te uitgeput was om iets te doen.

Andere gezinnen gebruikten de weekenden om te ontspannen, om de batterij weer op te laden. Maar bij de familie Gibson lag dat anders. Om te beginnen hadden er minder mensen dienst in het ziekenhuis, dus voelden Misha en John zich verplicht om nog meer voor Luke te doen dan door de week. En als ze thuiskwamen, kregen ze ook geen adempauze. Misha's geloof dat het vinden van haar vader de enige hoop was die haar zoon nog had, had het conflict tussen haar fanatisme en het passieve optimisme van John nog verder doen escaleren.

Dit weekend was nog moeilijker geweest dan normaal. Nu Lukes leven aan een tijdslimiet was gebonden, werd ieder moment dat ze deelden waardevoller, maar ook schrijnender. Het was moeilijk om niet in een melodramatische sentimentaliteit te vervallen. Zodra ze op zaterdag het ziekenhuis hadden verlaten, was Misha weer begonnen met de riedel die ze al sinds het be-zoek aan haar moeder had lopen afdraaien. 'Ik moet naar Not-tingham, John. Dat weet je heel goed.'

Hij had zijn handen in de zakken van zijn regenjack gestopt, en duwde zijn hoofd naar voren alsof hij tegen een storm in liep. 'Bel die vent dan gewoon op,' zei hij. 'Als hij je iets te vertellen heeft, doet hij dat ook wel telefonisch.'

'Misschien niet.' Ze zette het op een drafje om hem bij te hou-den. 'De mensen zeggen altijd meer als je tegenover ze zit. Mis-schien zou hij me iets kunnen vertellen over die andere mannen die toen ook mee zijn gegaan. Misschien weten zij iets.'

John snoof. 'En hoe komt het dat je moeder zich alleen maar de naam van een van die kerels herinnert? Waarom kan zij je niets over die andere mannen vertellen?'

'Dat heb ik toch gezegd. Ze heeft destijds alles weggedrukt uit haar hoofd. Ik heb enorm moeten aandringen voordat ze met de naam van Logan Laidlaw op de proppen kwam.'

'En je vindt het niet vreemd dat de enige vent van wie ze de naam nog weet, geen familie hier in de buurt heeft? Dat hij dus niet gemakkelijk op te sporen is?'

Misha duwde haar arm door de zijne, ten dele om hem lang-zamer te laten lopen. 'Maar ik héb hem toch opgespoord? Jij zoekt overal te veel achter.'

'Nee, dat doe ik niet. Je moeder weet niet wat je met internet allemaal kunt doen. Van dingen als kiesregisters die online ge-publiceerd zijn heeft ze geen kaas gegeten. Ze denkt dat je niet meer verder kunt als er geen mens is aan wie je het kunt vragen. Ze dacht niet dat ze je iets bruikbaars in handen gaf. Ze wil he-lemaal niet dat je verder gaat zoeken, ze is niet van plan je te helpen.'

'Dan ben jij dus niet de enige.' Misha trok haar arm los en liep met grote passen voor hem uit.

John haalde haar in op de hoek van hun straat. 'Dat is niet eerlijk,' zei hij. 'Ik wil gewoon niet dat je onnodig pijn lijdt.'

'Denk je dat ik geen pijn voel als ik mijn jongen zie sterven en als ik niets doe om hem te redden?' Misha voelde haar wan-gen warm worden van boosheid; ze wist dat de tranen van woe-de op de loer lagen. Ze wendde haar gezicht van hem af en knipperde wanhopig naar de hoge zandstenen flatgebouwen.

'We vinden nog wel een donor. Of ze vinden een nieuwe behandeling. Dat hele stamcelonderzoek, dat gaat ontzettend snel.'

'Niet snel genoeg voor Luke,' zei Misha. Ze voelde hoe ze door de vertrouwde, zware steen in haar maag langzamer ging lopen. 'John, alsjeblieft. Ik móét naar Nottingham. Je moet echt een paar dagen vrij nemen om voor Luke te zorgen.'

'Je hoeft niet te gaan. Je kunt die vent bellen.'

'Dat is niet hetzelfde. Dat weet je. Als jij met klanten bezig bent, doe je dat ook niet telefonisch. Niet als het om iets belangrijks gaat. Dan ga je er zelf heen. Dan wil je hen in de ogen kunnen kijken. Het enige wat ik van je vraag, is dat je een paar dagen vrij neemt om bij je zoon te kunnen zijn.'

Zijn ogen flitsten gevaarlijk en ze wist dat ze te ver was gegaan. John schudde zijn hoofd. 'Bel nou maar, Misha.'

Einde discussie. Jarenlange ervaring had haar geleerd dat John, als hij eenmaal een standpunt had ingenomen waarin hij geloofde, zijn hakken steeds dieper in het zand zette, juist als zij telkens op iets terugkwam. Ze had geen nieuwe argumenten gehad waarmee ze hem van gedachten kon doen veranderen.

En dus zat ze nu hier, op de vloer, allerlei mooie zinnetjes te bedenken die Logan Laidlaw moesten overhalen om haar te vertellen wat er met haar vader was gebeurd sinds hij haar meer dan tweeëntwintig jaar geleden in de steek had gelaten.

Van haar moeder was ze niet veel wijzer geworden. Laidlaw was een nietsnut, een vrouwengek, een man die zich op zijn dertigste nog steeds als een tiener had gedragen. Op zijn vijfentwintigste had hij al een huwelijk en een scheiding achter de rug en hij stond bij iedereen ongunstig bekend als een man die bij vrouwen zijn vuisten nogal eens wilde gebruiken. Misha's beeld van haar vader was vaag en onvolledig, maar zelfs uit het partijdige commentaar van haar moeder kwam Mick Prentice niet tevoorschijn als een man die met iemand als Logan Laidlaw zou omgaan. Maar in moeilijke tijden kon je je misschien niet permitteren al te kieskeurig te zijn.

Uiteindelijk pakte Misha de telefoon en toetste het nummer in dat ze via een zoektocht op internet en dankzij het telefoonboek had opgespoord. Hij zit waarschijnlijk op zijn werk, dacht ze, toen de telefoon voor de vierde keer overging. Of hij slaapt.

Het zesde oproepsignaal werd halverwege afgebroken. Een diepe stem gromde iets wat waarschijnlijk een begroeting moest voorstellen.

'Spreek ik met Logan Laidlaw?' vroeg Misha. Ze deed haar best om haar stem neutraal te laten klinken.

'Ik heb al een keuken en ik heb geen verzekering nodig.' Het accent uit Fife was onmiskenbaar, de woorden botsten met de bekende zangerigheid tegen elkaar aan.

'Ik wil u niets verkopen, meneer Laidlaw. Ik wil alleen met u praten.'

'Ja, dat zal wel. En dan ben ik zeker de premier van Groot-Brittannië?'

Ze voelde dat hij op het punt stond het gesprek te beëindigen. 'Ik ben de dochter van Mick Prentice,' flapte ze eruit, waarmee ze haar hele van tevoren bedachte tactiek meteen kon vergeten. Vanaf de andere kant van het land kon ze het gepiep en gehijg van zijn ademhaling horen. 'Mick Prentice uit Newton of Wemyss,' probeerde ze.

'Ik weet wel waar Mick Prentice vandaan komt. Wat ik niet weet, is wat Mick Prentice met mij te maken heeft.'

'Hoor eens, ik snap best dat jullie tegenwoordig waarschijnlijk niet veel contact meer met elkaar hebben, maar alles wat u me kunt vertellen is meegenomen. Ik moet hem echt absoluut vinden.' Misha's eigen accent werd een paar graadjes erger, totdat ze ongeveer net zo plat praatte als Logan.

Er viel een stilte. Daarna vroeg hij stomverbaasd: 'Waarom praat je met mij? Ik heb Mick Prentice niet meer gezien sinds ik in 1984 uit Newton of Wemyss ben weggegaan.'

'Oké, maar zelfs als jullie meteen na aankomst in Nottingham uit elkaar zijn gegaan, hebt u toch vast wel enig idee waar hij is terechtgekomen, waar hij naartoe wilde?'

'Luister, schat, ik heb geen idee waar je het over hebt. Wat bedoel je, uit elkaar gegaan na aankomst in Nottingham?' Hij klonk geïrriteerd, nu ze maar door bleef vragen. Het beetje geduld dat hij nog had, verdween als sneeuw voor de zon.

Misha haalde diep adem en zei toen langzaam: 'Ik wil alleen

maar weten wat er met mijn vader is gebeurd toen jullie eenmaal in Nottingham waren. Ik moet hem vinden.'

'Meisje, ben je niet goed bij je hoofd of zoiets? Ik heb geen idee wat er met je vader is gebeurd toen ik in Nottingham was en ik zal je vertellen waarom. Ik zat in Nottingham en hij zat in Newton of Wemyss. En toen we nog wel in dezelfde plaats woonden, waren we niet bepaald boezemvrienden.'

De woorden hadden het effect van een plens koud water. Was er iets mis met het geheugen van Logan Laidlaw? Was hij zijn grip op het verleden kwijt aan het raken? 'Nee, dat klopt niet,' zei ze. 'Hij is met u naar Nottingham gegaan.'

Hij lachte blaffend en toen volgde er een akelig hoestje. 'Iemand heeft je voor de gek zitten houden, meisje,' piepte hij. 'Trotski had nog eerder een staking gebroken dan de Mick Prentice die ik kende. Hoe kom je erbij dat hij naar Nottingham is gegaan?'

'Ik ben niet de enige die dat denkt. Iedereen denkt dat hij naar Nottingham is gegaan, samen met u en de andere mannen.'

'Dat is krankzinnig. Waarom zou iemand dat denken? Ken je je eigen familiegeschiedenis niet?'

'Wat bedoelt u?'

'Jezus, meisje. Je eigen overgrootvader! De opa van je vader. Weet je niet wat er met hem is gebeurd?'

Misha had geen idee waar dit heen ging, maar hij had in ieder geval niet opgehangen, iets waar ze eerst bang voor was geweest. 'Toen ik geboren werd, was hij al dood. Ik weet niets over hem, behalve dat hij ook mijnwerker was.'

'Jackie Prentice,' zei Laidlaw, die klonk alsof hij er lol in begon te krijgen. 'Hij was toentertijd in 1926 een stakingsbreker. Nadat er een akkoord was bereikt, moest hij verplaatst worden naar een baan boven de grond. Als je leven afhangt van de mannen in je ploeg wil je als verrader niet onder de grond werken. Tenzij iedereen in hetzelfde schuitje zit, zoals bij ons. God mag weten waarom Jackie in het dorp is blijven wonen. Hij moest met de bus naar Dysart om iets te gaan drinken. Nergens in een van de dorpen in de buurt was er een pub te vinden die hem wilde bedienen. Dus moesten jouw vader en je grootvader dubbel zo hard werken om in de mijn geaccepteerd te worden. En Mick

Prentice zou dat respect nooit hebben weggegooid. Dan zou hij nog liever verhongeren. Jazeker, of hij nou een vrouw en kind had of niet. Degene die jou die informatie heeft gegeven, weet niet waar hij over praat.'

'Ik heb het van mijn moeder. Iedereen in Newton praat er zo over.' Zijn woorden hadden haar een gevoel gegeven alsof de lucht uit haar longen was gezogen.

'Nou, dan hebben ze het fout. Waarom zou iemand dat denken?'

'Omdat hij na de avond dat jullie naar Nottingham zijn gegaan door niemand hier in het dorp meer is gezien. En niemand heeft meer iets van hem gehoord. En omdat mijn moeder soms geld krijgt opgestuurd in een brief met poststempel Nottingham.'

Laidlaw ademde zwaar; er klonk een hevig gepiep in haar oor. 'Mijn god, dat is sterk. Nou lieverd, het spijt me je te moeten teleurstellen. Die avond in december zijn we met z'n vijven uit Newton of Wemyss vertrokken. En je vader was er niet bij.'

Woensdag 27 juni 2007; Glenrothes
Op de terugweg naar haar werkplek ging Karen nog even bij de kantine langs voor een sandwich met kipsalade. Karen liet zich niet vaak door misdadigers en getuigen in de luren leggen, maar als het op eten aankwam, hield ze zichzelf de godganse dag voor de gek. Neem nou de sandwich. Volkorenbrood, wat verlepte slablaadjes, een paar plakjes tomaat en komkommer, en ziedaar: een broodje gezond. De boter en de mayonaise telden dus niet mee. In haar hoofd vielen de calorieën weg tegen de voordelen. Ze propte haar aantekenboekje onder haar arm en scheurde onder het lopen het plastic doosje open.

Phil Parhatka keek op toen ze in haar stoel plofte. Niet voor het eerst deed de manier waarop hij zijn hoofd hield haar denken aan een donkerder, wat magerder versie van Matt Damon. Dezelfde vooruitgestoken neus en kaak, de rechte wenkbrauwen, het kapsel uit *The Bourne Identity*, zijn gezichtsuitdrukking die in één seconde kon veranderen van open in gereserveerd. Alleen de kleurstelling was iets anders. Phils Poolse voorgeslacht was verantwoordelijk voor zijn donkere haar, zijn bruine ogen en zijn matbleke huid; het piepkleine gaatje in zijn linkeroorlel, waarin meestal een diamanten knopje zat als hij geen dienst had, was daarentegen zijn eigen keus. 'Hoe heb jij het gehad?' vroeg hij.

'Interessanter dan ik had verwacht,' gaf ze toe. Ze stond weer op om een cola light te gaan halen. Tussen de happen en de slokken door gaf ze hem een beknopte samenvatting van het verhaal van Misha Gibson.

'En zij gelooft wat die ouwe knakker in Nottingham haar heeft verteld?' vroeg hij, terwijl hij achterover in zijn stoel leunde met de handen gevouwen achter zijn hoofd.

'Ik denk dat ze sowieso nogal goedgelovig is,' zei Karen.

'Dan kan ze maar beter niet bij de politie gaan. Ik neem aan dat je het verder overlaat aan het hoofdbureau?'

Karen nam een flinke hap uit haar sandwich en kauwde fanatiek, waarbij de spieren in haar kaak en slapen opbolden en weer inzakten als een stressballetje onder druk. Ze slikte al voordat ze helemaal klaar was met kauwen en spoelde de hap weg met een slok cola light. 'Weet ik nog niet,' zei ze. 'Het heeft wel iets interessants.'

Phil wierp haar een achterdochtige blik toe. 'Karen, officieel is het geen cold case. Het is geen zaak voor ons.'

'Als ik het doorgeef aan het hoofdbureau, bloedt het dood. Niemand interesseert zich daar voor een zaak waar tweeëntwintig jaar geleden al geen muziek in zat.' Ze weigerde in zijn afkeurende ogen te kijken. 'Dat weet je net zo goed als ik. En volgens Misha Gibson is haar zoontje al op een haartje na dood.'

'Dat maakt het nog steeds geen cold case.'

'In 1984 is er geen zaak van gemaakt, maar dat is geen reden om dat nu niet alsnog te doen.' Karen zwaaide met het laatste korstje van haar sandwich naar de dossiers op haar bureau. 'En bij dit zootje hier is geen haast. Darren Anderson – kan ik niets mee, totdat de agenten op de Canarische Eilanden aan de slag gaan en uitzoeken in welke bar zijn ex-vriendinnetje werkt. Ishbel Mackindoe – moeten we mee wachten tot het lab kan zeggen of er bruikbaar DNA-materiaal op de anonieme brieven zit. Patsy Millar – kan ik ook niet mee verder totdat ze bij de poli-

tie in Londen de tuin in Haringey hebben afgegraven en totdat
het technische onderzoek is afgerond.'

'In de zaak-Millar zijn er getuigen met wie we nog eens zouden kunnen gaan praten.'

Karen haalde haar schouders op. Ze wist dat ze nu op haar
strepen kon gaan staan om Phil de mond te snoeren, maar daar
zou hun ontspannen onderlinge verhouding onder lijden. 'Die
kunnen nog wel even wachten. Of je kunt een van je agenten
wat werkervaring laten opdoen.'

'Als je vindt dat ze wat werkervaring kunnen gebruiken, moet
je ze deze steenkoude zaak van die vermiste persoon geven. Je
bent nu inspecteur, Karen. Het is niet de bedoeling dat je achter dit soort onzin aan gaat.' Hij gebaarde naar de twee agenten
die achter hun computers zaten. 'Dit is iets voor die twee daar.
Je verveelt je, dat is het gewoon.' Karen probeerde er iets tegen
in te brengen, maar Phil praatte stug door. 'Toen je deze promotie kreeg, heb ik al gezegd dat je gek zou worden van dat bu-
reauwerk. En moet je nu eens zien. Nu probeer je de brave agenten van het hoofdbureau zaken te ontfutselen. Als je niet oppast,
ga je weer zelf op pad om met mensen te praten.'

'Nou en?' Karen verfrommelde het sandwichdoosje met meer
geweld dan strikt noodzakelijk was en gooide het in de prullenmand. 'Het is goed om een vinger aan de pols te blijven houden. En ik zorg ervoor dat het allemaal volgens het boekje wordt
gedaan. Ik neem agent Murray mee.'

'De Prof?' Phil klonk stomverbaasd, en hij keek beledigd. 'Ga
je liever met de Prof op pad dan met mij?'

Karen lachte lief. 'Je bent nu brigadier, Phil. Een brigadier die
hogerop wil. Als je op het bureau blijft en mijn stoel warm houdt,
dan wordt die droom misschien werkelijkheid. Bovendien is de
Prof niet zo stom als jij doet voorkomen. Hij gehoorzaamt tenminste.'

'Dat doet een collie ook. Maar die toont waarschijnlijk wel
meer initiatief.'

'Er staat een kinderleven op het spel, Phil. Ik heb meer dan
genoeg initiatief voor ons allebei. Dit moet goed worden aangepakt en daar ga ik voor zorgen.' Ze draaide zich om naar haar
computer om aan te geven dat ze waren uitgepraat.

Phil deed zijn mond open om nog iets te zeggen, maar hij bedacht zich toen hij de allerminst aanmoedigende blik zag die Karen zijn kant uit wierp. Ze hadden elkaar vanaf het begin van hun beider carrières aardig gevonden, omdat ze bij de ander dezelfde non-conformistische trekjes herkenden. Ze hadden uit de tijd waarin ze gestaag waren opgeklommen een vriendschap overgehouden die ondanks Karens promotie nog springlevend was. Maar hij wist hoever hij bij Karen kon gaan en nu had hij het gevoel dat hij zojuist op die grens was gestuit. 'Dan neem ik de zaak hier wel voor je waar,' zei hij.

'Dat komt me prima uit,' zei Karen, terwijl ze haar vingers over de toetsen liet vliegen. 'Zeg maar dat ik morgenochtend afwezig ben. Ik heb het gevoel dat Jenny Prentice tegenover een paar agenten wel eens wat toeschietelijker zou kunnen zijn dan tegenover haar dochter.'

Donderdag 28 juni 2007; Edinburgh
Leren wachten, daar kreeg je geen les in als je leerde voor journalist. Toen Bel Richmond nog een volle baan had bij een zondagskrant, had ze altijd beweerd dat ze niet betaald werd voor een veertigurige werkweek, maar voor de vijf minuten die ze nodig had om binnen te komen bij een persoon die alle andere journalisten de deur had gewezen. De rest was wachten, veel wachten. Wachten tot iemand terugbelde. Wachten tot deel twee van het verhaal naar buiten kwam. Wachten tot een contactpersoon een betrouwbare informant bleek. Bel had veel gewacht in haar leven. Ze had het nooit leren waarderen, maar ze was er wel erg goed in geworden.

Ze moest toegeven dat ze wel eens wachttijd had doorgebracht in een omgeving die minder aangenaam was dan deze. Hier had ze de beschikking over de tastbare geneugten van koffie, koekjes en kranten. En de kamer waarin ze was achtergelaten, bood een panoramisch uitzicht dat al een miljoen koekblikken had gesierd. Vanuit alle ramen keek je uit op Princes Street, en je kon in één oogopslag de belangrijkste toeristentrekpleisters zien liggen – het kasteel, het monument voor Walter Scott, de National Gallery en de Princes Street Gardens. Bel keek met bewondering naar nog zo'n architectonisch hoogstandje, maar ze wist niet genoeg over de stad om het te herkennen. Ze was nog maar een paar keer eerder in de Schotse hoofdstad geweest, en het voorstel om de afspraak hier te laten plaatsvinden was niet van haar afkomstig. Haar voorkeur was Londen geweest, maar ze was te bang geweest om zich bloot te geven en had daardoor het initiatief uit handen gegeven. Nu was zij het die moest bidden en smeken.

Ze kon beschikken over een tijdelijke onderzoeksassistent, wat voor een freelancejournalist ongebruikelijk was. Jonathan studeerde journalistiek aan de universiteit van Londen en hij had zijn mentor gevraagd of hij met Bel mocht meelopen om ervaring op te doen. Blijkbaar zag hij wel wat in haar manier van werken. Ze had zich best een beetje gevleid gevoeld, maar ze was vooral erg blij geweest met het vooruitzicht van acht weken zonder de saaie klusjes. En dus was het Jonathan geweest die het eerste contact met Maclennan Grant Enterprises had gelegd. De boodschap waarmee hij was teruggekomen was simpel. Als mevrouw Richmond niet bereid was bekend te maken waarom ze Sir Broderick Maclennan Grant wilde ontmoeten, was Sir Broderick niet bereid met haar te praten. Sir Broderick gaf geen interviews. Na enig behoedzaam onderhandelen was uiteindelijk dit compromis uit de bus gekomen.

En nu, dacht Bel, werd ze op haar plaats gezet. Ze zat gedwongen duimen te draaien in de vergaderkamer van een hotel. Er werd haar te verstaan gegeven dat zo'n superbelangrijke persoonlijke assistente van de baas van een bedrijf dat op de twaalfde plaats stond op de ranglijst van meest lucratieve bedrijven, wel wat beters te doen had dan naar de pijpen dansen van een simpel journalistje uit Londen.

Ze zou willen opstaan en ijsberen, maar ze wilde niet de indruk wekken dat ze onrustig was. Ze was nooit goed geweest in situaties waarin ze het initiatief aan anderen moest overlaten. In plaats daarvan trok ze haar jasje recht, controleerde of haar blouse goed zat en veegde een verdwaald vuiltje van haar groene suède schoenen.

Ten slotte, een kwartier na de afgesproken tijd, ging de deur open. De vrouw die binnenkwam, gekleed in tweed en kasjmier,

had wel iets weg van een lerares van onbestemde leeftijd die eraan gewend was dat ze haar leerlingen onder de duim had. Eén
krankzinnig moment was Bel bijna in een pavlovreactie overeind gevlogen: ze herinnerde zich de tirannieke nonnen uit haar
tienertijd. Maar ze kon zich nog net inhouden en stond zo rustig mogelijk op.

De vrouw stak haar hand uit. 'Susan Charleson,' zei ze. 'Het
spijt me dat u moest wachten. Zoals Harold Macmillan al zei:
"Er gebeurt altijd wel wat, beste jongen. Er gebeurt altijd wel
wat."'

Bel besloot om er maar niet op te wijzen dat Harold Macmillan het toen had over de baan van premier en niet over die
van kindermeisje van een topman in het bedrijfsleven. Ze pakte de warme droge vingers vast. Even werd ze stevig vastgegre-
pen en toen weer losgelaten. 'Annabel Richmond.'

Susan Charleson negeerde de leunstoel tegenover Bel en liep
recht op de tafel bij het raam af. Op het verkeerde been gezet
graaide Bel haar tas en de leren portfolio die ernaast lag bij elkaar en volgde haar. De vrouwen gingen tegenover elkaar zitten
en Susan glimlachte. Haar tanden leken op een streep krijtach-
tige tandpasta tussen de donkerroze lippenstift. 'U wilde Sir
Broderick spreken,' zei ze. Geen inleidend praatje, geen gekeu-
vel over het uitzicht, gewoon recht voor zijn raap. Het was een
techniek die Bel zelf ook wel eens had toegepast, maar dat betekende nog niet dat ze het leuk vond dat de rollen nu waren
omgedraaid.

'Dat klopt.'

Susan schudde haar hoofd. 'Sir Broderick praat niet met de
pers. Ik vrees dat uw reis hierheen tevergeefs is geweest. Ik heb
dat allemaal al tegen uw assistent gezegd, maar hij wilde zich
daar niet bij neerleggen.'

Nu was Bel aan de beurt voor een kil glimlachje. 'Bravo. Ik
heb hem blijkbaar goed getraind. Maar er schijnt hier een mis-
verstand in het spel te zijn. Ik ben hier niet omdat ik zo graag
een interview met hem wil hebben. Ik ben hier omdat ik denk
dat ik iets heb wat Sir Broderick zal interesseren.' Ze tilde de
portfolio op de tafel en ritste hem open. Toen haalde ze een enkel vel dik papier op A3-formaat tevoorschijn met de voorkant

34

naar beneden. Het zat vol met vlekken en verspreidde een zwakke geur; een merkwaardige mengeling van stof, urine en lavendel. Bel kon de verleiding niet weerstaan om even een plagerige blik op Susan Charleson te werpen. 'Wilt u het zien?' vroeg ze. Toen draaide ze het papier om.

Susan haalde een leren koker uit de zak van haar rok en pakte er een bril met schildpadmontuur uit. Ze zette hem bedachtzaam op het puntje van haar neus, haar ogen de hele tijd gericht op de grimmige zwart-witafbeelding die voor haar lag. De stilte tussen de twee vrouwen werd steeds dreigender, en Bel kon bijna geen adem meer krijgen terwijl ze op een reactie wachtte. Toen vroeg Susan op de preutse toon van een lerares Latijn: 'Hoe bent u hieraan gekomen?'

Maandag 18 juni 2007; Campora, Toscane, Italië
Om zeven uur 's ochtends kon je jezelf bijna wijsmaken dat de verzengende hitte van de afgelopen tien dagen die dag verstek zou laten gaan. Paarlemoeren daglicht schemerde door het bladerdak van een eik en een kastanje, en daardoor werden de stofdeeltjes zichtbaar die van Bels voeten omhoogkringelden. Het viel haar op omdat ze langzaam moest lopen. Het ruwe pad dat zich door de bossen slingerde, zat vol richels en gaten en overal lagen scherpe stenen, zodat je je als jogger ervan bewust moest zijn dat enkels konden breken.

Nog maar twee keer zou ze dit vroege ochtendloopje kunnen maken, voordat ze weer terug moest naar de verstikkende straten van Londen. Bij die gedachte voelde ze heel even een steekje van spijt. Bel vond het heerlijk om de villa uit te glippen terwijl iedereen nog sliep. Ze kon blootsvoets over de koele marmeren vloeren lopen en net doen alsof ze hier de kasteelvrouwe was, niet een gewone vakantiehuurder die een klein graantje van de geleende Toscaanse charme kon meepikken.

Sinds ze in hun laatste studiejaar in Durham samen in een huis hadden gewoond, was ze telkens met dezelfde vijf vriendinnen op vakantie geweest. Die eerste keer hadden ze allemaal moeten blokken voor hun doctoraalexamen. Een ouderpaar had een huisje in Cornwall, waarin ze een week gebivakkeerd hadden. Ze hadden het een studeervakantie genoemd, maar in werkelijkheid was het meer een echte vakantie geweest. Ze hadden zich ontspannen en een frisse neus gehaald, en daardoor waren ze veel beter in staat geweest om examen te doen dan wanneer ze de hele tijd met hun neus in de boeken hadden gezeten. En hoewel ze moderne jonge vrouwen waren, niet geneigd tot bijgeloof, hadden ze allemaal het gevoel gehad dat ze hun goede resultaten op de een of andere manier te danken hadden aan hun gezamenlijke week. Sindsdien waren ze elk jaar in juni bij elkaar gekomen voor een reünie, waarbij plezier op de voorgrond stond.

In de loop der jaren waren ze steeds meer gaan letten op de kwaliteit van de wijn, waren de maaltijden verfijnder en de gesprekken vrijgevochtener geworden. Elke nieuwe verblijfplaats was luxueuzer dan de vorige. Minnaars werden nooit uitgenodigd om de vakantie van de dames mee te vieren. Af en toe was er bij deze of gene een aarzeling om weer mee te doen, zogenaamd vanwege werkdruk of familieverplichtingen, maar over het algemeen werden ze zonder veel moeite overgehaald weer mee te gaan.

Voor Bel was het een belangrijk onderdeel van haar leven. Deze vrouwen waren allemaal succesvol, bij allemaal had ze wel eens kunnen aankloppen als ze informatie nodig had of toegang moest krijgen tot een persoon die ze wilde interviewen. Maar dat was toch niet de voornaamste reden waarom deze vakantie zoveel voor haar betekende. Minnaars waren gekomen en gegaan, maar deze vriendinnen waren gebleven. In een wereld waarin je werd beoordeeld op je laatste artikel, gaf het een goed gevoel dat je ergens heen kon waar dat totaal onbelangrijk was. Waar ze werd gewaardeerd om de simpele reden dat de groep het zonder haar minder leuk vond. Ze kenden elkaar allemaal lang genoeg om elkaars fouten te vergeven, om elkaars politieke standpunten te accepteren en om dingen te zeggen die in elk ander gezelschap niet gezegd konden worden. Deze vakantie maakte deel uit van de verdedigingsmuur die ze constant optrok om haar eigen onzekerheden buiten te sluiten. Bovendien was het tegenwoordig de enige vakantie waarin ze kon doen waar ze zelf zin in had. De afgelopen zes jaar had ze vastgezeten aan haar zus Vivianne, die weduwe was, en haar zoontje Harry. Vi-

viannes man was plotseling aan een hartaanval overleden en daardoor was ze emotioneel en financieel in het slop geraakt. Bel had zich zonder veel aarzelen het lot aangetrokken van haar zus en haar neefje. Als ze alles tegen elkaar afwoog, was het een goede beslissing geweest, maar dat nam niet weg dat ze deze jaarlijkse zorgeloze vakantie koesterde, weg van het gezinsleven waar ze zo onverwacht mee geconfronteerd was – vooral nu Harry op het randje balanceerde van de existentiële angst die elke tiener wel eens voelt. Dus moest de vakantie dit jaar meer dan ooit speciaal zijn, en alle vorige in de schaduw stellen.

Het was moeilijk voorstelbaar hoe ze dit zouden kunnen overtreffen, dacht ze, toen ze onder de bomen vandaan kwam en een veld op liep met zonnebloemen die op uitkomen stonden. Ze versnelde haar pas toen ze langs de rand van het veld liep, haar neusvleugels trilden toen ze het geurige parfum van de planten opsnoven. Er was niets dat haar niet beviel aan de villa, ze had geen enkele aanmerking op de ongekunstelde tuinen en de fruitbomen die om de loggia en het zwembad stonden. Het uitzicht over de Val d'Elsa met in de verte Volterra en San Gimignano was verbijsterend mooi.

En een bijkomend voordeel was de kookkunst van Grazia. Toen ze hadden ontdekt dat de 'plaatselijke chef-kok', van wie op de website hoog was opgegeven, de vrouw was van de varkensboer onder aan de heuvel, hadden ze niet meteen staan te trappelen om haar naar de villa te laten komen om een typisch Toscaans maal te laten bereiden. Maar op de derde middag waren ze allemaal zo uitgeteld van de hitte geweest dat ze geen zin hadden om te koken, en dus hadden ze Grazia laten komen. Haar man Maurizio had haar bij de villa afgeleverd in een gebutste Fiat Panda die zo te zien met touwtjes en godsvertrouwen bij elkaar werd gehouden. Hij had ook dozen uitgeladen met voedsel waar overheen katoenen doeken lagen. In gebroken Engels had Grazia ze de keuken uit gebonjourd met de mededeling dat ze ondertussen maar lekker iets moesten gaan drinken op de loggia.

De maaltijd was een openbaring geweest – nootachtige salami's en prosciutto van de varkens van het zeldzame ras Cinta di Siena die Maurizio fokte, en daarnaast geurige zwarte vijgen van hun eigen boom; spaghetti met pesto van dragon en basilicum; kwartels gebraden met Maurizio's groenten en vingerlange aardappelstukken gekruid met rozemarijn en knoflook; kazen van boerderijen in de buurt; en tot slot een calorierijke cake vol *limoncello* en amandelen.

De vrouwen hadden nooit meer zelf gekookt.

Vanwege Grazia's kookkunst waren de ochtendloopjes van Bel des te noodzakelijker. Nu haar veertigste verjaardag dichterbij kwam, moest ze meer moeite doen om haar gewicht op een voor haar acceptabel peil te houden. Deze ochtend had ze nog steeds het gevoel dat haar maag een strakke ronde bal was na de overheerlijke *melanzane alla parmigiana* die haar had verleid tot een buitensporig grote tweede portie. Ze besloot om iets verder te lopen dan gewoonlijk. In plaats van het gebruikelijke rondje om het zonnebloemenveld en daarna de heuvel op terug naar hun villa, zou ze een pad nemen door het overgroeide grondgebied van een vervallen *casa colonica* die ze vanuit de auto had zien liggen. Vanaf het moment dat ze het huis op hun eerste morgen had gezien, had ze gedagdroomd dat ze de bouwval zou kopen en dat ze hem zou omtoveren tot de ultieme vakantieplek in Toscane, compleet met zwembad en olijfbosje. En natuurlijk met Grazia als kokkin. Bel had weinig scrupules over het zich toe-eigenen van andermans bezit, niet in haar fantasie en niet in werkelijkheid.

Maar ze had voldoende zelfkennis om te begrijpen dat het nooit meer dan een luchtkasteel kon zijn. Als je ergens een tweede huis had, hield dat in dat je bereid moest zijn om afstand te nemen van je werkzame leven, en die bereidheid had ze niet. Misschien kon ze zo'n project in overweging nemen als ze aan haar pensioen toe was. Maar ze wist ook dat ze dan weer met luchtkastelen bezig was. Journalisten gingen nooit met pensioen. Er lag altijd weer een ander verhaal in het verschiet, er was altijd een ander doel om na te streven. Om nog maar te zwijgen over de angst om in de vergetelheid te raken. Allemaal redenen waarom relaties nooit een lang leven beschoren waren geweest, allemaal redenen waarom de toekomst waarschijnlijk dezelfde manco's zou vertonen. Maar desondanks zou het leuk zijn om het oude huis wat nader te bekijken, om te zien in wat voor slechte staat het verkeerde. Toen ze het er met Grazia over had gehad, had deze een lelijk gezicht getrokken en het huis een *rovina* genoemd. Bel, die vloeiend Italiaans sprak, had het voor de anderen vertaald: 'ruïne'. Het was tijd om te ontdekken of Grazia de waarheid sprak of dat ze gewoon de belangstelling van de rijke Engelse vrouwen wilde afleiden.

Het pad door het lange gras was nog verrassend duidelijk te onderscheiden: kale grond die was aangestampt door de voetstappen van jaren. Bel kon daardoor haar tempo wat versnellen. Ze ging weer langzamer lopen bij het hek voor de oude boerderij. Het hek was gammel en hing scheef in een paar hengsels die nog met één schroef vastzaten aan de hoge stenen stijlen. Een zware ketting met hangslot sloot de zaak af. Achter het hek werden de gebroken plavuizen op de binnenplaats opgesierd met toefjes tijm, kamille en onkruid. Bel schudde zonder veel hoop aan het hek. Ze kon wel zien dat het van onderen aan de rechterkant helemaal loshing. Het kon gemakkelijk worden weggetrokken zodat een volwassene zich erdoorheen kon wringen. Dat deed ze en daarna liet ze het hek weer los. Het kraakte een beetje toen het terugviel, maar het zag er weer precies uit als voorheen. Van dichtbij kon ze zien waarom Grazia het een ruïne had genoemd. De persoon die dit onder handen nam, zou tot in lengte van dagen bouwvakkers over de vloer hebben. Het huis lag aan drie kanten om de binnenplaats heen: een middengedeelte met aan weerszijden twee vleugels. Er waren twee verdiepingen met langs de hele bovenverdieping een loggia waarop deuren en ramen uitkwamen, zodat de slaapkamers frisse lucht en een gemeenschappelijke ruimte kregen. Maar de vloer van de loggia zakte door, de deuren die er nog in zaten hingen scheef en de raamlijsten zaten vol scheuren en hingen ook uit het lood. Op beide verdiepingen waren de ruiten smerig, gebarsten of afwezig. Maar de duidelijke lijnen van de aantrekkelijke bouwstijl van de streek waren goed te zien en de ruwe stenen gloeiden warm in de ochtendzon.

Bel zou later niet meer weten waarom, maar het huis trok haar naar zich toe. Het had de verlopen charme van een vrouw die vroeger mooi was geweest en die zo zelfverzekerd was dat ze geen moeite meer deed om tegen de ouderdom te vechten. Een verwilderde bougainville bedekte het afschilferende okergele pleisterwerk en de lage balustrade van de loggia. Als er in de nabije toekomst niemand verliefd op het huis werd, zou het volledig overwoekerd raken. Nog een paar generaties en er zou alleen nog maar een onverklaarbaar hoopje op de heuvel te zien zijn. Maar voorlopig bezat het nog een onmiskenbare toverkracht.

Voorzichtig liep ze de vervallen binnenplaats over, langs gebarsten en omgevallen terracotta potten. De kruiden die erin hadden gezeten hadden zich overal verspreid. Ze genoten van hun vrijheid en geurden er lustig op los. Bel duwde tegen een zware deur aan die van houten planken was gemaakt en die nog aan één hengsel hing. Het hout kraste over een oneffen tegelvloer, maar hij ging zover open dat ze zonder veel moeite een grote kamer binnen kon gaan. Haar eerste indruk was dat alles er vuil en verwaarloosd uitzag. Spinnenwebben hingen kriskras van muur tot muur; de ramen zaten onder de vlekken. Bel keek angstig om zich heen toen ze in een hoekje iets hoorde ritselen. Ze was niet bang voor nieuwsredacteuren, maar van ratten op vier poten moest ze absoluut niets hebben.

Toen ze begon te wennen aan de duisternis, merkte Bel dat de kamer niet helemaal leeg was. Tegen een van de muren stond een lange tafel en ertegenover bevond zich een doorgezakte sofa. Te oordelen naar de rest van het huis had die vies en half vergaan moeten zijn, maar de donkerrode bekleding was nog betrekkelijk schoon. Dit was zo merkwaardig dat ze besloot er later eens goed over na te denken.

Bel aarzelde even. Ze wist zeker dat haar vriendinnen haar geen van allen zouden aanraden om dit vreemde, verlaten huis verder te verkennen. Maar haar carrière was gebaseerd op een reputatie van onbevreesdheid. Alleen zijzelf wist hoe vaak dit imago een zo grote angst en onzekerheid had verborgen dat ze regelmatig ergens in een goot of in een vreemde wc-pot had moeten kotsen. Ze had wel voor hetere vuren gestaan als ze op jacht was naar een goed verhaal. Een verlaten ruïne kon haar echt geen angst inboezemen.

Een deur in de verste hoek kwam uit in een halletje vanwaaruit je via een afgesleten stenen trap op de loggia boven uitkwam.

Achter de trap bevond zich nog een donker, viezig kamertje. Ze keek naar binnen en zag tot haar verbazing dat er in de ene hoek een dun koord was gespannen waaraan een stuk of vijf metalen kleerhangers bungelden. Een gebreide sjaal was om een van de hangers geslagen. Eronder zag ze een slordige hoop camouflage-stof. Het zag eruit als zo'n militair jasje dat te koop was in een bestelbusje op een parkeerplaats tegenover het café aan de hoofd-weg van Val d'Elsa. De vrouwen hadden er laatst nog grapjes over gemaakt. Ze hadden zich afgevraagd wanneer het precies modern was geworden dat Italiaanse mannen van alle leeftijden erbij liepen alsof ze net terugkwamen uit een legerkamp op de Balkan. Vreemd, dacht ze. Ze liep voorzichtig de trap op naar de loggia, en verwachtte daar dezelfde sfeer van verlatenheid als beneden aan te treffen.

Maar zodra ze boven was, besefte ze dat ze in een heel ande-re wereld was terechtgekomen. Toen ze linksaf sloeg en een blik wierp in de eerste kamer, begreep ze dat dit huis niet was wat het leek. De ranzige mufheid van de benedenverdieping was praktisch verdwenen; het rook er bijna even fris als buiten. De kamer was kennelijk gebruikt als slaapkamer, en dat nog niet zo lang geleden. Er lag een matras op de grond, een sprei was non-chalant weggeslagen en lag over het voeteneind. Het was er wel-iswaar stoffig, maar het was niet de ondoordringbare laag vuil die Bel er verwachtte aan te treffen gezien de toestand beneden. Ook hier was een touw in een hoek gespannen met een tiental hangertjes eraan, maar over de laatste drie hingen lichtgekreukte overhemden. Zelfs van een afstand zag ze dat ze hun beste tijd hadden gehad, want langs de mouwen en de kraag zaten slijtage-plekken.

Een paar tomatenkratjes deden dienst als nachtkastje. Op een ervan stond een kaars op een schoteltje. Een vergeeld exemplaar van de *Frankfurter Allgemeine Zeitung* lag naast het bed op de vloer. Bel raapte het op en zag dat de krant nog geen vier maan-den oud was. Daardoor wist ze dus ongeveer wanneer de men-sen uit dit huis waren vertrokken. Ze tilde een van de over-hemdsmouwen op en drukte haar neus ertegenaan. Rozemarijn en marihuana. Zwak maar onmiskenbaar.

Ze ging terug naar de loggia en controleerde de andere kamers. Die boden allemaal ongeveer hetzelfde beeld. Nog drie slaapkamers waarin wat was blijven liggen – een paar t-shirts, pockets en tijdschriften in het Engels, Italiaans en Duits, een halve fles wijn. Een stompje van een lippenstift, een leren sandaal met een loshangende zool – het soort dingen dat je achterliet als je vertrok zonder dat je rekening hoefde te houden met de volgende bewoners. In een van de kamers stond in een lege olijfpot een bos bloemen die volledig was verdroogd.

De laatste kamer aan de westkant was de grootste van allemaal. Het was nog niet zo lang geleden dat de ramen waren gelapt, de luiken vernieuwd en de muren gewit. Midden in de kamer stond een zeefdrukraam. Tegen een van de muren stond een tafel op schragen en daarop zag ze plastic bekertjes met opgedroogde verf en kwasten die keihard waren omdat ze lang niet waren gebruikt. De vloer zat onder de verfvlekken en verfspatten. Bel vond het zo interessant dat haar nieuwsgierigheid het won van het laatste restje zenuwachtigheid dat ze voelde omdat ze alleen was in dit merkwaardige huis. De persoon die hier had gewoond, had bij het weggaan vast veel haast gehad. Als je van tevoren wist dat je weg zou gaan, zou je nooit zo'n groot zeefdrukraam achterlaten.

Ze trok zich weer terug uit de studio en liep over de loggia naar de vleugel aan de andere kant. Ze zorgde er goed voor dat ze dicht bij de muur bleef lopen, want ze had er niet veel fiducie in dat de golvende bakstenen vloer haar gewicht kon dragen. Ze passeerde deuren van slaapkamers en voelde zich net een plunderaar die het wrak van een gezonken schip betreedt. Die indruk werd nog versterkt door de stilte, waarin zelfs geen vogel zich liet horen. De laatste kamer voor de hoek van de gang was een badkamer, waarin nog steeds de misselijkmakende geur hing van allerlei luchtjes door elkaar. Er lag een opgerolde tuinslang op de vloer; het uiteinde verdween in een gat in de muur bij het raam. Ze hadden dus kunnen beschikken over stromend water, maar niet genoeg om de wc wat minder walgelijk te laten ruiken. Ze trok haar neus op en deed onwillekeurig een stap achteruit.

Bel liep de hoek om, precies op het moment dat de zon boven de bomen van het bos uitkwam. De stralen vielen opeens in al hun warmte over haar heen, waardoor de kou in de laatste kamer haar bij binnenkomst des te erger om het hart sloeg. Ze huiverde van de klamme lucht, maar ze stapte toch naar binnen. De luiken zaten potdicht. Je kon er bijna niets zien, maar toen haar ogen zich aanpasten, kon ze iets meer onderscheiden. Qua grootte was het de tweeling van de studio, maar deze ruimte was voor heel andere doeleinden gebruikt. Ze liep de kamer door naar het dichtstbijzijnde raam en worstelde met het luik, dat ze uiteindelijk met veel moeite halfopen kon krijgen. Het was voldoende om te zien dat haar eerste indruk juist was geweest: hier hadden de bewoners van de *casa rovina* verreweg de meeste tijd doorgebracht. Een krakkemikkig, oud fornuis stond samen met een gasfles naast een stenen aanrecht. De eettafel was gehavend en verveloos, maar hij was wel stevig en had poten met prachtig houtsnijwerk. Er stonden zeven niet bij elkaar passende stoelen omheen; een achtste stoel lag een eindje verderop op de grond. Langs de muren stonden een schommelstoel en een paar banken. Overal lagen borden, kopjes en bestek, alsof de bewoners het niet de moeite waard hadden gevonden om ze bij hun vertrek mee te nemen.

Toen Bel bij het raam wegliep, viel haar oog op een wankel tafeltje. Je zag het gemakkelijk over het hoofd, omdat het achter de deur stond. In een slordige stapel lagen er stukken papier op die eruitzagen als posters. Nieuwsgierig liep ze ernaartoe. Twee stappen en ze bleef staan. Het stokken van haar adem was overal in de stoffige ruimte te horen.

Vóór haar op de kalkstenen plavuizen zag ze een onregelmatig gevormde vlek, ongeveer één meter bij vijftig centimeter groot. Hij was roestbruin en de randen waren rond en glad, alsof er iets was weggevloeid en een plas had gevormd – niet alsof er iets was gemorst. De substantie was zo dik dat je de plavuizen eronder niet meer kon zien. Een stukje bij de verste hoek zag er wat vager en dunner uit, alsof iemand had geprobeerd het weg te poetsen, maar toen die pogingen had gestaakt. Bel had vaak genoeg moeten schrijven over huiselijk geweld en seksueel getinte moorden om te weten dat het onmiskenbaar een bloedvlek was.

Verschrikt deed ze een stap achteruit en keek naar links en

naar rechts. Haar hart ging zo tekeer dat ze bang was dat ze zou stikken. Wat was hier in godsnaam gebeurd? Ze keek angstig om zich heen en zag dat er achter de tafel nog meer bloedvlekken waren. Wegwezen, schreeuwde het verstandige deel van haar hersens haar toe. Maar een nieuwsgierig duiveltje fluisterde in haar oor: '*Er is hier al in maanden niemand meer geweest. Kijk maar naar al dat stof. Ze zijn allang weg. Ze komen hier vast niet gauw weer terug. Wat hier ook gebeurd is, het was reden genoeg om ervandoor te gaan. Bekijk die posters eens...*'

Bel liep voorzichtig om de vlek heen. Ze bleef er zo ver mogelijk bij uit de buurt, zonder tegen de meubels aan te lopen. Plotseling rook ze bederf. Ze wist dat het verbeelding was, maar het leek echt. Met haar rug naar de kamer toe en met haar gezicht naar de deur bewoog ze zich zijwaarts naar de tafel en keek neer op de posters die erop lagen.

De tweede schok was bijna nog heviger dan de eerste.

Bel wist dat ze zich aan het forceren was, maar ze kon gewoon niet in een normaal tempo de heuvel op lopen. Ze voelde hoe het zweet in haar hand een laagje vormde op het kwaliteitspapier van de opgerolde poster. Ten slotte kwam het pad uit het bos tevoorschijn en werd het in de buurt van hun vakantievilla wat minder verraderlijk. De weg liep bijna ongemerkt heuvelafwaarts, maar de zwaartekracht was zo groot dat haar benen weer wat extra energie kregen. Ze was nog steeds aan het rennen toen ze de hoek om kwam en Lisa Martyn aantrof, die zich in het gezelschap van de *Guardian* van vrijdag lekker in een ligstoel op het schaduwrijke terras had geïnstalleerd. Bel voelde zich opgelucht. Ze moest met iemand praten, en van al haar vriendinnen was Lisa Martyn degene bij wie ze het minste risico liep dat haar nieuws tijdens een gezellig etentje werd doorverteld. Lisa was een mensenrechtenadvocaat voor wie medeleven en feminisme even natuurlijk waren als ademhalen, en ze zou begrijpen welke impact Bels ontdekking zou kunnen hebben. En dat ze het recht had ermee te doen wat ze passend achtte.

Lisa keek met tegenzin op van de krant, maar schrok toen ze Bel zag, die amechtig stond uit te hijgen. 'Mijn god,' zei ze. 'Je ziet eruit alsof je ieder moment een beroerte kunt krijgen.'

Bel legde de poster op een stoel en ging vooroverstaan. Met de handen op de knieën zoog ze lucht in haar longen. Ze had nu spijt van de sigaretten die ze wel eens bietste. 'Over een minuutje... gaat het... wel weer.'

Lisa werkte zich met veel moeite overeind uit haar stoel, liep vlug de keuken in en kwam terug met een handdoek en een glas water. Bel ging weer rechtop staan, nam het water en goot de helft uit over haar hoofd. Ze proestte het uit toen ze het per ongeluk inademde. Toen wreef ze haar hoofd met de handdoek droog en plofte neer in een stoel. Ze nam een grote slok water, terwijl Lisa zich weer neerliet in de ligstoel. 'Wat had dat allemaal te betekenen?' vroeg Lisa. 'Je loopt altijd in een beschaafd tempo. Ik heb jou nog nooit buiten adem gezien. Waarom ben je dat nu wel?'

'Ik heb iets gevonden,' zei Bel. Haar longen hadden het nog steeds moeilijk, maar kleine zinnetjes gingen al wel. 'Tenminste, ik geloof dat ik iets gevonden heb. En als ik gelijk heb, gaat het om het beste verhaal uit mijn hele carrière.' Ze pakte de poster. 'Ik hoopte eigenlijk dat jij me zou kunnen vertellen of ik mijn verstand verloren heb of niet.'

Nieuwsgierig gooide Lisa de krant op de grond en ging overeind zitten. 'En? Wat is het? Wat heb je gevonden?'

Bel rolde het zware papier uit, en voor de stevigheid zette ze er op de hoeken een pepermolen, een koffiekop en een paar volle asbakken op. De afbeelding op het A3-papier was opvallend. De ontwerper had een strenge zwart-withoutsnede gemaakt in de stijl van de Duitse expressionisten. Aan de bovenkant van de poster was er een bebaarde man afgebeeld met een hoekig kapsel, die over een doek leunde. In zijn handen hield hij houten kruisen waaraan drie marionetten bungelden. Maar het waren geen gewone marionetten. Eentje was een skelet, een tweede was een geit en de derde stelde de dood voor, met zijn cape met capuchon en zijn zeis. De afbeelding had iets macabers. Aan de onderkant, omkranst door de zwarte rand van een rouwadvertentie, was een open plek van ongeveer tien centimeter hoog. Het leek op een kadertje waarin een voorstelling werd aangekondigd.

'Goddomme,' zei Lisa. Na een poosje keek ze op. 'Catriona

Maclennan Grant,' zei ze. Haar stem klonk verwonderd. 'Bel...
waar heb je dit in godsnaam gevonden?'

Donderdag 28 juni 2007; Edinburgh
Bel glimlachte. 'Voordat ik daar antwoord op geef, wil ik een
paar dingen duidelijk hebben.'
   Susan Charleson sloeg haar ogen ten hemel. 'U denkt toch
niet dat u de eerste bent die hier naar binnen komt wandelen
met een vervalste kopie van de losgeldposter? Ik zeg tegen u hetzelfde als tegen al die anderen. De beloning wordt alleen uitgekeerd als de kleinzoon van Sir Broderick levend wordt terugge-
vonden of als er een overtuigend bewijs wordt geleverd van zijn
overlijden. En de moordenaars van Catriona Maclennan Grant
moeten uiteraard voor het gerecht komen.'
   'U begrijpt me verkeerd,' zei Bel, met een wat gemene glimlach. Ze gaf geen krimp. 'Mevrouw Charleson, ik ben niet echt
geïnteresseerd in het geld van Sir Broderick. Maar ik heb wel
een voorwaarde.'
   'U maakt een fout.' Susan Charlesons stem had iets scherps
gekregen. 'Dit is een zaak voor de politie. U bent niet in een positie om voorwaarden te stellen.'
   Bel legde haar hand op de poster. 'Ik kan nu met deze poster
de deur uit lopen en vergeten dat ik hem ooit heb gezien. Het
zou me geen enkele moeite kosten om tegen de politie te liegen.
Per slot van rekening ben ik journalist.' Ze genoot hier meer van
dan ze had verwacht. 'Het is uw woord tegenover het mijne, mevrouw Charleson. En ik weet dat u niet wilt dat ik nu verdwijn.
Een van de vaardigheden die een journalist moet ontwikkelen
is mensen leren inschatten. En ik heb uw reactie gezien toen u
dit zag. U weet dat dit echt is en geen vervalsing.'
   'U stelt zich wel erg agressief op.' Susan Charleson klonk bijna onverschillig.
   'Ik noem het liever assertief. Ik ben hier niet om ruzie met u
te maken, mevrouw Charleson. Ik wil helpen. Maar niet voor
niets. Ik weet uit ervaring dat de rijken geen waardering hebben
voor dingen waarvoor ze niet hoeven te betalen.'
   'U zei dat geld u niet interesseerde.'

'Dat is waar. Dat is ook zo. Maar ik ben wel geïnteresseerd in mijn goede naam. En mijn goede naam is erop gebaseerd dat ik niet alleen als eerste met een verhaal naar buiten kom, maar dat ik ook het verhaal achter het verhaal heb. Ik denk dat u op een efficiëntere manier toegang heeft tot bepaalde zaken dan ik via de officiële kanalen. Ik weet zeker dat u het met me eens zult zijn, als ik eenmaal heb uitgelegd waar ik deze poster vandaan heb. Het enige wat ik vraag, is dat u me niet in de weg loopt als ik me met deze zaak bezighoud. En bovendien, dat u en uw baas zich coöperatief opstellen door mij bij te praten over de gebeurtenissen rond de kidnapping van Catriona.'

'U vraagt nogal wat. Sir Broderick is het type man dat erg gesteld is op zijn privacy. U zult begrijpen dat ik niet zomaar gemachtigd ben om aan uw verzoek gehoor te geven.'

Bel haalde heel even een schouder op. 'Dan kunnen we een nieuwe afspraak maken wanneer u wél uitsluitsel kunt geven.' Ze schoof de poster over de tafel en maakte de portfolio open om hem erin terug te leggen.

Susan Charleson stond op. 'Als u nog een paar minuten wilt wachten, kan ik u het antwoord misschien nu wel geven.'

Op dat moment wist Bel dat ze had gewonnen. Susan Charleson wilde dit te graag. Ze zou haar baas overhalen om op Bels eisen in te gaan. Bel was in jaren niet zo opgewonden geweest. Dit ging om meer dan een hoop krantenkoppen en artikelen, hoewel er geen krant op de wereld zou zijn die haar bijdragen niet graag zou publiceren. Vooral na de zaak van Madeleine Mc-Cann, dat meisje dat in Portugal was ontvoerd. Als ze toegang kreeg tot de geheimzinnige Brodie Grant, plus de kans om erachter te komen wat er met zijn kleinzoon was gebeurd, zou dit wel eens op een bestseller kunnen uitdraaien. De *In cold blood* van de eenentwintigste eeuw. Ze zou voor de rest van haar leven onder de pannen zijn.

Bel moest even grinniken. Misschien kon ze het geld gebruiken om de casa rovina te kopen, zodat de cirkel rond was. Een betere afloop was nauwelijks voorstelbaar.

Donderdag 28 juni 2007; Newton of Wemyss

Het was al jaren geleden dat Karen op de smalle weg naar Newton of Wemyss had gereden, maar het viel haar meteen op dat
het gehucht dezelfde spectaculaire verandering had ondergaan als
de zusterdorpen aan de hoofdweg. Forenzen hadden zich gretig
op alle dorpjes gestort waaruit de gemeente bestond, de armoedige rijtjeshuizen waarin mijnwerkers hadden gewoond boden
kennelijk voldoende mogelijkheden voor een verbouwing in rustieke stijl. Tussen krotten met één slaapkamer waren de binnen-
muren gesloopt en nu stonden er riante optrekjes. De piepkleine achtertuintjes boden plaats aan serres die de eens zo sombere
woonkeukens overgoten met licht. Dorpen die ineen waren ge-
schrompeld en afgestorven na de ramp in de Michael in 1967 en
de mijnsluitingen na de staking van 1984, hadden een nieuw leven gekregen als slaapdorpen waarin de gemeenschapszin eruit
bestond dat men af en toe naar de pub ging voor de traditionele quizavond. In de winkels in het dorp kon je een geurkaars kopen, maar geen liter melk. Het enige waaraan je kon zien dat er
ooit mijnwerkers hadden gewoond, was het schaalmodel van de
mijnschacht die dwars over de plek stond waar vroeger de mijn-
spoorlijn de weg had gekruist, een spoorlijn waarover treinen met
open wagons vol kolen op weg gingen naar het eindpunt in
Thornton Junction. Nu zagen de rijtjes witgepleisterde mijnwerkershuisjes eruit als de droom van een architect die wilde tonen hoe een huisje uit de streek eruit zou moeten zien. Het verleden was verpletterd door een designheden.

Sinds haar laatste bezoek had Newton of Wemyss zich nog
meer opgedirkt. Het bescheiden oorlogsmonument stond midden in het dorp op een driehoekig veld met gladgeschoren gras.
Houten bakken met bloemen stonden er op precieze afstanden
omheen gearrangeerd. Om het dorpsplein stonden onberispe-
lijke lage huisjes; het enige huis dat erboven uitstak was de im-
posante plaatselijke pub, de Laird o'Wemyss. Eens was de kroeg
het gemeenschappelijke bezit van de plaatselijke bevolking
geweest, maar in de moeilijke jaren tachtig had het café zijn
deuren moeten sluiten. Nu was het een restaurant waar van
heinde en ver de mensen speciaal naartoe kwamen. Met zijn
exclusieve gerechten trok het zelfs bezoekers uit Dundee en

Edinburgh, en met haar salaris hoefde Karen daar niet aan te denken. Ze vroeg zich af hoever Mick Prentice had moeten reizen om een simpel biertje te drinken, als hij in Newton was blijven wonen.

Ze keek op de routebeschrijving die ze had uitgeprint en wees haar chauffeur, agent Jason Murray, oftewel de Prof, een weg aan die op de punt van de driehoek uitkwam. 'Je moet dat weggetje in,' zei ze. 'Richting zee. Waar vroeger de mijn was.'

Ze lieten het dorpscentrum meteen achter zich. Aan de rechterkant werd een veld met weelderig groene tarwe van de weg gescheiden door een woeste heg. 'Groeizaam weertje,' zei de Prof. Het was het eerste wat hij zei en ze waren al vijfentwintig minuten onderweg.

Karen had geen zin om over het werk te kletsen. Wat viel er te zeggen? Het had verdomme de hele zomer al geregend. Omdat het toevallig op dat moment droog was, betekende dat nog niet dat het de rest van de dag droog zou blijven. Ze keek naar links, waar vroeger de mijn was geweest. Ze herinnerde zich vaag dat er kantoren hadden gestaan, en een kantine en een badlokaal bij de poort. Nu stonden er alleen nog de betonnen fundamenten, met spleten waarin het onkruid langzaam terrein won. Eenzaam erachter stond een enkel rijtje mijnwerkershuisjes die nog niet waren opgekocht door projectontwikkelaars; acht vervallen huisjes die verweesd waren achtergebleven omdat de gebouwen die hun bestaansreden vormden waren afgebroken. Tussen de huizen en de rand van de rots die steil naar beneden een meter of tien afliep naar een pad langs de kust, stond een dikke rij platanen en beuken, als een forse beschutting tegen de wind. 'Daar was vroeger de Lady Charlotte,' zei ze.

De Prof schrok op. 'Eh... wat?'

'De mijn, Jason.'

'O ja. Juist. Ja. Vóór mijn tijd.' Hij tuurde zo gespannen door de voorruit dat ze zich angstig afvroeg of hij soms een bril nodig had. 'Welk huis is het, chef?'

Ze wees het twee-na-laatste huis aan. De Prof manoeuvreerde de auto om de gaten in de weg heen met een behoedzaamheid alsof hij in zijn eigen auto zat, en kwam tot stilstand aan het eind van het pad naar het huis van Jenny Prentice.

Hoewel Karen van tevoren had gebeld om een afspraak te maken, duurde het vrij lang voordat Jenny opendeed, waardoor ze op hun gemak de gebarsten betonnen tegels en het trieste stukje grind met onkruid voor het huis in ogenschouw konden nemen. 'Als dit van mij was,' begon de Prof, en verstomde toen, alsof het hem allemaal te veel moeite was.

De vrouw die opendeed zag eruit als iemand die haar hele leven plat op de grond had gelegen zodat het leven des te beter over haar heen kon lopen. Haar sluike grijzende haren waren lukraak bij elkaar gebonden; aan beide kanten hingen de slierten erbij. Ze had overal rimpels en haar wangen waren bedekt met gesprongen adertjes. Ze droeg een jasschort van nylon dat tot halverwege haar dijbeen kwam, en daaronder had ze een goedkope zwarte broek aan waarvan de stof was gaan pillen. Het jasschort had een lavendeltint die je nergens in de natuur aantrof. Karens ouders woonden nog steeds in het onpopulaire Methil, in een straat met veel ex-mijnwerkers en hun gezinnen, maar zelfs de sociaal minst aangepaste buren zouden meer werk van hun uiterlijk hebben gemaakt als ze wisten dat er onbekenden op bezoek kwamen. Karen kon niet goed billijken dat deze vrouw geen enkele moeite had gedaan. 'Goedemorgen, mevrouw Prentice,' zei ze kortaf. 'Ik ben inspecteur Pirie. Ik heb u gebeld. En dit is agent Murray.'

Jenny knikte en snoof. 'Kom maar binnen.'

De huiskamer was overvol, maar schoon. Zowel de meubels als het vloerkleed waren wat ouderwets, maar absoluut niet sjofel. Een kamer voor speciale gelegenheden, dacht Karen, en een leven dat daar niet veel aanleiding toe gaf.

Jenny wees naar de bank en ging zelf op het puntje van een leunstoel ertegenover zitten. Ze was duidelijk niet van plan hun iets te drinken aan te bieden. 'Zo. Jullie zijn hier vanwege Misha. Ik dacht dat jullie wel wat anders te doen hadden met al die afschuwelijke dingen die je altijd in de krant ziet.'

'Een echtgenoot en vader die vermist wordt, is al vrij afschuwelijk, vindt u niet?' vroeg Karen.

Jenny perste haar lippen op elkaar, alsof ze opeens last van haar maag kreeg. 'Dat hangt van de man af, inspecteur. Het soort man dat u in uw beroep tegenkomt, bezorgt zijn vrouw en kinderen niet al te veel kopzorgen als ze een poosje uit de roulatie zijn.'

'Dat dacht u! Veel familieleden zijn er aardig kapot van. En die weten dan nog waar hun man en vader is. Zij hoeven niet in onzekerheid te leven.'

'Ik vond niet dat ik in onzekerheid leefde. Ik dacht dat ik verdomd goed wist waar Mick was, totdat Misha de zaak oprakelde.'

Karen knikte. 'U dacht dat hij in Nottingham was.'

'Ja. Ik dacht dat hij de zaak had verraden. Eerlijk gezegd vond ik het niet zo erg dat hij er niet meer was. Maar ik was wel ontzettend kwaad dat hij ook ons daarmee een slechte naam bezorgde. Ik had liever gehad dat hij dood was dan een verrader, als u het echt wilt weten.' Ze wees naar Karen. 'U klinkt alsof u hier ergens uit de buurt komt. U zou moeten weten hoe het is als je om die reden wordt zwartgemaakt.'

Karen knikte dat ze het begreep. 'En nu is het allemaal nog erger, want nu blijkt dat hij helemaal geen stakingsbreker was.'

Jenny wendde haar blik af. 'Dat weet ik nog zo net niet. Ik weet nu alleen dat hij die avond niet met dat stelletje ratten naar Nottingham is gegaan.'

'Wij zijn hier om te proberen erachter te komen wat er echt is gebeurd. Mijn collega zal wat aantekeningen maken, zodat ik me later de dingen die u me gaat vertellen juist herinner.' De Prof haalde vlug zijn aantekenboekje tevoorschijn en sloeg het met een zenuwachtig geritsel open. Misschien had Phil wel gelijk toen hij het had over Murrays tekortkomingen, dacht Karen. 'Oké, ik heb zijn volledige naam nodig en zijn geboortedatum.'

'Michael James Prentice. Geboren op 20 januari 1955.'

'En destijds woonden jullie alle drie in dit huis? U en Mick en Misha?'

'Ja. Ik heb hier mijn hele getrouwde leven gewoond. Ik had ook niet echt een andere keus.'

'Heeft u voor ons misschien een foto van Mick? Ik weet dat het lang geleden is, maar we zouden er toch wat aan kunnen hebben.'

'Jullie kunnen hem op de computer zetten en ouder maken, hè?' Jenny liep naar het dressoir en trok een la open.

'Dat is inderdaad soms mogelijk, ja.' *Alleen is het te duur, tenzij er een dringender reden voor is dan de leukemie van je kleinzoon.* Jenny haalde een vlekkeloos schoon, zwartleren album uit de la en ging ermee in de stoel zitten. Toen ze het opensloeg, kraakte de omslag. Zelfs op de kop en van de andere kant van de kamer kon Karen zien dat het een album met trouwfoto's was. Jenny bladerde vlug langs de officiële trouwfoto's tot ze achterin bij een vakje kwam dat helemaal vol zat met kiekjes. Ze haalde er een stapeltje uit en keek ze snel door. Ze bleef bij sommige iets langer hangen en koos er ten slotte eentje uit. Ze gaf Karen een rechthoekige foto. Er stonden twee jongemannen op, met hoofd en schouders, die naar de camera grijnsden. Je zag nog net een stukje van de bierglazen waarmee ze naar de fotograaf proostten. 'Die linkse is Mick,' zei Jenny. 'De knappe van de twee.'

Ze overdreef niet. Mick Prentice had warrig donkerblond haar en zijn kapsel leek wel wat op het matje van George Michael in zijn Wham!-tijd. Mick had blauwe ogen, belachelijk lange wimpers en een gevaarlijke glimlach. Als hij geen sikkelvormig zwart litteken, een soort kolentatoeage, door zijn rechterwenkbrauw had gehad, zou hij bijna té knap zijn geweest. Karen kon goed begrijpen waarom Jenny Prentice verliefd was geworden op haar man. 'Bedankt,' zei ze. 'Wie is die andere man?' Ze keek naar de levendige ogen, de slordige bos bruin haar en het lange smalle gezicht met een paar nauwelijks zichtbare acne-littekens die putjes vormden in de ingevallen wangen. Een guitige grijns als van de Joker uit de Batmanfilms. Niet zo knap als zijn kameraad, maar zeker niet onaantrekkelijk.

'Zijn beste vriend, Andy Kerr.'

De beste vriend die zelfmoord heeft gepleegd volgens Misha. 'Misha heeft me verteld dat uw man al vermist wordt sinds vrijdag 14 december 1984. Klopt dat volgens u?'

'Ja. Hij is 's ochtends op pad gegaan met zijn stomme verfpotjes. Hij zei dat hij voor het avondeten terug zou zijn. Dat is de laatste keer dat ik hem heb gezien.'

'Verfpotjes? Werkte hij in zijn vrije tijd nog ergens anders?'

Jenny maakte een minachtend geluid. 'Dat dacht u. Niet dat we het geld niet hadden kunnen gebruiken. Nee, Mick maakte waterverfschilderijen. Ongelooflijk, hè? Kunt u zich iets onbenulligers voorstellen dan een mijnwerker die tijdens de staking van 1984 met waterverf zit te knoeien?'

'Had hij ze niet kunnen verkopen?' kwam de Prof tussenbeide. Hij zag eruit alsof hij het allemaal bijster interessant vond.

'Aan wie? Iedereen hier in de buurt was blut en er was gewoon geen geld om op goed geluk ergens anders heen te gaan.' Jenny gebaarde naar de muur achter hen. 'Hij had blij mogen zijn als hij er een paar pond per stuk voor had gekregen.'

Karen draaide zich om en keek naar de drie goedkoop ingelijste schilderijen aan de muur. West Wemyss, Macduff Castle en de Lady's Rock. Ze had er niet veel verstand van, maar ze zagen er levensecht en fleurig uit. Ze had er best eentje aan de muur willen hebben, hoewel ze niet kon zeggen hoeveel ze destijds in 1984 voor dat voorrecht had willen betalen. Karen wendde zich weer tot Jenny en vroeg: 'Vertel eens, hoe is hij daarmee begonnen?'

'Hij heeft in het jaar dat Misha is geboren een cursus gevolgd bij het Welzijnswerk. De lerares zei dat hij talent had. Ik persoonlijk denk dat ze dat tegen iedereen zei die er een beetje goed uitzag.'

'Maar hij is ermee doorgegaan?'

'Dan kon hij hier weg, hè. Weg van de vieze luiers en het lawaai.' Jenny straalde een en al verbittering uit. Merkwaardig, maar wel hoopgevend dat haar dochter die bitterheid niet van haar had geërfd. Misschien had de stiefvader over wie ze het had gehad, daar iets mee te maken? Karen prentte zichzelf in dat ze nog naar de andere man in het leven van Jenny moest informeren, die ook schitterde door afwezigheid.

'Heeft hij veel geschilderd tijdens de staking?'

'Elke dag als het mooi weer was ging hij op pad met zijn rugzak en zijn ezel. En als het regende zat hij in de grotten met zijn vriendjes van de Stichting tot Behoud van de Grotten.'

'De grotten van Wemyss, bedoelt u?' Karen kende de grotten, die vanaf de kust diep doordrongen in de zandstenen rotsen tussen East Wemyss en Buckhaven. Ze had er als kind een paar keer gespeeld, zich volledig onbewust van hun historische betekenis als een belangrijke Pictische vindplaats. De kinderen uit de buurt hadden de grotten als een overdekte speelplaats gebruikt, wat een van de redenen was waarom de Stichting in het leven was geroepen. Nu waren er hekken die het diepere en meer gevaarlijke deel van de ondergrondse doolhof ontoegankelijk maakten, en hadden amateurhistorici en archeologen er een speelplaats voor volwassenen van gemaakt. 'Was Mick betrokken bij de grotten?'

'Mick was betrokken bij van alles en nog wat. Hij voetbalde, hij schilderde, hij doolde wat rond in de grotten, hij zat tot over zijn oren in vakbondszaken. Alles en iedereen was belangrijker dan zijn gezin.' Jenny sloeg haar ene been over het andere en deed haar armen over elkaar. 'Hij zei dat hij anders tijdens de staking gek was geworden. Ik denk dat hij gewoon zijn verantwoordelijkheden uit de weg ging.'

Karen wist dat ze hier munt uit zou kunnen slaan voor haar onderzoek, maar ze kon het zich permitteren er nog even mee te wachten. Jenny's onderdrukte woede was al tweeëntwintig jaar niet tot uitbarsting gekomen – dan zou dat nu ook niet zo gauw gebeuren. Er was iets veel dringenders dat haar interesseerde. 'Hoe kwam Mick tijdens de staking aan het geld voor zijn verf? Ik weet niet zoveel over kunst, maar ik weet wel dat goed papier en goede verf een aardige cent kosten.' Ze vond het onvoorstelbaar dat een stakende mijnwerker zijn geld besteedde aan schildersbenodigdheden als er geen geld was voor eten en verwarming.

'Ik wil niemand in de problemen brengen,' zei Jenny.

Ja, dat zal wel. 'Het was drieëntwintig jaar geleden,' zei Karen op vlakke toon. 'Ik ben niet echt geïnteresseerd in sluikhandel op kleine schaal ten tijde van de mijnwerkersstaking.'

'Een van de tekenleraren van de middelbare school woonde daarboven in Coaltown. Het was een klein, kreupel mannetje. Zijn ene been was korter dan het andere en hij had een bochel. Mick deed altijd de tuin voor hem. De man betaalde hem uit in verfspullen.' Ze snoof minachtend. 'Ik vroeg of hij er geen geld voor kon krijgen, of etenswaren. Maar kennelijk moest die vent al zijn verdiende geld meteen doorgeven aan zijn ex-vrouw. De verf kon hij op school jatten.' Ze sloeg haar armen weer over elkaar. 'Hij is nu toch dood.'

Karen probeerde haar afkeer te onderdrukken van deze vrouw,

die zo anders was dan de dochter die haar ertoe had verleid in deze zaak te duiken. 'Hoe was het tussen jullie, voordat Mick verdween?'

'Het was die staking. Oké, we hadden onze ups en downs, maar de staking heeft een wig tussen ons gedreven. En er zijn meer vrouwen hier in de buurt die hetzelfde kunnen zeggen.'

Karen wist dat het waar was. De verschrikkelijke ontberingen van de staking hadden bij ongeveer elk echtpaar dat ze nog van toen kende littekens achtergelaten. Huiselijk geweld was op de meest onwaarschijnlijke plaatsen tot uitbarsting gekomen; zelfmoordcijfers waren gestegen; huwelijken waren gestrand op de nietsontziende armoede. Ze had het toen niet begrepen, maar dat deed ze nu wel. 'Misschien wel. Maar elk individueel verhaal is anders. Ik wil graag het uwe horen.'

Vrijdag 14 december 1984; Newton of Wemyss
'Ik ben voor het eten thuis,' zei Mick Prentice. Hij gooide met een zwaai de grote canvas tas over zijn schouder en pakte zijn plat opgevouwen schildersezel mee.

'Eten? Wat voor eten? Er is niets te eten in huis. Je moet eropuit om voor je gezin eten te zoeken, het is helemaal niet nodig om voor de zoveelste keer die rotzee te gaan schilderen,' schreeuwde Jenny, die nog probeerde hem op weg naar de deur tegen te houden.

Hij draaide zich om; zijn uitgemergelde gezicht was verwrongen van schaamte en pijn. 'Denk je dat ik dat niet weet? Denk je dat wij de enigen zijn? Denk je dat ik er niet alles aan zou doen als ik zou weten hoe? Niemand heeft te eten, godverdomme. Niemand heeft er geld voor.' Zijn stem bleef als een snik in zijn keel steken. Hij deed zijn ogen dicht en haalde diep adem. 'Gisteravond bij het Welzijnswerk zei Sam Thomson dat hij iets gehoord had over voedsel dat door de Vrouwen tegen Mijnsluitingen zou worden afgeleverd. Daar zou ik heen gaan, als ik jou was. Ze moeten tegen een uur of twee hier zijn.' Het was zo koud in de keuken dat zijn adem een wolk voor zijn mond vormde.

'Weer een aalmoes. Ik herinner me niet wanneer ik voor het

laatst kon kiezen wat voor eten ik op tafel zou zetten.' Jenny liet zich op een van de keukenstoelen vallen. Ze hief haar gezicht naar hem op. 'Denk je dat hier ooit een eind aan komt?'

'We moeten het gewoon nog een poosje volhouden. Dat hebben we nu al zo lang gedaan. We kunnen dit winnen.' Hij klonk alsof hij niet alleen haar, maar ook zichzelf wilde overtuigen.

'Ze gaan weer aan het werk, Mick. Overal gaan ze weer aan het werk. Het was laatst al op het nieuws. In meer dan een kwart van de mijnen zijn ze weer aan het werk. Wat Arthur Scargill en de rest van het vakbondsbestuur ook mogen zeggen, we kunnen onmogelijk winnen. Het gaat er alleen nog om hoe honds dat kreng van een Thatcher de verliezers zal behandelen.'

Hij schudde verwoed met zijn hoofd. 'Zeg dat niet, Jenny. Alleen omdat in het zuiden een paar groepen het hebben opgegeven. Hier in het noorden staan we nog pal. En in Yorkshire en in Zuid-Wales ook. En het draait om ons.' Zijn woorden klonken hol en zijn gezicht straalde geen overtuiging uit. Eigenlijk, dacht ze, waren ze al verslagen. Ze wisten alleen niet wanneer ze zich erbij neer moesten leggen.

'Je zult het wel het best weten,' mompelde ze, en ze wendde zich af. Ze wachtte tot ze de deur achter hem hoorde dichtvallen, stond toen langzaam op en trok haar jas aan. Ze pakte een stevige plastic tas en verruilde de vrieskou van de keuken voor de vochtige kou van de morgen. Zo ging het elke ochtend. Opstaan en Misha naar school brengen. Bij het schoolhek kreeg het kind een appel en een sinaasappel, een zakje chips en een chocoladekoekje van de Vrienden van de Lady Charlotte, een stelletje ongewassen studenten en sociaal werkers uit Kirkcaldy die ervoor zorgden dat geen van de kinderen op een lege maag aan de dag begon – tenminste, niet op schooldagen.

Dan terug naar huis. Ze waren opgehouden melk in de thee te doen, als ze al aan thee konden komen. Er waren ochtenden dat Jenny en Mick de dag begonnen met alleen een kopje heet water. Dat was niet vaak voorgekomen, maar één keer was genoeg om je eraan te herinneren dat het heel gemakkelijk was om in een gat te vallen.

Na iets warms te hebben gedronken pakte Jenny haar zak en ging naar het bos, waar ze probeerde genoeg brandhout bij elkaar te sprokkelen om het 's avonds een paar uur warm te hebben. Het vakbondsbestuur sprak hen altijd aan met 'kameraad', en nu was ze ook nog hout aan het sprokkelen. Ze leek wel een boerenvrouw uit Siberië. In ieder geval hadden zij het geluk dat ze vlak bij de brandstof woonden. Ze wist dat het voor sommige anderen nog veel moeilijker was. En ze boften dat ze hun open haard er niet uit hadden gesloopt. Dat hadden ze gedaan omdat je als mijnwerker goedkoop aan kolen kon komen.

Ze kweet zich van haar taak zonder erbij na te denken, zonder op haar omgeving te letten, en piekerde over de laatste ruzie tussen haar en Mick. Het leek soms net alsof ze alleen nog bij elkaar bleven omdat ze ontberingen leden, dat ze alleen in hetzelfde bed sliepen om warm te worden. Door de staking waren sommige stellen naar elkaar toe gegroeid, maar er waren er een heleboel die waren gekliefd als een blok hout onder het geweld van de bijl na die eerste paar maanden, toen het geld eenmaal op was.

Aanvankelijk was het niet zo erg geweest. Sinds de laatste stakingsgolf in de jaren zeventig hadden de mijnwerkers goed verdiend. Ze waren de koningen van de vakbeweging – goedbetaald, goedgeorganiseerd en vol zelfvertrouwen. Per slot van rekening hadden zij destijds de regering van Ted Heath laten vallen. Ze waren onaantastbaar. En ze hadden het geld om dat te bewijzen.

Sommigen gaven alles meteen weer uit – vakanties in het buitenland, waar ze met hun melkwitte huid en hun koolzwarte littekens de godganse dag in de zon lagen; poenige auto's met dure stereo-installaties; nieuwe huizen die er prachtig uitzagen toen ze erin trokken, maar die bijna meteen mankementen vertoonden. Maar de meesten hadden, voorzichtig gemaakt door het verleden, wat opzijgezet. Genoeg voor de huur of voor de hypotheek. Genoeg om het gezin eten te geven en het huis een paar maanden warm te houden. Het was schrikbarend hoe snel die paar spaarcenten waren opgegaan. In het begin had de vakbond nog flink wat geld betaald aan de mannen die in de auto's, de bestelbusjes en de minibusjes waren gaan zitten om de stakersposten te helpen bemannen bij de mijnen die nog functioneerden, en bij de krachtcentrales en de fabrieken waar cokes werd gemaakt. Maar de politie was steeds harder op gaan treden. Het werd de mobiele posters onmogelijk gemaakt hun plaats van bestemming te bereiken, en men stond niet te trappelen om geld uit keren aan mannen die hun doel niet meer bereikten. Bovendien hadden de vakbondsbazen het te druk met het wegsluizen van hun miljoenen voordat de regering er beslag op kon leggen. Ze vonden het zonde om hun geld te steken in een strijd waarvan ze in hun hart wel wisten dat die tot mislukken gedoemd was. Dus was dat kleine geldstroompje ook nog opgedroogd, en het enige wat de mensen in de mijnstreken nog te slikken hadden was hun trots.

Jenny had heel wat trots moeten verbijten in de afgelopen negen maanden. Het was meteen al begonnen toen ze had gehoord dat de Schotse mijnwerkers gehoor gaven aan de oproep vanuit de mijnstreek in Yorkshire om zich aan te sluiten bij de landelijke staking. Ze had het niet van Mick gehoord, maar van Arthur Scargill, de voorzitter van de Algemene Bond van Mijnwerkers. Niet persoonlijk natuurlijk. Alleen zijn keffende tirade op het tv-journaal. Mick was niet rechtstreeks thuisgekomen van de vergadering van de vakbond om haar op de hoogte te brengen; in plaats daarvan was hij samen met Andy en zijn andere vakbondsvrienden naar de pub gegaan om daar te gaan staan drinken alsof het geld hem op de rug groeide. Ze waren de strijdkreet van koning Arthur op de aloude manier aan het vieren. *Mijnwerkers uit het hele land zullen nooit verslagen worden.*

Hun vrouwen wisten wel beter, meteen in het begin al. Je gaat in staking aan het begin van de winter, als de vraag naar kolen vanuit de krachtcentrales het grootst is. Niet in de lente, als de mensen juist hun verwarming uitzetten. En als je de hele industrie lam wilt leggen en je hebt een kreng als Margaret Thatcher tegenover je, dan zorg je voor rugdekking. Dan volg je de arbeidswetten. Dan volg je je eigen regels. Dan laat je in het hele land stemmen. Dan vertrouw je niet op een twijfelachtige interpretatie van een motie die drie jaar daarvoor om een andere reden is aangenomen. O ja, de vrouwen hadden geweten dat het niets zou uithalen. Maar ze hadden gezwegen, en voor het eerst in de geschiedenis hadden ze hun eigen organisatie gevormd om hun mannen te ondersteunen. Loyaliteit, daar ging het om in de mijndorpjes en de mijnwerkersgezinnen.

En dus waren Mick en Jenny nog steeds bij elkaar. Jenny vroeg zich wel eens af of Mick bij haar en Misha bleef omdat hij nergens anders heen kon. Zijn ouders waren overleden, hij had geen broers of zussen, hij kon nergens naartoe. Ze had het hem een keer gevraagd en hij was even verstard. Daarna had hij haar uitgelachen, gezegd dat hij helemaal niet weg wilde, had hij haar eraan herinnerd dat hij altijd bij Andy in zou kunnen trekken als hij weg wilde. En dus had ze geen enkele reden om te denken dat die vrijdag anders was dan anders.

Donderdag 28 juni 2007; Newton of Wemyss
'Dus dat deed hij wel vaker, de hele dag op pad gaan met zijn schildersspullen?' vroeg Karen. Wat er ook in het hoofd van Jenny Prentice omging, het was duidelijk veel meer dan het beetje dat ze kwijt wilde.

'Op het laatst wel vier of vijf keer in de week.'

'En u? Wat deed u de rest van de dag?'

'Ik ging het bos in om brandhout te zoeken, en als ik terug was keek ik naar het nieuws op de tv. Er gebeurde die vrijdag nogal wat. Koning Arthur moest voor de rechtbank verschijnen omdat hij zich had verzet tegen de politie. En Band Aid stond nummer één in de hitparade. Eerlijk waar, ik had ze wel in hun gezicht kunnen spugen. Al die moeite voor kinderen duizenden kilometers bij ons vandaan, terwijl er onder hun neus kinderen verhongerden. Waar waren Bono en Bob Geldof toen onze kindertjes wakker werden op kerstmorgen en er geen enkel cadeautje onder de boom lag?'

'Dat moet heel moeilijk zijn geweest,' zei Karen.

'Het was een klap in ons gezicht. Je komt niet in de bladen als je mijnwerkers helpt, hè?' Haar gezicht klaarde even op toen ze wrang glimlachte. 'Maar het had nog erger kunnen zijn. We hadden die schijnheilige klootzak van een Sting op ons dak kunnen krijgen. Om nog maar te zwijgen over die stomme luit van hem.'

'Zo, dat weten we dan ook weer.' Karen moest lachen. Galgenhumor was nooit ver te zoeken bij mijnwerkersfamilies. 'En wat hebt u na het journaal gedaan?'

'Ik ben naar het steunpunt van het Welzijnswerk gegaan. Mick had gezegd dat ze voedsel zouden uitdelen. Ik ben in de rij gaan staan en ben thuisgekomen met een pak macaroni, een blik tomaten en twee uien. En een pakje groentesoep. Ik weet nog dat ik er heel blij mee was. Ik heb Misha van school gehaald en ik dacht dat het ons misschien zou opvrolijken om de kerstversieringen al op te hangen, dus dat hebben we gedaan.'

'Wanneer kreeg u in de gaten dat Mick te laat thuis was?'

Jenny zweeg even; ze friemelde wat aan een knoop van haar jasschort. 'Het is vroeg donker in die tijd van het jaar. Gewoonlijk kwam hij vlak na Misha en mij thuis. Maar omdat wij met die versieringen bezig waren, heb ik niet echt op de tijd gelet.'

Ze loog, dacht Karen. Maar waarom? En waarover?

Vrijdag 14 december 1984; Newton of Wemyss

Jenny had bijna vooraan in de rij gestaan bij het steunpunt en ze was daarna vlug met haar magere buit naar huis gelopen. Ze wilde een pan soep opzetten, zodat ze straks iets lekkers te eten hadden. Ze liep om het gebouw heen waarin het badlokaal zich had bevonden en zag dat er in geen enkel huis van haar buren licht aan was. Tegenwoordig liet niemand meer een gastvrij lampje branden als ze weggingen. Iedere cent telde als de elektriciteitsrekening kwam.

Toen ze haar eigen pad op liep, schrok ze zich bijna een ongeluk. Een vage figuur kwam uit het duister tevoorschijn en in haar verbeelding leek het wel een reus. Ze maakte een geluid, iets tussen een snik en een kreun.

'Jenny, Jenny, rustig maar. Ik ben het, Tom. Tom Campbell. Het spijt me. Ik wilde je niet laten schrikken.' De gestalte nam een duidelijke vorm aan en nu herkende ze de grote man die bij haar voor de deur stond.

'Jezus, Tom, je hebt me de stuipen op het lijf gejaagd,' klaagde ze. Ze liep langs hem heen en maakte de deur open. Omdat ze wist hoe afschuwelijk koud het in huis was, ging ze hem voor

naar de keuken. Zonder te aarzelen deed ze water in de soep-
pan en zette hem op het fornuis, want de gasvlam gaf een heel
klein beetje warmte. Daarna draaide ze zich naar hem om in het
vage middaglicht. 'Hoe gaat het met je?'

Tom Campbell haalde zijn schouders op en glimlachte wat
aarzelend. 'Op en neer,' zei hij. 'Weet je wat zo gek is? Nu heb
ik een keer mijn vrienden om me heen nodig, en dan wordt er
gestaakt.'

'Je hebt in ieder geval mij en Mick nog,' zei Jenny. Ze gebaarde dat hij moest gaan zitten.

'Tja, in ieder geval heb ik jou. Ik denk niet dat ik dit jaar een
kerstkaart van Mick krijg, als er überhaupt dit jaar nog aan kerst-
kaarten wordt gedaan. Niet na wat er in oktober is gebeurd. Hij
heeft sindsdien niet meer met me gepraat.'

'Hij komt er wel overheen,' zei ze zonder enige overtuiging.
Mick had altijd zijn bedenkingen gehad bij de vriendschap tussen Jenny en Toms vrouw Moira, die al uit hun schooltijd stam-
de. De vrouwen waren bijna hun hele leven elkaars beste vriendin geweest, en Moira was bruidsmeisje geweest bij het huwelijk
van Jenny en Mick. Toen zijzelf als bruidmeisje werd gevraagd,
was Jenny in verwachting van Misha. Mick had naar voren gebracht dat haar dikke buik een prima reden was om te weigeren, vooral omdat de bruidsmeisjesjurk van tevoren gekocht
moest worden. Het was geen suggestie geweest, het was een bevel. Tom was volgens iedereen een fatsoenlijke man en een
knappe man en een eerlijke man, maar hij was geen mijnwerker. Inderdaad, hij werkte op de Lady Charlotte. Hij ging ondergronds in de schommelende kooi waarin je kotsmisselijk kon
worden. En hij maakte soms wel eens zijn handen vuil. Maar
hij was geen mijnwerker. Hij was opzichter. Hij was lid van een
andere vakbond en had een leidinggevende functie. Hij moest
er zorg voor dragen dat de regels op het gebied van gezondheid
en veiligheid in acht werden genomen en dat de mannen deden
wat ze moesten doen. De mijnwerkers hadden een uitdrukking
voor hun gemakkelijkste karweitjes: 'een opzichtersklusje'. Het
klonk tamelijk onschuldig, maar in een omgeving waarin ieder
lid van een ploeg wist dat zijn leven afhing van zijn collega's,
school er een wereld van minachting achter. En dus had Mick

Prentice altijd wat reserves gehouden als hij met Tom Campbell te maken kreeg.

Hij had zich gestoord aan de uitnodigingen om in hun vrijstaande huis in West Wemyss te komen eten. Hij had er iets achter gezocht toen Tom vroeg of hij mee naar het voetballen ging. Hij had zelfs moeite gehad met de uren die Jenny aan Moira's bed had doorgebracht toen ze een paar jaar daarvoor na een kort maar onwaardig ziekbed aan kanker was overleden. En een paar maanden geleden, toen Toms vakbond heel lang had zitten dubben of ze met de staking mee zouden doen, had Mick gekrijst als een kleuter toen ze uiteindelijk hadden besloten zich achter de bazen te scharen.

Jenny vermoedde dat een deel van zijn boosheid voortkwam uit de attente houding van Tom, sinds de staking echt pijn begon te doen. Hij was vaak met kleine cadeautjes aan komen zetten – een zak appels, een zak aardappels, een knuffel voor Misha. Ze gingen altijd vergezeld van een geloofwaardige smoes – de boom van de buurman zat overvol, zijn moestuin had zoveel aardappels opgeleverd dat hij ze zelf met geen mogelijkheid op kon, hij had een prijs gewonnen bij de kegelclub. Mick had er achteraf altijd over gemopperd. 'Neerbuigende zak,' had hij gezegd.

'Hij wil ons helpen zonder dat we ons ervoor hoeven te schamen,' zei Jenny. Het kon ook geen kwaad dat de aanwezigheid van Tom haar aan betere tijden deed denken. Als hij er was, leek het op de een of andere manier allemaal wat minder hopeloos. Ze zag zichzelf weerspiegeld in zijn ogen en dan zag ze een jongere vrouw, een vrouw die nog geloofde dat het leven haar iets te bieden had. Dus vond Jenny het prettig dat Tom aan haar keukentafel met haar zat te praten, hoewel ze wist dat Mick er boos over zou zijn.

Hij haalde een slap maar zwaar pakje uit zijn zak. 'Kun je een paar pond bacon gebruiken?' vroeg hij met een bezorgd gefronst voorhoofd. 'Mijn schoonzus heeft het meegebracht uit Ierland, van de boerderij van haar familie. Maar het is gerookt, zie je, en ik kan niet tegen gerookt vlees. Ik word er misselijk van. Dus dacht ik, ik moet het niet laten liggen, maar...' Hij reikte haar het pakje aan.

Jenny nam het zonder een moment te aarzelen aan. Ze snoof even om aan te geven dat ze zichzelf lichtelijk belachelijk vond. 'Kijk mij eens. Ik krijg al hartkloppingen bij het zien van een paar pond bacon. Daar heeft Margaret Thatcher voor gezorgd, samen met Arthur Scargill.' Ze schudde haar hoofd. 'Bedankt, Tom. Je bent een goed mens.'

Hij keek de andere kant uit, omdat hij zich even geen raad wist. Zijn blik viel op de klok. 'Moet je de kleine meid niet gaan ophalen? Het spijt me, ik heb niet op de tijd gelet toen ik stond te wachten. Ik wilde alleen...' Hij ging staan; zijn gezicht was roze. 'Ik zie je wel weer.'

Ze hoorde het gestommel van zijn laarzen in de hal en daarna het geluid van de klink. Ze gooide het spek op het aanrecht en draaide het gas uit onder de pan met water. Het zou een heel andere soep worden.

Moira had altijd meer geluk gehad dan zij.

Donderdag 28 juni 2007; Newton of Wemyss
Jenny hield op met staren en richtte haar blik op Karen. 'Ik denk dat het tegen zevenen was dat ik in de gaten kreeg dat Mick nog niet thuis was. Ik was boos, omdat ik echt een heel behoorlijke maaltijd voor hem had klaargemaakt. Dus heb ik de kleine meid naar bed gebracht en toen de buurvrouw gevraagd of ze even op wilde passen, zodat ik bij het steunpunt kon gaan kijken of Mick daar nog was.' Ze schudde haar hoofd, nog steeds verbaasd na al die jaren. 'En natuurlijk was hij daar niet.'

'Had iemand hem gezien?'

'Blijkbaar niet.'

'U zult zich wel zorgen hebben gemaakt,' zei Karen.

Jenny schokschouderde. 'Niet echt. Zoals ik al zei, we waren niet bepaald als vrienden uit elkaar gegaan. Ik dacht gewoon dat hij aan het mokken was en naar Andy was gegaan.'

'Die man op de foto?'

'Ja. Andy Kerr. Een vakbondsfunctionaris, maar hij was met ziekteverlof. Stress, zeiden ze. En ze hadden gelijk. Hij heeft zichzelf nog geen maand later van kant gemaakt. Ik heb vaak gedacht dat het verraad van Mick de laatste druppel voor Andy was. Hij verafgoodde Mick. Hij moet er kapot van zijn geweest.'

'Dus u nam aan dat hij daar was?' drong Karen aan.

'Inderdaad. Hij had een huisje in de bossen, daar woonde hij van God en alle mensen verlaten. Hij zei dat hij van de rust hield. Mick heeft me een keertje meegenomen. Ik vond het doodeng – je kon het niet zien liggen totdat je er plotseling was, dan stond je er al pal voor. Ik had er voor geen goud willen wonen.'

'Had u niet kunnen bellen?' bemoeide de Prof zich ermee. De twee vrouwen keken hem aan, geamuseerd en met milde spot.

'Onze telefoon was al maanden afgesloten, jongeman,' zei Jenny, en ze wisselde een blik met Karen. 'Dit was ver voor de tijd van de mobieltjes.'

Karen snakte langzamerhand naar een kop thee, maar ze wilde beslist niet bij Jenny in het krijt komen te staan. Ze schraapte haar keel en ging verder. 'Wanneer begon u zich zorgen te maken?'

'Toen de kleine meid me de volgende morgen wakker maakte en hij nog steeds niet thuis was. Dat had hij nog nooit eerder gedaan. En we hadden op vrijdag ook geen echte ruzie gehad. Gewoon wat boze woorden. Ik kan u verzekeren dat we veel ergere ruzies hadden gehad. Toen hij er die ochtend niet was, begon ik pas echt te denken dat er iets ergs was gebeurd.'

'Wat heeft u toen gedaan?'

'Ik heb Misha haar eten gegeven en haar aangekleed en heb haar naar het huis van haar vriendinnetje Lauren gebracht. Toen ben ik door de bossen naar het huisje van Andy gelopen. Maar daar was niemand. Toen herinnerde ik me dat Mick had gezegd dat Andy misschien van plan was een paar dagen naar de Highlands te gaan, nu hij toch met ziekteverlof was. Even andere lucht opsnuiven. Zijn hoofd weer op orde brengen. Dus logisch dat hij er niet was. En toen begon ik echt in paniek te raken. Stel dat hij een ongeluk had gehad? Stel dat hij ziek was geworden?' De herinnering was nog sterk genoeg om Jenny overstuur te maken. Haar vingers bleven maar aan de zoom van haar jasschort plukken.

'Ik ben naar het steunpunt gegaan om de vakbondsvertegenwoordigers in te lichten. Ik dacht, als iemand het weet zijn zij het wel. Of in ieder geval weten ze waar we kunnen gaan zoeken.' Ze keek strak naar de vloer; haar handen lagen ineengeklemd in haar schoot. 'En toen kwam mijn leven pas echt op losse schroeven te staan.'

Zaterdag 15 december 1984; Newton of Wemyss
Zelfs 's ochtends, zonder het gedrang van lichamen dat de temperatuur doet stijgen, was het in het gebouw van het Welzijnswerk warmer dan bij haar thuis, merkte Jenny toen ze naar binnen liep. Niet veel warmer, maar genoeg om het te voelen. Meestal lette ze niet op dat soort dingen, maar vandaag probeerde ze aan van alles en nog wat te denken, zolang het maar niet aan haar afwezige echtgenoot was. Ze bleef even staan in de hal, omdat ze niet precies wist waar ze heen moest. Ze herinnerde zich vaag dat de kantoren van de vakbond boven waren, dus liep ze in de richting van de trap met het prachtige houtsnijwerk. Op de overloop op de eerste verdieping werd het allemaal veel gemakkelijker. Ze hoefde alleen maar te letten op het zachte gemompel van stemmen en de hoge, dunne laag sigarettenrook.

Een klein stukje verderop stond een deur op een kier; daar kwamen het geluid en de geur vandaan. Jenny klopte zenuwachtig aan en het geluid verstomde. Ten slotte riep een voorzichtige stem: 'Binnen.'

Ze glipte als een muisje om de hoek van de deur. De kamer werd bijna geheel in beslag genomen door een U-vormige tafel waarover een zeildoek lag in een Schotse ruit. Een stuk of vijf mannen hingen in verschillende stadia van wanhoop om de tafel heen. Jenny weifelde toen ze besefte dat ze de man aan het hoofd van de tafel herkende, hoewel ze hem nooit had ontmoet. Mick McGahey, een vroegere communist, leider van de Schotse mijnwerkers. Er werd gezegd dat hij de enige was die koning Arthur het hoofd kon bieden, de enige naar wie geluisterd werd. Hij was de man wiens weg naar de top was versperd door zijn voorganger. Als ze Jenny een pond hadden gegeven voor elke keer dat ze iemand had horen zeggen wat een verschil het zou hebben uitgemaakt als McGahey de leiding had gehad, dan liep haar gezin nu rond in de mooiste kleren en aten ze het lekkerste eten van iedereen in de buurt. 'Het spijt me,' stotterde ze. 'Ik wilde alleen vragen…' Ze keek zenuwachtig de kamer rond, want ze wist niet wie van de mannen, die ze allemaal persoonlijk kende, ze het beste kon aanspreken.

'Het geeft niets, Jenny,' zei Ben Reekie. 'We waren eventjes aan het vergaderen. Maar we zijn wel zo ongeveer klaar, hè jongens?' Ze beaamden dat met wat ontevreden gemompel. Maar Reekie, de plaatselijke secretaris, kon goed inschatten hoe de gevoelens lagen en hoe ze tot een besluit moesten komen. 'Vertel eens Jenny, wat kunnen we voor je doen?'

Ze had liever met hem onder vier ogen gepraat, maar ze had de moed niet om erom te vragen. De vrouwen waren boven zichzelf uitgegroeid in de afgelopen tijd waarin ze hun mannen moesten ondersteunen, maar als ze oog in oog met iemand stonden smolt hun zelfverzekerdheid weg als sneeuw voor de zon. Maar het zou allemaal wel meevallen, zei ze tegen zichzelf. Ze had heel haar volwassen leven al in dit beschermde wereldje geleefd, een wereld waarin alles om de mijn draaide en om het steunpunt, een wereld waarin geen geheimen bestonden en waarin de vakbond fungeerde als je vader en je moeder. 'Ik maak me zorgen over Mick,' zei ze. Het had geen zin eromheen te draaien. 'Hij is gistermorgen weggegaan en hij is nog niet terug. Ik vroeg me af of hij misschien…'

Reekie liet zijn voorhoofd op zijn vingers rusten en wreef er zo hard over dat er boven zijn neus afwisselend rode en witte vlekken bleven zitten. 'Jezus Christus,' siste hij tussen zijn opeengeklemde tanden door.

'En nu moeten wij zeker geloven dat je niet weet waar hij is?' De beschuldiging kwam van Ezra Macafferty, de laatste overlevende in het dorp van de uitsluitingen en de stakingen uit de jaren twintig.

'Natuurlijk weet ik niet waar hij is.' Jenny's stem klonk klagend, maar de angst sloeg haar koud om het hart. 'Ik dacht dat hij misschien hier was geweest. Ik dacht dat iemand misschien wist waar hij was.'

'Dat zijn er dus zes,' zei McGahey. Ze herkende de ruwe diepe bromstem van interviews op de tv en van openluchtbijeenkomsten. Het was een vreemd gevoel om in dezelfde kamer te zijn.

'Ik begrijp het niet,' zei ze. 'Zes waarvan? Wat is er aan de hand?' Ze voelde hun priemende blik op zich gericht. Ze voelde hun minachting, maar begreep niet waar ze die aan te danken had. 'Is er iets met Mick gebeurd? Een ongeluk soms?'

'Er is inderdaad iets gebeurd,' zei McGahey. 'Het ziet ernaar uit dat je man met een stel andere verraders naar Nottingham is gegaan.'

Ze had het gevoel dat ze geen adem meer kreeg. Ze stopte met ademen en zocht haar toevlucht in een luchtdichte ballon om haar heen, waarop hun woorden zouden afketsen. Dit kon niet waar zijn. Niet Mick. Sprakeloos begon ze heftig nee te schudden. De woorden sijpelden weer mondjesmaat naar binnen, maar ze drongen nog steeds niet tot haar door. 'Wisten van die vijf... dachten dat er meer waren... altijd wel ergens een verrader... teleurgesteld... een trouwe vakbondsman.'

'Nee,' zei ze. 'Dat zou hij nooit doen.'

'Hoe verklaar je dan dat hij niet hier is?' vroeg Reekie. 'Je bent naar ons toe gekomen om hem te zoeken. We weten dat er gisteravond een busje vol mannen is vertrokken. En minstens een ervan is een vriend van jouw Mick. Waar zou hij in godsnaam anders moeten zijn?'

Donderdag 28 juni 2007; Newton of Wemyss

'Als ze me hadden uitgemaakt voor hoer had ik me niet rotter kunnen voelen,' zei Jenny. 'Ik vermoed dat ik dat in hun ogen ook was. Mijn man was een stakingsbreker. Binnen de kortste keren zou ik me moeten behelpen met geld dat ik als hoer verdiende.'

'Heeft u zich nooit afgevraagd of ze misschien ongelijk hadden?'

Jenny duwde de haren uit haar gezicht, waardoor ze er een ogenblik lang wat minder oud uitzag, en wat strijdvaardiger. 'Niet echt. Mick was bevriend met Iain Maclean, een van degenen die naar Nottingham zijn gegaan. Dat stond gewoon vast. En vergeet ook niet hoe het toen was. De mannen waren baas over ons en de vakbond was baas over de mannen. Toen de vrouwen zich bij de staking wilden aansluiten, moesten we eerst met de vakbond in de slag. We moesten smeken of we mee mochten doen. Ze wilden dat we bleven zitten waar we altijd gezeten hadden – in de keuken, om de boel thuis te regelen. Niet bij de komfoortjes bij de stakingsposten. En hoewel we Vrouwen tegen Mijnsluitingen van de grond hadden gekregen, kenden we onze plek. Je moest wel verdomde sterk zijn of verdomde stom om hier in de buurt tegen de gevestigde orde in te gaan.'

Het was niet voor het eerst dat Karen hier iets over gehoord had. Ze vroeg zich af of zij het beter had gedaan als zij in haar schoenen had gestaan. Ze wilde graag denken dat zij zelf wat assertiever voor haar man was opgekomen. Maar eerlijkheidshalve moest Karen toegeven dat ze waarschijnlijk ook gezwicht was, als je een vijandige gemeenschap tegenover je had zoals Jenny Prentice was overkomen. 'Ik snap het,' zei ze. 'Maar nu wijst alles erop dat Mick er toentertijd níét als stakingsbreker vandoor is gegaan. Hebt u enig idee wat er dan wel met hem is gebeurd?'

Jenny schudde haar hoofd. 'Geen flauw idee. Aan de ene kant kon ik het niet geloven, maar aan de andere kant klonk het wel logisch dat hij de zaak had verraden. Dus heb ik nooit aan een andere mogelijkheid gedacht.'

'Kan het zijn dat hij er gewoon genoeg van had? Dat hij gewoon zomaar zijn boeltje heeft gepakt?'

Ze fronste haar voorhoofd. 'Ziet u, dat was niets voor Mick. Zomaar vertrekken? Dat denk ik niet. Hij zou me eerst voor de voeten hebben geworpen dat het allemaal mijn schuld was.' Ze lachte wrang.

'En u denkt niet dat hij zonder iets te zeggen kan zijn vertrokken, gewoon om u nog meer te laten lijden?'

Jenny's hoofd schoot achterover. 'Dat is ziek,' protesteerde ze. 'U doet net of hij een sadist was. Hij was geen wrede man, inspecteur. Alleen maar onnadenkend en egoïstisch, net als alle mannen.'

Karen zweeg even. Nu kwam het onderdeel dat altijd het moeilijkst was als je met familieleden van vermiste personen praatte. 'Had hij ruzie met iemand, Jenny? Had hij vijanden?'

Jenny keek alsof ze het in Keulen hoorde donderen. 'Vijanden? Bedoelt u iemand die hem wilde vermoorden?'

'Misschien niet vermoorden. Misschien iemand die met hem wilde vechten?'

Nu klonk er een oprechte warmte door in Jenny's lach. 'Jezusmina, dat klinkt raar uit jullie mond.' Ze schudde haar hoofd. 'De enige paar keren in al die jaren dat we getrouwd waren dat Mick gevochten heeft, was met jullie mensen. Bij de stakersposten. Bij de demonstratie. Of hij vijanden had? Ja, de politie. Maar we leven niet in Zuid-Amerika en ik kan me niet herinneren dat er bij de mijnstakingen ooit sprake is geweest van verdwijningen. Dus het antwoord op je vraag is nee, hij had niet het soort vijanden met wie hij op de vuist zou gaan.'

Karen onderwierp het vloerkleed aan een langdurige inspectie. Het uit de hand gelopen geweld van de politie tegen de stakers had zoveel kwaad bloed gezet in de onderlinge verhoudingen dat het minstens nog een generatie zou duren voordat het voorbij was. En dan deed het er niet toe dat degenen die het meeste geweld gebruikt hadden van buitenaf kwamen. De agenten werden met bussen aangevoerd om tekorten aan te vullen en tegen walgelijk hoge overwerktarieven onderdrukten ze hun medeburgers op manieren waarvoor de meeste mensen liever hun ogen sloten. De kwalijke gevolgen van hun domme en arrogante optreden waren voelbaar voor elke politieman in elk korps in een mijnstreek. Nog steeds, dacht Karen. Ze haalde diep adem en keek op. 'Het spijt me,' zei ze. 'De manier waarop de politie de mijnwerkers heeft behandeld was onvergeeflijk. Ik zou graag denken dat we nu anders zouden optreden, maar daar heb ik waarschijnlijk geen gelijk in. Weet u zeker dat hij met niemand ruzie heeft gehad?'

Jenny hoefde geen seconde na te denken. 'Voor zover ik weet niet. Hij was geen relschopper. Hij had zijn principes, maar die gebruikte hij niet als een smoes om ruzie te zoeken. Hij kwam op voor waar hij in geloofde, maar hij deed het meer met woorden dan met vuisten.'

'En als de woorden geen effect hadden? Ging hij dan een fysieke confrontatie aan?'

'Ik weet niet zeker of ik u kan volgen.'

Karen praatte langzaam omdat het idee pas tijdens het praten vorm kreeg. 'Ik vraag me af of hij die dag Iain Maclean tegen het lijf is gelopen en toen heeft geprobeerd hem over te halen niet naar Nottingham te gaan. En als Iain toen voet bij stuk hield en misschien zijn vriendjes in de buurt had om hem te steunen... Misschien dat Mick met hen op de vuist is gegaan?'

Jenny schudde gedecideerd haar hoofd. 'Onzin. Dan zou hij zijn woordje hebben gedaan, en als dat niet werkte zou hij zijn weggelopen.'

Karen voelde zich gefrustreerd. Ook al was er nog zoveel tijd verstreken, bij Cold Cases waren er meestal wel een paar losse eindjes waar je mee verder kon. Maar tot dusver waren er bij deze zaak geen aanknopingspunten. Nog één vraag en dan was ze weg. 'Hebt u enig idee waar Mick die dag naartoe kan zijn gegaan om te schilderen?'

'Dat heeft hij niet gezegd. Het enige wat ik u kan vertellen, is dat hij 's winters vaak langs de kust naar East Wemyss liep. Als het dan ging regenen, kon hij schuilen in de grotten. Die lui van de Stichting hadden achter in een van de grotten een soort hutje met een primus waar ze thee konden zetten. Hij had de sleutel, hij kon daar lekker op z'n gemak gaan zitten,' voegde ze eraan toe. Haar stem klonk weer even verbitterd als eerst. 'Maar ik heb geen idee of hij daar die dag geweest is. Hij had overal kunnen zijn tussen Dysart en Buckhaven.' Ze keek op haar horloge. 'Meer weet ik niet.'

Karen ging staan. 'Ik waardeer het dat u ons te woord hebt gestaan, mevrouw Prentice. We gaan door met ons onderzoek en ik zal u op de hoogte houden.' De Prof krabbelde overeind en liep achter haar en Jenny aan naar de voordeur.

'Ik vind het voor mezelf niet belangrijk, ziet u,' zei Jenny, toen ze halverwege het pad waren. 'Maar voor het kind wel. Daarom moeten jullie hem zien te vinden.'

Het was, dacht Karen, de eerste keer dat ze die morgen iets van emotie liet zien. 'Pak je aantekenboekje,' zei ze tegen de Prof toen ze in de auto stapten. 'Eens kijken, wat kunnen we nu doen? Met de buurvrouw praten. Vragen of ze zich nog iets herinnert van de dag dat Mick Prentice is verdwenen. Met iemand van die grottenvereniging gaan praten, kijken wie er al bij is sinds

1984. Proberen via anderen erachter te komen wat voor man Mick Prentice was. In de dossiers naar info zoeken over ene Andy Kerr, die vakbondsfunctionaris die zelfmoord zou hebben gepleegd rond het tijdstip waarop Mick verdween. Wat zegt men daarover? En we moeten die vijf stakingsbrekers opsporen, dan kunnen de collega's in Nottingham wel met ze gaan praten.' Ze deed het portier aan de passagierskant weer open toen de Prof was uitgeschreven. 'En nu we er toch zijn, kunnen we net zo goed meteen met de buurvrouw praten.'

Ze had nog geen twee stappen buiten gezet of de telefoon ging. 'Phil,' zei ze.

Geen beleefdheden, meteen met de deur in huis. 'Je moet nú terugkomen.'

'Waarom?'

'De Mop is op oorlogspad. Hij wil weten waarom je niet achter je bureau zit.'

Simon Lees, adjunct-hoofdcommissaris (Zware Misdrijven) was totaal anders dan Karen. Ze was ervan overtuigd dat hij 's avonds voor het slapengaan het liefst in het herziene politiewetboek uit 2006 las. Ze wist dat hij getrouwd was en twee kinderen in de tienerleeftijd had, maar ze had geen idee hoe dat werkte bij een man die zo bezeten was van orde en regels. Ze had verdomme wel pech. De eerste morgen in maanden dat ze iets deed wat niet helemaal volgens het boekje was, kwam de Mop kijken wat ze uitvoerde. Hij vond blijkbaar dat het zijn goddelijk recht was om precies te weten waar zijn ondergeschikten zich bevonden, of ze nu dienst hadden of niet. Karen vermoedde dat hij bijna een rolberoerte had gekregen toen hij ontdekte dat ze niet achter het bureau zat waar hij haar dacht aan te treffen. Maar helaas was dat blijkbaar niet gebeurd. 'Wat heb je tegen hem gezegd?'

'Ik zei dat je een vergadering had met het team dat bewijsmateriaal catalogiseert, om hun datasysteem verder te stroomlijnen,' zei Phil. 'Hij vond dat een goed idee, maar het beviel hem niets dat die bespreking niet in je elektronische agenda stond.'

'Ik ben al onderweg,' zei Karen. Ze ving de verwarde blik van de Prof op toen ze weer in de auto stapte. 'Heeft hij gezegd waarvoor hij me moest hebben?'

'Tegen mij? Een simpele brigadier? Doe me een lol, Karen. Hij zei alleen dat het "van het allergrootste belang" was. Iemand heeft waarschijnlijk zijn volkorenbiscuitjes gejat.'

Karen gebaarde ongeduldig naar de Prof. 'Naar huis, James. De zweep erover!' Hij keek haar aan alsof ze gek was geworden, startte de auto en reed weg. 'Ik kom eraan,' zei ze. 'Zet maar vast theewater op.'

Glenrothes

Simon Lees had steken in zijn buik van frustratie en ergernis. Hij ging verzitten en verschoof de gezinsfoto's op zijn bureau. Wat bezielde deze mensen toch? Toen hij naar inspecteur Pirie op zoek was en haar niet aantrof op haar werkplek, had brigadier Parhatka net gedaan alsof dat de gewoonste zaak van de wereld was. Er was iets fundamenteel mis met het arbeidsethos van de rechercheurs in Fife. Hij had dat al een paar dagen na zijn komst uit Glasgow in de gaten gehad. Het verbaasde hem dat ze ooit iemand achter de tralies hadden gekregen voordat hij was gekomen met zijn analytische methoden, zijn gestroomlijnde onderzoeken, zijn verfijnde technieken op het gebied van *datamining* en de onvermijdelijke stijging van het oplossingspercentage.

Wat hem nog veel meer dwarszat, was het feit dat ze geen enkele dankbaarheid leken op te kunnen brengen voor de moderne methoden die hij had ingevoerd. Hij had zelfs het vermoeden dat ze hem uitlachten. Neem nou zijn bijnaam. Iedereen in het gebouw had kennelijk een bijnaam, en de meeste daarvan gaven met wat goede wil blijk van enige genegenheid. Maar de zijne niet. Hij had vrij vroeg al ontdekt dat hij 'de Mop' werd genoemd, omdat hij dezelfde achternaam had als een koekfabriek. Het product waar ze naam mee hadden gemaakt was berucht geworden vanwege een oeroude reclamejingle die op een luchtige manier racistisch was. Als ze die in het Schotland van de eenentwintigste eeuw uitzonden, zou dat rellen veroorzaken. Hij gaf de schuld aan Karen Pirie; het was geen toeval dat de bijnaam was opgedoken na zijn eerste confrontatie met haar. Hun contact verliep meestal volgens hetzelfde patroon. Hoe het precies gebeurde wist hij niet, maar ze zette hem altijd op het verkeerde been.

Een herinnering uit het recente verleden deed nog steeds pijn. Hij was nog maar nauwelijks ingewerkt of hij was zijn doelstellingen al in praktijk aan het brengen. Hij had een serie trainingsdagen ingesteld. Niet de gebruikelijke macho-aanstellerij of een oersaaie herhaling van het handboek, maar frisse benaderingen van zaken die bij het moderne politiewerk hoorden. Het eerste groepje politiemensen was in de trainingsruimte bij elkaar gekomen en Lees was begonnen aan zijn inleidende praatje, waarin hij uitlegde hoe ze die dag een strategie zouden gaan ontwikkelen voor het werken in een multiculturele samenleving. Zijn publiek had er opstandig bij gezeten en Karen Pirie had de aanval geleid. 'Commissaris, mag ik iets naar voren brengen?'

'Uiteraard, inspecteur Pirie.' Hij had er vriendelijk bij geglimlacht en had zijn ergernis ingeslikt over deze interruptie. Hij had nota bene nog niet eens verteld wat er op de agenda stond.

'Tja, commissaris, Fife is niet bepaald multicultureel. Er wonen niet veel mensen die hier niet vandaan komen. Uiteraard afgezien van de Polen en de Italianen. Maar die zijn hier al zo lang dat we vergeten zijn dat ze van elders komen.'

'Dus u vindt racisme geen probleem, inspecteur?' Het was misschien niet het meest gelukkige antwoord, maar hij had niet anders gekund met die houding uit het stenen tijdperk waarvan zij blijk had gegeven. Om nog maar te zwijgen over die uitdrukkingsloze bolle toet van haar als ze iets zei dat zou kunnen worden uitgelegd als opruiend.

'Natuurlijk wel, meneer.' Ze had bijna medelijdend geglimlacht. 'Wat ik wilde zeggen, is dat we er gegeven ons beperkte budget voor bijscholing, misschien verstandiger aan zouden doen om ons eerst met het soort situaties bezig te houden waar we hier werkelijk mee te maken krijgen.'

'Zoals? Hoe hard we mensen mogen slaan bij een arrestatie?'

'Ik dacht meer aan richtlijnen voor het omgaan met huiselijk geweld. We worden daar vaak bij geroepen en zo'n situatie kan gemakkelijk escaleren. Er sterven elk jaar nog te veel mensen door uit de hand gelopen huiselijk geweld. En we weten niet altijd hoe we ermee om moeten gaan zonder dat we olie op het vuur gooien. Volgens mij ligt daar op dit moment mijn prioriteit, commissaris.'

Na dat toespraakje had hij geen poot meer om op te staan. Er was geen weg terug voor hem. Hij kon doorgaan met de geplande trainingssessie, in de wetenschap dat iedereen in het zaaltje hem uitlachte. Of hij kon de zaak uitstellen totdat hij een programma had samengesteld dat uitging van het voorstel van inspecteur Pirie, en volledig voor gek staan. Uiteindelijk had hij gezegd dat ze zich de rest van de dag bezig moesten houden met huiselijk geweld als voorbereiding op een volgende trainingsdag.

Twee dagen later had hij gehoord hoe ze hem achter zijn rug de Mop noemden. O ja, hij wist best aan wie hij dat te danken had. Maar zoals met alles wat ze deed om hem te ondermijnen, kon hij haar nooit rechtstreeks van iets de schuld geven. Ze stond daar dan voor hem, met haar slordige haardos, onverstoorbaar en ondoorgrondelijk, als een koe uit de Schotse Hooglanden, en ze zei of deed nooit iets waarover hij zijn ontevredenheid kon uiten. En ze had een trend gezet voor de rest, ook al was ze met het Cold Case Team een beetje op een zijspoor gezet. Maar op de een of andere manier moest hij dankzij Pirie altijd spitsroeden lopen in zijn omgang met al zijn rechercheurs.

Hij probeerde haar te ontlopen, probeerde haar uit te rangeren via zijn operationele richtlijnen. Tot vandaag had hij gedacht dat zijn tactiek werkte. Toen was de telefoon gegaan. 'Adjunct-hoofdcommissaris Lees,' had hij geantwoord. 'Waarmee kan ik u van dienst zijn?'

'Goedemorgen, adjunct-hoofdcommissaris Lees. Mijn naam is Susan Charleson. Ik ben de *personal* assistant van Sir Broderick Maclennan Grant. Mijn baas zou graag even met u praten. Komt dat nu uit?'

Lees schoot overeind in zijn stoel en rechtte zijn schouders. Sir Broderick Maclennan Grant stond om drie dingen bekend: zijn rijkdom, zijn misantropische teruggetrokkenheid, en de ontvoering van en de moord op zijn dochter Catriona, zo'n twintig jaar geleden. Hoewel het niet erg waarschijnlijk leek, kon het feit dat zijn PA de adjunct-hoofdcommissaris van de afdeling Zware Misdrijven belde alleen maar betekenen dat er zich een ontwikkeling in de zaak had voorgedaan. 'Ja, natuurlijk komt het uit. Heel goed zelfs.' Hij probeerde zich de bijzonderheden van de zaak te herinneren en luisterde maar half naar de vrouw aan de telefoon. Dochter en kleinzoon ontvoerd, dat was het. Dochter gedood bij een mislukte losgeldoverdracht, kleinzoon spoorloos verdwenen. En nu zag het ernaar uit dat hij degene zou zijn die de zaak eindelijk ging oplossen. Hij stemde weer af op de woorden van de vrouw.

'Als u even geduld wilt hebben, zal ik u nu doorverbinden,' zei ze.

Het holle geluid van een verbinding die een moment verbroken wordt, daarna een donkere, zware stem die zei: 'Met Brodie Maclennan Grant. Spreek ik met de adjunct-hoofdcommissaris?'

'Dat klopt, Sir Broderick. AHC Lees. Simon Lees.'

'Bent u op de hoogte van de onopgeloste moord op mijn dochter Catriona? En de ontvoering van mijn kleinzoon Adam?'

'Uiteraard, dat spreekt vanzelf, er is geen politieman in dit land die...'

'Wij geloven dat er nieuw bewijsmateriaal is opgedoken. Ik zou u dankbaar zijn als u kunt regelen dat inspecteur Pirie morgenochtend hierheen komt om een en ander te bespreken.'

Lees hield de telefoon een eindje van zich af en staarde ernaar. Was dit soms een uit de hand gelopen grap? 'Inspecteur Pirie? Ik weet niet goed... ik zou zelf kunnen komen,' brabbelde hij.

'U bent een bureauman. Ik heb geen behoefte aan een bureauman.' De stem van Brodie Grant klonk afwijzend. 'Inspecteur Pirie is een rechercheur. De manier waarop ze met die kwestie met Lawson is omgegaan, beviel me wel.'

'Maar... maar een wat hogere politieambtenaar zou hier beter op zijn plaats zijn.'

'Heeft inspecteur Pirie niet de leiding over uw Cold Case Team?' Grant begon wat ongeduldig te klinken. 'Dat is hoog genoeg voor mij. Ik vind rangen niet belangrijk, ik vind resultaten belangrijk. Daarom wil ik dat inspecteur Pirie morgenochtend om tien uur bij mij thuis komt. Dat geeft haar voldoende tijd om zich in te lezen, zodat ze de zaak in hoofdlijnen kent. Goedendag, meneer Lees.' De verbinding werd verbroken en Simon Lees bleef alleen achter met zijn stijgende bloeddruk en zijn verpeste humeur.

Hoezeer hij ook het land had, hij moest op zoek naar inspecteur Pirie. Hij kon in ieder geval de indruk wekken dat het zijn idee was om haar op de zaak te zetten. Maar ondanks het feit dat er geen enkele afspraak in de elektronische agenda stond die hij voor zijn rechercheurs had ingesteld, had ze niet op haar plek gezeten. Het was allemaal goed en wel, politiemensen die eigen initiatieven namen en zo, maar ze moesten leren om ergens te noteren waar ze naartoe gingen.

Hij wilde net op hoge poten naar de teamkamer van het CCT teruglopen om te kijken waarom inspecteur Pirie er nog niet was, toen er hard op de deur werd geklopt en inspecteur Pirie binnenkwam. 'Heb ik "binnen" gezegd?' vroeg Lees met een woedende blik in haar richting.

'Ik dacht dat het dringend was, commissaris.' Ze liep gewoon door en ging tegenover hem zitten op de stoel voor het bezoek. 'Ik begreep van rechercheur Parhatka dat u me voor iets dringends nodig had.'

Wat een reclame voor het korps, dacht hij boos. Slordige bruine haren die in haar ogen vielen, een minuscule hoeveelheid make-up, tanden die wel wat orthodontische zorg hadden kunnen gebruiken. Vermoedelijk was ze nog lesbisch ook, gezien haar voorliefde voor broekpakken. Geen gelukkige keus met die brede heupen van haar. Niet dat hij iets tegen lesbiennes had, fluisterde een stemmetje in zijn oor. Hij dacht gewoon dat het een verkeerde indruk gaf van het huidige politieapparaat. 'Ik ben vanmorgen gebeld door Sir Broderick Maclennan Grant,' zei hij.

Als enig blijk van belangstelling deed ze haar mond een klein beetje open.

'Ik neem aan dat u weet wie Sir Broderick Maclennan Grant is?'

Karen keek alsof de vraag haar verbaasde. Ze leunde achterover in haar stoel en somde op: 'De op twee na rijkste man in Schotland, heeft de helft van de rendabele gedeelten van de Highlands in zijn bezit. Is rijk geworden met het aanleggen van wegen en het bouwen van huizen en met het uitbaten van de vervoerssystemen die het een en ander bereikbaar maken. Bezit een van de Hebriden, maar woont de meeste tijd in Rotheswell Castle bij Falkland. Het grootste deel van het land tussen het kasteel en de zee is van hem of van de gemeente Wemyss. Zijn dochter Cat en haar zoontje Adam zijn in 1985 door een anarchistische groepering ontvoerd. Cat is doodgeschoten toen er iets fout ging bij de overhandiging van het losgeld. Niemand weet wat er met Adam is gebeurd. De vrouw van Grant heeft een paar jaar later zelfmoord gepleegd. Hij is een jaar of tien geleden hertrouwd. Hij heeft een zoontje dat nu een jaar of vijf, zes zal zijn.' Ze grijnsde. 'En, hoe heb ik het ervan afgebracht?'

'Het is geen wedstrijd, inspecteur.' Lees voelde hoe hij zijn vuisten balde en hij hield ze onder zijn bureau. 'Er is blijkbaar nieuw bewijsmateriaal opgedoken. En daar u de leiding hebt over Cold Cases, vond ik dat u er maar heen moet gaan.'

'Wat voor soort bewijsmateriaal?' Ze leunde tegen de stoelleuning aan en zat er bijna uitgezakt bij.

'Het leek me het beste dat u rechtstreeks met Sir Broderick in contact treedt. Op die manier is er geen verwarring mogelijk.'

'Dus hij heeft niet specifiek om mij gevraagd?'

Lees had kunnen zweren dat ze zich zat te verkneukelen. 'Ik heb met hem afgesproken dat u morgenochtend om tien uur een gesprek met hem hebt op Rotheswell Castle. Ik hoef u er hopelijk niet aan te herinneren dat het heel belangrijk is dat we deze zaak serieus nemen. Ik wil dat Sir Broderick ervan overtuigd is dat wij onze volle aandacht aan deze zaak zullen geven.'

Karen stond plotseling op; ze keek hem met een kille blik aan. 'Hij krijgt precies evenveel aandacht van me als elke andere ouder die een kind heeft verloren. Ik maak geen onderscheid tussen de doden, commissaris. Dat was het? Ik heb voor morgenochtend nog een dossier samen te stellen.' Ze wachtte niet tot hij zei dat ze kon gaan. Ze draaide zich gewoon om en liep weg. Lees kreeg sterk de indruk dat ze ook niet veel onderscheid maakte tussen de levenden.

Alweer liet Karen Pirie hem zitten met het gevoel dat hij volledig was afgegaan.

Rotheswell Castle

Bel Richmond wierp een laatste blik op haar dossier over Catriona Maclennan Grant, om nog eens extra te controleren of haar vragenlijst alle facetten van de zaak bestreek. Het onvermogen van Sir Broderick Maclennan Grant om met dwazen om te gaan was even berucht als zijn afkeer van publiciteit. Bel was bang dat hij onmiddellijk zou toeslaan bij het eerste teken van een onvoldoende voorbereiding harerzijds en dat hij dat dan als excuus zou gebruiken om de afspraak die ze had geregeld met Susan Charleson af te blazen.

Eerlijk gezegd stond ze er nog steeds verbaasd over dat het haar was gelukt. Ze stond op, deed haar laptop dicht en bleef even staan om in de spiegel te kijken. *Tieten en tanden. De kans om een eerste indruk te maken krijg je maar één keer.* Een weekend op het platteland, daar had ze zich op gekleed. Ze had zich altijd prima aan haar omgeving kunnen aanpassen. Nog een reden waarom ze zo goed was in haar vak. Opgaan in het grotere geheel, 'een van ons' worden, wie dat 'ons' ook mocht zijn, was een noodzakelijk kwaad. Dus als ze onderdak kreeg in het statige kasteel van Brodie Grant moest ze zich er ook naar kleden. Ze trok de jurk met Schotse ruiten recht die ze van Vivianne had geleend, controleerde of haar schoenen met lage hakken er netjes uitzagen, duwde haar ravenzwarte haren achter een oor en plooide haar knalrode lippen tot een glimlach. Een blik op haar horloge bevestigde dat het tijd was om naar beneden te gaan om te zien wat de geduchte Susan Charleson voor haar in petto had.

Toen ze de hoek van de brede trap om liep, moest ze vlug opzij springen om niet tegen een jongetje op te lopen dat de trap op kwam rennen. Hij probeerde zijn wild in het rond zwaaiende ledematen onder controle te krijgen, hijgde: 'sorry', en racete toen verder naar boven. Bel knipperde met haar ogen en trok haar wenkbrauwen op. Het was al een paar jaar geleden dat ze voor het laatst een dergelijke ontmoeting met een jongen had gehad, en ze had het sindsdien niet gevoeld als een gemis. Ze vervolgde haar tocht, maar voordat ze helemaal beneden was, kwam er een vrouw in een boterkleurige corduroy broek en een donkerrode blouse de trap op lopen die, toen ze haar zag, stokstijf bleef staan. 'O, neem me niet kwalijk, ik wilde je niet aan het schrikken maken,' zei ze. 'Heb je misschien een jongetje langs zien komen?'

Bel gebaarde met haar duim over haar schouder. 'Die kant op.'

De vrouw knikte. Nu ze wat dichterbij stond, zag Bel dat ze zeker tien jaar ouder was dan ze eerst had gedacht; eind dertig op z'n minst. Een mooie huid, dikke kastanjebruine haren en een slank figuur hielpen de illusie een handje. 'Het monster,' zei de vrouw. Ze ontmoetten elkaar een paar treden van beneden. 'Jij bent vast Annabel Richmond,' zei ze en ze stak een slanke hand uit die koud aanvoelde ondanks de behaaglijke warmte die binnen de dikke muren van het kasteel was blijven hangen. 'Ik ben Judith, de vrouw van Brodie.'

Natuurlijk was ze dat. Hoe had Bel kunnen denken dat een kinderjuffrouw er zo goedverzorgd uitzag. 'Lady Grant,' zei ze, zich inwendig doodschamend.

'Zeg alsjeblieft Judith. Zelfs na al die jaren dat ik met Brodie getrouwd ben, kijk ik nog steeds achterom als iemand me "Lady Grant" noemt.' Het klonk niet als valse bescheidenheid.

'En ik ben Bel, behalve als ik schrijf.'

Lady Grant glimlachte, maar keek ondertussen speurend de trap op. 'Dan zeg ik Bel. Hoor eens, ik kan hier niet blijven staan, ik moet het monster vangen. Ik zie je wel aan tafel.' En weg was ze. Ze rende met twee treden tegelijk de trap op.

In vergelijking met de kasteelvrouwe van Rotheswell voelde Bel zich veel te chic gekleed. Ze liep de hal met de plavuizen weer door naar het kantoor van Susan Charleson. De deur was open en Susan, die aan de telefoon zat, wenkte haar naar binnen. 'Prima. Bedankt dat u het hebt weten te regelen, meneer Lees.' Ze legde de telefoon neer, liep om haar bureau heen en ging Bel voor, terug naar de deur. 'U bent mooi op tijd,' zei ze. 'Hij houdt van stiptheid. Is de kamer naar uw wens? Heeft u alles wat u nodig heeft? Doet de draadloze verbinding het goed?'

'Het is allemaal prima in orde,' zei Bel. 'Prachtig uitzicht trouwens.' Ze had het gevoel dat ze toevallig was terechtgekomen in een kostuumstuk op de BBC. Ze liet zich voorgaan door de doolhof van gangen waarvan de muren vol hingen met foto's van het Schotse landschap op posterformaat, afgedrukt op doek, zodat het net schilderijen leken. Tot haar verbazing maakte het een heel gezellige indruk. Maar ze had zich het kasteel heel anders voorgesteld. Ze had iets verwacht in de trant van Windsor Castle. Of van Alnwick Castle, waar de Harry Potterfilms waren opgenomen. In plaats daarvan had Rotheswell meer iets van een vesting met torentjes. Het interieur leek meer op dat van een landhuis dan op een middeleeuws kasteel. Stevig en solide, maar niet zo intimiderend als ze had gevreesd.

Tegen de tijd dat ze halt hielden voor een hoge gewelfde mahoniehouten deur, had ze spijt dat ze vergeten was om broodkruimeltjes mee te nemen.

'We zijn er,' zei Susan, terwijl ze de ene helft van de deur opendeed. Ze liep met Bel een biljartkamer binnen die donkere panelen had en luiken voor de ramen. Het enige licht kwam van een serie lampen boven de grote biljarttafel. Toen ze binnenkwamen keek Sir Broderick Maclennan Grant op van de keu waar hij zich op had staan concentreren. Bel herkende hem onmiddellijk aan de dikke bos opvallend zilvergrijs haar die jongensachtig over zijn brede voorhoofd viel, aan de wenkbrauwen als een paar zilveren bolwerken boven ogen die zo diep lagen dat naar de kleur geraden moest worden, aan de neus als een papegaaienbek en aan de lange smalle mond met daaronder een vierkante kin; door de lichtval zag hij er indrukwekkend uit.

Bel wist van foto's wat ze kon verwachten, maar ze schrok toch nog van de magnetische aantrekkingskracht die ze in zijn nabijheid voelde. Ze was wel eerder in het gezelschap van de machtigen der aarde geweest, maar zo'n charisma had ze nog maar een paar keer meegemaakt. Ze begreep onmiddellijk hoe Brodie Grant zijn imperium van de grond af had opgebouwd.

Hij ging rechtop staan en leunde op zijn keu. 'U moet mevrouw Richmond zijn.' Zijn stem klonk diep en leek moeizaam op gang te komen, alsof hij er niet genoeg gebruik van had gemaakt.

'Inderdaad, Sir Broderick.' Bel wist niet of ze naar hem toe moest lopen of moest blijven staan.

'Dank je, Susan,' zei Grant. Toen de deur achter haar in het

slot viel, wuifde hij in de richting van een tweetal versleten leunstoelen die aan weerszijden van de gebeeldhouwde marmeren
schouw stonden. 'Ga zitten. Ik kan biljarten en praten tegelijkertijd.' Hij begon weer te bestuderen hoe hij moest stoten, terwijl Bel een van de stoelen wat verschoof, zodat ze hem beter
kon bekijken.

Ze wachtte tot hij een paar stoten had gedaan. De stilte tussen hen zwol aan als een opkomende vloed. 'Dit is een prachtig
huis,' zei ze ten slotte.

Hij gromde. 'Ik doe niet aan koetjes en kalfjes, mevrouw Richmond.' Hij stootte snel en twee ballen botsten met een knal als
een geweerschot op elkaar. Hij krijtte zijn keu en keek haar toen
een tijdlang aan. 'U vraagt zich waarschijnlijk af hoe u dit in vredesnaam heeft klaargespeeld. Rechtstreekse toegang tot een man
die berucht is vanwege zijn afkeer van de media. Een hele pres-
tatie, hè? Nou, het spijt me u te moeten teleurstellen, maar u
heeft gewoon geboft.' Hij liep om de tafel heen en fronste zijn
wenkbrauwen toen hij zag hoe de ballen lagen. Hij bewoog zich
als een man die tien jaar jonger was.

'Zo heb ik een paar van mijn beste verhalen gekregen,' zei Bel
kalm. 'Dat maakt dat je slaagt als journalist, dat je de gave hebt
op de juiste tijd op de juiste plaats te zijn. Ik weet het boffen af
te dwingen.'

'Maar goed ook.' Hij bestudeerde de ballen en hield zijn hoofd
scheef om ze vanuit een andere hoek te bekijken. 'En vraagt u
zich nu niet af waarom ik na al die jaren besloten heb de stilte
te verbreken?'

'Ja, natuurlijk doe ik dat. Maar eerlijk gezegd denk ik niet dat
uw redenen om nu te praten veel te maken hebben met wat ik
uiteindelijk op ga schrijven. Dus in dit geval is mijn nieuwsgierigheid meer persoonlijk dan beroepsmatig.'

Hij hield midden in de voorbereiding voor een stoot op, ging
rechtop staan en keek haar aan met een uitdrukking op zijn gezicht die ze niet kon duiden. Hij was of woedend, of nieuwsgierig. 'U bent anders dan ik verwacht had,' zei hij. 'Harder. Dat
is goed.'

Bel was eraan gewend dat de mannen in haar wereld haar onderschatten. Ze was minder gewend aan mannen die hun ver-

gissing toegaven. 'Jazeker, ik ben hard. Ik ga er niet van uit dat anderen strijd leveren voor mij.'

Leunend op de tafel, met zijn armen om de keu gevouwen draaide hij zich met zijn gezicht naar haar toe. 'Ik hou er niet van om in de belangstelling te staan,' zei hij. 'Maar ik ben een realist. Destijds, in 1985, kon iemand als ik nog enige invloed op de media uitoefenen. Toen Catriona en Adam werden ontvoerd, hebben wij grotendeels bepaald wat er gedrukt werd of werd uitgezonden. De politie heeft daar ook aan meegewerkt.' Hij zuchtte en schudde zijn hoofd. 'Al hebben we er niet veel aan gehad.' Hij zette de keu tegen de tafel en kwam tegenover Bel zitten.

Hij zat in de klassieke houding van het alfamannetje: de knieën wijd uit elkaar, handen op de dijbenen, schouders naar achteren. 'De wereld is nu heel anders,' zei hij. 'Ik heb gezien hoe jullie van de pers omgaan met mensen die kinderen verloren hebben. Mohamed Al Fayed bijvoorbeeld werd afgeschilderd als een paranoïde gek. Kate McCann kwam over als een moderne Medea. Je hoeft maar een voet verkeerd te zetten of ze laten je vallen. Ik ben niet van plan om dat te laten gebeuren. Ik heb veel bereikt in het leven, mevrouw Richmond. En dat heb ik gedaan door te accepteren dat er dingen zijn die ik niet weet en door in te zien dat ik dat kan oplossen door deskundigen in de arm te nemen en naar ze te luisteren. Wat deze zaak betreft heb ik u ingehuurd om het vuile werk op te knappen. Als het eenmaal naar buiten komt dat er nieuw bewijsmateriaal is, zijn de media niet meer te houden. Maar behalve met u praat ik met niemand. Alles gaat via u. Dus wat voor beeld er ook naar buiten komt, het zal door u zijn gecreëerd. Dit huis is gebouwd om een belegering te weerstaan en mijn beveiliging is state of the art. Van dat addergebroed komt er niemand bij mij in de buurt. En ook niet bij Judith of Alec.'

Bel voelde een glimlach in haar mondhoeken kriebelen. Exclusief toegang hebben tot zo'n belangrijk iemand was de natte droom van elke journalist. Meestal moest ze zich er een ongeluk voor werken. Maar hier kreeg ze het zomaar op een presenteerblaadje aangeboden en nog voor niets ook. Maar ze moest hem maar in de waan laten dat zij degene was die hem een dienst bewees. 'En wat krijg ik ervoor terug? Behalve dat al mijn collega's de pest aan me krijgen?'

De dunne lijn van Grants lippen werd nog iets smaller en zijn borstkas kwam omhoog toen hij diep inademde. 'Ik zal met u praten.' De woorden kwamen eruit alsof ze tussen een paar molenstenen waren fijngemalen. Het was duidelijk bedoeld als een moment dat deed denken aan Mozes die afdaalde van de berg Sinaï.

Bel was vastbesloten zich niet te laten imponeren. 'Uitstekend. Zullen we dan maar beginnen?' Ze deed een greep in haar tas en haalde een digitale recorder tevoorschijn. 'Ik weet dat dit niet gemakkelijk voor u wordt, maar ik zou graag willen dat u me wat over Catriona vertelt. We komen nog wel bij de ontvoering en de gevolgen daarvan, maar we moeten ook iets weten over de tijd daarvoor. Ik wil een beeld hebben van hoe ze was en hoe haar leven eruitzag.'

Hij staarde voor zich uit en voor het eerst zag Bel een man van tweeënzeventig. 'Ik weet niet of ik daar de juiste persoon voor ben,' zei hij. 'We leken te veel op elkaar. Het ging altijd hard tegen hard tussen mij en Catriona.' Hij duwde zich omhoog uit de leunstoel en liep terug naar de biljarttafel. 'Ze is altijd wispelturig geweest, zelfs toen ze nog heel klein was. Ze had als peuter driftbuien die de muren van het huis deden schudden. Die driftbuien is ze op een gegeven moment ontgroeid, maar de slechte stemmingen bleven. Maar ze kon ook zo lief zijn dat je haar niets kwalijk kon nemen. Als ze haar best deed tenminste.' Hij keek Bel even aan en glimlachte. 'Ze wist wat ze wilde. En als ze zich eenmaal iets had voorgenomen, kon niemand haar daar meer van afbrengen.'

Grant liep om de tafel heen, bestudeerde de ballen en ging in positie staan voor een volgende stoot. 'En ze had talent. Toen ze nog een kind was, zag je haar nooit zonder een potlood in de hand of een verfkwast. Tekenen, schilderen, boetseren. Ze hield nooit op. Ze groeide er ook niet overheen, zoals de meeste kinderen. Ze werd alleen maar beter. En toen ontdekte ze glas.' Hij boog zich over de tafel, knalde de speelbal tegen de rode aan en prikte hem in de middelste zak. Hij legde de rode weer neer en bekeek hoe de situatie er nu voor stond.

'U zei dat het bij jullie altijd hard tegen hard ging. Waar ging het dan over?' vroeg Bel toen hij uitgepraat leek te zijn.

Grant lachte. 'Over van alles en nog wat. Politiek. Religie. Of de Italiaanse keuken beter was dan de Indiase. Of Mozart beter was dan Beethoven. Of abstracte kunst ergens over ging. Of we beuken of berken of dennen moesten aanplanten in het bos bij Check Bar.' Hij kwam langzaam overeind. 'Waarom ze het bedrijf niet wilde overnemen. Dat was een belangrijk discussiepunt. Ik had toen nog geen zoon. En ik heb nooit moeite gehad met vrouwen in het zakenleven. Ik zag geen reden waarom zij het bedrijf niet zou overnemen als ze eenmaal het klappen van de zweep kende. Ze zei dat ze nog liever een naald in haar oog stak.'

'Had ze bezwaren tegen het bedrijf?' vroeg Bel.

'Nee, het had niets te maken met het bedrijf of met bedrijfspolitiek. Ze wilde kunstenares worden en met glas gaan werken. Beeldhouwen, blazen, gieten – alles wat er mogelijk is met glas, daar wilde zij de beste in zijn. En dat liet niet veel ruimte over voor het aanleggen van wegen of het bouwen van huizen.'

'Dat moet een teleurstelling zijn geweest.'

'Ik was er kapot van.' Grant schraapte zijn keel. 'Ik heb alles geprobeerd om haar op andere gedachten te brengen, maar dat is niet gelukt. Achter mijn rug om heeft ze zich aangemeld bij Goldsmiths in Londen. En daar is ze aangenomen.' Hij schudde zijn hoofd. 'Ik was er helemaal voor om haar geen cent meer te geven, maar Mary – mijn vrouw, de moeder van Cat – zette me zo onder druk dat ik haar toch maar ben blijven onderhouden. Ze hield me voor dat ik voor iemand die zo'n hekel had aan elke vorm van publiciteit, wel een erg smakelijk hapje naar de sensatiebladen gooide. Dus heb ik me laten overhalen.' Hij glimlachte wrang. 'Ik had me er zelfs bijna mee verzoend. En toen kwam ik erachter wat er echt speelde.'

Woensdag 13 december 1978; Rotheswell Castle
Brodie Grant trok zo ruw aan het stuur van de landrover dat het grind opspatte. Hij kwam pal voor de deur van de keuken van Rotheswell Castle tot stilstand en liep stampvoetend het huis in

met een chocoladekleurige labrador op zijn hielen. Met grote passen beende hij de keuken door. Een vlaag vrieslucht kwam met hem mee naar binnen en hij snauwde tegen de hond dat ze moest blijven zitten. Hij bewoog zich door het huis met de snelheid en de zekerheid van een man die precies weet waar hij naartoe gaat.

Ten slotte stormde hij de prachtig gemeubileerde kamer binnen waar zijn vrouw zich vermaakte met haar patchwork, haar favoriete bezigheid. 'Wist jij hiervan?' vroeg hij. Mary keek verschrikt op. Ze hoorde hoe hij stond te hijgen.

'Waarvan, Brodie?' vroeg ze. Ze was al zo lang met een natuurkracht getrouwd dat ze van zijn melodramatische optredens niet meer van slag raakte.

'Jij hebt me overgehaald dit te doen.' Hij liet zich in een lage leunstoel vallen en haalde met moeite zijn benen uit de knoop. '"Het is haar wens, Brodie. Ze vergeeft het je nooit als je haar dwarsboomt, Brodie. Jij hebt je dromen gevolgd, Brodie. Geef haar ook die kans." Dat heb jij gezegd. En dus heb ik dat gedaan. Tegen beter weten in heb ik gezegd dat ik haar zou steunen. Dat ik haar verdomde studie zou bekostigen. Dat ik verdomme niet zou zeggen dat ik het tijdverspilling vond. Dat ik haar niet meer onder de neus zou wrijven dat maar weinig kunstenaars ooit een cent verdienen aan hun egoïstische, stompzinnige gerommel. In ieder geval niet tijdens hun leven.' Hij sloeg met zijn vuist op de stoelleuning.

Mary ging door met het in stukjes knippen van de stof en glimlachte. 'Dat is zo, Brodie. En daar ben ik erg trots op.'

'En kijk nou eens wat we ons op de hals hebben gehaald. Kijk eens wat er nu aan de hand is.'

'Brodie, ik heb geen flauw idee waar je het over hebt. Zou je het misschien kunnen uitleggen? En wil je alsjeblieft rekening houden met je bloeddruk?' Ze had altijd de gave gehad om hem op een vriendelijke, een beetje plagerige manier van zijn extreme standpunten af te brengen. Maar vandaag lukte het haar niet zo goed. Brodie was woest en er was meer voor nodig dan lieve woordjes om hem weer wat te kalmeren.

'Ik ben met Sinclair op pad geweest. We hebben de zaak gecontroleerd voor de drijfjacht van zaterdag.'

'En hoe lag alles erbij?'

'Kon niet beter. Zoals altijd. Hij is een goede boswachter. Maar daar gaat het niet om, Mary.' Zijn stem schoot weer omhoog, enigszins buiten proportie in de knusse kamer met overal stapels stoffen op de planken.

'Nee, Brodie, dat snap ik. Maar waar gaat het dan wél precies om?'

'Die klootzak van een Fergus Sinclair, daar gaat het om. Ik heb het er met Sinclair over gehad. Laatst, van de zomer, toen die rotzoon van hem achter Cat aan zat. Ik heb hem gezegd dat hij zijn zoon bij mijn dochter vandaan moest houden, en ik dacht dat hij naar me had geluisterd. Maar nu dit.' Hij zwaaide met zijn handen alsof hij een baal hooi de lucht in gooide.

Mary legde eindelijk haar werk neer. 'Wat is er aan de hand, Brodie? Wat is er gebeurd?'

'Nee, wat gáát er gebeuren. Weet je nog dat we een zucht van verlichting slaakten toen hij zich inschreef voor die klotestudie landschapsbeheer in Edinburgh? Nou, nu blijkt verdomme dat hij nog andere ijzers in het vuur had. Hij heeft zich nu nota bene in Londen laten inschrijven. Dan is hij in dezelfde stad als onze dochter. En dan is hij natuurlijk niet meer bij haar weg te slaan. Die boerenlul zit verdomme alleen maar achter haar geld aan.' Hij keek woedend voor zich uit en sloeg nog een keer met zijn vuist op de stoel. 'Ik zal hem wel eens een lesje leren, let maar op.'

Tot zijn verbazing zat Mary onbedaarlijk te lachen; ze zat te schudden achter haar lapjestafel, de tranen stonden haar in de ogen. 'O, Brodie,' kon ze met moeite uitbrengen. 'Je weet niet hoe grappig dit is.'

'Grappig?' brulde hij. 'Dat klotejong jaagt onze Cat naar de verdommenis en jij vindt het grappig?'

Mary sprong overeind en liep de kamer door naar haar man. Ze sloeg geen acht op zijn protesten, ging bij hem op schoot zitten en liet haar vingers door zijn dikke haardos glijden. 'Rustig maar, Brodie. Het komt allemaal in orde.'

'Ik zie niet in hoe.' Hij ontweek haar strelende hand.

'Cat en ik hebben de afgelopen week zitten bedenken hoe we het je moesten vertellen.'

'Ach mens! Wat dan in godsnaam?'
'Ze gaat niet naar Londen, Brodie.'
Hij ging met een ruk overeind zitten, waardoor Mary bijna op de grond viel. 'Wat bedoel je, ze gaat niet naar Londen? Houdt ze op met dat onzinnige gedoe van haar? Komt ze bij mij in de zaak?'

Mary zuchtte. 'Doe niet zo dom. Je weet heel goed dat ze doet wat ze moet doen. Nee, ze heeft een beurs aangeboden gekregen. Het is een combinatie van een academische studie en werken in een fabriek waar ze kunstwerken van glas maken. Brodie, het is echt de beste opleiding ter wereld. En ze hebben onze Catriona daarvoor gevraagd.'

Een paar seconden werd hij verscheurd tussen trots en vrees. 'Waar dan?' vroeg hij ten slotte.

'Niet zo ver weg, Brodie.' Mary streelde zijn wang met de rug van haar hand. 'Het is in Zweden.'

'Zweden? Godverdomme, in Zweden? Jezus, Mary. Zweden?'

'Je doet net alsof het aan de andere kant van de wereld is. Je vliegt er vanuit Edinburgh in minder dan twee uur heen. Eerlijk waar, Brodie. Luister eens naar jezelf. Dit is fantastisch. Ze had geen betere kans kunnen krijgen. En je hoeft je geen zorgen te maken dat Fergus daar ook is. Het is niet waarschijnlijk dat hij opduikt in een stadje ergens tussen Stockholm en Uppsala.'

Grant sloeg zijn armen om zijn vrouw heen en liet zijn kin op haar hoofd rusten. 'Jij ziet altijd alles van de positieve kant.' Toen begon hij gemeen te grijnzen. 'Dat betekent een flinke spaak in het wiel van die verdomde Fergus Sinclair.'

Donderdag 28 juni 2007; Rotheswell Castle
'Dus de ruzies met Cat gingen ook over vriendjes?' vroeg Bel. 'Over allemaal of over Fergus Sinclair in het bijzonder?'

'Ze heeft niet zoveel vriendjes gehad. Ze was veel te veel met haar werk bezig. Ze heeft een paar maanden met een van de kunstenaars in die glasfabriek opgetrokken. Ik heb hem een paar keer ontmoet. Een Zweed, maar toch wel een verstandige jongen. Maar ik zag wel dat het van haar kant niet serieus was, dus hoefden we geen ruzie over hem te maken. Maar Fergus Sinclair, dat lag totaal anders.' Grant ijsbeerde om de tafel heen; hij was zich duidelijk aan het opwinden. 'De politie heeft hem nooit als een verdachte gezien, maar ik heb me destijds wel afgevraagd of hij niet verantwoordelijk kon zijn geweest voor wat er met Cat en Adam is gebeurd. Hij kon het maar moeilijk verkroppen toen ze het definitief uitmaakte. En hij kon het niet accepteren dat ze hem niet wilde erkennen als de vader van Adam. Toentertijd dacht ik dat hij best de wet in eigen hand had kunnen nemen. Hoewel hij volgens mij niet slim genoeg was om zoiets ingewikkelds te organiseren.'

'Maar hield Cat haar relatie met Fergus dan aan nadat ze naar Zweden ging?'

Grant zag er opeens verschrikkelijk moe uit en hij liet zich weer in de stoel tegenover Bel vallen. 'Ze waren heel dik met elkaar. Ze hadden als kinderen al met elkaar opgetrokken. Ik had er een stokje voor moeten steken, maar het kwam gewoon niet bij me op dat het ooit iets zou worden. Ze waren zo verschillend. Cat met haar kunst en Fergus die niets anders wilde dan zijn vader opvolgen als boswachter. Verschillen in stand, verschillen in aspiraties. Het enige wat hen volgens mij samenbracht was dat ze toevallig op dezelfde plaats waren terechtgekomen. Dus ja, als zij hier met vakantie was en hij ook, dan zochten ze elkaar weer op. Ze maakte er geen geheim van, ook al wist ze hoe ik over Sinclair dacht. Ik bleef hopen dat ze iemand zou tegenkomen die haar waard was, maar dat is nooit gebeurd. Ze ging steeds weer terug naar Sinclair.'

'En toch heeft u zijn vader niet ontslagen? Hem van het landgoed weggestuurd?'

Grant keek geschokt. 'Grote god, nee. Hebt u enig idee hoe moeilijk het is om iemand te vinden die zo goed is als Willie Sinclair? Je zou honderd mannen kunnen oproepen voordat je er eentje vond die hetzelfde gevoel had voor de vogels en voor het land. Bovendien is hij een fatsoenlijke vent. Hij wist dat zijn zoon niet goed genoeg was voor Cat. Hij schaamde zich dat hij Fergus niet van Cat af kon houden. Hij wilde hem de toegang tot zijn huis ontzeggen, maar daar wilde zijn vrouw niet aan.' Hij haalde zijn schouders op. 'Ik kan niet zeggen dat ik haar dat kwalijk neem. Vrouwen kunnen niet hard optreden tegen hun zoons.'

Bel probeerde haar verbazing te verbergen. Ze had aangenomen dat Grant voor niets terugdeinsde om zijn zin door te drijven waar het zijn dochter betrof. Hij was blijkbaar gecompliceerder dan ze had vermoed. 'Wat gebeurde er toen ze uit Zweden terugkwam?'

Grant wreef over zijn gezicht. 'Dat was niet leuk. Ze wilde het huis uit. Ze wilde ergens een atelier hebben waar ze kon werken en vanwaaruit ze haar spullen kon verkopen. Een plek waar ze ook kon wonen. Ze had haar oog laten vallen op een paar huizen op het landgoed. Ik zei dat ik haar zou steunen als ze niet meer omging met Sinclair.' Voor het eerst zag Bel naast de woede ook iets van verdriet. 'Dat was dom van me. Mary heeft dat toen ook gezegd en ze had gelijk. Ze waren allebei woedend op me, maar ik wilde niet toegeven. Dus is Cat haar eigen weg gegaan. Ze is gaan praten met de gemeente Wemyss en heeft van hen iets gehuurd. Een oude portierswoning met een schuur waarin hout was opgeslagen, een eindje van de hoofdweg af. Een prima plek om klanten te trekken. Een parkeergelegenheid voor de oude hekken, een atelier annex tentoonstellingsruimte en een plek om te wonen, weggestopt achter de muren. Meer privacy had ze niet nodig. En iedereen wist het: Catriona MacLennan Grant was naar de gemeente Wemyss gegaan om haar oudeheer een hak te zetten.'

'Als ze niet zonder uw steun kon, hoe heeft ze dan het geld bij elkaar gekregen?' vroeg Bel.

'Haar moeder heeft het atelier ingericht, heeft de huur betaald over het eerste jaar en heeft haar van eten voorzien totdat Cat haar werk begon te verkopen.' Hij kon een glimlach niet onderdrukken. 'Wat niet lang op zich liet wachten. Ze was goed, weet u. Heel goed. En haar moeder zorgde ervoor dat al haar vriendinnen erheen gingen voor cadeautjes bij bruiloften en partijen. Ik ben nog nooit zo boos op Mary geweest. Ik was woest. Ik voelde me tegengewerkt en respectloos behandeld, en daar kwam nog bij dat die verdomde Sinclair van de universiteit kwam en de draad gewoon weer oppakte.

'Woonden ze samen?'

'Nee. Daar was Cat te verstandig voor. Ik kijk er nu op terug en dan denk ik wel eens dat ze alleen maar met hem bleef omgaan om mij een hak te zetten. Het heeft niet zo lang meer geduurd nadat ze met haar atelier was begonnen. Het was praktisch voorbij zo'n anderhalf jaar voordat... voordat ze stierf.'

Bel deed een paar hoofdrekensommen en kwam uit op het foute antwoord. 'Maar Adam was nog maar zes maanden oud toen ze werden ontvoerd. Hoe kon Fergus Sinclair dan zijn vader zijn als hij en Cat het anderhalf jaar daarvoor hadden uitgemaakt?'

Grant zuchtte. 'Volgens Mary was het niet helemaal uit. Cat zei de hele tijd tegen Sinclair dat het uit was, maar hij accepteerde dat gewoon niet. Tegenwoordig zou men dat "stalken" noemen. Blijkbaar kwam hij telkens weer aanzetten met die aandoenlijke hondenblik in zijn ogen, en Cat stond niet altijd sterk genoeg in haar schoenen om hem weg te sturen. En toen raakte ze zwanger.' Hij staarde naar de vloer. 'Ik had me altijd voorgesteld hoe het zou zijn om grootvader te zijn. Om te zien dat de familielijn werd doorgezet. Maar toen Cat het ons vertelde, voelde ik alleen maar woede. Die klootzak van een Sinclair had haar toekomst verpest. Haar opgezadeld met een kind, haar kansen op de gedroomde carrière tenietgedaan. Het enige goede wat ze deed, was weigeren om nog iets met hem te maken te hebben. Ze wilde hem niet als de vader erkennen, ze wilde hem niet meer zien en niet met hem praten. Ze wond er geen doekjes om dat het ditmaal definitief uit was.'

'Hoe heeft hij dat opgenomen?'

'Dit heb ik weer via via gehoord. Van Willie Sinclair dit keer. Hij zei dat de jongen er helemaal kapot van was. Maar ik wilde alleen maar horen dat hij eindelijk de boodschap begrepen had dat hij nooit bij de familie zou horen. Willie heeft de jongen aangeraden niet te dicht bij Cat in de buurt te blijven wonen, en voor de verandering heeft hij naar zijn vader geluisterd. Binnen een paar weken had hij een baan in Oostenrijk op een jachthuis in de buurt van Salzburg. En daar heeft hij sindsdien gewerkt.'

'En nu? Denkt u nog steeds dat hij de dingen die zijn gebeurd op zijn geweten kan hebben?'

Grant trok een grimas. 'Als ik eerlijk ben, nee. Niet echt. Ik zei het al eerder: ik geloof niet dat hij slim genoeg was om zo'n ingewikkeld plan te bedenken. Al weet ik zeker dat hij zijn zoon dolgraag in handen had willen krijgen en ook dat hij wraak had willen nemen op Cat. Het is veel waarschijnlijker dat het een stel klootzakken was met een politieke agenda, die het een goed plan vonden dat ik hun revolutie zou financieren.' Hij kwam met moeite overeind. 'Ik ben nu moe. De politie komt morgen en dan hebben we het wel over alle andere dingen. We zien elkaar bij het avondeten, mevrouw Richmond.' Hij liep de kamer uit en Bel bleef achter; ze had heel wat om over na te denken en heel wat uit te schrijven. Toen Brodie Grant had gezegd dat hij met haar zou praten, had ze geen seconde gedacht dat hij haar zou voorzien van zo'n schat aan informatie. Ze zou er zorgvuldig over moeten nadenken hoe ze die moest presenteren aan de wereldpers. Eén stap verkeerd en de schatkist zou op slot gaan. En nu ze een voorproefje had gehad van wat erin zat, moest ze dat koste wat kost zien te vermijden.

Glenrothes

De Prof zat naar zijn computerscherm te turen alsof het een kunstvoorwerp van een andere planeet was, toen Karen weer haar kantoor in kwam. 'Wat heb je voor me?' vroeg ze. 'Heb je die vijf stakingsbrekers al opgespoord?'

'Ze hebben geen van allen een strafblad,' zei hij.

'En?'

'Ik wist niet waar ik verder moest kijken.'

Karen sloeg haar ogen ten hemel. Haar overtuiging dat ze door de Mop met de Prof was opgezadeld als een vorm van sabotage werd met de dag sterker. 'Google. Kieslijsten. Personenzaken.com. Rijbewijzen. Je moet daar ergens beginnen, Jason. En dan moet je een afspraak in de grotten voor me maken met die vent van de Stichting. Morgen liever niet. Kijk maar of hij op zaterdagmorgen kan.'

'We werken meestal niet op zaterdag,' zei de Prof.

'Dat moet jij weten,' mompelde Karen, en ze vatte meteen het plan op om te vragen of Phil met haar meeging. Volgens de

Schotse wet moest er per se een getuige bij zijn als er bewijzen werden verzameld en dat maakte het moeilijk om op eigen houtje op pad te gaan.

Ze wekte haar computer uit de slaapstand en zocht de gegevens op van haar collega in Nottingham. Tot haar opluchting zat hoofdinspecteur Des Mottram achter zijn bureau en luisterde hij welwillend naar haar verzoek. 'Het is waarschijnlijk een dood spoor, maar het moet wel worden nagetrokken,' zei ze.

'En je hebt zelf geen zin in een tochtje naar de Costa del Trent? Het is een prachtige rivier,' zei hij. Hij klonk geamuseerd, maar ook berustend.

'Daar gaat het niet om. Ik heb vandaag een grote zaak gekregen die heropend wordt en ik kan met geen mogelijkheid een van mijn mensen missen voor iets wat ons waarschijnlijk niet verder helpt, behalve de verkeerde kant op.'

'Maak je geen zorgen. Ik weet hoe dat gaat. Maar je boft vandaag, Karen. We hebben op maandag twee stagiairs en dit is heel geschikt om mee te beginnen. Niet te ingewikkeld en niet te riskant.'

Karen gaf hem de namen van de mannen. 'Ik laat een van de jongens de meest recente adressen opzoeken. Zodra hij iets heeft gevonden, laat ik hem je wel een e-mail sturen.' Nog een paar bijzonderheden en ze was klaar. Alsof hij dat wist, kwam Phil Parhatka binnenwandelen met een broodje bacon dat zo lekker rook dat Karen merkte hoe het genotcentrum in haar hersens onmiddellijk geactiveerd werd. 'Hmm,' kreunde ze. 'Jezus, dat ruikt goddelijk.'

'Als ik had geweten dat je terug was, had ik er een voor je meegebracht. Hier, we delen het.' Hij pakte een mes uit zijn la en sneed het broodje doormidden waarbij de tomatensaus over zijn vingers droop. Hij gaf haar de helft en likte toen zijn vingers af. Wat kan een vrouw nog meer van een man verlangen, vroeg Karen zich af.

'Wat wilde de Mop?' vroeg Phil.

Karen nam een hap uit haar broodje en zei met een mond die vol zat met zacht, zoet brood en zoute bacon: 'Nieuwe ontwikkelingen in de zaak-Catriona Maclennan Grant.'

'Echt waar? Wat is er gebeurd?'

Karen grijnsde. 'Ik weet het niet. Koning Brodie heeft niet de moeite genomen om de Mop in te lichten. Hij heeft hem alleen maar gezegd dat ik morgenochtend langs moest komen. Dus nu ben ik me vlug aan het inlezen. Ik heb al om de verslagen gevraagd, maar ik ga eerst het een en ander opzoeken op het internet. Luister...' Ze trok hem even terzijde. 'Over die zaak van Mick Prentice. Ik moet zaterdag met iemand gaan praten en kennelijk werkt de Prof niet op zaterdag. Zou ik jou misschien kunnen overhalen om met me mee te gaan?'

'Waarheen?'

'Naar de grotten van Wemyss.'

'Echt waar?' Phil fleurde helemaal op. 'Mogen we dan ook achter de hekken?'

'Ik neem aan van wel,' zei Karen. 'Ik wist niet dat je iets met grotten had.'

'Karen, ik ben ooit een jongetje geweest.'

Ze rolde met haar ogen. 'Juist, ja.'

'Bovendien zijn er heel interessante dingen te zien. Inscripties en tekeningen van de Picten. Reliëfs uit de ijzertijd. Ik vind het een leuk idee om ergens te kunnen gaan kijken waar je doorgaans geen toegang hebt. Natuurlijk kom ik met je mee. Heb je deze zaak al officieel laten registreren?'

Karen keek schuldbewust. 'Ik wil zien welke kant het op gaat. Hier in de buurt was het toen heel moeilijk voor de mensen. Als Mick Prentice iets ergs is overkomen, wil ik dit grondig uitzoeken. En je weet hoe de media altijd zitten te snuffelen in alles wat we bij het CCT doen. Ik heb de indruk dat we voorzichtig te werk moeten gaan. Dat we er zo min mogelijk ruchtbaarheid aan moeten geven.'

Phil at zijn broodje op en veegde met de rug van zijn hand zijn mond af. 'Oké. Jij bent de baas. Je moet er alleen voor zorgen dat de Mop je nergens op kan pakken.'

'Ik doe wel voorzichtig. Hoor eens, heb je veel te doen?'

Hij mikte met een bovenhandse worp de lege papieren zak in de prullenmand, en klopte zichzelf op de borst toen het lukte. 'Niets wat ik niet even kan laten liggen.'

'Kijk eens of je wat kunt vinden over ene Andy Kerr. Hij was een vakbondsfunctionaris ten tijde van de staking. Woonde in een huisje midden in de bossen van Wemyss. Hij was rond het tijdstip dat Mick verdween met ziekteverlof omdat hij depressief was. Men veronderstelt dat hij zelfmoord heeft gepleegd, maar er is nooit een lichaam gevonden.'

Phil knikte. 'Ik zal zien wat ik kan opduikelen.'

Terwijl hij naar zijn eigen bureau liep, zat Karen al Catriona Maclennan Grant te googelen. Als eerste kwam ze uit bij een twee jaar oud artikel uit een kwaliteitskrant, waarin gememoreerd werd dat de jonge kunstenares twintig jaar geleden was gestorven. Bij de derde alinea voelde Karen opeens een steek van schrik in haar borst. 'Het is vreemd hoe weinig mensen beschikbaar zijn om over deze zaak te praten,' las ze. 'De vader van Cat Grant heeft nooit met de pers over het gebeurde willen praten. Haar moeder heeft twee jaar na de dood van haar dochter zelfmoord gepleegd. Haar ex-vriendje Fergus Sinclair weigert elk interview. En de politieman die destijds de leiding had, kan ook niet door ons worden benaderd – hij heeft zelf levenslang gekregen voor moord.'

'O jezus,' kreunde ze. Ze had het dossier nog niet eens gezien, maar wist nu al dat ze aan deze opdracht haar vingers beter niet kon branden.

Kirkcaldy

Het was al na tienen toen Karen haar voordeur binnenging met een stapel dossiers en een portie fish-and-chips. Ze had altijd het gevoel dat ze de rol van huisvrouw speelde in een toneelstuk. Misschien had dat iets te maken met het huis zelf, een volkomen anoniem huis in een dichtbevolkte nieuwe wijk ten noorden van Kirkcaldy. Een echte starterswoning waarin de bewoners zich troostten met de gedachte dat ze daar niet eeuwig zouden blijven. Een wijk met een laag misdaadcijfer, een plaats waar je je kinderen met een gerust hart buiten kon laten spelen, zolang je maar niet aan een van de doorgaande wegen woonde. De ouders waren hier bang voor een verkeersongeluk, niet voor een ontvoering. Karen wist achteraf niet meer precies waarom ze het had gekocht, hoewel het haar destijds een goed idee had geleken. Ze had het huis aantrekkelijk gevonden omdat het hele-

maal opgeknapt was, vermoedelijk door iemand die naar een ma-
ke-overprogramma op de tv had gekeken. Ze had het huis ge-
meubileerd gekocht, inclusief de schilderijen aan de muur. Ze
maalde er niet om dat ze de spullen in haar huis niet zelf had
uitgekozen. Het waren allemaal dingen die ze waarschijnlijk zelf
ook had gekocht en het had haar een hectisch zondags uitje naar
Ikea bespaard. En iedereen zou moeten toegeven dat het er honderd keer beter uitzag dan de verschoten bloemetjesrommel waar
haar ouders zich mee omringden. Haar moeder hoopte nog
steeds dat ze weer in het oude patroon zou vervallen, maar dat
kon ze wel vergeten. Als Karen een weekend vrij had, wilde ze
alleen nog maar een curry gaan eten met haar vriendinnen en
daarna thuis lekker lang op de bank liggen om naar voetbal en
oude films te kijken. Het thuis gezellig maken hoefde niet voor
haar.

Ze liet alles op de eettafel vallen en ging op zoek naar een
bord en bestek. Potverdorie, ze wist heus nog wel hoe het hoorde nietwaar? Ze gooide haar jas over een stoel en tastte toe.
Onder het eten sloeg ze een van de mappen open en begon te
lezen. Ze had de dossiers over de zaak-Grant al eerder doorgewerkt en een paar vragen genoteerd waar ze een antwoord op
wilde hebben. Nu had ze eindelijk de gelegenheid om de informatie door te kijken die Phil voor haar had verzameld.

Zoals ze al had verwacht, was het oorspronkelijke rapport erg
summier. In die tijd was de verdwijning van een ongetrouwde
kinderloze volwassen man, die ook nog leed aan depressies, niet
echt iets waar de politie zich over opwond. Dat had niet zozeer
te maken met het ernstige personeelstekort waarmee de politie
sinds het begin van de mijnstaking te kampen had, als wel met
het feit dat vermiste personen destijds geen prioriteit hadden.
Tenzij het kleine kinderen betrof of aantrekkelijke jonge vrouwen. Zelfs in de huidige tijd zou er misschien alleen even naar
gekeken worden omdat Andy Kerr medische problemen had.

Hij was op kerstavond door zijn zus Angie als vermist opgegeven. Hij was niet op komen dagen voor de traditionele kerst-
viering bij zijn ouders thuis. Angie, die een lerarenopleiding
volgde, bracht haar vakantie bij haar ouders door. Ze had in de
week ervoor een paar boodschappen op zijn antwoordapparaat

achtergelaten, omdat ze een afspraak met hem wilde maken om ergens iets te gaan drinken. Andy had niet gereageerd, maar dat was niet ongebruikelijk. Hij had zich altijd in dienst gesteld van zijn baan, en sinds het begin van de staking was hij echt een workaholic geworden.

Op de middag voor Kerstmis had mevrouw Kerr moeten toegeven dat Andy met ziekteverlof thuiszat en dat hij depressief was. Angie had haar vader overgehaald om met haar naar het huisje van Andy in de bossen van Wemyss te rijden. Het huisje had er koud en verlaten bij gelegen, in de koelkast lagen geen verse etenswaren. Er stond een briefje tegen de suikerpot op de keukentafel, dat merkwaardig genoeg toen was meegenomen en in het dossier gestopt: *Als jullie dit lezen komt dat waarschijnlijk omdat jullie je zorgen over me maken. Dat hoeft niet. Ik heb er genoeg van. Het is gewoon telkens weer wat anders en ik kan er niet meer tegen. Ik ben weggegaan om er eens goed over na te denken. Andy.*

Het was niet echt een zelfmoordbriefje, maar als je zo'n boodschap aantrof in de buurt van een lijk zou je ook niet meteen denken dat het om het slachtoffer van een moord ging. En de zus had verteld dat Andy graag in de bergen ging wandelen. Karen kon goed begrijpen waarom de agenten die in het huisje en in de bossen in de buurt onderzoek hadden gedaan, hadden aangeraden af te zien van verder onderzoek en dat het voldoende was om korpsen in heel Schotland op de hoogte te stellen. Er zat nog een briefje in een ander handschrift in het dossier, waarin stond dat Angie Kerr in 1992 een verzoek had ingediend om haar broer dood te verklaren, en dat het verzoek was ingewilligd.

De laatste bladzijde was geschreven in het bekende handschrift van Phil. 'De ouders van Kerr zijn omgekomen bij de ramp met de veerboot bij Zeebrugge. Angie kon geen aanspraak maken op hun bezittingen totdat ze een overlijdensverklaring van Andy in handen had. Toen ze uiteindelijk in 1993 toegang kreeg tot de nalatenschap, heeft ze de zaak hier verkocht en is ze naar Nieuw-Zeeland geëmigreerd. Ze geeft pianoles thuis in Nelson – dat ligt op het Zuidereiland.' Daarna volgden Angies volledige adres en telefoonnummer.

Ze had het niet gemakkelijk gehad, dacht Karen. Dat ze binnen een paar jaar zowel haar broer als beide ouders had verloren was al moeilijk genoeg, en dan kwam daar nog die hele procedure met die overlijdensverklaring van Andy bij. Geen wonder dat ze naar de andere kant van de wereld had willen verhuizen. Waar het nu, als ze het goed had, halftwaalf in de ochtend was. Een buitengewoon beschaafd tijdstip om iemand op te bellen.

Een van de weinige dingen die Karen wel zelf had aangeschaft, was een antwoordapparaat waarmee ze digitaal opnamen van haar telefoongesprekken kon maken, die ze dan via een USB-stick naar haar computer kon doorsluizen. Ze had geprobeerd de Mop zover te krijgen dat hij zo'n opnameapparaat voor het bureau aanschafte, maar hij zag er blijkbaar het nut niet van in – waarschijnlijk omdat het niet zijn eigen idee was. Karen durfde er iets onder te verwedden dat er binnenkort op het hoofdbureau van recherche iets dergelijks opdook, en dat hij dan met de eer ging strijken. Wat maakte het uit? In ieder geval kon zij er thuis gebruik van maken en de telefoonkosten declareren.

Nadat de telefoon voor de derde keer was overgegaan, nam de vrouw op. Zelfs bij het tweelettergrepige woordje 'hallo' was haar Schotse accent duidelijk hoorbaar.

Karen zei wie ze was en vroeg toen: 'Spreek ik met Angie Kerr?'

'Vroeger Kerr. Nu Mackenzie. Gaat het over mijn broer? Hebben jullie hem gevonden?' Ze klonk opgewonden, bijna blij.

'Ik ben bang van niet, nee.'

'Hij heeft geen zelfmoord gepleegd, weet u. Ik heb altijd gedacht dat hij een ongeluk heeft gehad. Dat hij ergens van een berg is gevallen. Hoe depressief hij ook was, Andy zou zich nooit van het leven hebben beroofd. Hij was geen lafaard.' Ook al was ze ver weg, ze was nog steeds even opstandig.

'Het spijt me,' zei Karen. 'Ik heb echt geen antwoorden voor u. Maar we nemen een aantal zaken die zijn voorgevallen rond het tijdstip dat hij verdwenen is, nog eens onder de loep. We onderzoeken de verdwijning van Mick Prentice, en toen kwam de naam van uw broer bovendrijven.'

'Mick Prentice.' De afschuw in Angies stem was goed te horen. 'Dat was nog eens een echte vriend, maar niet heus.'

'Wat bedoelt u?'

'Ik denk niet dat het toeval was dat Andy wegging pal nadat Mick de zaak verraden had.'

'Waarom zegt u dat?'

Het was even stil, en toen zei Angie: 'Omdat een erger verraad niet denkbaar was in de ogen van Andy. Die jongens waren al vrienden vanaf de eerste schooldag. Andy was er vast kapot van toen Mick een onderkruiper bleek te zijn. En ik denk dat hij het heeft zien aankomen.'

'Hoezo?'

'De laatste keer dat ik Andy zag, wist hij dat Mick ergens over inzat.'

Zondag 2 december 1984: de bossen van Wemyss

Een bezoek aan haar ouderlijk huis was voor Angie nooit helemaal geslaagd als ze geen tijd met haar broer had doorgebracht. Ze probeerde minstens een keer per trimester naar huis te gaan, maar soms vond ze het te veel moeite, hoewel het met de bus vanuit Edinburgh maar één uur was. Ze wist dat het kwam omdat er tussen haar ouders en haarzelf een afstand groeide nu zij zich vrijelijk door een wereld bewoog die hun vreemd was: colleges, studentenverenigingen, feesten waar drugs even normaal waren als drank en waar onderwerpen ter sprake kwamen die veel verder reikten dan ze ooit in Fife had meegemaakt. Niet dat er daar ook geen kansen lagen om je intellectuele horizon wat te verbreden. Maar de leeszalen en de cursussen en verenigingen waren voor de mannen. Vrouwen hadden er nooit bij gemogen, en ze hadden er ook geen tijd voor. De mannen deden hun werk ondergronds en daarna mochten ze doen wat ze wilden. Maar het werk van de vrouwen hield nooit echt op, vooral niet als je een huis huurde van de oude kolenmaatschappijen of van een van de staatsmijnen. Angies eigen grootmoeder had tot haar zestigste in haar huis geen stromend water gehad en ook geen bad. De mannen moesten niet zoveel hebben van vrouwen die ergens voor hadden doorgeleerd.

Andy was een van de uitzonderingen. Doordat hij niet meer in de mijn zelf werkte, maar voor de vakbond, was hij in contact gekomen met de emancipatiepolitiek van de vakbeweging. Er werkten weliswaar geen vrouwen in de mijn, maar door zijn contacten met andere bonden was Andy ervan overtuigd geraakt dat het niet het einde van de wereld betekende als je vrouwen als je gelijke behandelde. En dus waren broer en zus naar elkaar toe gegroeid, en in plaats van kinderruzietjes te maken raakten ze nu echt in discussie. Angie keek altijd uit naar de zondagmiddagen waarop ze met haar broer boswandelingen maakte of bij de open haard zat met een beker warme chocolade.

Die middag had Andy bij de bus staan wachten, aan het eind van het pad naar zijn huisje, dat midden in het bos lag. Ze waren van plan om langs de bosrand omlaag naar de kust te lopen, maar het dreigde te gaan regenen en dus gingen ze liever terug naar het huisje. 'Ik heb de open haard al speciaal voor je aangemaakt,' had Andy gezegd toen ze op pad togen. 'Ik voel me schuldig omdat ik met mijn salaris wel kolen kan betalen, dus neem ik meestal de moeite niet. Ik doe gewoon een extra trui aan.'

'Dat is stom. Niemand neemt het je kwalijk dat jij nog wel geld verdient.'

Andy schudde zijn hoofd. 'Daar heb je ongelijk in. Er zijn er veel bij die vinden dat we ons geld terug moeten storten in de vakbondskas.'

'En wie schiet daar iets mee op? Je hebt een baan. Je steunt de mannen die staken. Je verdient het betaald te worden.' Ze stak haar arm door de zijne, want ze begreep zijn benarde positie.

'Ja, maar een heleboel stakers denken dat ze ook wat van de vakbond zouden moeten krijgen. Ik heb gehoord hoe er bij het steunpunt een paar zeiden dat als de vakbond de stakers had betaald, ze nu niet zo'n moeite hoefden te doen om het geld uit handen van de beslagleggers te houden. Ze vragen zich af waar het geld van de vakbond anders voor dient dan voor ondersteuning van de leden als er een staking aan de gang is.' Hij zuchtte en liet zijn hoofd hangen, alsof hij tegen een storm moest optornen. 'En daar zit wel wat in, weet je.'

'Misschien wel. Maar als je zonder problemen de besluitvorming aan je leiders hebt overgelaten, en zij hebben vervolgens ingestemd met een staking zonder dat er een landelijke stemming aan vooraf is gegaan, dan kun je niet echt gaan klagen als ze beslissingen nemen waar je niet volledig achter staat.' Angie keek haar broer doordringend aan en zag zijn ogen die, sinds ze hem voor het laatst had gezien, getekend waren door de stress. Zijn huid zag er wasachtig en ongezond uit, als bij iemand die veel te lang heeft binnen gezeten zonder extra vitamines te slikken. 'En niemand schiet er iets mee op als je je daar iets van gaat aantrekken.'

'Ik heb het gevoel dat op dit moment niemand iets aan me heeft,' zei hij, zo zacht dat ze het bijna niet kon horen vanwege het geritsel van dode bladeren onder haar voeten.

'Dat is gewoon stom,' protesteerde Angie. Ze wist dat het niet genoeg was, maar ze kon niet zo gauw iets anders bedenken.

'Nee, het is de waarheid. De levens van de mannen die ik vertegenwoordig, storten in. Ze moeten hun huis uit, omdat ze de hypotheek niet meer kunnen betalen. Hun vrouwen hebben de trouwring verkocht. Hun kinderen gaan met honger naar school. Ze hebben gaten in hun schoenen. Het is verdomme net een derdewereldland hier, alleen zijn er geen liefdadigheidsinstellingen die geld ophalen voor de ramp die zich hier voltrekt. En ik kan er niets aan doen. Hoe denk je dat ik me voel?'

'Vrij beroerd,' zei Angie, en ze knelde zijn arm wat dichter tegen zich aan. Ze voelde geen weerstand; het was net alsof ze de gewatteerde tochtzak omhelsde die haar moeder gebruikte om de hitte in de huiskamer zo verstikkend mogelijk te houden. 'Maar je kunt alleen je best doen. Niemand verwacht dat jij alle problemen van de staking oplost.'

'Dat weet ik,' zuchtte hij. 'Maar vroeger had ik het gevoel dat ik deel uitmaakte van deze gemeenschap. Ik heb hier mijn hele leven bij gehoord. Tegenwoordig krijg ik het gevoel dat de jongens die staken aan de ene kant van de muur zitten en alle anderen aan de andere kant. Vakbondsfunctionarissen, mijnopzichters, directieleden, de hele kloteregering – wij zijn allemaal de vijand.'

'Nu loop je echt onzin uit te kramen. Het is toch bizar dat jij aan dezelfde kant zou staan als de conservatieven uit de regering. Dat weet iedereen.' Ze liepen zwijgend verder en versnelden hun pas toen het daadwerkelijk begon te regenen. De regen kwam in grote harde druppels naar beneden; de kale takken boven hun hoofd boden weinig bescherming tegen de doordringende regenbui. Angie liet zijn arm los en begon te rennen. 'Kom op, wie er het eerst is,' riep ze. Op de een of andere manier voelde ze zich verkwikt door de koude plensbui. Ze keek niet om of hij achter haar aan kwam. Ze stortte zich gewoon halsoverkop tussen de bomen door en ze zwenkte van links naar rechts om het kronkelige pad te blijven volgen. Zoals altijd was het weer een enorme verrassing toen ze de open plek op liep en het huisje ineengedoken zag liggen, als iets uit een sprookje van de gebroeders Grimm. Het was een laag gebouwtje zonder enige charme, afgezien van de afgelegen ligging. Het leien dak, de grijze pleisterkalk, de zwarte deur en raamkozijnen zouden het in de ogen van elk passerend kind hebben kunnen doen doorgaan voor het huis van de boze heks. Een houten afdakje herbergde een kolenberghok, een houtstapel en Andy's motor met zijspan.

Angie rende de veranda op en draaide zich hijgend om. Andy was in geen velden of wegen te bekennen. Een paar minuten verstreken voordat hij op een sukkeldrafje het bos uit kwam; zijn lichtbruine haren zaten donker op zijn hoofd geplakt. Angie voelde zich ontmoedigd omdat haar poging hem wat op te vrolijken was mislukt. Hij ging haar zwijgend voor het huisje in, dat er netjes en spartaans als een kazerne uitzag. De enige versiering bestond uit een serie foto's van dieren in het wild die je gratis kreeg bij een van de Schotse zondagskranten. Een stel planken stond stampvol met boeken over biologie en politiek; op andere lagen lp's. De kamers waar ze in Edinburgh vaak kwam, zagen er heel anders uit, maar Angie vond dit plekje verreweg het leukst. Ze schudde haar hoofd als een hond om de regendruppels uit haar donkerblonde haren kwijt te raken, gooide haar jas over een stoel en ging opgekruld in een van de tweedehands leunstoelen zitten die aan weerszijden van het vuur stonden. Andy liep meteen door naar de bijkeuken om warme chocola te maken. Terwijl ze op hem wachtte, zat Angie erover te piekeren hoe ze hem wat op kon beuren. Meestal maakte ze hem aan het lachen met verhalen over haar medestudenten en hun fratsen, maar ze voelde dat ze daar vandaag niet mee aan moest komen zetten. Vandaag geen quasi-leuke verhalen over de bevoorrechte klasse. Misschien kon ze hem beter herinneren aan de mensen die nog in hem geloofden.

Hij kwam terug met twee dampende bekers op een dienblad. Meestal had hij er koekjes bij, maar vandaag stond alles wat naar luxe rook duidelijk niet op het menu. 'Ik geef al een hele tijd het grootste deel van mijn salaris aan het Fonds voor Mijnwerkers in Nood,' zei hij ter verklaring van de ontbrekende koekjes. 'Zodat ik nog net genoeg overhoud voor de huur en voor mijn basisbehoeften.'

Ze zaten tegenover elkaar, hun handen warmend aan de bekers hete chocolademelk. Angie begon als eerste te praten. 'Je moet er geen aandacht aan schenken. De mensen die jou echt kennen, vinden niet dat je bij de vijand hoort. Je zou moeten luisteren naar mensen als Mick. Die weten wie je bent. Wat je bent.'

'Denk je?' Zijn mond vertoonde een verbitterde grimas. 'Hoe kunnen mensen als Mick weten wie ik ben als ik zelf niet meer weet wie zij zijn?'

'Wat bedoel je, dat je niet meer weet wie Mick is? Jullie tweeën zijn al meer dan twintig jaar bevriend. Ik geloof niet dat de staking jullie zo erg heeft veranderd.'

'Dat zou je wel denken, hè?' Andy staarde naar het vuur, met doffe ogen en hangende schouders. 'De mannen hier uit de buurt mogen niet over hun gevoelens praten. We leven in een sfeer van kameraadschap en trouw en wederzijdse afhankelijkheid, maar we hebben het nooit over wat er echt in ons omgaat. Maar Mick en ik, wij waren niet zo. We vertelden elkaar altijd alles. We konden over alles praten.' Hij streek zijn natte haren van zijn hoge, smalle voorhoofd. 'Maar de laatste tijd is er iets veranderd. Ik heb het gevoel dat hij iets voor me verzwijgt. Alsof er iets belangrijks is waar hij niet met me over kan praten.'

'Dat kan van alles zijn,' zei Angie. 'Iets tussen hem en Jenny misschien. Iets waarvan hij vindt dat hij er niet met jou over kan praten.'

Andy snoof minachtend. 'Denk je dat hij niet over Jenny

praat? Ik kan je verzekeren dat ik alles weet over dat huwelijk. Ik zou een kaart kunnen tekenen van de breuklijnen tussen die twee. Nee, het gaat niet om Jenny. Het enige wat ik kan bedenken is dat hij er net zo over denkt als de rest. Dat ze in deze omstandigheden niets aan me hebben.'

'Weet je zeker dat je je dat niet verbeeldt? Dit is niets voor Mick.'

'Ik wou dat het zo was. Maar nee, zelfs mijn beste vriend denkt dat ik niet meer te vertrouwen ben. Ik weet gewoon niet hoe lang ik mijn werk nog kan blijven doen als ik me zo voel.'

Nu begon Angie zich toch echt zorgen te maken. Andy's wanhoop zat duidelijk heel diep; daar kon zij niet veel aan doen. 'Andy, begrijp me niet verkeerd, maar ik denk dat je naar de dokter moet.'

Hij maakte een geluid dat op een lach leek die in de kiem werd gesmoord. 'Wat? Naar die twee ouwe zakken met hun eeuwige paracetamol? Denk je dat ik ze niet allemaal meer op een rijtje heb? Denk je dat die twee zouden weten wat ze moesten doen als dat zo was? Denk je verdomme dat ik temazepam moet gaan slikken, zoals de helft van de vrouwen hier in de buurt? Kalmeringspillen, zodat ik het niet erg meer vind?'

'Ik wil je helpen, Andy. Maar ik heb daar de deskundigheid niet voor. Je moet met iemand praten die weet wat hij doet en dan kun je het best bij de dokter terecht. Zelfs die ouwe zakken weten meer dan ik over een depressie. Ik denk dat je depressief bent, Andy. Dat je echt ziek bent, niet gewoon ongelukkig.'

Hij zag eruit alsof hij ging huilen. 'Weet je wat het ergste is van wat je net zei? Ik denk dat je misschien wel gelijk hebt.'

Donderdag 28 juni 2007; Kirkcaldy
Het klonk niet onlogisch. Andy Kerr had gevoeld dat Mick Prentice iets voor hem verzweeg. Toen bleek dat Mick zich had aangesloten bij de stakingsbrekers en naar Nottingham was gegaan, was dat voor iemand die geestelijk al wat labiel was misschien wel het laatste zetje. Maar nu zag het ernaar uit dat Mick helemaal niet naar Nottingham was gegaan. Het was de vraag, dacht Karen, of Andy Kerr wist wat er echt met zijn beste vriend

was gebeurd. En of hij iets meer af wist van zijn verdwijning. 'Heb je na die zondag niet meer met Andy gesproken?' vroeg ze.

'Nee. Ik heb hem een paar keer geprobeerd te bellen, maar dan kreeg ik het antwoordapparaat. En waar ik woonde was geen telefoon, dus hij kon me niet terugbellen. Mijn moeder vertelde me dat hij met ziekteverlof was vanwege zijn depressie, maar meer wist ik niet.'

'Denk je dat Mick en hij ergens samen naartoe kunnen zijn gegaan?'

'Wat? Bedoel je dat ze gewoon de pijp aan Maarten hebben gegeven en samen als een soort Butch Cassidy en de Sundance Kid een blijde toekomst tegemoet zijn gereden?'

Karen trok even een gepijnigd gezicht. 'Nee, dat niet direct. Meer dat ze er allebei genoeg van hadden en geen uitweg meer zagen. Andy had ongetwijfeld problemen. En jij suggereert dat de relatie tussen Mick en Jenny ook wat moeizaam verliep. Misschien wilden ze gewoon ergens met een schone lei beginnen.'

Ze hoorde Angie aan de andere kant van de wereld ademen. 'Dat zou Andy ons nooit aandoen. Hij had ons nooit zoveel pijn aangedaan.'

'Zou Mick hem hebben kunnen overhalen? Je zei dat ze al vrienden waren vanaf hun schooltijd. Wie was de leider? Wie was de volger? Je hebt er altijd een die leidt en een die volgt. Dat weet jij ook, Angie. Was Mick de leider?' Niemand kon zachter maar steviger doordrukken dan Karen, als ze eenmaal op stoom was.

'Dat denk ik wel. Mick was extravert. Andy was veel stiller. Maar ze waren een team. Ze werkten zich altijd in de nesten, maar nooit erg. Niet met de politie. Gewoon op school en zo. Ze saboteerden scheikundeproefjes met vuurwerk. Lijmden bureaus van leraren dicht. Andy was goed met woorden, Mick was meer artistiek, dus maakten ze posters voor school met nepaankondigingen. Of Mick vervalste briefjes van leraren waarin ze toestemming kregen om lessen die ze niet leuk vonden te ontlopen. Of ze zaten te rotzooien in de bibliotheek, verwisselden de stofomslagen. Ik zou volledig zijn ingestort als ik ooit dat soort leerlingen had gehad. Maar ze zijn eroverheen gegroeid.

Tegen de tijd dat de staking begon, leidden ze allebei een keurig bestaan.' Er klonk nu duidelijk verdriet door in haar stem. 'Dus ja, theoretisch had Mick Andy kunnen overhalen om ervandoor te gaan. Maar dat hadden ze nooit volgehouden. Ze hadden nooit weg kunnen blijven. Hun wortels zaten te diep.'

'Jij hebt je anders wel losgescheurd,' merkte Karen op.

'Ik ben verliefd geworden op een Nieuw-Zeelander, en mijn hele familie was overleden,' zei Angie emotieloos. 'Ik liet niemand achter die om me treurde.'

'Dat is waar. Kunnen we het nog even over Mick hebben? Zei je dat Andy had laten doorschemeren dat er huwelijksproblemen waren?'

'Ze heeft hem erin geluisd, weet je. Andy heeft altijd gedacht dat ze met opzet zwanger is geraakt. Ze was zogenaamd aan de pil, maar raar genoeg ging er iets mis en opeens was Misha op komst. Ze wist dat Mick uit een fatsoenlijk gezin kwam, het soort mensen die niet voor hun verantwoordelijkheden weglopen. Dus hij is uiteraard met haar getrouwd.' Haar stem klonk een beetje verbitterd, waardoor Karen zich afvroeg of Angie ook stiekem verliefd op Mick was geweest voordat de Nieuw-Zeelander op het toneel was verschenen.

'Dat begon dus niet zo goed.'

'Aanvankelijk maakten ze best een gelukkige indruk.' Angie had hoorbaar enige moeite dit te erkennen. 'Mick behandelde haar als een prinsesje en zij liet het zich graag aanleunen. Maar toen de ellende toesloeg, vond ze het niet meer zo leuk. Destijds dacht ik dat ze hem gedwongen had stiekem weer aan het werk te gaan, omdat ze er genoeg van had om altijd blut te zijn.'

'Maar ze heeft echt geleden nadat hij weg was,' zei Karen. 'Het was een verschrikkelijk stigma, de vrouw van een stakingsbreker te zijn. Ze zou er nooit mee hebben ingestemd dat zij alleen achterbleef om al die rotzooi over zich heen te krijgen.'

Angie maakte een minachtend geluidje. 'Ze had geen idee hoe het zou zijn totdat het haar overkwam. Ze snapte er niets van. Ze was niet een van ons, weet je. De mensen hebben het over de arbeidersklasse alsof het allemaal één pot nat is, maar de scheidslijnen zijn even precies als bij elke andere klasse. Ze is opgegroeid in East Wemyss, maar ze was niet een van ons. Haar pa heeft zijn handen nooit vuil hoeven te maken. Hij werkte in de supermarkt. Hij stond achter de toonbank. Hij droeg een overhemd met das op zijn werk. Ik wed dat hij nog nooit in zijn leven Labour heeft gestemd. Dus ik weet niet zeker of ze wel begreep wat er met haar zou gebeuren als Mick in het verdomhoekje raakte.'

Het klonk logisch. Karen begreep instinctief wat Angie zei. Ze kende zulke mensen uit haar eigen dorp. Mensen die nergens bij pasten, die hun hele leven voor niets of niemand partij hadden gekozen. Het maakte het des te geloofwaardiger dat Mick wel een stakingsbreker was geweest. Maar dat was dus niet zo. 'Maar Angie, Mick is blijkbaar die avond niet met die anderen weggelopen. Ons voorlopige onderzoek geeft aan dat hij niet samen met die vijf mannen naar Nottingham is gegaan.'

Er volgde een geschokt zwijgen. Toen zei Angie: 'Hij kan in zijn eentje ergens anders heen zijn gegaan.'

'Hij had geen geld. Geen vervoermiddel. Hij heeft die morgen alleen maar zijn schildersspullen meegenomen. Er kan van alles zijn gebeurd, maar ik denk niet dat hij naar Nottingham is gegaan.'

'Wat is er dan met hem gebeurd?'

'Dat weet ik nog niet,' zei Karen. 'Maar daar wil ik wel achter zien te komen. En ik zal antwoord moeten krijgen op deze vraag: laten we eens aannemen dat Mick geen stakingsbreker was. Wie was hem dan liever kwijt dan rijk?'

Vrijdag 29 juni 2007; Nottingham
Femi Otitoju voerde het vierde adres in op Google Earth en bestudeerde het resultaat. 'Kom op, Fem,' mompelde Mark Hall. 'De hoofdinspecteur houdt ons de hele tijd in de gaten. Hij vraagt zich af waar je mee bezig bent. Hij heeft ons een opdracht gegeven en nu zit je alsmaar met je computer te spelen.'

'Ik probeer erachter te komen in welke volgorde we de ondervragingen het best kunnen afwerken, dan hoeven we niet de hele dag zinloos op en neer te crossen.' Ze keek naar de vier namen en adressen die ze van de een of andere agent in Fife had gekregen en nummerde ze volgens haar eigen systeem. 'En ik heb je al gezegd dat je me geen Fem moet noemen.' Ze printte de lijst uit en stopte hem netjes opgevouwen in haar smetteloze handtas. 'Mijn naam is Femi.'

Mark sloeg zijn ogen ten hemel en liep achter haar de teamkamer van Cold Cases uit, na nog even een glimlach in de richting van hoofdinspecteur Mottram geworpen te hebben. Hij was verschrikkelijk blij toen hij gedetacheerd werd bij de recherche, maar als hij had geweten dat hij dan met Femi Otitoju zou moeten werken, was hij misschien wat minder enthousiast geweest. Toen ze allebei nog in uniform rondliepen, was het op het bureau een gevleugelde uitdrukking dat in het geval van Otitoju de afkorting PC, die normaal voor *police constable* stond, 'personal computer' betekende. Haar uniform had er altijd smetteloos uitgezien, haar schoenen waren altijd gepoetst alsof ze in militaire dienst was. Haar burgerkleding zag er ongeveer hetzelfde uit. Keurig geperst anoniem grijs mantelpak, verblindend witte blouse, onberispelijk kapsel. En schoenen waarin je je kon spiegelen. Alles wat ze deed was volgens het boekje; in alles was ze precies. Niet dat Mark er bezwaar tegen had dat je de dingen goed deed. Maar hij had altijd geloofd dat er ook plaats moest zijn voor spontane impulsen, vooral bij een verhoor. Als de persoon met wie je in gesprek was een zijpaadje insloeg, kon het geen kwaad een poosje mee te lopen. Soms verschool de waarheid zich op zo'n zijpaadje. 'Dus deze vier mannen waren allemaal mijnwerkers uit Fife die stakingsbrekers werden om hier in de mijn te komen werken?' vroeg hij.

'Dat klopt. Oorspronkelijk waren het er vijf, maar eentje, Stuart McAdam, is twee jaar geleden aan longkanker overleden.'

Hoe wist ze dat allemaal nog? En waarom was dat zo belangrijk voor haar? 'En bij wie gaan we als eerste op bezoek?'

'Bij William John Fraser. Beter bekend als Billy. Drieënvijftig jaar, getrouwd, twee volwassen kinderen, de ene studeert aan de universiteit van Leeds, de andere in Loughborough. Hij werkt nu voor zichzelf als elektricien.' Ze hees haar tas wat hoger op haar schouder. 'Ik rijd wel, ik weet waar we heen moeten.'

Ze liepen de winderige parkeerplaats achter het bureau op en zetten koers naar een onopvallende recherchewagen. Mark wist dat de auto vol zou liggen met de afval van anderen. Recherche en auto's was net zoiets als honden en lantaarnpalen, had hij ontdekt. 'Is hij nu dan niet aan het werk?' Hij deed het portier aan de passagierskant open en zag dat de voetenruimte vol lag met plastic sandwichdoosjes, lege colablikjes en vijf wikkels van Snickers. In een hoek van zijn blikveld flitste er iets wits voorbij. Otitoju zwaaide naar hem met een lege plastic zak. 'Alsjeblieft,' zei ze. 'Doe de rotzooi daar maar in, dan breng ik het naar de vuilnisbak.' Mark moest toegeven dat je af en toe toch wel wat aan haar had.

Ze kozen op de grote rondweg de westelijke richting. Er was nog steeds veel verkeer, zelfs nadat het hoogtepunt van de ochtendspits voorbij was. Aan weerszijden van de weg stonden slonzige huizen van rode baksteen en het soort bedrijven dat nog net het hoofd boven water kon houden ondanks de stijlvollere concurrentie elders. Avondwinkels, nagelstudio's, ijzerwarenhandels, wasserettes, cafetaria's en kapsalons; je werd er niet vrolijk van. Mark was dankbaar dat hij een appartement in het centrum had in een verbouwde kantfabriek. Het was er misschien wel klein, maar hij had in zijn persoonlijke leven geen behoefte aan deze rotzooi. En om de hoek was er een fantastisch Chinees restaurant dat aan huis bezorgde.

Ze hadden een kwartier over de rondweg gereden toen ze afsloegen en een aantrekkelijke enclave binnenreden die was volgebouwd met bakstenen twee-onder-een-kapwoningen. Ze zagen eruit alsof ze in de jaren dertig waren gebouwd, solide, zonder pretenties en niet te klein. Billie Fraser woonde in een hoekhuis, met een grote, mooi aangelegde tuin. 'Ik heb mijn hele leven in deze stad gewoond en ik wist niet eens dat dit wijkje bestond,' zei Mark.

Hij liep achter Otitoju aan het pad op. De deur werd opengedaan door een vrouw, die niet veel groter kon zijn dan een meter vijftig. Ze zag eruit als iemand die haar beste tijd achter de rug heeft: zilveren strengen door haar lichtbruine korte kapsel, een kaaklijn die wat begon uit te zakken, een paar pondjes te veel. Desondanks vond Mark dat ze er nog best goed uitzag voor haar leeftijd. Hij nam meteen het initiatief, voordat Otitoju haar de schrik op het lijf kon jagen. 'Mevrouw Fraser?'

De vrouw knikte met een angstig gezicht. 'Ja, dat ben ik.' Een accent uit de buurt, merkte Mark op. Dus Billie had geen vrouw uit Fife meegebracht. 'En u bent...?'

'Ik ben Mark Hall en dit is mijn collega Femi Otitoju. Wij zijn van de politie en we moeten even met Billy praten. U hoeft zich nergens zorgen over te maken,' voegde hij er vlug aan toe toen hij de panische blik op het gezicht van mevrouw Fraser zag. 'Een oude kennis uit Fife wordt officieel vermist en we moeten Billy een paar vragen stellen.'

De vrouw schudde haar hoofd. 'Dan zijn jullie je tijd aan het verknoeien, schat. Billy heeft met niemand uit Fife contact gehouden, behalve met de andere jongens die toen zijn vertrokken. En dat was twintig jaar geleden.'

'De man in wie we geïnteresseerd zijn is meer dan twintig jaar geleden verdwenen,' zei Otitoju bars. 'Dus we zullen echt met je man moeten praten. Is hij thuis?' Mark had zin om haar een trap te geven toen hij zag hoe het gezicht van mevrouw Fraser betrok. Otitoju had kennelijk niet vooraan gestaan toen de boekjes over onderlinge solidariteit tussen vrouwen werden uitgereikt.

'Hij is aan het werk.'

'Kun je ons vertellen waar dat is, schoonheid?' vroeg Mark, die zijn best deed om het gesprek weer een wat vriendelijker toon te geven.

Hij kon de strijd die zich in het hoofd van de vrouw afspeelde bijna zien. 'Wacht even,' zei ze ten slotte. Ze kwam terug met een grote agenda die opengeslagen was op die vrijdag. Ze draaide hem om, zodat hij kon zien wat er stond. 'Alsjeblieft.'

Otitoju was het adres al aan het opschrijven op haar onafscheidelijke velletje papier. Mevrouw Fraser ving een glimp op van de namen. 'Jullie boffen,' zei ze. 'Johnny Ferguson werkt vandaag met hem samen. Dan vangen jullie twee vliegen in één klap.' Te oordelen naar de uitdrukking op haar gezicht was ze er niet van overtuigd dat dit enkel en alleen beeldspraak was.

Het was maar vijf minuten rijden naar de plek waar de twee ex-mijnwerkers bezig waren met herstelwerkzaamheden aan een winkel aan de hoofdweg. 'Van kebab naar schilderijenlijsten in een handomdraai,' zei Mark, die goed om zich heen had gekeken. Fraser en Ferguson waren hard aan het werk; Fraser was groeven voor elektriciteitskabels aan het uitbeitelen, Ferguson was de bank aan het afbreken die langs een muur stond voor de afhaalklanten. Ze hielden allebei op met werken toen de twee agenten binnenkwamen en keken hen achterdochtig aan. Grappig, dacht Mark, hoe sommige mensen meteen zagen dat je van de politie was, terwijl anderen ongevoelig leken voor de signalen die hij en zijn collega's uitzonden. Het had niets te maken met schuld of onschuld, zoals hij in zijn naïviteit wel eens had gedacht. Gewoon het instinct dat zei dat er een jager in de buurt is.

Otitoju vertelde wie ze waren en wat de reden was van hun komst. Fraser en Ferguson keken allebei verbijsterd. 'Waarom zou iemand denken dat hij met ons mee is gegaan?' vroeg Ferguson.

'En, wat belangrijker is, waarom zou iemand denken dat we hem mee zouden hebben genomen?' Billie Fraser veegde met een gebaar van walging met de rug van zijn hand over zijn mond. 'Mick Prentice vond ons te min. Zelfs nog voordat we hierheen gingen, keek hij neer op andere mensen. Hij voelde zich ver verheven boven ons.'

'Waarom was dat?'

Fraser haalde een pakje Benson & Hedges uit zijn overall. Voordat hij er een sigaret uit kon halen, had Otitoju haar gladde hand al over zijn ruwe hand gelegd. 'Dat is nu tegen de wet, meneer Fraser. Dit is een arbeidsplek. U mag hier niet roken.'

'O, verrek,' klaagde Fraser. Hij wendde zich af toen hij de sigaretten weer in zijn zak stopte.

'Waarom zou Mick Prentice denken dat hij boven jullie stond?' vroeg Mark nogmaals.

Ferguson ging nu wel in op zijn vraag. 'Sommige mannen gingen in staking omdat de vakbond het zei. En sommige mannen staakten omdat ze ervan overtuigd waren dat ze gelijk hadden en omdat ze wisten wat voor ons allemaal het beste was. Mick Prentice was een van degenen die dachten dat ze het beter wisten.'

'Ja,' zei Fraser bitter. 'En hij had vriendjes bij de vakbond zitten die voor hem zorgden.' Hij wreef zijn vingers en zijn duim tegen elkaar om aan te geven dat hij het over geld had.

'Ik begrijp het niet,' zei Mark. 'Het spijt me, maar ik ben te jong om me de staking te herinneren. Maar ik dacht dat een van de grootste problemen was dat jullie tijdens de staking geen geld meer kregen.'

'Dat is ook zo,' zei Fraser. 'Maar een tijdlang kregen de jongens die van de ene stakingspost naar de andere reisden hun geld handje contantje. Dus als ze ergens bij die posten mensen nodig hadden, waren het altijd dezelfden die een seintje kregen. En als je niet in iemands straatje paste, kreeg je niets. Maar Mick paste beter dan anderen. Zijn beste vriend zat bij de vakbond, zie je.'

'Voor sommigen van ons was het moeilijker dan voor anderen,' viel Ferguson hem bij. 'Ik neem aan dat het vriendje van Prentice hem af en toe wat geld toeschoof, of wat voedsel als het geld voor het posten op was. De meesten van ons hadden niet zoveel geluk. Dus nee, Mick Prentice is niet met ons meegegaan. En Billie heeft gelijk. Al had hij het gevraagd, dan nog hadden we hem er niet bij willen hebben.'

Otitoju liep met een speurdersblik de kamer door en stond naar hun werk te kijken alsof ze een bouwopzichter was. 'Op de dag dat jullie vertrokken, hebben jullie Mick toen nog gezien?'

De twee mannen wisselden een blik die op Mark wat stiekem overkwam. Ferguson schudde vlug zijn hoofd. 'Niet echt,' zei hij.

Otitoju draaide zich weer naar hen om en vroeg: 'Hoe kun je nou iemand "niet echt" zien?'

Vrijdag 14 december 1984
Johnny Ferguson stond in het donker bij het slaapkamerraam, van waaruit hij uitzicht had op de hoofdstraat van het dorp. Het was niet koud in de kamer, maar hij rilde een beetje. De hand waarmee hij zijn sjekkie vasthield beefde, waardoor de rook niet recht naar boven kringelde. 'Kom op, Stuart,' mopperde hij zachtjes. Hij nam weer een trekje van zijn sigaret en keek nog eens op zijn goedkope polshorloge. Tien minuten te laat. Hij begon onwillekeurig met zijn rechtervoet op de grond te tikken.

Er bewoog zich niets. Het was amper negen uur, maar er was

bijna geen lichtje meer te zien. De mensen konden zich geen elektriciteit veroorloven. Ze gingen naar het steunpunt voor wat licht en warmte, of ze gingen naar bed en hoopten dat, als ze maar lang genoeg sliepen, de nachtmerrie bij het wakker worden voorbij zou zijn. Maar voor deze ene keer had Ferguson geen bezwaar tegen de rust op straat. Hoe minder mensen er getuige waren van de gebeurtenissen van die avond, hoe beter. Hij wist precies wat hij ging doen en hij deed het bijna in zijn broek van angst.

Plotseling zag hij om de hoek van de hoofdstraat een paar koplampen opdoemen. In het zwakke licht van de straatlantaarns kon Ferguson met moeite de contouren van een Ford Transit onderscheiden. Het oude model, niet het nieuwe waarin de politie hun nieuwe lichting agenten vervoerde bij de acties tegen de mijnwerkers. Toen het busje dichterbij kwam, zag hij dat het donker van kleur was. Daar was Stuart eindelijk.

Ferguson kneep zijn sigaret uit. Hij keek voor de laatste keer de slaapkamer rond waarin hij de afgelopen drie jaar had geslapen, vanaf het moment dat hij het piepkleine huisje had gehuurd. Het was te donker om veel te kunnen zien, maar er viel ook niet veel te zien. Van de dingen die niet verkocht konden worden had hij brandhout gemaakt. Nu lag er alleen nog maar een matras op de vloer met een asbak ernaast en een beduimeld pocketboekje van Sven Hassel. Er lag niets meer wat hij mee wilde nemen. Helen was allang bij hem weg, dus dat hele miezerige zootje hier kon verder doodvallen.

Hij klauterde naar beneden en deed de deur open, net toen Stuart aan wilde kloppen. 'Klaar?' vroeg Stuart.

Diep ademhalen. 'Wat dacht je?' Hij duwde met zijn voet een grote weekendtas naar Stuart toe, greep zelf een andere weekendtas en een zwarte vuilniszak. Tien klotejaren in de kolenmijn, en dit was alles wat hij eraan had overgehouden.

Na twee stappen van de vier die hen naar het busje moesten brengen, waren ze opeens niet meer alleen. Een gestalte kwam op een holletje de hoek om lopen, alsof hij een dringende boodschap moest doen. Toen hij dichterbij kwam, zagen ze dat het Mick Prentice was. Ferguson had het gevoel alsof een koude hand hem bij de strot greep. Jezus, dat kon er nog net bij. Prentice die hen ter verantwoording riep en zo hard tegen hen tekeerging dat alle deuren in de straat opengingen.

Stuart smeet zijn weekendtas achter in het busje, waar Billie Fraser al op een stapel zakken zat te wachten. Hij draaide zich om naar Prentice, klaar om als het nodig was tot daden over te gaan.

Maar de woedeaanval die ze hadden verwacht, bleef uit. In plaats daarvan stond Prentice daar maar wat. Hij zag eruit alsof hij in tranen uit zou barsten. Hij keek hen aan en schudde zijn hoofd. 'Nee, jongens, nee. Doe het niet,' zei hij. Hij bleef het maar zeggen. Ferguson kon bijna niet geloven dat dit dezelfde man was die hem op alle mogelijke manieren had gedwongen om trouw aan de vakbond te blijven. Het bewees maar weer eens, dacht hij, hoe de staking hen kapot had gemaakt.

Ferguson duwde Prentice opzij, stouwde de tassen in het busje en ging naast Fraser zitten die de laaddeuren achter hem dichttrok. 'Krijg nou wat,' zei Fraser.

'Hij zag eruit alsof hij een klap in zijn maag had gehad,' zei Ferguson. 'Die vent is helemaal kierewiet.'

'Wees maar blij,' zei Fraser. 'Het laatste wat we nodig hadden, was dat hij enorme stennis ging schoppen en alles verklootte.' Hij ging harder praten toen de motor brullend aansloeg. 'Laten we gaan, Stu. Het nieuwe leven begint hier.'

Vrijdag 29 juni 2007; Nottingham
'Waren er getuigen bij die ontmoeting?' vroeg Otitoju.

'Stuart is dood, dus ik ben nog de enige getuige,' zei Fraser. 'Ik zat in het busje. De laaddeur stond open en ik heb alles gezien. Johnny heeft gelijk. Prentice maakte een aangeslagen indruk. Alsof hij het zich persoonlijk aantrok wat we deden.'

'Het had een ander verhaal kunnen zijn als Iain achter in het busje had gezeten en niet jij,' zei Ferguson.

'Hoe dat zo?' vroeg Mark.

'Iain en hij waren vrienden. Misschien dat Prentice dan behoefte had gevoeld om hem ervan af te brengen. Maar Iain was de laatste die werd opgehaald, dus ik denk dat we door de mazen van het net zijn geglipt. En dat was de laatste keer dat we

Prentice hebben gezien,' zei Ferguson. 'Ik heb nog familie wonen in het noorden. Ik hoorde dat hij ervandoor was, maar ik nam gewoon aan dat hij met dat vriendje van hem, die vakbondsman, was meegegaan. Ik weet niet meer hoe hij heette...'

'Ene Andy,' zei Fraser. 'Ja, toen jullie me vertelden dat ze allebei op de lijst van vermisten stonden, dacht ik dat ze hadden besloten op te rotten en ergens anders opnieuw te beginnen. Jullie moeten begrijpen dat in die tijd levens volledig naar de kloten gingen. Mannen deden dingen waar niemand ze ooit toe in staat had geacht.' Hij draaide zich om en liep naar de deur, stapte naar buiten en haalde zijn sigaretten tevoorschijn.

'Hij heeft gelijk,' zei Ferguson. 'En we wilden er vooral niet te veel over nadenken. Trouwens, dat willen we nog steeds niet. Dus als dat alles was, willen we het graag hierbij laten.' Hij raapte zijn breekijzer op en ging weer aan het werk.

Mark, die zo gauw niets anders kon bedenken, liep in de richting van de deur. Otitoju aarzelde even en volgde hem toen naar de auto. Ze bleven een moment zwijgend zitten en toen zei Mark: 'Het moet een afschuwelijke rottijd geweest zijn.'

'Dat is nog geen vrijbrief voor onwettig gedrag,' zei Otitoju. 'De mijnstaking heeft een wig gedreven tussen ons en de mensen voor wie we er moeten zijn. Wij zijn als de kwaaie pier uit de bus gekomen, hoewel we niet anders konden handelen. Ze zeggen dat zelfs de koningin geschokt was over het politiegeweld tegen de mijnwerkers, maar wat wilden ze dan? Wij moeten toch de orde handhaven? Als mensen niet meer door de politie beschermd willen worden, moeten we wel harde maatregelen treffen.'

Mark zat haar aan te staren. 'Je maakt me bang,' zei hij.

Ze keek verbaasd. 'Ik vraag me wel eens af of jij op de juiste plek zit,' zei ze.

Mark wendde zijn blik af. 'Dat vraag ik mezelf ook wel eens af, schat.'

Rotheswell Castle
Ondanks haar voornemen om met Sir Broderick Maclennan Grant precies op dezelfde manier om te gaan als met ieder an-

der, moest Karen toegeven dat haar maag enigszins van streek was. Stress had altijd een negatieve invloed op haar spijsvertering: ze kon geen eten meer verdragen en ze moest af en toe ijlings naar het toilet. 'Als ik meer van dit soort gesprekken zou hebben, zou ik nooit meer over een dieet hoeven na te denken,' zei ze, toen Phil en zij op pad gingen naar Rotheswell Castle.

'Ach, diëten worden zwaar overschat,' zei Phil vanuit de comfortabele positie van een man die al sinds zijn achttiende hetzelfde woog, ongeacht wat hij at of dronk. 'Je ziet er precies goed uit.'

Karen wilde hem graag geloven, maar dat ging niet. Niemand kon haar gedrongen figuur aantrekkelijk vinden, of ze moesten heel lang verstoken zijn geweest van vrouwelijk gezelschap, iets wat niet gold voor Phil. 'Ja, dat zal wel.' Ze deed haar aktetas open en nam speciaal voor Phil de belangrijkste punten van het dossier nog eens door. Ze was net klaar met haar samenvatting toen ze het hek van Rotheswell Castle binnenreden. In de verte zagen ze het kasteel liggen achter de kale takken van een rijtje bomen, maar voordat ze ernaartoe mochten, werden ze uitgebreid gecontroleerd. Ze moesten allebei uitstappen en hun persoonsbewijzen omhooghouden naar de bewakingscamera. Uiteindelijk zwaaiden de dikke houten hekken open en mocht de auto een soort veiligheidssluis binnenrijden. Phil reed en Karen liep naast de auto. De houten hekken zwaaiden achter hen weer dicht en toen bevonden ze zich in een soort kraal. Twee bewakers kwamen tevoorschijn uit een wachthuisje en inspecteerden de auto van binnen en van buiten, met inbegrip van Karens aktetas en de zakken van Phils duffelse jas.

'Hij wordt beter bewaakt dan de premier,' zei Karen toen ze eindelijk de oprijlaan op reden.

'Een nieuwe premier is gemakkelijker te vinden dan een nieuwe Brodie Grant,' zei Phil.

'Ik wed dat hij dat zelf ook vindt.'

Toen ze in de buurt van het huis waren, kwam er een wat oudere man in een waxcoat en met een tweedpet op de hoek om lopen van de dichtstbijzijnde toren. Hij gebaarde dat ze verderop op het stuk grond voor het huis moesten gaan staan. Toen ze de auto geparkeerd hadden was hij verdwenen, waardoor hun

niets anders restte dan naar de massieve houten voordeur te lopen. 'Ik mis Mel Gibson hier wel,' mompelde Karen. Ze tilde
een zware ijzeren klopper op en liet hem met een bevredigende
knal vallen. 'Het is net iets uit *Braveheart* of zo.'

'En we weten nog steeds niet waarom we hier zijn.' Phil keek
chagrijnig. 'Na deze introductie kan het alleen maar tegenval-
len.'

Voordat Karen kon antwoorden, zwaaide de deur geluidloos
open. Een vrouw die haar deed denken aan haar onderwijzeres
op de basisschool, zei: 'Welkom op Rotheswell. Ik ben Susan
Charleson, de personal assistant van Sir Broderick. Kom binnen.'

Ze liepen achter elkaar de hal in die, als ze tenminste de mo-
numentale trap eruit zouden halen, zo groot was dat Karens huis
er gemakkelijk in zou passen. Ze kreeg alleen een vage indruk
van prachtige kleuren en van warmte: toen werden ze al een brede gang in geloodst. 'Ik neem aan dat u inspecteur Pirie bent,'
zei Susan Charleson. 'Maar de naam en rang van uw collega zijn
me niet bekend.'

'Brigadier Phil Parhatka,' zei hij, en omdat zij zo formeel was,
probeerde hij het zo belangrijk mogelijk te laten klinken.

'Goed zo, nu kan ik u gaan voorstellen,' zei ze. Ze deed een
pas opzij en maakte een deur open. Ze gaf met een handgebaar
aan dat ze een salon binnen moesten gaan. De voltallige re-
chercheafdeling zou er gemakkelijk haar jaarlijkse Schotse etentje in kunnen houden. Ze zouden de meubels wat aan de kant
moeten schuiven voor het volksdansen, maar dan zouden ze er
prima met z'n allen in passen.

Er waren drie mensen in de kamer aanwezig, maar Karen had
alleen oog voor die ene charismatische figuur. Brodie Grant
mocht dan al over de zeventig zijn, hij had nog steeds veel meer
glamour dan de twee vrouwen die aan weerszijden van hem
stonden. Hij stond naast een grote gebeeldhouwde stenen
schoorsteenmantel. Met zijn linkerhand had hij zijn rechterelle-
boog omvat, in zijn rechterhand hield hij nonchalant een dun
sigaartje. Zijn gezicht was net zo interessant en opvallend als
op de foto die op een tijdschriftomslag had gestaan en die ze
via Google had gevonden. Hij droeg een grijs-wit tweed jasje

dat er zo lichtgewicht uitzag dat je eerder dacht aan kasjmier en zijde dan aan het wat dikkere harristweed. Daaronder droeg hij een zwarte coltrui, een bijpassende broek en het soort schoenen dat Karen alleen nog maar had zien dragen door rijke Amerikanen. Ze dacht dat het oxfordschoenen waren met kwastjes. Ze waren meer iets voor een Schotse pop met een kilt dan voor een rijke industrieel. Ze ging zo op in het bekijken van zijn merkwaardige schoeisel dat ze bijna het begin van het gesprek miste.

Toen ze opkeek zag ze nog net een zweem van een glimlach om de mond van Lady Grant, die er elegant uitzag in een mantelpak in tinten die aan een heideveld deden denken. Er zat een klassieke katoenfluwelen kraag op, die Karen om de een of andere reden altijd met geld en stand associeerde. Maar de glimlach maakte een merkwaardig samenzweerderige indruk.

Susan Charleson stelde de andere vrouw voor. 'Dit is Annabel Richmond, een freelancejournalist.' Karen was meteen op haar hoede en knikte ten teken dat ze het had begrepen. Wat deed een journalist hier in godsnaam? Als ze één ding over Brodie Grant wist, was het wel dat hij zo allergisch was voor de media dat hij nu eigenlijk ter plekke een anafylactische shock moest krijgen.

Brodie Grant stapte naar voren en gebaarde met zijn sigaar dat ze plaats moesten nemen op een sofa die op schreeuwafstand van de open haard stond. Karen ging op het uiterste puntje zitten, want ze besefte dat ze er anders helemaal in zou wegzakken en dat ze dan bij het opstaan een uiterst onelegante indruk zou maken. 'Miss Richmond is om twee redenen op mijn verzoek aanwezig,' zei Grant. 'Op de ene reden kom ik zo dadelijk terug. De andere is dat ze als contactpersoon tussen de media en de familie zal optreden. Ik ga geen persconferenties geven en ik zal ook geen sentimentele oproep op de tv doen. Jullie moeten dus bij haar zijn als jullie iets aan die onderkruipsels van de pers willen geven.'

Karen boog haar hoofd. 'Dat is uw goed recht,' zei ze zo stoer mogelijk, alsof ze in haar goedertierenheid een concessie deed – louter om het heft weer wat in handen te krijgen. 'Ik begrijp van meneer Lees dat u gelooft dat er nieuw bewijsmateriaal is opgedoken dat te maken heeft met de ontvoering van uw dochter en kleinzoon?'

'Er is inderdaad nieuw bewijsmateriaal. Daar is geen twijfel over mogelijk. Susan?' Hij wierp haar een verwachtingsvolle blik toe. Ze was slim genoeg om de vraag van haar baas vóór te zijn en kwam al naar hen toe met een plaat geplastificeerd triplex. Toen ze dichterbij kwam, draaide ze die om zodat Karen en Phil hem konden zien.

Karen voelde zich licht teleurgesteld. 'Dit is niet de eerste keer dat we iets dergelijks zien,' zei ze, terwijl ze de zwart-wit poster van de poppenspeler en zijn macabere marionetten bekeek. 'Ik ben in de dossiers twee of drie voorbeelden tegengekomen.'

'Vijf, om precies te zijn,' zei Grant. 'Maar geen een zoals deze. De vorige exemplaren zijn allemaal genegeerd, omdat ze op de een of andere manier afweken van het origineel. De reproducties die inspecteur Lawson destijds aan de media deed toekomen waren subtiel veranderd, zodat we eventuele na-apers er meteen tussenuit konden halen. Alle posters die sindsdien zijn opgedoken, waren kopieën van de veranderde versies.'

'En deze is anders?' vroeg Karen.

Grant knikte goedkeurend. 'Meteen raak, inspecteur. Hij is in elk opzicht identiek. Ik ben me er heel wel van bewust dat de beloning die ik heb uitgeloofd voor sommige mensen erg verleidelijk is. Ik heb mijn eigen kopie van het origineel bewaard, zodat ik het kon vergelijken met een exemplaar dat ik rechtstreeks in handen kreeg. Zoals met deze poster het geval was.' Hij glimlachte flauwtjes. 'Niet dat ik een kopie nodig had. Ik kan me elk detail nog precies herinneren. De eerste keer dat ik het onder ogen kreeg, heeft het zich in mijn geheugen gebrand.'

Zaterdag 19 januari 1985
Mary Grant schonk haar man al een tweede kop koffie in voordat hij in de gaten had dat hij de eerste op had. Ze had dit al zoveel jaren gedaan dat hij, als hij in een hotel verbleef, er nog steeds verbaasd over was dat zijn kopje zo vaak bijgevuld moest worden. Hij sloeg een bladzijde van zijn krant om en gromde:

'Eindelijk eens goed nieuws. Lord Wolfenden heeft het tijdelijke voor het eeuwige verwisseld.'

Mary keek niet eens meer geschokt. Wel berustend. 'Zoiets kun je toch niet zeggen, Brodie. Dat is afschuwelijk.'

Zonder op te kijken van zijn krant zei hij: 'De man heeft de wereld nog afschuwelijker gemaakt dan hij al was, Mary. Dus ik vind het niet erg dat hij dood is.'

Mary Grant was al zoveel jaren met hem getrouwd dat ze het grootste deel van haar vechtlust kwijt was. Maar zelfs als ze iets had willen zeggen, had ze er de kans niet voor gekregen. Tot verbazing van meneer en mevrouw Grant werd de deur van de ontbijtkamer zonder kloppen opengegooid en stormde Susan Charleson naar binnen. Brodie liet de krant op zijn roerei vallen toen hij zag hoe opgewonden en buiten adem ze was.

'Het spijt me,' brabbelde ze. 'Maar hier moet u echt naar kijken.' Ze duwde hem een grote bruine envelop in de hand. Voorop stonden zijn naam en adres met aan de boven- en aan de onderkant de woorden 'Persoonlijk' en 'Vertrouwelijk', geschreven met een dikke viltstift.

'Is dit nu echt zo belangrijk dat het niet kan wachten tot na het ontbijt?' vroeg hij, terwijl hij met twee vingers in de envelop voelde en er een dik stuk papier uit haalde dat in vieren was gevouwen.

'Inderdaad,' zei Susan, en ze wees naar de envelop. 'Ik heb het er weer in gestopt, omdat ik niet wilde dat iemand anders het zag.'

Grant mopperde wat, haalde het papier eruit en vouwde het open. Het zag eruit als een poster waarop reclame werd gemaakt voor een macaber poppenspel. In grimmig zwart-wit boog een poppenspeler zich over een rand terwijl hij aan de touwtjes trok waaraan allerlei poppen hingen, waaronder een skelet en een geit. Het deed hem denken aan het soort prenten dat hij een keer op tv had gezien in een programma over de kunst waar Hitler de pest aan had. Hij zat hier nog aan te denken toen zijn blik naar de onderkant van de poster werd getrokken. Waar je zou verwachten de gegevens over de voorstelling van het poppenspel aan te treffen, stond een heel andere boodschap:

Jouw hebzucht en jouw uitbuitende kapitalisme zullen
binnenkort worden afgestraft. We hebben je dochter en je
kleinzoon. Doe wat we zeggen als je ze terug wilt zien. Geen
politie. Gedraag je niet anders dan anders. We houden je in
de gaten. We nemen binnenkort weer contact met je op. Het
Schots Anarchistisch Front.

'Is dit soms een zieke grap?' vroeg Grant. Hij gooide de poster
op de tafel en duwde zijn stoel naar achteren. Toen hij opstond,
trok Mary de poster naar zich toe en liet hem toen vallen alsof
ze haar vingers eraan had gebrand.

'O, mijn God,' hijgde ze. 'Brodie?'

'Het is kattenkwaad,' zei hij. 'De een of andere gestoorde
klootzak wil ons gewoon bang maken.'

'Nee,' zei Susan. 'Er is nog meer.' Ze raapte de envelop op
van de vloer en schudde er een polaroidfoto uit. Zwijgend overhandigde ze die aan Brodie.

Hij zag zijn enige dochter vastgebonden op een stoel zitten.
Een stuk plakband was over haar mond geplakt. Haar haren zaten in de war en op haar linkerwang zag hij een veeg vuil of een
blauwe plek. Tussen haar en de camera was een gehandschoen-
de hand te zien. Om elke twijfel uit te sluiten zag je nog net een
stukje van de *Daily Record* van de dag ervoor. Grant voelde hoe
zijn benen het begaven en hij viel achterover in zijn stoel. Hij
knipperde met zijn ogen om zichzelf weer wat onder controle te
krijgen. Mary stak haar hand uit naar de foto, maar hij schudde zijn hoofd en hield hem tegen zijn borst geklemd. 'Nee,' zei
hij. 'Nee, Mary.'

Er volgde een lange stilte en toen zei Susan: 'Wat wilt u dat
ik doe?'

Grant kon geen woord uitbrengen. Hij wist niet wat hij dacht,
wat hij voelde of wat hij wilde zeggen. Het was een ervaring die
hem zo wezensvreemd was en zo onvoorstelbaar, dat het net leek
alsof hij een geestverruimend pilletje had geslikt. Hij had zichzelf altijd onder controle, en niet alleen zichzelf, maar ook alles
wat er om hem heen gebeurde. Dit gevoel van machteloosheid
had hij al zo lang niet meer gehad dat hij was vergeten hoe hij
ermee moest omgaan.

'Wilt u dat ik de hoofdcommissaris bel?' vroeg Susan.

'Dat mag niet, staat er,' zei Mary. 'We kunnen geen risico's nemen met Catriona en Adam.'

'Ze kunnen de pot op,' zei Grant op een toon die niet erg leek op zijn normale stem. 'Ik laat me goddomme niet in een hoek drukken door een stelletje anarchisten.' Hij dwong zichzelf om te gaan staan; op louter wilskracht overwon hij de angst die al aan hem vrat. 'Susan, bel de hoofdcommissaris. Leg uit wat er aan de hand is. Zeg dat ik zijn beste man wil, eentje die er niet als een politieman uitziet. Ik verwacht hem over een uur op mijn kantoor. En daar ga ik nu zelf ook heen. Dan doe ik niet anders dan anders, voor het geval ze ons echt in de gaten houden.'

'Brodie, hoe kun je?' Mary's gezicht was spierwit en ze zag er verslagen uit. 'We moeten doen wat ze zeggen.'

'Nee. We moeten alleen maar die indruk wekken.' Zijn stem klonk weer wat krachtiger. Omdat hij grip op de zaak begon te krijgen, gaf dat hem het gevoel dat hij weer wat licht in de duisternis zag. Hij kon met angst omgaan als hij zichzelf wijs kon maken dat hij aan een oplossing bezig was. 'Susan, ga aan de slag.' Hij liep naar Mary toe en klopte haar op de schouder. 'Het komt wel in orde, Mary. Dat beloof ik je.' Als hij haar gezicht niet zag, hoefde hij ook geen rekening te houden met haar twijfel en haar angst. Hij had al genoeg op zijn bord zonder die extra last.

Dysart, Fife

Andere mannen waren misschien gaan ijsberen in afwachting van de politie. Brodie Grant was er de man niet naar om iets te doen waar je niets mee opschoot. Hij zat op zijn bureaustoel die weggedraaid was van zijn bureau, zodat hij uitkeek over de monding van de Forth in de richting van Berwick Law, Edinburgh en de Pentlands. Hij staarde over het gespikkelde, grijze water en probeerde zijn gedachten op orde te brengen, want hij mocht geen seconde tijd verliezen als de politie er was. Hij haatte verspilling, zelfs als het iets betrof dat gemakkelijk te vervangen was.

Susan, die hem op de gewone tijd naar zijn werk was gevolgd, kwam de deur door die haar kantoor van het zijne scheidde. 'De politie is er,' zei ze. 'Zal ik ze binnenlaten?'

Grant draaide de stoel weer terug. 'Ja. En dan moet je ons alleen laten.' Hij zag de blik van verbazing op haar gezicht. Ze was eraan gewend dat ze op de hoogte was van al zijn geheimen, dat ze meer wist dan Mary. Maar dit keer wilde hij dat de kring van ingewijden zo klein mogelijk was. Zelfs Susan was er een te veel.

Ze liet twee mannen in schildersoverall binnen en deed toen nadrukkelijk de deur achter zich dicht. Grant was niet ontevreden over de list die hij had bedacht. 'Bedankt dat u meteen bent gekomen. En zo onopvallend,' zei hij. Hij nam het tweetal eens goed op. Ze zagen er voor een dergelijke belangrijke taak te jong uit. De oudste van de twee, een middendertiger, was mager en donkerharig, de andere was rossig en achter in de twintig.

De donkere zei het eerst wat. Tot Grants verbazing hadden zijn eerste woorden meteen te maken met zijn eigen bedenkingen. 'Ik ben inspecteur James Lawson,' zei hij. 'En dit is rechercheur Rennie. We hebben instructies gekregen van de hoofdcommissaris persoonlijk. Ik weet dat u waarschijnlijk denkt dat ik nogal jong ben om dit soort operaties te leiden, maar ik ben gekozen vanwege mijn ervaring. Vorig jaar is de vrouw van een van de spelers van het elftal van East Fife ontvoerd. We hebben de zaak kunnen oplossen zonder dat er iemand kleerscheuren heeft opgelopen.'

'Ik herinner me niet dat ik daar iets over heb gehoord,' zei Grant.

'We hebben het buiten de publiciteit weten te houden,' zei Lawson, en heel even speelde er een trots glimlachje om zijn mond.

'Is er geen proces geweest? Hoe hebben jullie het uit de kranten weten te houden?'

Lawson haalde zijn schouders op. 'De ontvoerder heeft schuld bekend. Het was al voorbij voordat de pers er lucht van kreeg. We zijn hier in Fife vrij goed in het bespelen van de pers.' Daar was dat glimlachje weer. 'Dus u begrijpt, meneer, dat ik de man ben met de relevante ervaring.'

Grant keek hem lang en vorsend aan. 'Blij dat te horen.' Hij haalde een pincet uit zijn la en trok daar heel voorzichtig het witte vel papier mee weg dat hij over de poster van de kidnappers had gelegd. 'Dit is vanmorgen met de post gekomen. En in de envelop zat ook nog deze...' Hij pakte de polaroid voorzichtig bij de randen vast en draaide hem om.

Lawson kwam wat dichterbij staan en keek er aandachtig naar. 'U weet zeker dat dit uw dochter is?'

Voor het eerst leek Grant zijn zelfbeheersing een beetje te verliezen. 'Denkt u dat ik mijn eigen dochter niet ken?'

'Nee meneer. Maar voor de goede orde moet ik zeker weten dat u er zeker van bent.'

'Ik ben er zeker van.'

'In dat geval is elke twijfel uitgesloten,' zei Lawson. 'Wanneer hebt u voor het laatst contact met uw dochter gehad?'

Grant maakte een ongeduldig handgebaar. 'Ik weet het niet. Ik vermoed dat ik haar voor het laatst twee weken geleden heb gezien. Ze was hier op bezoek met Adam. Haar moeder heeft sindsdien vast nog wel met haar gesproken of haar gezien. U weet hoe vrouwen zijn.' Hij voelde zich opeens schuldig; het was niet zozeer een pijnscheut, eerder een langzamer bonzen van zijn hart. Hij had niets gedaan of gezegd waar hij spijt van had; het enige wat hij betreurde was dat het een breuk tussen hem en Cat had veroorzaakt.

'We gaan ook met uw vrouw praten,' zei Lawson. 'Het zou ons helpen als we weten wanneer dit is gebeurd.'

'Catriona had haar eigen bedrijfje. Als de galerie dicht was, zal iemand het vermoedelijk wel hebben gezien. Er rijden daar iedere dag honderden, zo niet duizenden, mensen langs. Ze vergat nooit het bordje neer te zetten waarop stond of de galerie open of dicht was.' Hij schonk hun een vreugdeloze glimlach. 'Ze was een echte zakenvrouw.' Hij trok een blocnote naar zich toe en krabbelde daar het adres op van Catriona's galerie en een routebeschrijving.

'Dank u,' zei Lawson. 'Maar ik dacht dat u niet wilde dat de kidnappers weten dat u ons in de arm hebt genomen.'

Grant was van zijn stuk gebracht door zijn eigen domheid. 'Het spijt me. U heeft gelijk. Ik ben wat in de war. Ik...'

'Dat is ook mijn taak, niet de uwe.' Lawsons stem klonk vriendelijk. 'U kunt ervan verzekerd zijn dat we geen vragen gaan stellen die achterdocht kunnen wekken. Als we ergens niet achter kunnen komen op een manier die natuurlijk aandoet, gaan we daar niet mee verder. De veiligheid van Catriona en Adam staat voorop. Dat beloof ik u.'

'Aan die belofte zal ik u houden. Goed, wat is de volgende stap?' Grant had zichzelf weer in de hand, maar hij was wel wat van zijn stuk gebracht door de emoties die hem de hele tijd onderuithaalden.

'We zetten een tap op uw telefoonlijnen voor het geval ze u op die manier proberen te bereiken. En u zult naar het huis van Catriona moeten. Dat is iets wat de kidnappers zullen verwachten. U moet daar namens mij uw ogen goed de kost geven. U moet overal een aantekening van maken. Dingen die op een andere plaats staan, iets ongewoons. U zult een aktetas of zoiets mee moeten nemen, want als er bijvoorbeeld twee bekers op tafel staan, kunt u die voor ons meenemen. We hebben ook iets van Catriona nodig om haar vingerafdrukken te krijgen. Een haarborstel zou ideaal zijn, dan hebben we meteen haar haren.' Lawson klonk enthousiast.

Grant schudde zijn hoofd. 'Daar moet u mijn vrouw voor hebben. Ik zie dat soort dingen niet.' Hij was niet van plan te bekennen dat hij er maar één keer binnen was geweest, en dat nog wel met tegenzin. 'Ze zal blij zijn dat ze iets te doen heeft. Dat ze iets kan doen om te helpen.'

'Goed, daar zorgen we voor.' Lawson tikte met zijn pen op de poster. 'Op het eerste gezicht ziet dit er meer uit als een politieke actie dan als iets persoonlijks. We zullen natuurlijk ons licht opsteken bij de inlichtingendiensten, of er een groepering is die de middelen en de motivatie heeft om iets dergelijks klaar te spelen. Maar ik heb wel een vraag voor u: heeft u ooit een meningsverschil gehad met de een of andere groepering? De een of andere organisatie waar zich een paar heethoofden bij hebben aangesloten die dit misschien een goed idee vinden?'

Tijdens het wachten op de politie had Grant zich dat zelf ook al afgevraagd. 'Het enige wat ik kan bedenken, is een aanvaring die we ongeveer een jaar geleden hebben gehad met een van die walvissenclubjes. We hadden een project op Black Isle dat volgens hen een negatieve invloed zou hebben op het leefgebied van een groepje dolfijnen in de Moray Firth. Allemaal onzin natuurlijk. Ze hebben geprobeerd onze bouwvakkers tegen te houden – ze gingen voor de bulldozers liggen, de gebruikelijke stunt. Er is er eentje gewond bij geraakt. Hun eigen stomme schuld en dat was ook de mening van de autoriteiten. Maar daar is het bij gebleven. Ze zijn met de staart tussen de benen afgedropen en wij konden verdergaan met het project. En overigens maken de dolfijnen het prima.'

Lawson was zichtbaar opgefleurd bij de laatste mededeling van Grant. 'Maar we moeten het wel nagaan,' zei hij.

'Mevrouw Charleson heeft vast alle dossiers nog wel. Zij kan u vertellen wat u moet weten.'

'Dank u. Ik moet u ook vragen of u iemand kent die een persoonlijke wrok tegen u koestert. Of tegen iemand in uw familie.'

Grant schudde zijn hoofd. 'Ik heb in de loop der tijden op heel wat tenen gestaan, maar ik kan niets bedenken wat iemand zou kunnen aanzetten tot deze daad. Dit gaat toch zeker om geld, niet om een persoonlijke wrok? Het is algemeen bekend dat ik een van de rijkste mannen in Schotland ben. Dat is geen geheim. In mijn ogen heeft het daarmee te maken. De een of andere klootzak heeft het voorzien op mijn zuurverdiende centen. En nou denkt hij dat hij dat op deze manier kan bewerkstelligen.'

'Het is mogelijk,' beaamde Lawson.

'Het is meer dan mogelijk. Het is het meest waarschijnlijke scenario. En ik verdom het om daaraan mee te werken. Ik wil mijn gezin terug en ik wil ze terug zonder één concessie te doen aan die klootzakken.' Met zijn vlakke hand sloeg Grant zo hard op het bureau dat de twee politiemannen geschrokken opveerden.

'Daarom zijn we hier,' zei Lawson. 'We doen ons uiterste best om het resultaat dat u beoogt te garanderen.'

Toentertijd was het vertrouwen van Grant nog onaangetast. 'Ik verwacht niet anders,' zei hij.

Vrijdag 29 juni 2007; Rotheswell Castle

Toen ze zat te luisteren naar het verhaal van Grant over de eerste morgen nadat de wereld was veranderd, kwam het Karen vreemd voor dat iedereen voetstoots had aangenomen dat dit alleen maar met Brodie Grant te maken had. Niemand had blijkbaar in overweging genomen dat de persoon die hier gestraft werd niet Grant was, maar zijn dochter. 'Had Catriona vijanden?'

Grant fronste ongeduldig zijn wenkbrauwen. 'Catriona? Hoe zou zij vijanden moeten hebben? Ze was een alleenstaande moeder en een glaskunstenares. Ze leidde niet het soort leven waarin je vijanden maakt.' Hij zuchtte en tuitte zijn lippen.

Karen probeerde zichzelf in te prenten dat ze zich niet door zijn houding moest laten intimideren. 'Sorry, ik heb mezelf wat ongelukkig uitgedrukt. Ik had moeten vragen of er naar uw weten iemand kwaad op haar was.'

Grant knikte haar even tevreden toe, alsof ze net voor een examen was geslaagd waar ze zelf geen weet van had gehad. 'De vader van haar kind. Die was inderdaad kwaad. Maar ik heb nooit echt gedacht dat hij tot zoiets in staat was, en uw collega's hebben nooit iets gevonden dat hem met de misdaad in verband bracht.'

'Heeft u het over Fergus Sinclair?' vroeg Karen.

'Over wie anders? Heeft u zich niet volledig op de hoogte gesteld van de achtergronden?' vroeg Grant dwingend.

Karen begon medelijden te krijgen met iedereen die regelmatig met Grants lichtgeraaktheid te maken had. Ze vermoedde dat zij niet de enige was die zijn irritatie opwekte. 'In het dossier komt Sinclair maar één keer voor,' zei ze. 'In de aantekeningen over een gesprek met Lady Grant wordt Sinclair genoemd als de vermoedelijke vader van Adam.'

Grant snoof minachtend. 'Vermoedelijke? Natuurlijk was hij de vader van de jongen. Ze hadden elkaar jarenlang om de haverklap gezien. Maar wat bedoelt u met die ene verwijzing naar Sinclair? Er moet meer in staan. Ze zijn naar Oostenrijk geweest om met hem te praten.'

'Oostenrijk?'

'Daar had hij een baan. Hij heeft een diploma als rentmeester. Sindsdien heeft hij in Frankrijk gewerkt en in Zwitserland, maar een jaar of vier geleden is hij terug naar Oostenrijk gegaan. Susan kan u alle bijzonderheden geven.'

'Heeft u hem in de gaten laten houden?'

'Nee, inspecteur. Ik zei u al: ik heb nooit gedacht dat Sinclair het lef had voor zo'n ontvoering. Dus waarom zou ik hem in de gaten laten houden? De enige reden waarom ik weet waar Sinclair woont, is dat zijn vader nog steeds mijn hoofdboswachter is.' Grant schudde zijn hoofd. 'Ongelooflijk dat dit niet in het dossier staat.'

Karen dacht hetzelfde, maar ze had geen zin dat toe te geven. 'En was er voor zover u weet nog iemand anders die iets tegen Catriona had?'

Grants gezicht was even wit als zijn haren. 'Alleen ik, inspecteur. Hoor eens, nu deze poster boven water is gekomen, wordt duidelijk dat dit niets met Cat persoonlijk te maken had. Het is kennelijk politiek gemotiveerd. En daardoor heeft het rechtstreeks te maken met waar ik voor sta, niet met degene wiens hart Cat gebroken heeft.'

'Waar is deze poster boven water gekomen?' vroeg Phil. Karen was dankbaar voor de onderbreking. Hij was er goed in om als zij vast dreigde te lopen tussenbeide te komen, en dan kon hij vaak het gesprek een kant op sturen die meer resultaten opleverde.

'In een vervallen boerderij in Toscane. Blijkbaar hadden er krakers in gewoond.' Hij strekte zijn arm uit om de journalist erbij te betrekken. 'Dit is de andere reden waarom mevrouw Richmond hier is. Zij is de persoon die de poster heeft gevonden. U zult ongetwijfeld met haar willen praten.' Hij wees naar de poster. 'U zult die wel mee willen nemen. Ik neem aan dat u tests wilt laten uitvoeren. En, inspecteur...?'

Ondanks zijn autoritaire optreden had Karen zichzelf weer onder controle. 'Ja?'

'Ik wil hier morgenochtend niets over lezen in de krant.' Hij keek haar woedend aan alsof hij wilde zeggen: 'En nu jij.'

Karen hield zich even in. Ze deed haar best een antwoord te bedenken dat omvatte wat ze wilde zeggen en alles weggliet wat verkeerd zou kunnen worden opgevat.

'Alles wat we doen uitgaan naar de media en het tijdstip waarop dit zal gebeuren, zal een beslissing zijn die genomen wordt in het belang van het onderzoek,' zei ze ten slotte. 'De beslissing zal genomen worden door mij en, waar nodig, door mijn superieuren. Ik begrijp volledig hoe pijnlijk dit allemaal voor u is, en dat spijt me, maar het is niet anders, meneer. Onze beslissingen moeten zijn gericht op het optimale resultaat. Misschien bent u het daar niet altijd mee eens, maar ik vrees dat u geen recht van veto krijgt.' Ze wachtte op de uitbarsting, maar die bleef uit. Ze vermoedde dat hij die opspaarde voor de Mop of voor diens superieuren.

In plaats daarvan veranderde Grants gezichtsuitdrukking als bij toverslag. Hij knikte Karen vriendelijk toe. 'Ik heb vertrouwen in u, inspecteur. Het enige wat ik vraag, is dat u van tevoren contact opneemt met mevrouw Richmond, zodat we ons tijdig kunnen wapenen tegen de mensen van de pers.' Hij streek door zijn dikke zilveren haardos; het zag eruit als een gewoontegebaar. 'Ik heb goede hoop dat de politie ditmaal wel achter de waarheid zal komen. Er is zoveel vooruitgang geboekt op het gebied van de forensische wetenschappen dat u een voorsprong hebt op inspecteur Lawson.' Met de manier waarop hij zich afwendde, gaf hij te kennen dat ze kon gaan.

'Ik heb later vermoedelijk nog wel meer vragen voor u,' zei Karen, die niet van plan was de touwtjes helemaal uit handen te geven. 'Als Catriona geen vijanden had, kunt u ons misschien de namen van een paar vrienden of vriendinnen geven die ons verder kunnen helpen. Brigadier Parhatka zal u laten weten wanneer ik weer met u wil praten. In de tussentijd... Mevrouw Richmond, wilt u...?'

De vrouw knikte even en glimlachte. 'Ik sta tot uw beschikking, inspecteur.'

Gelukkig hadden ze hier te maken met iemand die enigszins wist hoe een en ander in zijn werk ging. 'Ik zou graag willen dat u vanmiddag naar het bureau komt. Zullen we afspreken om vier uur?'

'Wat is erop tegen om het gesprek met mevrouw Richmond hier te laten plaatsvinden? En wel nu meteen?' vroeg Grant.

'Dit is mijn onderzoek,' zei Karen. 'Ik voer mijn gesprekken waar het mij het beste uitkomt. En vanwege andere lopende onderzoeken komt het mij het beste uit om vanmiddag op mijn kantoor te zijn. Misschien wilt u ons nu verontschuldigen?' Ze stond op en zag dat Lady Grant een binnenpretje had, en dat Susan Charleson afkeurend keek. Grant stond als aan de grond genageld.

'Laat maar, Susan, ik laat de inspecteur en de brigadier wel uit,' zei Lady Grant. Ze sprong overeind en liep al in de richting van de deur voordat de andere vrouw was bekomen van de schok.

Terwijl ze door de hal achter haar aan liepen, zei Karen: 'Dit moet erg moeilijk voor u zijn.'

Lady Grant draaide zich half om waardoor ze achteruit moest lopen. Ze deed dat met de zekerheid van iemand die precies weet waar ze is. 'Waarom zegt u dat?'

'U moet toezien hoe uw man opnieuw die afschuwelijke tijd moet doormaken. Ik zou niet graag zien dat iemand van wie ik hield dat allemaal weer moest beleven.'

Lady Grant keek verbaasd. 'Het is nooit weg geweest uit zijn leven, inspecteur. Misschien zie je het niet aan hem, maar hij is erin blijven steken. Soms betrap ik hem erop dat hij naar onze zoon Alec zit te kijken, en dan weet ik dat hij denkt aan Adam en hoe het geweest zou zijn als hij nog leefde. Aan wat hij verloren heeft. Dat hij zich nu weer op iets nieuws kan concentreren is bijna een opluchting voor hem.' Ze maakte een soort pirouette en keerde hun weer de rug toe. Terwijl ze achter haar aan liepen, ving Karen een blik op van Phil en schrok van de woede op zijn gezicht.

'Maar toch zou het bovenmenselijk zijn als een deel van u niet hoopte dat we Adam níét gezond en wel zullen vinden,' zei Phil. Zijn luchtige toon kwam niet overeen met zijn boze gezicht.

Lady Grant bleef staan en draaide zich snel om, met dreigend gefronste wenkbrauwen. Langs haar hals kwam een blos omhoogkruipen. 'Wat bedoelt u daar in godsnaam mee?'

'Ik denk dat u heel goed weet wat ik bedoel, Lady Grant. Als we Adam vinden, is uw zoon Alec opeens niet meer Brodies enige erfgenaam,' zei Phil. Er was lef voor nodig, dacht Karen, om in het onderzoek de rol van bliksemafleider op je te nemen.

Heel even leek het alsof Lady Grant hem een klap in zijn gezicht ging geven. Karen kon zien hoe haar borstkas moeizaam op en neer ging in een poging om haar zelfbeheersing te bewaren. Uiteindelijk dwong ze zichzelf om de gewone, beleefde houding aan te nemen. 'In feite,' zei ze, 'hebt u het volkomen bij het verkeerde eind. Het fanatisme waarmee Brodie achter de waarheid over zijn kleinzoon aan zit, doet mij juist de toekomst van Alec met veel vertrouwen tegemoetzien. Een man die vindt dat hij zoveel over moet hebben voor zijn eigen vlees en bloed zal onze zoon nooit laten vallen. U kunt het geloven of niet, brigadier, maar Brodies zoektocht naar de waarheid wekt hoop bij mij. Geen angst.' Ze draaide zich met een ruk om en liep met grote passen naar de deur, die ze veelbetekenend voor hen openhield.

Toen de deur achter hen was dichtgevallen, zei Karen: 'Jezus, Phil, waarom zeg je niet wat je echt denkt? Waar kwam die agressie vandaan?'

'Het spijt me.' Hij hield het portier aan de passagierskant voor haar open, een klein beleefd gebaar waar hij zelden de moeite voor nam. 'Ik had genoeg van al dat Miss Marple-gedoe. Moord in een landhuis en zo. Al dat halfzachte overbeleefde gezeur. Bloedeloos en beschaafd. Ik wilde gewoon zien of ik een eerlijke reactie kon oproepen.'

Karen grijnsde. 'Ik denk dat we rustig kunnen zeggen dat je daarin bent geslaagd. Ik hoop alleen dat we het niet op ons brood krijgen.'

Phil grinnikte. 'Jij weet zelf ook aardig van wanten als het aankomt op stoer doen. "Dit is mijn onderzoek",' deed hij haar niet onverdienstelijk na.

Ze ging in de auto zitten. 'Nou ja. Ik had de illusie dat ik de leiding had. Het was leuk zolang als het duurde.'

Nottingham

Het was niet zo dat de mooie plekjes van het arboretum van Nottingham wat tegenvielen, het was meer dat ze onzichtbaar waren. Agent Mark Hall kon door het dikke regengordijn niets meer zien toen hij achter Femi Otitoju het pad op liep naar de Chinese klokkentoren. Ze had eindelijk wat van haar gevoelens laten zien, maar niet op de manier die Mark graag had gezien. Logan Laidlaw was nog minder te spreken geweest over hun bezoek dan Ferguson en Fraser. Niet alleen had hij hun de toegang tot zijn flat geweigerd, hij had hun ook te verstaan gegeven dat hij geen zin had te herhalen wat hij al aan de dochter van Mick Prentice had verteld. 'Het leven is te kort om mijn energie te verspillen aan het zoveelste verhaal over die rottijd,' had hij gezegd, en toen had hij de deur in hun gezicht dichtgegooid.

Otitoju was dieppaars aangelopen, als een bietje in het zuur, en ze was zwaar door haar neus gaan ademen. Haar handen had ze tot vuisten gebald en ze had zelfs haar voet al naar achteren gehaald alsof ze de deur in wilde trappen – nogal overdreven als je in aanmerking nam dat ze vrij tenger was. Mark had zijn hand op haar arm gelegd. 'Laat maar, Femi. Hij staat in zijn recht. Hij hoeft niet met ons te praten.'

Otitoju had zich met een ruk omgedraaid; ze straalde een en al woede uit. 'Dit moest niet mogen,' zei ze. 'Ze zouden met ons moeten praten. De mensen zouden wettelijk verplicht moeten zijn om op onze vragen te antwoorden. Er zou een straf op moeten staan.'

'Hij is een getuige, geen verdachte,' zei Mark, geschrokken van haar felheid. 'Dat hebben ze ons verteld bij de introductie. Voer je taak uit met instemming, niet met dwang.'

'Het is niet goed,' zei Otitoju. Ze stormde terug naar de auto. 'Ze verwachten van ons dat we misdrijven oplossen, maar ze geven ons er niet het gereedschap voor. Wie denkt hij verdomme wel dat hij is?'

'Hij is iemand wiens mening over de politie erin gehamerd is in 1984. Heb je nooit de kranten uit die tijd gelezen? "Politie te paard rijdt als kozakken in op stakers", dat werk. Als wij onze wapenstok op die manier gebruikten, zouden we meteen op het matje geroepen worden. Het was niet bepaald een hoogtepunt in de historie van de politie. Dus het is niet echt vreemd dat meneer Laidlaw niet met ons wil praten.'

Ze schudde haar hoofd. 'Nu vraag ik me helemaal af of hij iets te verbergen heeft.'

De rit door de stad van het huis van Logan Laidlaw naar het

arboretum had haar stemming ook niet bepaald verbeterd. Mark kwam naast haar lopen. 'Laat dit maar aan mij over, oké?' zei hij.

'Denk je dat ik geen gesprek kan voeren?'

'Nee, dat denk ik niet. Maar ik weet genoeg over ex-mijnwerkers om te weten dat het een stelletje macho's is. Dat kon je net al zien bij Ferguson en Fraser – ze vonden het duidelijk niet prettig dat jij de vragen stelde.'

Otitoju bleef plotseling staan en gooide haar hoofd in haar nek. Ze liet de regen als koude tranen over haar gezicht lopen. Toen ging ze weer rechtop staan en zuchtte. 'Oké. Laten we dan maar aan hun vooroordelen toegeven. Doe jij maar het woord.' Ze liep weer verder, maar nu een beetje langzamer.

Toen ze bij de Chinese klokkentoren aankwamen, troffen ze daar twee mannen van middelbare leeftijd aan in overalls van de gemeente, die stonden te schuilen voor de hoosbui. De smalle pilaren waarop het elegante dak rustte, boden weinig bescherming tegen de regenvlagen die door de onstuimige wind naar binnen werden gejaagd, maar het was beter dan helemaal buiten blijven staan. 'Ik ben op zoek naar Iain Maclean,' zei Mark, en hij keek van de een naar de ander.

'Dat ben ik,' zei de kleinste van de twee. Hij had twee sprankelende helblauwe ogen en een gebruind gezicht. 'En wie ben jij?'

Mark vertelde wie ze waren. 'Kunnen we hier ergens een kop thee gaan drinken?'

De twee mannen keken elkaar aan. 'Eigenlijk moeten we de borders schoonmaken, maar we wilden er net mee ophouden en teruggaan naar de kassen,' zei Maclean. 'Er is hier geen café of zo, maar als u met ons meekomt kunnen wij daar wel een kop thee zetten.'

Tien minuten later zaten ze dicht opeengepakt achter in een grote tunnelkas, buiten gehoor van de andere tuinlieden, wier nieuwsgierige blikken snel verdwenen toen ze in de gaten hadden dat er niets spectaculairs aan de hand was. Er hing een zware geur van potgrond, en Mark moest onwillekeurig denken aan het schuurtje in de volkstuin van zijn grootvader. Iain Maclean omklemde met zijn grote handen een beker thee en wachtte tot zij wat zouden zeggen. Hij was blijkbaar niet verbaasd over hun komst, noch over de reden ervan. Mark vermoedde dat hij was gewaarschuwd door Ferguson of door Fraser.

'We wilden met u praten over Mick Prentice,' begon hij.

'Wat is er met Mick? Ik heb hem niet meer gezien sinds we hierheen zijn verhuisd,' zei Maclean.

'Niemand heeft hem meer gezien,' zei Mark. 'Iedereen ging ervan uit dat hij met jullie mee was gegaan, maar vandaag hebben we iets heel anders gehoord.'

Maclean krabde over de zilveren stoppeltjes van zijn keurig kortgeknipte hoofd. 'Tja. Ik had wel gehoord dat de mensen thuis in Newton dat dachten. Dat bewijst maar weer eens dat de mensen altijd het slechtste willen denken. Mick zou nooit van zijn leven met ons zijn meegegaan. Ik snap niet hoe iemand die hem kende dat kon denken.'

'Hebt u ze nooit tegengesproken?'

'Wat zou dat voor zin hebben gehad? Wat hen betreft ben en blijf ik een smerige rat. Als ik iets zou zeggen ter verdediging van iemand, zou dat in Newton absoluut niet aanslaan.'

'Eerlijk gezegd zijn we niet zomaar tot deze conclusie gekomen. Zijn vrouw heeft sinds zijn vertrek regelmatig geld toegestuurd gekregen. Op het poststempel stond Nottingham. Dat is een van de belangrijkste redenen waarom iedereen dacht dat hij toch mee was gegaan.'

'Daar heb ik geen verklaring voor. Maar ik wil wel dit zeggen: Mick Prentice was nog eerder naar de maan gevlogen dan dat hij in een andere mijn was gaan werken.'

'Dat horen we al de hele tijd,' zei Mark. 'Maar soms doen mensen uit wanhoop dingen die tegen hun natuur ingaan. En volgens iedereen was Mick wanhopig.'

'Niet zó wanhopig.'

'U heeft het wel gedaan.'

Maclean staarde in zijn beker. 'Dat is zo. En ik heb me nog nooit in mijn leven zo geschaamd. Maar mijn vrouw was in verwachting van onze derde. Ik wist dat we ons beslist niet nog een kind konden veroorloven. Dus heb ik gedaan wat ik gedaan heb. Ik heb er van tevoren met Mick over gepraat.' Hij wierp even een blik op Mark. 'Hij en ik, we waren vrienden. We hebben samen op school gezeten. Ik wilde hem uitleggen waarom ik het deed.' Hij zuchtte. 'Hij zei dat hij begreep waarom ik per se wilde gaan. Dat hijzelf ook wel weg wilde. Maar een stakingsbreker zijn, dat kon hij niet. Ik weet niet waar hij heen is gegaan, maar ik weet zeker dat het niet naar een andere mijn was.'

'Wanneer wist u dat hij vermist werd?'

Hij trok een grimas terwijl hij nadacht. 'Dat is moeilijk te zeggen. Ik denk dat het was toen mijn vrouw definitief hierheen kwam. Dus dan hebben we het over februari of zo. Maar misschien was het later. Mijn vrouw heeft nog steeds familie wonen in Wemyss. Wij gaan er nooit naartoe, we zouden niet welkom zijn. De mensen vergeten iets niet gauw. Maar we houden contact en soms komen ze bij ons op bezoek.' Een flauwe glimlach gleed over zijn gezicht. 'Het neefje van mijn vrouw studeert hier aan de universiteit. Hij is net klaar met zijn tweede jaar. Die komt af en toe bij ons eten. Dus ja, ik heb gehoord dat Mick op de lijst van vermiste personen stond, maar ik weet niet precies meer sinds wanneer ik dat wist.'

'Waar denkt u dat hij heen is gegaan? Wat is er volgens u gebeurd?' In zijn enthousiasme vergat Mark de belangrijkste regel: dat je nooit meer dan één vraag tegelijk moet stellen. Maclean negeerde ze allebei.

'Waarom zijn jullie opeens zo in Mick geïnteresseerd?' vroeg hij. 'Al die jaren is er nog nooit iemand naar hem op zoek geweest. Waarom is het nu opeens belangrijk?'

Mark legde uit waarom Misha Gibson haar vader uiteindelijk als vermist had opgegeven. Maclean verschoof wat ongemakkelijk op zijn stoel en morste daardoor thee over zijn vingers. 'Wat vreselijk. Ik weet nog dat Misha zelf een klein meisje was. Ik wou dat ik kon helpen. Maar ik weet niet waar hij heen is gegaan,' zei hij. 'Zoals ik al zei, sinds ik uit Newton weg ben, heb ik hem niet meer gezien.'

'Hebt u nog wel iets van hem gehoord?' kwam Otitoju tussenbeide.

Maclean keek haar met zijn verweerde gezicht uitdrukkingsloos aan. 'Probeer me nou niet te belazeren, schat. Nee, ik heb niets meer van hem gehoord. Wat mij betreft is Mick van het toneel verdwenen op de dag dat ik hierheen kwam. En ik verwachtte niet anders.'

Mark wilde de goede verstandhouding herstellen en probeerde wat meer meegevoel in zijn stem te laten doorklinken. 'Dat begrijp ik,' zei hij. 'Maar wat denkt u persoonlijk dat er met Mick is gebeurd? U was zijn vriend. Als iemand antwoord op die vraag kan geven, bent u het wel.'

Maclean schudde zijn hoofd. 'Ik weet het echt niet.'

'Als u een gok zou moeten doen?'

Opnieuw krabde hij op zijn hoofd. 'Weet u, ik dacht dat hij en Andy er samen vandoor waren gegaan. Ik dacht dat ze er allebei genoeg van hadden, dat ze ergens anders een nieuw leven wilden beginnen. Een schone lei en zo.'

Mark herinnerde zich de naam van de vriend van Mick van het papier waarop hun instructies stonden. Maar er had nergens gestaan dat ze samen waren weggegaan. 'Waar zouden ze heen moeten? Hoe konden ze zomaar spoorloos verdwijnen?'

Maclean tikte tegen de zijkant van zijn neus. 'Andy was een communist, weet u. En toentertijd waren Lech Walesa en Solidarnosc erg belangrijk in Polen. Ik heb altijd gedacht dat ze daar met z'n tweeën naartoe zijn opgerot. Het stikt van de mijnen in Polen en dan zouden ze niet het gevoel hebben gehad dat ze de zaak verraden hadden.'

'Polen?' Mark kreeg het gevoel dat een spoedcursus twintigste-eeuwse politieke geschiedenis geen overbodige luxe voor hem zou zijn.

'Ze waren bezig het totalitaire communisme omver te werpen,' zei Otitoju kordaat. 'Om het te vervangen door een soort socialisme van de arbeiders.'

Maclean knikte. 'Dat was echt in het straatje van Andy geweest. Ik dacht dat hij Mick had overgehaald mee te gaan. Dat verklaarde waarom niemand meer iets van ze heeft gehoord. Ze zaten kolen op te graven achter het IJzeren Gordijn en konden niet meer weg.'

'Dat IJzeren Gordijn ligt al een poosje ergens weg te roesten,' zei Mark.

'Ja, maar wie weet wat voor leven ze daar hebben opgebouwd? Getrouwd, misschien wel kinderen; misschien hebben ze het verleden helemaal achter zich gelaten. Als Mick een nieuw gezin had, zou hij niet willen dat het oude opeens op de proppen kwam, hè?'

Plotseling kreeg Mark een van die ingevingen waarin hij door de bomen het bos kon zien. 'U was het die dat geld heeft gestuurd, hè? U heeft geld in een envelop gestopt en naar Jenny gestuurd omdat u dacht dat Mick vanuit Polen geen geld zou sturen.'

Maclean leek opeens weg te schrompelen tegen de doorzichtige plastic wand. Hij kneep zijn gezicht zo fanatiek samen dat je zijn helblauwe ogen niet meer kon zien. 'Ik wilde alleen maar helpen. Sinds ik hier ben, heb ik niet slecht geboerd. Ik heb altijd medelijden gehad met Jenny. Ik vond dat zij met de gebakken peren zat, omdat Mick te laf was om te staan voor wat hij deed.'

Een vreemde manier van uitdrukken, vond Mark. Hij had het erbij kunnen laten; per slot van rekening was het zijn zaak niet en hij had geen behoefte aan de ergerlijke situatie die zou kunnen ontstaan als hij aan losse eindjes begon te trekken. Maar aan de andere kant wilde hij uit zijn detachering halen wat erin zat. Hij wilde munt slaan uit zijn stageplaats bij de recherche om op die manier een vaste aanstelling af te dwingen. Dus het was niet onverstandig om nog even zijn best te doen. 'Is er iets wat je ons niet vertelt, Iain?' vroeg hij. 'Was er nog een reden waarom Mick als een dief in de nacht is weggegaan?'

Maclean dronk zijn thee op en zette de beker neer. Hij wrong in zijn handen, die er absurd groot uitzagen – maar hij had er dan ook een leven lang mee gewerkt. Hij maakte de indruk van een man die niet tevreden was met de inhoud van zijn eigen hoofd. Hij haalde diep adem en zei: 'Het maakt nu toch niets meer uit. Je kunt iemand die al onder de groene zoden ligt niet meer voor zijn zonden laten boeten.'

Otitoju stond op het punt hem te pressen duidelijker te zijn, maar Mark greep haar waarschuwend bij de arm. Ze ging weer achterover zitten met samengeknepen lippen, en ze wachtten.

Ten slotte begon Maclean te praten. 'Ik heb dit nog nooit aan iemand verteld. Of mijn zwijgen wat heeft uitgehaald weet ik niet. U moet begrijpen dat Mick een fanatieke vakbondsman was. En Andy had natuurlijk een volle baan als vakbondsfunctionaris. Hij was daar kind aan huis en hij kon goed opschieten met de bestuurders. Ik twijfel er niet aan dat Andy veel dingen aan Mick heeft verteld die hij voor zich had moeten houden.' Hij glimlachte flauwtjes. 'Hij probeerde altijd indruk op Mick te maken, wilde beslist zijn beste vriend zijn. We zaten alle drie in dezelfde klas op school. We trokken altijd met elkaar op. Maar u weet hoe dat gaat als je met z'n drieën bent. Er is altijd een leider, en de andere twee proberen hem te vriend te houden en de ander weg te drukken. Zo was het bij ons ook. Mick zat in het midden en probeerde de vrede te bewaren. Daar was hij goed in, hij wist allerlei dingen te bedenken om ons koest te houden. Hij heeft ons geen van beiden ooit voorgetrokken. Nou ja, in ieder geval niet voor lang.'

Mark kon zien hoe Maclean zich ontspande bij de herinnering aan de betrekkelijke rust van zijn jonge jaren. 'Ik snap wat u bedoelt,' zei hij zacht.

'Hoe dan ook, we zijn met elkaar bevriend gebleven. Mijn vrouw en ik gingen wel eens uit met Mick en Jenny. Hij en Andy gingen altijd samen voetballen. Zoals ik al zei, hij kon ons allebei het gevoel geven dat we zijn beste vriend waren. In elk geval, een paar weken voordat ik hiernaartoe ging, hebben we een dag samen doorgebracht. We zijn naar de haven van Dysart gewandeld. Hij heeft zijn ezel ergens neergezet en wat geschilderd en ik heb gevist. Ik heb hem verteld wat ik van plan was en hij heeft nog geprobeerd me op andere gedachten te brengen. Maar ik voelde dat hij er met zijn hoofd niet bij was. Dus heb ik hem gevraagd waar hij over inzat.' Maclean zweeg en begon weer met zijn handen te wringen.

'En waar ging het om?' vroeg Mark. Hij boog zich wat naar voren om de rigide gestalte van Otitoju aan het zicht te onttrekken en een sfeer te creëren van mannen onder elkaar.

'Hij zei dat een van de vaste vakbondsfunctionarissen geld achterover had gedrukt.' Toen pas keek hij Mark recht in de ogen. Mark voelde hoe verschrikkelijk het verraad was dat zich achter de woorden van Maclean verschool. 'We waren allemaal blut en gingen bijna dood van de honger, en een van de kerels die aan onze kant zou moeten staan was zijn eigen zakken aan het vullen. Misschien lijkt dat nu niet meer zo belangrijk, maar toen was ik er volledig kapot van.'

Donderdag 30 november 1984; Dysart
Een makreel trok aan zijn hengelsnoer, maar Iain Maclean lette er niet op. 'Dat meen je niet, godverdomme,' zei hij. 'Niemand doet zoiets.'

Mick Prentice haalde zijn schouders op, maar hield ondertussen zijn ogen gericht op het tekenpapier dat hij op zijn ezel had vastgeklemd. 'Je hoeft me niet te geloven. Maar ik weet wat ik weet.'

'Je moet het verkeerd hebben begrepen. Geen enkele vakbondsman zou van ons stelen. Niet hier. Niet nu.' Maclean zag eruit alsof hij elk moment in huilen kon uitbarsten.

'Luister, ik zal je zeggen wat ik weet.' Mick veegde met zijn penseel over het papier en liet een vage kleur op de horizon achter. 'Ik zat afgelopen dinsdag op het kantoor. Andy had me gevraagd of ik hem wilde helpen met de verzoeken om bijstand, dus ik zat de brieven door te nemen die er binnen waren gekomen. Het grijpt je echt bij de keel als je leest wat sommige mensen allemaal meemaken.' Hij maakte zijn penseel schoon en mengde een groengrijze kleur op een paletje ter grootte van zijn handpalm. 'Daar zit ik dus in dat kleine hokje naast het hoofdkantoor en lees al die brieven door, en die vakbondsman zit in de kamer ernaast. Hoe dan ook, er komt een vrouw binnen van Lundin Links, je weet wel, die golfclub. Tweed mantelpakje, stomme baret van mohair. Je kent dat type wel – zo'n typische weldoenster die iets voor ons sloebers wil doen. Ze zei dat ze op de club een koffiekransje had georganiseerd en dat ze tweehonderdtweeëndertig pond bij elkaar hadden gebracht om de arme gezinnen van de stakende mijnwerkers te helpen.'

'Prima toch,' zei Maclean. 'Beter dat het naar ons gaat dan naar dat walgelijke clubje van Thatcher.'

'Inderdaad. Dus hij bedankt haar en zij gaat weer. Welnu, ik heb niet echt gezien waar het geld is gebleven, maar het is niet in de safe terechtgekomen, dat weet ik zeker.'

'O, kom op, Mick. Dat bewijst toch niets! Misschien heeft

die kerel het rechtstreeks naar het hoofdkantoor gebracht. Of naar de bank.'

'Ja, dat dacht je.' Mick lachte even. 'Alsof wij tegenwoordig nog geld naar de bank brengen met die beslagleggers die ons op de nek zitten.'

'Ja, maar toch,' zei Maclean, die zich wel een beetje beledigd voelde.

'Kijk, als dat alles was, zou ik me er niet druk om hebben gemaakt. Maar er is nog meer. Een van de taken van Andy is om precies bij te houden hoeveel geld er binnenkomt via schenkingen en zo. Al dat geld moet naar het hoofdkantoor. Ik weet niet wat er dan mee gebeurt. Of we het weer terugkrijgen in de vorm van giften of dat het uiteindelijk terechtkomt bij het hof van koning Arthur, die het dan weer opzijzet op een Zwitserse bankrekening. Geen idee. Maar iedereen die geld in ontvangst neemt, moet dat aan Andy vertellen en hij noteert het dan in een boekje.'

Maclean knikte. 'Ik weet nog dat ik moest vertellen wat we hadden opgehaald toen we van de zomer op straat hadden gecollecteerd.'

Mick zweeg even. Hij staarde over het water naar het punt waar de zee overging in land. 'Laatst op een avond was ik bij Andy. Het boekje lag op tafel. Toen hij naar de wc was, heb ik even gekeken. En de schenking van Lundin Links stond er niet bij.'

Maclean trok zo onbeheerst aan het snoer dat hij de vis kwijt was. 'Verdomme,' zei hij, en hij begon fanatiek het snoer op te winden. 'Misschien was Andy nog niet helemaal bij.'

'Ik wou dat het zo eenvoudig lag. Maar zo was het niet. De laatste posten die Andy had bijgeschreven in het boekje dateerden van vier dagen nadat het geld was ingeleverd.'

Maclean smeet zijn hengel op het stenen plaveisel. Hij voelde de tranen prikken in zijn ogen. 'Dat is toch godverdomme een schande. En jij wilt dat ik me schuldig voel als ik naar Nottingham ga? Dan verdien ik in ieder geval op een eerlijke manier mijn geld, dan doe ik niemand tekort. Ik kan het nauwelijks geloven.'

'Ik kon het ook niet geloven. Maar hoe kun je het anders uitleggen?' Mick schudde zijn hoofd. 'En het gaat hier om een man die nog een vast salaris heeft.'

'Wie is het?'

'Dat moet ik je eigenlijk niet vertellen. Ik moet eerst weten wat ik ga doen.'

'Het ligt voor de hand wat je moet doen. Je moet het Andy vertellen. Als er een onschuldige verklaring voor is, heeft hij daar vast weet van.'

'Ik kan het niet aan Andy vertellen,' protesteerde Mick. 'Jezus, soms heb ik zin om die hele klotezooi te laten voor wat het is. Om een streep eronder te zetten en ergens anders opnieuw te beginnen.' Hij schudde zijn hoofd. 'Ik kan het niet aan Andy vertellen, Iain. Hij is al depressief. Als ik hem dit vertel, stort hij helemaal in.'

'Nou, zeg het dan tegen iemand anders. Iemand van de plaatselijke afdeling. Je moet die klootzak pakken. Wie is het? Zeg het dan tenminste tegen mij. Over een paar weken ben ik hier weg. Aan wie zou ik het moeten doorvertellen?' Maclean voelde een brandend verlangen te weten om wie het ging. Weer iets dat hem sterkte in zijn beslissing. 'Vertel het me, Mick.'

De wind deed Micks haren in zijn gezicht waaien, waardoor hij de wanhoop op het gezicht van Maclean niet hoefde te zien. Maar de behoefte om de zware last met iemand te delen was te groot. Hij duwde zijn haren naar achteren en keek zijn vriend recht in de ogen. 'Ben Reekie.'

Vrijdag 29 juni 2007; Glenrothes

Karen moest toegeven dat ze onder de indruk was. Niet alleen had het team in Nottingham prima werk afgeleverd, agent Otitoju had haar verslag ook in recordtijd uitgetypt en gemaild. Maar, dacht Karen, ik zou waarschijnlijk hetzelfde hebben gedaan als ik in haar schoenen stond. Elke stagiair die aan de slag mocht met zulke hoogwaardige informatie zou er het maximum uit hebben willen halen.

En ze hadden er inderdaad heel wat uit gehaald. Agent Otitoju en haar collega waren erachter gekomen wie de zaak onnodig ingewikkeld had gemaakt door vanuit Nottingham geld naar

Jenny Prentice te sturen. En, wat nog veel belangrijker was, ze had ook als eerste een mogelijk antwoord gegeven op de vraag wie Mick Prentice liever kwijt dan rijk was. De emoties liepen toen hoog op, de vakbond begon overal aan populariteit in te boeten. Het was ontelbare keren tot geweldsuitbarstingen gekomen, en niet altijd tussen de politie en de stakers. Mick Prentice had met vuur gespeeld, en misschien was dat hem wel fataal geworden. Als hij Ben Reekie had geconfronteerd met wat hij wist; als Ben Reekie inderdaad schuldig was; en als Andy Kerr erbij was gesleept vanwege zijn betrokkenheid bij de andere twee mannen, dan had je een motief in handen om je te ontdoen van deze twee mannen, die rond datzelfde tijdstip spoorloos waren verdwenen. Misschien had Angie Kerr wel gelijk gehad over haar broer. Misschien had hij geen zelfmoord gepleegd. Misschien waren Mick Prentice en Andy Kerr wel allebei slachtoffer geworden van een moordenaar – of van moordenaars – die wanhopig probeerde de goede naam van een frauduleuze vakbondsman te beschermen.

Karen huiverde. 'Je hebt te veel fantasie,' zei ze hardop.

'Wat zeg je?' Phil keek met tegenzin op van de computer en wierp een vragende blik in haar richting.

'Sorry. Ik zat mezelf een standje te geven, omdat ik melodramatisch aan het doen was. Maar ik kan je wel vertellen dat als die Femi Otitoju ooit zin heeft om naar het noorden te komen, ik de Prof zo snel voor haar zal inruilen dat hij staat te tollen op zijn benen.'

'Komt die ook 'ns in beweging,' zei Phil. 'Maar wat doe jij hier eigenlijk nog? Moet je niet gaan praten met de knappe mevrouw Richmond?'

'Ze heeft een boodschap doorgegeven.' Karen wierp een snelle blik op haar horloge. 'Ze komt zo.'

'Wat heeft haar opgehouden?'

'Blijkbaar moest ze met de advocaat van een krant praten over een artikel dat ze heeft geschreven.'

Phil mompelde afkeurend. 'Net als Brodie Grant. Die lui denken nog steeds dat wij ongeveer op één lijn staan met bedienend personeel. Misschien moet jij haar nú laten wachten.'

'Ik heb geen zin in stomme spelletjes. Wil je hier even naar kijken? De alinea die ik heb aangestreept.' Ze gaf het verslag van Otitoju door aan Phil en wachtte tot hij het had gelezen. Toen hij weer opkeek, zei ze: 'Mick Prentice is dus nog één keer gezien, dik twaalf uur nadat hij thuis is weggegaan. En kennelijk was hij toen flink van slag.'

'Dat is idioot. Als hij 'm wilde smeren, wat deed hij daar dan nog zo laat op de avond? Waar was hij geweest? Waar ging hij heen? Waar wachtte hij op?' Phil krabde over zijn kin. 'Ik snap er niet veel van.'

'Ik ook niet. Maar daar proberen we wel achter te komen. Ik zet het erbij op mijn lijstje,' zuchtte ze. 'Maar eerst moet ik een keertje goed praten met de politie in Italië.'

'Ik dacht dat je daar al mee had gepraat.'

Ze knikte. 'Met een agent in hun hoofdbureau in Siena, een of andere vent met wie Pete Spinks van Kinderbescherming een paar jaar geleden te maken heeft gehad. Hij spreekt vrij goed Engels, maar hij heeft meer informatie nodig.'

'Dus dat wordt dan pas maandag?'

Karen knikte. 'Ja. Hij zei dat er vrijdags na twee uur niemand meer aan het werk is.'

'Leuk baantje,' zei Phil. 'Nu we het daar toch over hebben, heb je zin om iets te gaan drinken als je met Annabel Richmond hebt gepraat? Ik ga daarna bij mijn broer eten, maar een pilsje lukt nog wel.'

Karen verkeerde in tweestrijd. Het vooruitzicht van een drankje met Phil was altijd verleidelijk, maar ze was al zo vaak niet op het bureau geweest dat haar papierwerk zich had opgestapeld. En morgen kon ze het ook niet inhalen, want dan gingen ze naar de grotten. Ze speelde even met de gedachte om snel een drankje te scoren en dan weer terug naar kantoor te gaan. Maar ze kende zichzelf goed genoeg om te weten dat ze elke smoes zou aangrijpen om niet meer achter haar bureau te gaan zitten als ze eenmaal weg was geweest. 'Sorry,' zei ze. 'Ik moet de zaak hier opruimen.'

'Morgen dan? Dan trakteren we onszelf op een etentje in de Laird o'Wemyss.'

Karen lachte. 'Heb je de lotto gewonnen, of zo? Weet je wel hoe duur het daar is?'

Phil knipoogde. 'Ik weet dat ze een speciale lunchaanbieding hebben op de laatste zaterdag van de maand. En dat is morgen.'

'En ik dacht nog wel dat ik hier de detective was. Oké, dat is afgesproken.' Karen richtte haar aandacht weer op haar aantekeningen, want ze wilde precies weten wat ze aan Annabel Richmond moest vragen.

Karens telefoon ging vijf minuten voor de afgesproken tijd: de journalist was in het gebouw. Karen vroeg of een agent haar naar de verhoorkamer kon brengen waarin ze ook met Misha Gibson had gepraat. Ze verzamelde haar papieren en ging naar beneden. Toen ze binnenkwam, zag ze hoe haar getuige op de vensterbank leunde. Ze keek naar de dunne wolkenstrepen die aan de hemel te zien waren. 'Bedankt voor uw komst, mevrouw Richmond,' zei Karen.

Ze draaide zich om; haar glimlach deed oprecht aan. 'Zeg alsjeblieft Bel,' zei ze. 'Ik moet u eigenlijk bedanken dat u zo coulant was. Ik waardeer uw flexibiliteit.' Ze liep naar de tafel, ging zitten, vouwde haar handen en slaagde erin een ontspannen indruk te maken. 'Ik hoop niet dat u speciaal voor mij gebleven bent.'

Karen vroeg zich af wanneer ze voor het laatst op vrijdag om vijf uur thuis was geweest en moest zichzelf het antwoord schuldig blijven. 'Het gaat altijd zo,' zei ze.

Bels lach klonk warm en samenzweerderig. 'Ik weet wat u bedoelt. Ik vermoed dat uw werkcultuur griezelig veel op de mijne lijkt. Ik moet trouwens zeggen dat ik onder de indruk ben.'

Karen wist dat het een list was, maar ze trapte er toch in. 'Van wat dan?'

'Van de overtuigingskracht van Brodie Grant. Ik had niet gedacht dat ik te maken zou krijgen met de vrouw die Jimmy Lawson achter de tralies heeft gekregen.'

Karen voelde hoe de blos langs haar hals omhoogkroop. Ze wist dat ze er lelijk en vlekkerig uit zou zien en wou dat ze een trap kon geven tegen het meubilair. 'Daar praat ik niet over.'

Weer die warme, aantrekkelijke lach. 'Ik vermoed dat het geen populair gespreksonderwerp is tussen u en uw collega's. Ze weten dat ze op hun hoede moeten zijn, omdat ze dankzij u uw baas drie moorden hebben kunnen aanwrijven.'

Ze deed het voorkomen alsof Karen haar baas erin had geluisd. De werkelijkheid was dat de bewijzen voor het oprapen hadden gelegen toen ze eenmaal in staat was ook aan het onvoorstelbare te denken: een verkrachting en een moord van vijfentwintig jaar geleden, en twee nieuwe moorden om het wangedrag uit het verleden te verdoezelen. Als ze Lawson niet had gepakt, had ze zich schuldig gemaakt aan bedrog. Het was verleidelijk om het zo aan Bel Richmond te vertellen. Maar Karen wist dat ze door te reageren in een gesprek verzeild zou raken over dingen die ze liever wilde vergeten. 'Zoals ik al zei, daar praat ik niet over.' Bel hield haar hoofd schuin en schonk Karen een glimlachje dat op Karen berouwvol maar tegelijk zelfverzekerd overkwam. Geen nederlaag maar een uitstel. Karen had een binnenpretje, want ze wist dat de journalist op het verkeerde spoor zat.

'Hoe wilt u dit gaan aanpakken, inspecteur Pirie?' vroeg Bel.

Karen bleef onverstoorbaar. Ze hield haar stem neutraal en liet zich niet beïnvloeden door Bels charmeoffensief. 'Wat ik nu graag zou willen, is dat u mijn ogen en oren bent en dat u me stap voor stap vertelt wat er is gebeurd. Hoe u dat ding heeft gevonden, waar u het heeft gevonden. Het hele verhaal. Met alle details die u zich nog kunt herinneren.'

'Het begon met mijn ochtendloopje,' begon Bel. Karen luisterde aandachtig toen ze het verhaal van haar ontdekking opnieuw vertelde. Ze maakte aantekeningen en pende vragen voor later neer. Bel maakte de indruk dat ze haar verhaal open en uitputtend vertelde, en Karen wist dat je een behulpzame getuige niet moet onderbreken als die eenmaal op stoom is. Ze volstond met een paar gemompelde aanmoedigingen.

Ten slotte was Bel klaar met haar verhaal. 'Eerlijk gezegd sta ik er verbaasd over dat u die poster meteen herkende,' zei Karen. 'Dat had ik u waarschijnlijk niet nagedaan.'

Bel haalde haar schouders op. 'Ik ben journalist, inspecteur. Toentertijd is er enorm veel publiciteit geweest. Ik had net de leeftijd dat ik dacht dat ik misschien wel in de journalistiek wilde. Ik was begonnen echt aandacht te besteden aan kranten en aan nieuwsberichten. Meer dan een gemiddelde persoon. Ik denk dat de afbeelding zich in een hoekje van mijn hersens heeft genesteld.'

'Daar kan ik in komen. Maar als u het belang ervan inzag, waarom bent u er dan niet rechtstreeks mee naar ons gekomen in plaats van naar Sir Broderick te gaan?' Karen liet de onuitgesproken beschuldiging ergens tussen hen in hangen.

Bels antwoord kwam er zonder aarzelen uit. 'Eigenlijk om twee redenen. Op de eerste plaats had ik geen idee wie ik erop moest aanspreken. Ik dacht dat het niet serieus zou worden aangepakt als ik gewoon bij het politiebureau bij mij op de hoek zou aankloppen. En op de tweede plaats wilde ik beslist geen kostbare politietijd verspillen. Ik wist niet beter of dit was een zieke kopie. Ik ging ervan uit dat Sir Broderick en zijn mensen onmiddellijk zouden weten of dit iets was wat we serieus moesten nemen.'

Een glad antwoord, vond Karen. Niet dat ze verwacht had dat Bel Richmond zou toegeven dat ze belangstelling had voor de hoge beloning die Brodie Grant nog steeds had uitgeloofd. En ook niet dat ze nu de enige was die toegang had tot de ultieme bron. 'Dat klinkt logisch,' zei ze. 'Oké, u heeft net verteld dat u de indruk had dat degene die daar woonde er halsoverkop vandoor is gegaan. En u heeft me verteld dat er in de keuken iets lag dat eruitzag als een bloedvlek. Kreeg u de indruk dat er verband was tussen die twee feiten?'

Het was even stil; toen zei Bel: 'Ik weet niet of ik daar iets zinnigs over kan zeggen.'

'Als de vlek op de vloer oud was, of als het geen bloed was, zou hij er gewoon al heel lang hebben kunnen zijn. Er had bijvoorbeeld lang een stoel gestaan, of iets dergelijks.'

'O, op die manier. Zo had ik er nog niet aan gedacht. Nee, ik denk niet dat die vlek er altijd al was. In de buurt lag een omgegooide stoel.' Ze praatte langzaam, ze was zich kennelijk aan het concentreren om het tafereel weer voor haar geestesoog op te roepen. 'Een stukje van de vlek zag eruit alsof iemand had geprobeerd hem schoon te maken en toen had ingezien dat het zinloos was. De vloer is van plavuizen, niet van geglazuurde tegels. Dus de stenen hebben het bloed geabsorbeerd.'

'Waren er nog meer posters of andere afdrukken?'

'Niet dat ik zag. Maar ik heb niet verder gezocht. Om u de waarheid te zeggen vond ik die poster zo eng dat ik zo gauw mogelijk weg wilde.' Ze lachte even. 'Niet echt het beeld van de onbevreesde onderzoeksjournalist, hè?'

Karen nam niet de moeite haar tegen te spreken. 'U vond de poster eng? Het bloed niet?'

Weer werd er even nagedacht. 'Weet u? Daar heb ik nog helemaal niet bij stilgestaan. U hebt gelijk. Ik vond de poster eng, niet het bloed. En ik weet niet precies waarom.'

Zaterdag 30 juni 2007; East Wemyss

De zeewering was er de laatste keer dat Karen in East Wemyss was nog niet geweest. Ze was met opzet aan de vroege kant, zodat ze nog een wandelingetje kon maken naar het lager gelegen deel van het dorp. Toen ze nog een kind was, hadden ze af en toe langs het strand gewandeld naar Buckhaven en terug. Ze herinnerde zich een verlopen dorpje, armoedig en van God en iedereen verlaten. Nu was het netjes opgeknapt en zag het er chic uit, de oude huizen waren recent witgepleisterd of in de kleur van zandsteen, en de nieuwe zagen eruit alsof ze net uit de doos kwamen. De kerk van St Mary's-by-the-Sea diende niet meer als kerk, maar was van de sloop gered en was nu een privéwoning. Dankzij de EU was er van dikke brokken van de stenen uit de buurt een zeewering gebouwd om de Firth of Forth op afstand te houden. Ze liep langs de Black Dykes en probeerde zich te oriënteren. Het bos achter de pastorie was weg en nu stonden er nieuwe huizen. Hetzelfde gold voor de oude fabrieksgebouwen. En als ze voor zich uit keek, zag het er ook heel anders uit, nu de mijnschachten en de steenberg weg waren. Als ze niet had geweten dat het om hetzelfde dorp ging, had ze het nauwelijks herkend.

Maar ze moest erkennen dat het een verbetering was. Het was gemakkelijk om sentimenteel te doen over de goede oude tijd en te vergeten in welke afschuwelijke omstandigheden zoveel mensen hadden moeten leven. Ze waren ook slaven van de economische situatie geweest, door armoede verplicht om alleen in de winkels in het dorp boodschappen te doen. Zelfs de Coöperatie, die er eigenlijk was voor de leden, was aan de dure kant vergeleken bij de winkel in de hoofdstraat van Kirkcaldy. Het was een moeilijke tijd geweest en de gemeenschapszin vormde de enige compensatie. Dat ze geen deel meer uitmaakte van die gemeenschap moest een enorme klap voor Jenny Prentice zijn geweest.

Karen liep weer terug naar de parkeerplaats en keek langs het strand naar de roodgestreepte steile rotswand van zandsteen die het begin aangaf van een reeks grotten die diep weggedoken lagen aan de voet van de rots. In haar herinnering lagen ze op een flinke afstand van het dorp, maar nu stond er een rij huizen pal voor Court Cave. En er waren grote borden geplaatst met informatie voor toeristen, waarop stond dat de grotten al vijfduizend jaar geleden door mensen werden bewoond. De Picten hadden er gewoond. De Schotten hadden ze gebruikt als smederijen en als glasfabrieken. In de achterwand van Doo Cave zaten tientallen duivengaten. Door de jaren heen waren de grotten gebruikt door de plaatselijke bevolking voor doeleinden die varieerden van clandestiene politieke bijeenkomsten en gezinsuitjes op regenachtige dagen tot romantische afspraakjes. Karen had er nooit zelf haar broek laten zakken voor een jongen, maar ze kende meisjes die dat wel hadden gedaan, en ze nam ze dat geenszins kwalijk.

Toen ze terugliep, zag ze Phils auto stoppen op de plek waar de asfaltweg overging in het kustpad. Het was tijd om een andere combinatie van heden en verleden te onderzoeken. Toen ze de parkeerplaats op liep, had Phil gezelschap gekregen van een lange, gebogen man met een glimmend kaal hoofd, gekleed in het soort jas dat gegoede burgers kopen voor iedere wandeling die wat meer energie vereist dan een tochtje naar de pub. Allemaal ritsen en zakken en hightechstof. Niemand met wie Karen was opgegroeid had speciale kleding of schoenen voor wandelingen gehad. Je ging gewoon op pad in je daagse kleren, met misschien een extra laagje als het winter was. En het weerhield je er niet van om voor het eten een kilometer of vijftien te lopen.

Karen sprak zichzelf even bestraffend toe toen ze in de buurt van de twee mannen was. Af en toe kon ze zichzelf enorm op zitten te fokken als ze aan haar grootmoeder dacht. Phil stelde de andere man aan haar voor als Arnold Haigh. 'Ik ben al sinds

1981 secretaris van de Stichting tot Behoud van de Grotten van Wemyss,' zei hij trots, met een accent dat een paar honderd kilometer ten zuiden van Fife vandaan kwam. Hij had een lang dun gezicht met een merkwaardig klein mopsneusje en tanden die haar onnatuurlijk tegemoet blonken, omringd als ze waren door die verweerde huid.

'Dat noem ik nog eens toewijding,' zei Karen.

'Niet echt,' grinnikte Haigh. 'Niemand anders heeft dat baantje willen hebben. Waar wilde u het met mij over hebben? Ik bedoel, ik weet dat het over Mick Prentice gaat, maar ik heb in jaren niet aan hem gedacht.'

'Waarom nemen we geen kijkje in de grotten? Dan kunnen we onderweg praten,' stelde Karen voor.

'Zeker,' zei Haigh minzaam. 'We kunnen even een pauze inlassen in Court Cave en in Doo Cave, en dan drinken we een kop koffie in Thane's Cave.'

'Een kop koffie?' Phil klonk een beetje verbaasd. 'Hebben ze daar dan een café beneden?'

Haigh grinnikte weer. 'Sorry, brigadier. "Café" is een wat overdreven benaming. Thane's Cave is voor het publiek gesloten sinds de instorting van 1985, maar de Stichting heeft sleutels van de hekken. We vonden het wel passend om de traditie in stand te houden dat de grotten een nuttige functie hadden, dus hebben we in een veilig gedeelte van de grot een soort clubhuis ingericht. Het is allemaal wat provisorisch, maar wij hebben er lol in.' Hij liep met grote passen in de richting van de eerste grot, waardoor hij niet zag dat Phil Karen een quasi-angstige blik toewierp.

Het eerste teken dat de rotsen niet erg stevig waren, was een gat in het zandsteen dat jaren daarvoor was dichtgemetseld. Een paar van de bakstenen waren verdwenen, waardoor je een zwart gat in keek. 'Die opening en de gang erachter zijn door mensen gemaakt,' zei Haigh, wijzend naar het metselwerk. 'Zoals u kunt zien, steekt Court Cave meer naar voren dan de andere grotten. In de negentiende eeuw is de vloed een keer tot aan de grotopening gekomen, waardoor East Wemyss onbereikbaar was voor Buckhaven. De meisjes die de haringen moesten kaken, konden bij vloed niet van het ene dorp naar het andere lopen, dus is er een gang uitgehakt door de westkant van de grot heen, waardoor ze toch nog veilig langs de kust konden lopen. Goed, als u mij wilt volgen gaan we door de oostingang naar binnen.'

Toen Karen had gezegd dat ze onder het lopen konden praten, was dit gekwebbel niet helemaal haar bedoeling geweest. Maar dit was hun vrije dag, ze hadden dus voor de verandering geen haast, en als Haigh zich er prettig bij voelde kon dat ook nog wel eens voordelig uitpakken. Karen was blij dat ze een spijkerbroek en gympen aan had. Ze liep achter de mannen aan langs de voorkant van de grot en daarna een pad op dat begon bij een laag hek. Vlak bij de grot was het hek platgetrapt; ze stapten over de verbogen ijzerdraden heen en zochten zich een weg de grot in. De aangestampte aarden vloer was verrassend droog gezien de hoeveelheid regen die er de afgelopen tijd was gevallen. Minder geruststellend was dat het dak werd ondersteund door een bakstenen zuil met een bordje GEVAAR: VERBODEN TOEGANG erop.

'Sommige mensen geloven dat de grot haar naam te danken heeft aan koning James de Vijfde, die zich graag incognito onder de bevolking mengde,' zei Haigh, terwijl hij een zaklantaarn aanknipte en het plafond ermee bescheen. 'Men zegt dat hij hof hield te midden van de zigeuners die hier destijds woonden. Maar ik acht het waarschijnlijker dat dit de plek is waar in de middeleeuwen recht werd gesproken.'

Phil zwierf wat rond. Hij keek zo gretig als een schooljongen op het beste schoolreisje aller tijden. 'Hoe ver gaat de grot nog de rotsen in?'

'Na een meter of twintig komen vloer en plafond bij elkaar. Vroeger is er een gang geweest die vijf kilometer landinwaarts naar Kennoway liep, maar het dak is ingestort en heeft aan deze kant de gang afgesloten, dus in het belang van de veiligheid is toen de ingang bij Kennoway ook dichtgemetseld. Het maakt wel nieuwsgierig, hè? Wat voerden ze hier in hun schild waarvoor ze een geheime doorgang naar Kennoway nodig hadden?' Haigh begon weer te grinniken. Karen wist nu al dat deze hebbelijkheid haar op den duur de neus uit zou komen.

Ze liet de twee mannen alleen om de grot verder te verkennen en liep zelf terug de frisse lucht in. De hemel was grijs gevlekt, en het zag ernaar uit dat het zou gaan regenen. De lucht werd weerspiegeld in de zee, die ook nog een paar heel eigen grijstinten in petto had. Ze draaide zich om naar het weelderige zomerse groen en de prachtige kleuren van de zandsteen, allebei nog steeds levendig ondanks het sombere weer. Het duurde niet lang of Phil kwam weer naar buiten, op de voet gevolgd door Haigh, die nog steeds tegen zijn rug aan het praten was. Phil grijnsde even schaapachtig naar Karen; als antwoord keek ze ijzig terug.

Toen was Doo Cave aan de beurt en kregen ze een preek over de historische noodzakelijkheid van het houden van duiven voor vers vlees in de winter. Karen luisterde met een half oor en toen Haigh een moment zijn mond hield, zei ze: 'De kleuren hierbinnen zijn fantastisch. Heeft Mick ook in de grot zelf geschilderd?'

Haigh leek te schrikken van de vraag. 'Ja, dat deed hij inderdaad. Enkele van zijn aquarellen zijn te zien in het informatiecentrum hier. Het zijn de verschillende minerale zouten in het gesteente die de levendige kleuren veroorzaken.'

Voordat hij nader op dit onderwerp in kon gaan, stelde Karen weer een vraag. 'Was hij hier vaak tijdens de staking?'

'Niet echt. Ik geloof dat hij in het begin betrokken was bij de rondreizende stakersposten. Maar we hebben hem niet vaker gezien dan anders. Eerder minder vaak in de loop van die herfst en winter.'

'Heeft hij gezegd waarom dat was?'

Haigh keek wat beteuterd. 'Nee. Het is nooit bij me opgekomen om dat te vragen. We zijn allemaal vrijwilligers, we doen wat we kunnen.'

'Zullen we dan nu maar eens een kop koffie gaan drinken?' vroeg Phil. Karen kon duidelijk zien hoe zijn plichtsbesef en zijn dorst met elkaar streden, maar gelukkig zag Haigh dat niet.

'Een goed idee,' zei Karen, en ze ging hen voor naar buiten. Het was veel moeilijker om naar Thane's Cave te komen. Ze moesten over de rotsen klauteren en over betonblokken die dienden als een ruwe golfbreker tussen de zee en de voet van de rotsen. In Karens herinnering lag het strand veel lager en was de zee minder dichtbij, en dat zei ze ook.

Haigh beaamde dat, en hij legde uit dat door de jaren heen het niveau van het strand was verhoogd, gedeeltelijk met de aarde uit de kolenmijnen. 'Ik heb sommige van de oudere bewoners horen praten over een gouden strand hier toen ze nog kinderen waren. Dat is nu moeilijk te geloven,' zei hij, en hij maakte een handgebaar naar het korrelige zwart van de kleine gladde stukjes kool die de ruimten tussen de rotsen en de kiezelstenen opvulden.

Ze kwamen uit op een met gras begroeide halve cirkel. Hoog op de rots voor hen stond de enige overgebleven toren van Macduff Castle. Dat herinnerde Karen zich ook nog uit haar jeugd. Er hadden rondom de toren nog meer ruïnes gestaan, maar die waren jaren geleden veiligheidshalve door de gemeente verwijderd. Ze wist nog hoe haar vader daar destijds over had geklaagd.

In het onderste deel van de rots zaten verscheidene openingen. Haigh liep op een stevig metalen traliewerk af dat een smalle ingang van ongeveer een meter zestig hoog afsloot. Hij maakte het hangslot open en vroeg of ze wilden wachten. Hij ging naar binnen, verdween om een bocht een smalle gang in en kwam bijna meteen terug met drie bouwhelmen. Karen voelde zich vrij belachelijk, maar ze zette er een op en volgde hem naar binnen. De eerste paar meter was de gang erg smal en laag en achter haar hoorde ze Phil vloeken toen hij zijn elleboog stootte tegen de muur. Maar algauw kwamen ze in een grote ruimte waarvan het plafond in het donker verdween.

Haigh graaide in een nis in de muur en plotseling werd de hele grot verlicht door het bleke geel van batterijlampen. Een stuk of zes gammele houten stoelen stonden om een formica tafeltje heen. Op een diepe richel ongeveer een meter boven de grond stonden een primus, zes literflessen water en bekers. De benodigdheden voor thee en koffie zaten in plastic dozen. Karen keek rond en wist meteen dat de Stichting voornamelijk uit mannen bestond. 'Heel gezellig,' zei ze.

'Vermoedelijk liep er een geheime gang van deze grot naar het kasteel boven,' zei Haigh. 'De legende wil dat Macduff zo ontsnapt is toen hij bij thuiskomst zijn vrouw en kinderen vermoord aantrof en Macbeth het kasteel bezet hield.' Hij wees naar de stoelen en zei, terwijl hij met de primus en de ketel in de weer ging: 'Ga zitten, alstublieft. En, eh... vanwaar die belangstelling voor Mick na al die jaren?'

'Zijn dochter is er nu pas toe gekomen om aangifte te doen van zijn vermissing,' zei Phil.

Haigh draaide zich verbaasd om. 'Hij wordt toch niet vermist? Ik dacht dat hij naar Nottingham was gegaan met een stel andere kerels. Ik vond dat ze groot gelijk hadden. Het was hier toen een en al ellende.'

'U keurde het dus niet af dat ze de staking braken?' vroeg Karen. Ze deed haar best om niet bits over te komen.

Haighs gegrinnik klonk griezelig. 'Begrijp me niet verkeerd. Ik heb niets tegen vakbonden. De werkende klasse verdient het om fatsoenlijk door hun werkgevers behandeld te worden. Maar de mijnwerkers zijn verraden door die egoïstische klootzak van een Arthur Scargill, die alleen maar zijn eigen belang voor ogen hield. Een echt voorbeeld van leeuwen die geleid werden door een ezel. Ik heb gezien hoe deze gemeenschap uit elkaar viel. Ik heb mensen vreselijk zien lijden. En allemaal voor niets.' Hij deed schepjes oploskoffie in de bekers en schudde zijn hoofd. 'Ik had medelijden met de mannen en hun gezinnen. Ik heb gedaan wat ik kon – ik was de regionale manager van een bedrijf dat etenswaren uit het buitenland importeerde, en ik heb zo veel mogelijk meegenomen naar het dorp. Maar dat was een druppel op een gloeiende plaat. Ik begreep heel goed waarom Mick en zijn vrienden destijds zijn weggegaan.'

'Vond u het niet egoïstisch van hem om zijn vrouw en kind in de steek te laten? Zonder dat ze wisten wat er van hem was geworden?'

Haigh haalde met zijn rug naar hen toe zijn schouders op. 'Eerlijk gezegd wist ik niet veel over hem en zijn persoonlijke omstandigheden. Hij had het nooit over zijn leven thuis.'

'Waar praatte hij dan over?'

Haigh kwam aanzetten met twee plastic bussen. In de ene zaten suikerzakjes, meegejat uit wegrestaurants en hotelkamers, in de andere kleine zakjes melkpoeder die op dezelfde manier waren verkregen. 'Ik kan het me niet echt meer herinneren, dus waarschijnlijk over de gebruikelijke dingen. Voetbal. Tv. Acties om geld bijeen te brengen om de grotten op te knappen. Theorieën over de betekenis van de verschillende reliëfs.' Hij grinnikte weer. 'Ik vermoed dat we in de ogen van buitenstaanders vrij saai zijn, inspecteur. Dat geldt voor de meeste mensen met een hobby.'

Karen overwoog of ze zou liegen, maar vond het te veel moeite. 'Ik probeer gewoon een indruk te krijgen van wat voor man Mick Prentice was.'

'Ik heb altijd gedacht dat hij een fatsoenlijke, hardwerkende man was.' Haigh bracht de koppen koffie naar hen toe en deed demonstratief zijn best om niet te morsen. 'Eigenlijk hadden we, afgezien van de grotten, niet zo heel veel gemeen. Maar ik vond hem wel een talentvolle schilder. We hebben hem allemaal aangemoedigd om de grotten vanbinnen en vanbuiten te vereeuwigen. Het leek ons wel passend om er een creatieve herinnering aan te hebben, omdat de grotten voornamelijk bekend zijn om de reliëfs van de Picten. Een paar van de beste bevinden zich hier in Thane's Cave.' Hij pakte zijn zaklantaarn en richtte die op de wand. Hij mikte precies goed, zonder erbij na te hoeven denken. In de lichtbundel zagen ze de onmiskenbare vorm van een vis met de staart naar beneden, uitgesneden in de rots. Daarna liet hij een rennend paard zien en iets wat een hond of een hert zou kunnen voorstellen. 'We zijn er wat van kwijtgeraakt bij die instorting van 1985, maar gelukkig had Mick er niet lang daarvoor nog een paar geschilderd.'

Phil tuurde naar de achterkant van de grot. 'Waar was die instorting?' vroeg hij.

Haigh liep met hen naar de verste hoek, waar een stapel stenen bijna tot aan het plafond reikte. 'Er was een kleine tweede ruimte met een gangetje ertussen.' Phil deed een stap naar voren om het wat beter te bekijken, maar Haigh greep hem bij de arm en trok hem achteruit. 'Voorzichtig,' zei hij. 'Als er nog niet zo lang geleden een stuk is ingestort, weet je nooit zeker of het dak veilig is.'

'Komt zo'n instorting vaak voor?' vroeg Karen.

'Een dergelijke grote? Ze kwamen vrij regelmatig voor toen de Michael nog in gebruik was. Maar die is dichtgegaan in 1967 na...'

'Ik weet van de ramp met de Michael,' onderbrak Karen hem. 'Ik ben in Methil opgegroeid.'

'O ja.' Haigh keek wat bedremmeld. 'Nou, sinds er niet meer ondergronds gewerkt wordt, is er niet veel beweging in de grotten geweest. In feite hebben we sinds die ene instorting destijds geen echt grote meer gehad.'

Karen merkte dat haar voelsprieten begonnen te trillen. 'Wanneer heeft die instorting precies plaatsgevonden?' vroeg ze langzaam.

Haigh leek verbaasd over de richting waarin haar vragen gingen en wierp Phil een blik toe van mannen onder elkaar. 'Tja, dat weten we niet precies. Eerlijk gezegd is de periode tussen midden december en midden januari voor ons een tijd waarin niets gebeurt. Kerstmis en Nieuwjaar en zo. De mensen hebben het druk of zijn weg. Wat we met enige zekerheid kunnen zeggen is dat de gang nog open was op 7 december. Een van onze leden is hier die dag geweest, want toen heeft hij hier heel gedetailleerd de zaak opgemeten in verband met een subsidieaanvraag. Voor zover wij weten was ik na hem weer de eerste. Op 24 januari is mijn vrouw jarig en toen hadden we een paar vrienden uit Engeland op bezoek. Ik heb ze meegenomen om ze de grotten te laten zien en toen zag ik dat de zaak was ingestort. Ik ben wel geschrokken. Uiteraard heb ik ze meteen weer mee naar huis genomen en daarna heb ik onmiddellijk de gemeente gebeld.'

'Dus het plafond is ergens tussen 7 december en 24 januari naar beneden gekomen?' Karen wilde zeker weten dat ze het goed had begrepen. Ze begon in gedachten twee en twee bij elkaar op te tellen en ze wist vrij zeker dat er als uitkomst geen vijf uit kwam.

'Dat klopt. Hoewel ik zelf denk dat het vrij gauw na 7 december is gebeurd,' zei Haigh. 'De lucht in de grot was helder. En dat duurt langer dan u zou denken. Je zou kunnen zeggen dat er letterlijk geen stof meer opdwarrelde.'

Newton of Wemyss
Phil keek bezorgd naar Karen. Voor haar lag een confit van duivenborst, omringd door piepkleine nieuwe aardappels en een hoopje geroosterde worteltjes met courgette. De Laird o'Wemyss deed zijn naam meer dan eer aan. Maar het bord stond al meer

dan een minuut voor Karens neus en ze had nog niet eens haar bestek gepakt. In plaats van toe te tasten zat ze met gefronste wenkbrauwen naar haar bord te staren. 'Is er iets?' vroeg hij voorzichtig. Het kwam wel eens voor dat vrouwen zich vreemd en onvoorspelbaar gedroegen als het om eten ging.

'Duiven,' zei ze. 'Grotten. Ik moet de hele tijd aan die instorting denken.'

'Wat is daar dan mee? Grotten storten wel eens in. Daarom staan er borden om mensen te waarschuwen. En hekken met hangsloten om de mensen op afstand te houden. Arbowet en veiligheidsvoorschriften, dat is in de huidige tijd de mantra van de bazen.' Hij sneed een stukje van zijn knapperige zeebaars af en schoof het op zijn vork, samen met de gewokte groenten.

'Maar je hebt gehoord wat die man zei. Dit is de enige instorting van enige betekenis in alle grotten sinds de sluiting van de mijn in 1967. Stel dat het geen ongeluk was?'

Phil schudde zijn hoofd terwijl hij ondertussen snel zijn eten kauwde en doorslikte. 'Je bent weer eens op de melodramatische toer. Dit is niet *Indiana Jones en de grotten van Wemyss*, Karen. Het is gewoon een kerel die op de lijst van vermiste personen is komen te staan toen zijn leven in de prut zat.'

'Niet één kerel, Phil. Twee. Mick en Andy. Elkaars beste vrienden. En Mick was niet het doorsneetype stakingsbreker. Niet het type man dat zonder een woord te zeggen zijn dierbaren in de steek laat.'

Phil legde zijn mes en vork neer. 'Is het ooit bij je opgekomen dat ze misschien een stel waren? Mick en zijn beste vriend Andy in het afgelegen huisje diep in de bossen? Homo zijn in een dorp als Newton of Wemyss was in die tijd misschien helemaal niet zo gemakkelijk.'

'Natuurlijk is dat bij me opgekomen,' zei Karen. 'Maar je kunt niet zomaar een theorie gaan aanhangen als je er absoluut geen bewijs voor hebt. Niemand met wie we hebben gepraat heeft er ook maar op gezinspeeld. En geloof me, als Fife één ding gemeen heeft met Brokeback Mountain, dan is het wel dat de mensen kletsen. Begrijp me niet verkeerd. Ik zeg niet dat het niet waar is. Maar ik moet het ergens achter in mijn hoofd opslaan, totdat ik het op iets kan baseren.'

'Je hebt gelijk,' zei Phil, en hij richtte zijn aandacht weer op zijn eten. 'Maar jouw idee dat er iemand begraven ligt onder een onnatuurlijke instorting van de grot is net zo ongegrond.'

'Ik heb nooit beweerd dat er iemand begraven lag,' zei Karen. Hij grijnsde. 'Ik ken jou, Karen. Er is geen andere reden waarom jij een willekeurige hoop rotsblokken opeens interessant vindt.'

'Misschien,' zei ze zonder een spoortje van een defensieve houding. 'Maar ik ben niet zomaar in het wilde weg aan het gokken. Als er al mensen zijn die alles weten over het opblazen van rotsen precies op de goede plaats, dan zijn het mijnwerkers. En die opblazers hebben ook toegang tot explosieven. Als ik op zoek was naar iemand die een grot moest opblazen, zou ik allereerst aankloppen bij een mijnwerker.'

Phil knipperde met zijn ogen. 'Ik denk dat je wat moet eten. Ik denk dat je bloedsuikerspiegel te laag is.'

Karen keek hem even boos aan; toen pakte ze haar mes en vork en viel met haar gebruikelijke eetlust op het voedsel aan. Toen ze een paar happen had doorgeslikt, zei ze: 'Zo, mijn bloedsuiker is weer op niveau. En ik denk nog steeds dat ik iets op het spoor ben. Als Mick Prentice niet uit eigen vrije wil op de lijst van vermiste personen is gaan staan, is hij verdwenen omdat iemand hem kwijt wilde. En kijk eens aan, we hebben iemand die hem kwijt wilde. Wat heeft Iain Maclean ons verteld?'

'Dat Prentice ontdekt heeft dat Ben Reekie met zijn jatten in de geldla van de vakbond heeft gezeten,' zei Phil.

'Precies. Dat hij geld dat bedoeld was voor de vakbondskas in eigen zak heeft gestoken. En onderhand hebben we genoeg informatie over Mick om te weten dat hij dat nooit zou hebben gepikt. En ik denk ook niet dat hij stappen kon ondernemen zonder Andy erbij te betrekken. Andy was immers degene die de administratie bijhield. En het lag volgens mij niet in hun aard om het erbij te laten zitten. En als het naar buiten was gekomen, zou Reekie zijn gelyncht, en dat weet jij ook. Dat is een motief dat er niet om liegt, Phil.'

'Misschien wel. Maar als het twee tegen één was, hoe heeft Reekie die twee dan vermoord? Hoe heeft hij de lichamen in de grot gekregen? Hoe heeft hij midden tijdens een staking spring-stof in handen gekregen?'

Karen toonde de grijns die hij altijd weer ontwapenend vond. 'Dat weet ik nog niet. Maar als ik gelijk heb, kom ik daar vroeg of laat wel achter. Dat beloof ik je, Phil. En denk om te beginnen hier maar eens over na: we weten sinds wanneer Mick vermist werd, maar we hebben nog geen precieze datum voor de verdwijning van Andy. Het is heel goed mogelijk dat ze afzonderlijk vermoord zijn. Het is ook mogelijk dat ze in de grot vermoord zijn. En over dat in handen krijgen van explosieven: Ben Reekie werkte bij de vakbond. Allerlei mensen zullen bij hem in het krijt hebben gestaan. Doe nou niet alsof je dat niet weet.'

Phil at zijn vis op en duwde het bord van zich af. Hij stak zijn handen op met de handpalmen naar Karen toe om aan te geven dat hij zich overgaf. 'Wat doen we nu?'

'We halen die rotsblokken weg en kijken wat erachter zit,' zei ze, alsof dat vanzelfsprekend was.

'Hoe pakken we dat aan? De Mop weet niet eens dat je met dit onderzoek bezig bent. En zelfs als het wel een officieel onderzoek was, zou hij zijn kostbare budget nooit besteden aan een archeologische opgraving naar een paar lichamen die er waarschijnlijk niet eens liggen.'

Karen liet een vork volgeladen met duivenborst halverwege haar mond hangen. 'Wat zei je daar zojuist?'

'Er is geen budget.'

'Nee, nee. Je zei iets over een "archeologische opgraving". Phil, als er geen duivenborst tussen ons in hing zou ik je zoenen. Je bent een genie.'

Phil voelde de moed in de schoenen zinken. Hij kreeg het angstige vermoeden dat hij zich weer eens flink in de nesten had gewerkt.

Kirkcaldy

Af en toe was het verstandiger om je zakentelefoontjes thuis af te werken. Totdat ze de zaken goed op de rails had, wilde Karen niet dat de Mop lucht kreeg van haar snode plannen. De woorden van Phil hadden een kettingreactie in haar hoofd op gang gebracht. Ze wilde dat die rotsblokken werden weggehaald. De data die ze van Arnold Haigh had doorgekregen boden de mogelijkheid dat de Mop er zijn handtekening onder zette vanwege een mogelijk verband met de zaak-Grant, maar als ze het zo goedkoop mogelijk regelde, zou hij er waarschijnlijk minder vragen over stellen.

Ze ging aan de eettafel zitten met de telefoon, een blocnote en haar adressenboekje bij de hand. Hoewel Karen redelijk thuis was in de moderne technologie, legde ze namen, adressen en telefoonnummers altijd ook nog schriftelijk vast. Ze had bedacht dat ze de mensen die ze nodig had dan nog steeds zou kunnen vinden, ook als de elektronica het af liet weten. Ze had zich natuurlijk gerealiseerd dat in dat geval de telefoon het ook niet meer zou doen en dat het hele vervoersnetwerk dan ook platlag, maar desalniettemin gaf haar adressenboekje haar een veilig gevoel. En in geval van nood was het veel gemakkelijker te vernietigen dan wat voor elektronisch geheugen ook.

Ze klapte het adressenboekje open op de gewenste bladzijde en ging met haar vinger langs de lijst tot ze bij dr. River Wilde was. De forensisch antropoloog was een van de mentoren geweest op een cursus die Karen had gevolgd en die bedoeld was om het wetenschappelijk besef van rechercheurs op de plaats delict te verbeteren. Op het eerste gezicht zou je niet denken dat de twee vrouwen veel gemeen hadden, maar merkwaardig genoeg hadden ze onmiddellijk vriendschap gesloten. Hoewel ze er geen van beiden die verklaring voor zouden hebben gegeven, had het te maken met de manier waarop ze allebei ogenschijnlijk het spel volgens de regels speelden terwijl ze ondertussen op een subtiele manier het gezag ondermijnden van degenen die hun respect niet verdienden.

Karen waardeerde het dat River haar publiek nooit met wetenschappelijke wapens om de oren sloeg. Of ze nu lesgaf aan een groep agenten die sinds hun tienerjaren niets meer met bètavakken had gedaan of dat ze in de bar een anekdote vertelde, ze wist ingewikkelde informatie over te brengen in termen die een leek begreep. Bij sommige van haar verhalen gingen je haren recht overeind staan; bij andere kreeg je de slappe lach; weer andere zetten je aan het denken.

De andere reden waarom River een fantastische bondgenoot zou kunnen zijn, was dat de man in haar leven ook bij de politie was. Karen had hem niet ontmoet, maar uit wat River had verteld kreeg ze de indruk dat hij een politieman naar haar hart was. Geen onnodig gezeur, alleen maar gedrevenheid om op een eerlijke manier tot de kern van de zaak te komen. Dus was ze van die cursus forensisch onderzoek thuisgekomen met het gevoel dat ze haar baan beter snapte en dat ze er een vriendin bij had. En dat kwam zo zelden voor dat je een dergelijk contact moest koesteren. Sindsdien hadden de vrouwen elkaar een paar keer in Glasgow ontmoet, omdat die stad precies in lag tussen Fife en de plek in het Lake District waar River werkte. Ze hadden van hun avondjes uit genoten, en hadden de vriendschap versterkt die bij hun eerste ontmoeting was begonnen. Nu zou Karen erachter komen of het aanbod van River om studenten ter beschikking te stellen voor eventueel onderzoekswerk serieus gemeend was. Vooral nu het onderzoek geen groot budget rechtvaardigde.

River nam op toen het mobieltje voor de tweede keer overging. 'Red me,' zei ze.

'Waarvan?'

'Ik zit op de veranda van een houten hut te kijken naar het vreselijk slechte cricketteam van Ewan en hoop vurig dat het gaat regenen. Wat je allemaal niet voor de liefde moet overhebben.'

Ik wou dat ik dat kon zeggen. 'Je bent in ieder geval geen thee aan het zetten.'

River snoof verontwaardigd. 'Nee zeg, stel je voor. Dat heb ik meteen duidelijk gezegd: ik was geen sportspullen en ik ga me ook niet in een keuken staan afbeulen. Ik word wel vals aangekeken door een stel andere vrouwen, maar ze vergissen zich als ze denken dat ik me daar iets van aantrek. Hoe staat het leven bij jou?'

'Ingewikkeld.'

'Niets nieuws dus. We moeten weer eens een avondje uitgaan. Dan wordt alles wat minder ingewikkeld.'

'Klinkt goed. En misschien komt het er eerder van dan je denkt.'

'Aha. Broeit er iets?'

'Dat kun je wel zeggen. Luister, weet je nog dat je een keer hebt gezegd dat je een legertje studenten tot je beschikking had, voor het geval ik ooit goedkoop hulp nodig had?'

'Jazeker,' zei River meteen. 'Moet het stiekem?'

'Zo'n beetje, ja.' Karen vertelde waar het om ging. Tijdens haar verhaal maakte River bemoedigende geluidjes.

'Oké,' zei ze toen Karen was uitgesproken. 'Dus het gaat op de eerste plaats om forensisch archeologen, liefst grote sterke types die met rotsblokken kunnen slepen. Ik kan geen gebruikmaken van studenten die bijna zijn afgestudeerd, want die zijn nog met examens bezig. Maar we zitten bijna aan het eind van het trimester en ik kan de eerste- en tweedejaars wel ronselen. En misschien kan ik ook nog een paar antropologen strikken. Ik kan het veldwerk noemen, en ik kan ze wijsmaken dat er studiepunten mee te verdienen zijn. Wanneer heb je ons nodig?'

'Wat denk je van morgen?'

Het bleef een hele tijd stil. Toen vroeg River: "s Morgens of 's middags?'

Na het telefoontje met River voelde Karen zich helemaal opgefokt en ze kon geen kant op. Ze gebruikte wat van haar plotselinge overschot aan energie om onderdak te regelen voor de studenten op de golfbaan in het nabijgelegen Leven. Daarna probeerde ze naar een dvd van *Sex and the City* te kijken, maar daar zat ze zich alleen maar aan te ergeren. Dit was vaste prik als ze midden in een zaak zat; het speurwerk was immers het enige dat telde. Ze vond het vreselijk als ze niet vooruit kon, omdat het weekend was, of omdat er eerst nog tests gedaan moesten worden, of omdat ze niets konden doen totdat het volgende stukje informatie op zijn plaats viel.

Ze ging ter afleiding het huis schoonmaken. Het probleem was dat ze nooit lang genoeg in huis was om rotzooi te maken. Nadat ze een uur lang het huis fanatiek onder handen had genomen, was er niets meer over wat haar aandacht vergde.

'Ze kunnen de pot op,' mopperde ze. Ze greep haar autosleutels en liep naar de deur. Eigenlijk moest er volgens de regels altijd iemand bij zijn als je met getuigen praatte, maar Karen had zichzelf wijsgemaakt dat ze alleen de achtergrond wat inkleurde, dat ze geen getuigenverklaring ging afnemen. En als ze toevallig ergens tegenaan liep wat later voor de rechtbank belangrijk zou kunnen zijn, kon ze er altijd achteraf een paar agenten op af sturen voor een formele verklaring.

De rit naar Newton of Wemyss duurde nog geen twintig minuten. Er was geen teken van leven in de geïsoleerde enclave waar Jenny woonde. Er speelden geen kinderen, er zat niemand in de tuin te genieten van de late namiddagzon. Het korte huizenrijtje had iets mistroostigs, en dat zouden een paar lekkere zomerdagen niet kunnen verhelpen.

Ditmaal liep Karen op het huis naast dat van Jenny Prentice af. Ze probeerde nog steeds een goed beeld van Mick Prentice te krijgen. Iemand die zo dicht bij het gezin stond dat ze de zorg voor Misha op zich mocht nemen, moest ook wel eens met de vader te maken hebben gehad. Karen klopte aan en wachtte. Ze wilde net onverrichter zake terug naar de auto lopen toen de deur, waar een ketting op zat, krakend openging. Een gerimpeld gezichtje keek haar van onder een grote grijze krullenbol onderzoekend aan.

'Mevrouw McGillivray?'

'Ik ken u niet,' zei de oude vrouw.

'Nee.' Karen haalde haar legitimatie tevoorschijn en hield die voor de vuile dikke glazen van haar bril, waarachter grote, bleekblauwe ogen zwommen. 'Ik ben van de politie.'

'Ik heb de politie niet gebeld,' zei de vrouw. Ze hield haar hoofd scheef en keek met gefronste wenkbrauwen naar Karens legitimatie.

'Nee, dat weet ik. Ik wilde alleen even met u praten over de man die vroeger naast u woonde.' Karen gebaarde met haar duim naar Jenny's huis.

'Tom? Die is al jaren dood.'

Tom? Wie was Tom? O shit, ze had vergeten iets over Misha's stiefvader aan Jenny Prentice te vragen. 'Niet Tom, nee. Over Mick Prentice.'

'Mick? Wilt u over Mick praten? Wat moet de politie met Mick? Heeft hij iets gedaan?' Ze klonk verward, waardoor Karen een akelig voorgevoel kreeg. Ze had vaak genoeg haar best moeten doen om een samenhangend antwoord aan oude mensen te ontlokken om te weten dat het een moeizaam gevecht kon zijn met twijfelachtige resultaten.

'Welnee, mevrouw McGillivray,' zei Karen geruststellend. 'We willen alleen graag weten wat er al die jaren geleden met hem is gebeurd.'

'Hij heeft ons allemaal in de steek gelaten, dat is er gebeurd,' zei de oude vrouw met een zuinig mondje.

'Juist ja. Maar ik zou graag een paar dingen duidelijk hebben. Zou ik misschien even binnen mogen komen om met u te praten?'

De vrouw ademde zwaar uit. 'Weet u zeker dat u bij het goede adres bent? U moet bij Jenny zijn. Ik kan u niets vertellen.'

'Eerlijk gezegd, mevrouw McGillivray, probeer ik er een beeld van te krijgen wat voor man Mick was.' Karen toverde haar beste glimlach tevoorschijn. 'Jenny is een pietsje bevooroordeeld, als u begrijpt wat ik bedoel.'

De oude vrouw grinnikte. 'Ze is me er eentje, die Jenny. Ze heeft geen goed woord voor hem over, zeker? Nou, meisje, dan kun je maar beter binnenkomen.' Na wat geratel toen de ketting eraf ging, werd Karen binnengelaten in een muf huis. Er hing een sterke lavendelgeur, met ondertonen van ranzig vet en goedkope sigaretten. Ze volgde de gebogen gestalte van mevrouw McGillivray naar de achterkamer, die was uitgebroken en nu een woonkeuken was. Het werk was kennelijk in de jaren zeventig gedaan en sindsdien was er niets veranderd, ook het behang niet. De verschoten plekken en vlekken waren het gevolg van zonlicht, koken en roken. De laagstaande zon scheen naar binnen en zette het versleten meubilair in een gouden gloed.

Een parkiet in een kooitje zat alarmerend hard te kwetteren toen ze binnenkwamen. 'Rustig maar, Jocky. Dit is een aardige politiemevrouw die met ons komt praten.' De parkiet barstte los in een stroom van getjilp die veel weg had van vloeken, maar die meteen ophield. 'Ga lekker zitten. Ik zal water opzetten.'

Karen had eigenlijk geen zin in thee, maar ze wist dat het gesprek beter zou verlopen als ze de oude vrouw haar gang liet gaan. Ze gingen tegenover elkaar aan een verrassend schoon geboende tafel zitten, met tussen hen in een pot thee en een bord koekjes die duidelijk zelfgebakken waren. De zon viel als toneelverlichting op het gezicht van mevrouw McGillivray, waardoor details zichtbaar werden van haar make-up, die kennelijk zonder de hulp van een bril was opgebracht. 'Hij was een lieve jongen, Mick. Een knappe vent met dat blonde haar van hem en die brede schouders. Hij stond altijd klaar met een glimlach en een opgewekt woord,' zei ze op vertrouwelijke toon, terwijl ze thee schonk in kopjes van zulk dun porselein dat je de zon in de thee zag schijnen. 'Ik ben nu tweeëndertig jaar weduwe, en ik heb nooit een betere buurman gehad dan Mick Prentice. Als ik een karweitje had waar ik geen weg mee wist, was hij er altijd om me te helpen. Niets was hem te veel. Het was een ontzettend aardig jong.'

'Die staking was vast heel moeilijk voor ze.' Karen nam een koekje van het bord toen het haar kant werd opgeschoven.

'Het was voor iedereen moeilijk. Maar dat is niet de reden waarom Mick ergens anders is gaan werken.'

'Nee?' *Niet reageren, niet laten blijken dat je dit heel interessant vindt.*

'Zij heeft hem zover gebracht. Ze zat pal onder zijn neus de hele tijd met die Tom Campbell te flikflooien. Dat zou geen enkele man accepteren, en Mick had zijn trots.'

'Tom Campbell?'

'Hij zat hier de hele tijd. Jenny was een vriendin van zijn vrouw. Ze heeft de arme ziel helpen verplegen toen ze kanker had. Maar toen ze eenmaal dood was, leek het net alsof hij niet van Jenny kon wegblijven. Dan ga je je wel afvragen wat er al die tijd al aan de hand was.' Mevrouw McGillivray gaf haar een samenzweerderig knipoogje.

'Bedoelt u dat Jenny en Tom een verhouding hadden?' Karen probeerde uit alle macht de vragen die haar op de lippen brandden binnen te houden. Daar kon ze beter even mee wachten. *Wie was Tom Campbell? Waar is hij nu? Waarom heeft Jenny het niet over hem gehad?*

'Ik zeg niets, want ik weet het niet honderd procent zeker. Ik weet alleen dat er bijna geen dag voorbijging dat hij niet langskwam. En altijd als Mick er niet was. En hij kwam nooit met lege handen. Kleine pakjes van dit, kleine pakjes van dat. Tijdens de staking zei Mick altijd dat zijn Jenny veel meer met het eten kon doen dan alle andere vrouwen in Newton. Ik heb hem nooit verteld hoe dat kwam.'

'Waarom had Tom zoveel weg te geven? Was hij zelf geen mijnwerker?'

Mevrouw McGillivray trok een gezicht alsof ze in plaats van thee azijn had gedronken. 'Hij was opzichter.' Karen vermoedde dat ze het woord 'pedofiel' met meer respect zou hebben uitgesproken.

'En denkt u dat Mick erachter is gekomen wat er aan de hand was?'

Ze knikte heftig. 'Iedereen in Newton wist ervan. Zo gaat het toch altijd? De echtgenoot komt er altijd als laatste achter. En als er nog iemand aan twijfelde, dan konden ze zien dat toen Mick weg was, Tom Campbell niet wist hoe vlug hij zijn plaats moest innemen.'

Karen besefte nu pas goed dat ze veel eerder achter Misha's stiefvader aan had moeten gaan. 'Is hij bij Jenny ingetrokken?'

'Al na een paar maanden. Eerst heeft ze nog de schijn opgehouden, als je begrijpt was ik bedoel. Maar toen zat hij al hoog en breed met zijn benen onder Micks tafel.'

'Had hij zelf geen huis? Hij verdiende toch goed geld als opzichter, dus...'

'Jazeker, hij had een mooi huis ergens in West Wemyss. Maar Jenny wilde niet verhuizen. Ze zei dat het vanwege het kind was. Dat het weggaan van Mick het leven van dat kind al genoeg overhoop had gehaald, dat ze dus niet ook nog eens weg moest uit haar huis.' Mevrouw McGillivray tuitte haar lippen en schudde haar hoofd. 'Maar weet u, ik heb me dat vaak afgevraagd. Ik denk niet dat ze ooit zoveel van Tom Campbell heeft gehouden als van Mick. Ze vond het fijn dat ze van alles van hem kreeg, maar ik denk dat ze altijd van Mick is blijven houden. Ik heb nooit geloofd dat Jenny niet meer van Mick hield, ook al zei ze van wel. Ik denk dat ze hier is blijven wonen omdat ze diep in haar hart gelooft dat Mick op een dag terug zal komen. En ze wil er zeker van zijn dat hij haar dan weet te vinden.'

Het was, dacht Karen, een theorie die gebaseerd was op de sentimentele verhaallijn van een soapserie. Maar wat voor die

theorie pleitte, was dat het dingen verklaarde die anders onverklaarbaar waren. 'Hoe is het verder gegaan met haar en
Tom?'

'Hij verhuurde zijn eigen huis en is hiernaast ingetrokken. Ik
heb nooit veel contact met hem gehad. Hij was minder gemakkelijk in de omgang dan Mick. En tussen de jongens van de Lady Charlotte en de opzichters heeft het nooit echt geboterd,
vooral niet na de mijnsluiting in 1987.' De oude vrouw schudde
haar hoofd. De dunne grijze krulletjes sprongen vrolijk op en
neer. 'Maar Jenny heeft haar verdiende loon gekregen.' Ze grijnsde opgewekt.

'Hoezo?'

'Hij is doodgegaan. Heeft een zware hartaanval gekregen op
de golfbaan van Lundin Links. Dat moet al zo'n jaar of tien geleden zijn. En toen het testament werd voorgelezen, kreeg Jenny
de schrik van haar leven. Hij heeft alles in beheer aan Misha nagelaten. Ze heeft het in handen gekregen toen ze vijfentwintig
werd en Jenny heeft er nooit een cent van gezien.' Mevrouw Mc-
Gillivray hief haar theekopje in een triomfantelijk gebaar. 'Net
goed, als u het mij vraagt.'

Karen had de moed niet om haar tegen te spreken. Ze dronk
haar kopje leeg en duwde haar stoel achteruit. 'U heeft me erg
geholpen,' zei ze.

'Hij was hier ook op de dag dat Mick naar Nottingham is vertrokken,' zei mevrouw McGillivray. Het was het verbale equi-
valent van iemand bij de arm grijpen om te voorkomen dat die
wegging.

'Tom Campbell?'

'Ja, die.'

'Wanneer was hij er?' vroeg Karen.

'Dat zal zo rond een uur of drie zijn geweest. Ik luister 's middags graag in de voorkamer naar het hoorspel. Ik zag hem het
pad op komen en toen bleef hij een beetje rondhangen tot Jenny thuiskwam. Ik denk dat ze naar het steunpunt was geweest
– ze had wat pakjes en blikjes bij zich, van die dingen die je daar
gratis kon krijgen.'

'U kunt het zich kennelijk nog heel goed herinneren.'

'Ik weet het nog zo goed omdat ik Mick die morgen voor het

laatst heb gezien. Daarom is het blijven hangen.' Ze schonk zichzelf nog een kop thee in.

'Hoe lang is hij gebleven? Tom Campbell, bedoel ik?'

Mevrouw McGillivray schudde haar hoofd. 'Daar kan ik je niet mee helpen. Toen het hoorspel was afgelopen, ben ik naar het dorpsplein gegaan om de bus naar Kirkcaldy te nemen. Ik kan het nu niet meer, maar toen ging ik graag naar de grote Tescosupermarkt bij het busstation. Dan ging ik er met de bus heen en nam een taxi terug. Dus ik weet niet hoe lang hij is gebleven.' Ze nam een grote slok thee. 'Ik heb het me wel eens afgevraagd, weet je.'

'Wat heeft u zich afgevraagd?'

De oude vrouw wendde haar blik af. Ze graaide in de zak van haar slobberige vest, haalde een pakje Benson & Hedges tevoorschijn, peuterde er een sigaret uit en stak die op haar dooie gemak op. 'Ik heb me afgevraagd of hij Mick heeft afgekocht.'

'Bedoelt u afgekocht om weg te gaan?' Karen kon haar verbazing niet verbergen.

'Dat was niet zo'n gekke gedachte. Zoals ik al zei, Mick had zijn trots. Hij zou nooit ergens zijn gebleven waar hij niet meer welkom was. Dus als hij toch al weg wilde, heeft hij misschien wel geld van Tom Campbell aangepakt.'

'Maar daarvoor had hij toch te veel zelfrespect?'

Mevrouw McGillivray blies een dun sliertje rook uit. 'Waar het geld ook vandaan kwam, het was sowieso geld waar een luchtje aan zat. Misschien stonk het geld van Tom Campbell wat minder dan het geld van de Steenkolenraad. En bovendien, toen hij die morgen op pad ging, leek het er niet op dat hij ergens anders heen ging dan naar de kust om te gaan schilderen. Als Tom Campbell hem heeft betaald, hoefde hij toch niet terug te komen voor zijn kleren en zo?'

'Weet u zeker dat hij later niet is terug geweest om zijn spullen op te halen?'

'Dat weet ik zeker. Geloof me, in dit rijtje huizen bestaan er geen geheimen.'

Karens ogen waren op de vrouw gericht, maar haar gedachten buitelden over elkaar heen. Ze geloofde geen seconde dat Mick Prentice zijn plaats in het huwelijksbed aan Tom Campbell had verkocht. Maar misschien had Tom Campbell daar zo graag willen liggen dat hij met een ander scenario op de proppen was gekomen om zich van zijn rivaal te ontdoen.

Karen had veel meer informatie gekregen dan waarop ze had gehoopt. Ze kon nauwelijks een zucht van tevredenheid onderdrukken. 'Ik zou graag op maandagmorgen een paar agenten langs willen sturen. Zou u ze dan misschien hetzelfde kunnen vertellen als u net aan mij hebt verteld?'

Mevrouw McGillivray klaarde helemaal op. 'Leuk! Dan ga ik scones voor ze bakken.'

Rotheswell Castle

Bel Richmond zat als een vrijwillig opgesloten repelsteeltje vast in Rotheswell, maar dat betekende nog niet dat ze de rest van haar werk kon verwaarlozen. Hoewel ze op dit moment geen toegang tot Grant had, hoefde ze nog geen duimen te zitten draaien. Het grootste deel van de dag was ze bezig geweest met het uitschrijven van een groot interview voor de *Guardian*. Het was bijna af, maar voordat ze de laatste puntjes op de i zette, moest ze even afstand nemen. Een bezoek aan het overdekte zwembad dat verscholen lag in een dennenbosje vlak bij het huis, dat was net wat ze nodig had, dacht ze, terwijl ze het badpak uit haar tas haalde. Ze was halverwege de kamer, toen de telefoon ging.

De stem van Susan Charleson klonk zakelijk en duidelijk. 'Bent u ergens mee bezig?'

'Ik wilde net gaan zwemmen.'

'Sir Broderick heeft een uur vrij. Hij zou graag willen doorgaan met het invullen van de achtergrond.'

Er was kennelijk geen ruimte voor discussie. 'Prima,' zuchtte Bel. 'Waar vind ik hem?'

'Hij wacht beneden bij de landrover. Hij dacht dat u misschien wel zou willen zien waar Catriona woonde.'

Daar kon ze moeilijk bezwaar tegen hebben. Alles wat een beetje kleur gaf aan het verhaal was meegenomen. 'Ik ben er over vijf minuten,' zei ze.

Bel kleedde zich vliegensvlug om in een spijkerbroek en een

regenjack en dankte de modegoden dat gestileerde bouwvak-
kerslaarzen in de mode waren, waardoor ze nog enigszins de indruk kon wekken dat ze wist hoe het er op het platteland aan
toeging. Ze pakte haar recordertje en liep vlug naar beneden.
Een glanzende landrover stond met ronkende motor te wachten voor de voordeur. Brodie Grant zat achter het stuur. Zelfs
van een afstand zag ze dat zijn in handschoenen gestoken vingers op het stuur trommelden.

Bel klom de auto in en schonk hem haar beminnelijkste glimlach. Ze had hem sinds dat merkwaardige gesprek met de politie de dag tevoren niet meer gezien. Ze had op haar kamer ge-
luncht en onderwijl doorgewerkt, en hij had bij het avondeten
verstek laten gaan. Judith had gezegd dat hij bij een liefdadig-
heidsdiner was waar alleen mannen welkom waren, en ze had
niet geklonken alsof ze er rouwig om was dat ze niet mee hoefde. Ze hadden over koetjes en kalfjes gepraat; telkens als het gesprek de verkeerde kant op dreigde te gaan, hadden Judith en
de alomtegenwoordige Susan het gesprek subtiel een andere
richting uit gestuurd. Bel had zich gefrustreerd en gebruikt gevoeld.

Maar nu ze weer met hem alleen was, kon ze daar wel weer
mee leven. Ze overwoog of ze hem zou vragen of hij vond dat
hij Karen Pirie onder de duim had, zoals een landjonker uit een
Agatha Christie-verfilming, maar bedacht zich toen. Ze kon beter zo veel mogelijk te weten zien te komen over de achtergrond
van de zaak. 'Bedankt dat u me meeneemt naar Cats huis,' zei
ze.

'We kunnen er niet naar binnen,' zei hij, terwijl hij de auto
van de handrem haalde en achter het huis langs reed, een pad
af dat door het dennenbosje liep. 'Er hebben sindsdien diverse
huurders in gewoond, dus u mist er niets aan. En? Wat vindt u
van inspecteur Pirie?'

Zijn gezichtsuitdrukking gaf geen enkele indicatie van wat hij
wilde horen, dus besloot Bel de waarheid te zeggen. 'Ik denk dat
ze iemand is die je gemakkelijk onderschat,' zei ze. 'Ik denk dat
ze erg bijdehand is.'

'Dat is ze ook,' zei Grant. 'Ik neem aan dat u weet dat zij de
reden is waarom onze vroegere adjunct-hoofdcommissaris le-

venslang heeft gekregen. Een man die ogenschijnlijk boven elke verdenking verheven was. Maar zij had het lef om zijn eerlijkheid in twijfel te trekken. En toen ze daar eenmaal mee was begonnen, hield ze niet op totdat ze absoluut zeker wist dat hij een koelbloedige moordenaar was. Dat is de reden waarom ik wil dat zij op deze zaak zit. Destijds, toen Catriona is gestorven, zaten we allemaal in hetzelfde denkpatroon. En we hebben er niets mee bereikt. Als we een tweede kans krijgen, wil ik iemand die wat minder conventioneel denkt.'

'Klinkt logisch,' zei Bel.

'Waar wilt u nu over praten?' vroeg hij, toen ze vanuit het bos een open plek op reden die eindigde bij een hoge muur en opnieuw van die hermetisch afsluitbare hekken waar Bel bij haar aankomst ook al doorheen had gemoeten. Het was duidelijk dat er niemand het terrein van Rotheswell op kwam die er niet welkom was. Grant minderde vaart, zodat de bewakers konden zien wie er achter het stuur zat, en gaf gas toen ze op de hoofdweg reden.

'Wat is er verder gebeurd?' vroeg ze nadat ze haar recorder had aangezet en tussen hen in had gelegd. 'U kreeg een eerste losgeldeis en bent in zee gegaan met de politie. Hoe ging het verder?'

Hij keek vastberaden vooruit, zonder een spoor van emotie te tonen. Terwijl ze langs velden met rijpend graan en grazend vee reden, en de zon telkens weer achter de dreigende wolken tevoorschijn kwam, barstte er een woordenstroom los die Bel van haar stuk bracht. Het was moeilijk om een beroepsmatige distantie te bewaren. Ze had door haar contact met haar neefje Harry voldoende inzicht gekregen in de afschuwelijke situatie waarin Brodie Grant zich moest hebben bevonden. Dat begrip wekte bij haar voldoende medeleven om hem boven elke vorm van kritiek te verheffen. 'We wachtten,' zei hij. 'De tijd heeft nog nooit zo gekropen als toen.'

Maandag 21 januari 1985; Rotheswell Castle
Voor een man die het geduld niet had om zijn thee te laten afkoelen, was het wachten op bericht van het Schots Anarchis-

tisch Verbond een foltering. Grant zwierf als een bal in een flipperkast door Rotheswell; hij stuiterde bijna letterlijk tegen de muren en deuropeningen in zijn pogingen om niet van binnenuit te ontploffen. Waar hij heen liep was niet zinvol en niet logisch, en als de paden van hem en zijn vrouw elkaar kruisten kon hij nauwelijks de woorden vinden om op haar angstige vragen te reageren.

Mary leek zichzelf veel beter onder controle te hebben, en het scheelde niet veel of hij had haar dat kwalijk genomen. Ze was in het huisje van Cat geweest en ze had aan zowel hemzelf als aan Lawson gerapporteerd dat afgezien van een omgegooide stoel in de keuken alles op zijn plaats stond. De houdbaarheidsdatum op het pak melk liep tot zondag, wat aangaf dat ze hoogstens een paar dagen weg was.

De nachten waren nog erger dan de dagen. Hij raakte eerder buiten westen dan dat hij insliep, als de lichamelijke uitputting hem te veel werd. Schrok hij wakker uit die toestand, dan wist hij niet waar hij was en voelde hij zich absoluut niet uitgerust. Zodra hij weer helder was, wenste hij dat hij weer bewusteloos was. Hij wist dat hij zich eigenlijk zo normaal mogelijk moest gedragen, maar dat bracht hij niet op. Susan zei al zijn afspraken af en hij hield zich schuil binnen de muren van Rotheswell.

Toen de maandag aanbrak, voelde hij zich beroerder dan hij zich ooit had gevoeld. Het gezicht dat hem vanuit de spiegel aankeek, zag eruit alsof het in een kamp voor krijgsgevangenen thuishoorde, niet in het kasteel van een rijke man. Het interesseerde hem niet eens meer dat de mensen die hem omringden zijn kwetsbaarheid zagen. Hij zat te wachten op de post die hem iets tastbaars zou brengen, iets wat hem kon bevrijden van zijn onmacht en hem iets te doen zou geven. Ook al stond er alleen maar in dat de klootzakken een hoger losgeld eisten. Als het aan hem had gelegen, had hij bij het sorteerkantoor in Kirkcaldy staan posten, dan had hij als een ouderwetse struikrover de postbode opgewacht en zijn post opgeëist. Maar hij had ingezien dat dat waanzin was. In plaats daarvan had hij lopen ijsberen achter de brievenbus, waar de post voor het kasteel ergens tussen halfnegen en negen uur op de mat zou vallen.

Lawson en Rennie waren al ter plekke. Ze waren om acht uur

via de achterkant gearriveerd in een bouwvakkersbus, beiden met een overall aan. Daarna zaten ze onverstoorbaar in de hal op de post te wachten. Mary, nog suf van de valium die ze op zijn aandrang had ingenomen, zat op de onderste traptrede in haar pyjama en ochtendjas, de armen om haar kuiten geslagen, de kin op de knieën. Susan liep van de een naar de ander met koppen thee en koffie. God mocht weten wat er achter haar kalme uiterlijk schuilging. Grant had geen flauw idee hoe ze in de afgelopen dagen de zaak op de rails had gehouden.

Lawsons radio kraakte een onbegrijpelijke boodschap uit en een paar seconden later klonk het geritsel en gekletter van de brievenbus. De dagelijkse stapel post viel op de vloer en Grant stortte zich erop als een verhongerde man op iets wat mogelijk eetbaar was. Lawson was bijna even snel en hij greep de donkerbruine envelop vast toen Grant hem net in de hand had. 'Die neem ik wel,' zei hij.

Grant griste hem de brief uit handen. 'Dat had je gedacht. Hij is aan mij geadresseerd en jullie krijgen hem straks wel te zien.' Hij klemde hem tegen zijn borst, stond op en liep achteruit, weg van Lawson en Rennie.

'Oké, oké,' zei Lawson. 'Rustig maar, meneer Grant. Waarom gaat u niet naast uw vrouw zitten?'

Tot zijn eigen verbazing ging Grant op het voorstel van Lawson in en liet zich naast Mary op de onderste trede zakken. Hij staarde naar de envelop en wist opeens niet meer zeker of hij wel wilde weten wat ze nu weer van hem eisten. Toen legde Mary haar hand op zijn arm, en het voelde aan alsof hij opeens onverwacht kracht had toegediend gekregen. Hij scheurde de achterflap open en haalde er een dikke bundel papier uit. Toen hij deze openvouwde, zag hij dat er dit keer twee exemplaren van de poster met de poppenspeler in zaten. Voordat hij de woorden die in de ruimte onder aan de poster geschreven stonden in zich op kon nemen, zag hij de polaroid. Hij wilde er zijn hand op leggen, maar Mary was hem te vlug af. Ze greep ernaar en had hem beet.

Dit keer zat de mond van Cat niet met tape dichtgeplakt. Ze keek boos en uitdagend. Ze zat met breed plakband aan een stoel vastgebonden; de muur achter haar was leeg en wit. Een hand met een handschoen hield de *Sunday Mail* van de vorige dag prominent op de foto vast.

'Waar is Adam?' wilde Mary weten.

'We moeten aannemen dat hij daar ook is. Het is wat moeilijker om een baby te laten poseren,' zei Lawson.

'Maar er is geen bewijs. Hij kan net zo goed dood zijn.' Mary sloeg de hand voor haar mond, alsof ze de verraderlijke woorden wilde terugduwen.

'Niet zo dom doen,' zei Grant, en hij sloeg een arm om haar heen. Hij probeerde nog wat schijnwarmte in zijn stem te leggen. 'Je kent Catriona toch. Ze zou nooit op die manier met hen hebben meegewerkt als ze Adam iets hadden aangedaan. Ze zou als een gek zijn gaan schreeuwen en zichzelf op de grond hebben geworpen; ze was daar nooit zo mak en stil gaan zitten.' Hij gaf haar een kneepje in haar schouder. 'Het komt allemaal in orde, Mary.'

Lawson wachtte even en zei toen: 'Kunnen we kijken wat erop staat?'

De oogleden van Grant trilden en hij knikte. Hij spreidde de bovenste poster open op zijn knieën en las de boodschap, die met dezelfde dikke zwarte viltstift was geschreven als de vorige:

We eisen een miljoen. £ 200.000 in gebruikte, niet opeenvolgende bankbiljetten van twintig pond, in een weekendtas. De rest in ruwe diamanten. De overdracht zal plaatsvinden op woensdagavond. Als u het losgeld overdraagt, krijgt u een van beiden terug. U mag zelf kiezen wie van de twee.

'Jezus Christus,' zei Grant. Hij gaf de poster door aan Lawson, die in afwachting al handschoenen had aangetrokken. De boodschap op de tweede poster was niet veel opwekkender:

Als we de diamanten op echtheid hebben onderzocht en weten dat het geld veilig is, zullen we de tweede gijzelaar vrijlaten. Denk eraan, geen politie. Belazer ons niet. We weten wat we doen en we zijn niet bang om bloed te vergieten voor de goede zaak. Het Schots Anarchistisch Verbond.

'Wat hebben jullie tot nu toe gedaan om die lui op te sporen?' vroeg Grant. 'Hebben jullie mijn familie al bijna gevonden?'

Lawson hield even zijn hand omhoog, terwijl hij de tweede poster zorgvuldig bestudeerde. Hij gaf hem door aan Rennie en zei: 'We doen ons uiterste best. We hebben met de Special Branch gesproken en met de Veiligheidsdienst, maar bij geen van beide is ook maar iets bekend over een activistische groepering die opereert onder de naam van het Schots Anarchistisch Verbond. Het is ons gelukt op zaterdagavond, toen het donker was, een vingerafdrukexpert en een technische rechercheur in het huisje van Catriona te krijgen. Tot dusver is er niets uitgekomen waar we mee verder kunnen, maar we zijn ermee bezig. En een politieman heeft zich als potentiële klant voorgedaan. Hij heeft her en der geïnformeerd of iemand wist wanneer het atelier van Catriona weer open zou zijn. We hebben vastgesteld dat ze woensdag nog aan het werk was, maar niemand heeft haar daarna gezien. We hebben geen nieuws over iets uitzonderlijks in de buurt. Geen verdachte voertuigen of opvallend gedrag. We...'

'Het komt er dus op neer dat u niets heeft en niets weet,' onderbrak Grant hem bruusk.

Lawson knipperde niet eens met zijn ogen. 'Zo gaat het vaak bij ontvoeringszaken. Tenzij er iemand op een openbare plaats is ontvoerd, hebben we weinig om mee aan de slag te gaan. Als er een klein kind bij betrokken is, kan de volwassene gemakkelijk onder controle worden gehouden, dus dan vindt er ook geen gevecht plaats dat forensische bewijzen oplevert. Over het algemeen wordt er pas echt vooruitgang geboekt op het moment van de overdracht.'

'Kan je niet lezen, man? Ze houden er eentje vast totdat ze zeker weten dat we ze niet bedonderd hebben,' zei Grant.

'Brodie, ze zijn er allebei als de overdracht plaatsvindt,' zei Mary. 'Kijk, er staat dat wij een van beiden moeten kiezen.'

Grant snoof minachtend. 'En wie kiezen we? Het spreekt godverdomme toch vanzelf dat we Adam kiezen? Degene die het meest kwetsbaar is? Degene die niet voor zichzelf kan zorgen? Niemand met ook maar een greintje verstand, zou een baby van zes maanden bij een stelletje anarchistische terroristen laten als het op kiezen aankomt. Ze brengen Adam mee en laten Catriona achter op de plek waar ze hen vasthouden. Dat zou ik tenminste doen.' Hij keek vragend naar Lawson.

De politieman weigerde hem aan te kijken. 'Dat is inderdaad een mogelijkheid,' zei hij. 'Maar wat ze ook doen, wij hebben diverse opties. We kunnen ze proberen te volgen. We kunnen een apparaatje in de weekendtas stoppen waarmee we ze kunnen opsporen, en ook een tussen de diamanten.'

'En als dat niets uithaalt? Dan staat niets ze in de weg om nog meer eisen te stellen,' zei Grant.

'Dat is zo. Het is heel wel mogelijk dat ze nog een keer om losgeld vragen.' Lawson keek uiterst ongemakkelijk.

'Dan betalen we,' zei Mary kalm. 'Ik wil mijn dochter en mijn kleinzoon veilig terug hebben. Brodie en ik zullen alles doen om dat te bewerkstelligen. Is het niet zo, Brodie?'

Grant wist dat hij geen kant op kon. Hij wist welk antwoord hij moest geven, maar hij stond verbaasd over zijn eigen tweeslachtigheid. Hij schraapte zijn keel. 'Natuurlijk doen we dat, Mary.' Ditmaal keek Lawson hem wel aan, en Grant begreep dat hij zich misschien te veel had blootgegeven. Hij moest de politieman duidelijk maken dat er voor hem ook iets op het spel stond. 'En dat geldt ook voor meneer Lawson, Mary. Dat kan ik je verzekeren.'

Lawson vouwde de posters weer op en liet ze in de envelop glijden. 'Het enige wat ons allemaal voor ogen staat, is dat Catriona en Adam ongedeerd terug moeten komen,' zei hij. 'En het eerste punt op de agenda is dat u regelingen met uw bank moet gaan treffen.'

'Mijn bank? Bedoelt u dat we ze echt geld gaan geven?' Grant wist niet hoe hij het had. Als hij ooit al over een situatie als deze had nagedacht, dan was hij er sowieso van uitgegaan dat de politie een stapel valse, gemerkte bankbiljetten had klaarliggen voor dit soort situaties.

'Het zou in dit stadium gevaarlijk zijn om iets anders te doen,' zei Lawson. Hij staarde naar het tapijt. Hij geneerde zich kennelijk. 'Ik neem aan dat u het geld heeft?'

'Die brutale klootzak probeerde net te doen alsof hij zich geneerde om het te vragen, maar ik zag dat hij het eigenlijk wel
leuk vond om mij voor het blok te zetten,' zei Grant. Hij gaf
een flinke dot gas toen ze Coaltown of Wemyss achter zich lieten. 'Begrijp me niet verkeerd. Lawson is in het hele onderzoek
nooit over de schreef gegaan. Ik ben er redelijk zeker van dat hij
die klootzakken die Catriona en Adam hadden ontvoerd echt
wilde pakken. Maar ik zag dat hij zich stiekem ook wel een beetje verkneukelde dat ik mijn verdiende loon kreeg.'

'Waarom, denkt u?'

Grant minderde vaart toen er een opening zichtbaar werd in
de hoge muur waar ze langs reden. 'Afgunst, meer niet. Doet er
niet toe wat voor etiket je erop plakt – klassenstrijd, machoge-
drag, de pest erin hebben. Het komt allemaal op hetzelfde neer.
Er lopen heel wat mensen rond die me misgunnen wat ik heb.'
Hij reed een grote parkeerplaats op. De muur liep met een boog
naar binnen en bood in het midden ruimte aan hoge hekken,
gemaakt van zwart geverfd houten vlechtwerk. Het had wel iets
van een middeleeuws valhek. In de muur aan de ene kant was
een huis van twee verdiepingen gebouwd van dezelfde blokken
rode zandsteen als de muur zelf. Er hing vitrage voor de ramen,
maar niemand schoof die opzij bij het geluid van de motor van
de auto. 'En diezelfde mensen misgunden Catriona haar succes.
Het is toch de ironie ten top. Men dacht dat de carrière van Catriona zo'n geweldige start had gekregen vanwege mij. Ze hebben nooit beseft dat het juist ondanks mij was.'

Hij zette de motor af, stapte uit en sloeg het portier achter
zich dicht. Bel volgde hem. De glimpjes die hij bood op zijn leven hadden haar nieuwsgierigheid gewekt, of hij dat nu bewust
of onbewust had gedaan. 'En u? Is hun afgunst op u ook de ironie ten top?'

Grant draaide zich met een ruk om en keek haar woedend
aan. 'Ik dacht dat u research had gedaan?'

'Dat heb ik ook. Ik weet dat u uw jeugd hebt doorgebracht in
een rijtje mijnwerkershuisjes in Kelty. Dat u uit het niets uw
zaak hebt opgebouwd. Maar in de knipsels werd een paar keer
nogal openlijk gespeculeerd over het feit dat uw huwelijk uw

spectaculaire opkomst bepaald geen kwaad had gedaan.' Bel wist dat ze met vuur speelde, maar als ze munt wilde slaan uit deze unieke gelegenheid om met hem te praten en als ze er een artikel over wilde schrijven waarmee ze definitief op de kaart kwam te staan, moest ze dieper gaan, moest ze graven naar dingen die niemand ooit had bevroed.

Grants zware wenkbrauwen fronsten zich in een furieuze blik en even dacht ze dat ze de woede in alle hevigheid over zich heen zou krijgen. Maar toen veranderde er iets in zijn uitdrukking. Ze kon zien dat het hem moeite kostte, maar hij wist toch een grimas te produceren en toen haalde hij zijn schouders op. 'Ja, Mary's vader had inderdaad macht en invloed op terreinen die cruciaal waren voor het opbouwen van mijn bedrijf.' Hij spreidde zijn armen in een gebaar dat hulpeloosheid moest uitdrukken. 'En ja, van mijn huwelijk met haar hebben mijn bedrijf en ik alleen maar profijt gehad. Maar ik zal je wat vertellen, Bel. Mijn Mary was slim genoeg om te weten dat ze ongelukkig zou worden als ze met een man trouwde die niet van haar hield. En daarom koos ze mij.' Zijn glimlach vervaagde langzaam. 'Ik heb er nooit een keus in gehad. En ik heb er ook geen keus in gehad toen zij het verkoos om mij te verlaten.' Hij draaide zich bruusk om en liep met grote passen naar het zware hek.

Vrijdag 23 januari 1987; Eilean Dearg
Ze brachten tegenwoordig zo weinig tijd samen door. Die gedachte had Grant al dwarsgezeten bij elke maaltijd die hij die week op Rotheswell had genuttigd. Ontbijt zonder haar. Lunch zonder haar. Avondeten zonder haar. Er waren gasten geweest: zakenrelaties, politici en natuurlijk Susan. Maar geen van hen was Mary geweest. De tijd zonder haar was hem deze week definitief opgebroken. Hij kon niet verder leven als ze zo ver van elkaar waren. Hij had haar nu meer dan ooit nodig. Niets kon de dood van Cat gemakkelijker maken, maar Mary maakte het draaglijk. Hij verdroeg haar afwezigheid niet meer, en dat gold speciaal voor die dag.

Ze was op maandag vertrokken; ze had gezegd dat ze alleen

moest zijn. Op het eiland zou ze de rust hebben die ze nodig had. Er was geen personeel. Je kon in twintig minuten het hele eiland rond lopen, maar omdat het omringd was door de zee, voelde je je ver weg van alles en iedereen. Grant ging er graag heen, om na te denken en om te vissen. Mary liet hem meestal alleen gaan, ze ging maar af en toe met hem mee. Hij kon zich niet herinneren dat ze er ooit in haar eentje naartoe was gegaan. Maar hij had haar er niet van af kunnen brengen.

Natuurlijk was er geen telefoonverbinding. Ze had een telefoon in de auto, maar de auto stond op de parkeerplaats van het hotel dat in de buurt van de steiger lag. En bovendien zou er geen signaal voor de autotelefoon doorkomen vanaf de reeks eenzame eilandjes van de Hebriden. Hij had haar stem niet eens meer gehoord sinds hij op maandag afscheid van haar had genomen.

En nu was hij de stilte beu. Op de dag af twee jaar geleden was zijn dochter gestorven en zijn kleinzoon verdwenen. Grant wilde niet met zijn pijn alleen zijn. Hij probeerde zichzelf geen verwijten te maken voor wat er was misgegaan, maar het schuldgevoel had littekens in zijn hart achtergelaten. Soms vroeg hij zich af of Mary hem ook de schuld gaf, en of dat de reden was waarom ze hem zo vaak alleen liet. Hij had geprobeerd haar te vertellen dat de enige verantwoordelijken voor de dood van Catriona de mannen waren die haar hadden gekidnapt, maar hij kon zichzelf al nauwelijks overtuigen, laat staan haar.

Hij was na een vroeg ontbijt op pad gegaan, had alvast naar het hotel gebeld dat er iemand klaar moest staan die hem naar het eiland kon varen. Onderweg had hij een paar keer moeten stoppen als het verdriet hem te veel bij de keel greep. Hij was op de plaats van bestemming aangekomen toen er nog een veeg daglicht aan de hemel te zien was, maar tegen de tijd dat hij het water was overgestoken, was het zo goed als donker. Het pad naar het jachthuis was breed en goed onderhouden, dus hij was niet bang de weg kwijt te raken.

Toen Grant het huis naderde, zag hij tot zijn verbazing dat er geen licht aan was. Als ze met haar patchwork bezig was, had Mary altijd een enorme verzameling lichten aan. Een schouwburg was er niets bij. Misschien was ze niet aan het naaien. Misschien zat ze in de serre achter in het huis en keek ze naar de laatste lichtstrepen aan de hemel. Grant versnelde zijn pas. Hij weigerde toe te geven aan de scherpe angstklauwen die zijn borst omklemden.

De deur zat niet op slot. Hij ging gemakkelijk open dankzij goedgeoliede scharnieren. Hij tastte naar de lichtknop en de hal werd meteen fel verlicht. 'Mary,' riep hij. 'Ik ben het.' De dode lucht leek zijn woorden op te zuigen, waardoor ze niet ver genoeg reikten.

Grant liep de hal door, gooide alle deuren open en riep de naam van zijn vrouw. Paniek dreigde hem te overmannen en hij huilde bijna. Waar was ze in godsnaam? Zeker niet buiten. Niet op dit tijdstip. Niet in deze kou.

Hij vond haar in de serre, maar ze keek niet naar de zonsondergang. Mary Grant zou nooit meer naar een zonsondergang kijken. Een paar pillen en een lege wodkafles verbraken het geheim van haar zwijgen. Haar huid voelde al kil aan.

Zaterdag 30 juni 2007: Newton of Wemyss
Bel haalde Grant in bij de zware balken van het hek. Van dichtbij zag ze dat er in een van de hekken een kleinere ingang was uitgesneden. Aan de andere kant liep een pad met diepe voren het dichte bos in.

'Ze heeft een briefje achtergelaten,' zei hij. 'Ik ken het nog uit mijn hoofd: "Het spijt me heel erg, Brodie. Ik kan het niet meer aan. Jij verdient beter en ik kan niet beter. Ik verdraag het niet jouw pijn te zien en ik kan mijn eigen pijn ook niet meer verdragen. Alsjeblieft, probeer weer van iemand te houden. Dat is mijn vurige wens."' Een verbitterde glimlach verwrong zijn gezicht. 'Judith en Alec. Zo heb ik haar gehoorzaamd. Heeft u wel eens van de Iditarod-race gehoord?'

Bel was een beetje van haar stuk gebracht door de plotselinge verandering van onderwerp en zei wat hakkelend: 'Ja. In Alaska. Hondensleeën.'

'Een van de grootste gevaren waarmee ze te maken kunnen krijgen, is het zogenaamde "trommelijs". Wat er gebeurt, is dat het water onder het ijs zich terugtrekt, waardoor er een dun ijslaagje over een luchtbel overblijft. Vanboven af ziet het er precies zo uit als de rest van de ijsvlakte. Maar als je erop gaat staan, zak je erdoor. En je kunt er niet meer uit klimmen vanwege de steile ijswanden. Zo voelt het verlies van Catriona en Adam en Mary soms aan. Ik weet niet wanneer de grond onder mijn voeten me niet meer houdt.' Hij schraapte zijn keel en wees naar een houten schuurtje dat nog net boven de bomenrand uit kwam. 'Dat was de plek waar Catriona werkte en waar ze haar spullen liet zien. Het zag er toentertijd wel iets beter uit. Als ze open was, zette ze een paar borden langs de kant van de weg. Dan liet ze het kleine deurtje op een kier staan, zodat de mensen in en uit konden lopen, maar auto's mochten er niet door. Er was hierbuiten meer dan voldoende parkeerruimte.' Hij maakte een handgebaar naar het grote stuk grond waar hij zijn landrover had neergezet. Over zijn eerste vrouw mocht duidelijk niet meer worden gepraat. Maar hij had haar wel een bijzonder geschenk gegeven met dat beeld van het trommelijs. Bel wist dat ze daar iets moois mee kon doen.

Ze keek om zich heen. 'Maar theoretisch zouden haar kidnappers het hek zo wijd hebben kunnen openzetten dat je erdoorheen kon rijden. Op die manier waren ze vanaf de weg niet te zien.'

'Dat dacht de politie in het begin ook, maar de enige bandensporen die ze vonden waren van Cats eigen auto. Ze moeten hierbuiten hebben geparkeerd, waar je moeilijk kunt staan. Iedereen die langsreed had ze kunnen zien. Ze namen een verdomd groot risico.'

Bel haalde haar schouders op. 'Ja en nee. Als ze Adam al in handen hadden, zou Cat niet hebben tegengewerkt.'

Grant knikte. 'Zelfs een vrouw die zo verrekte eigenwijs was als mijn dochter, zou haar zoon op de eerste plaats hebben laten komen. Daar heb ik nooit aan getwijfeld.' Hij wendde zich af. 'Ik geef mezelf nog steeds de schuld.'

Het leek een extreme reactie, zelfs voor een controlfreak als hij. 'Hoe bedoelt u?' vroeg Bel.

'Ik heb te veel op de politie vertrouwd. Ik had meer verantwoordelijkheid moeten nemen voor de uiteindelijke afloop. Ik heb het wel geprobeerd, maar ik ben tekortgeschoten.'

'We weten wat we doen,' zei Lawson. Hij begon wat geïrriteerd te raken, wat op Grant niet erg vertrouwenwekkend overkwam. 'We kunnen het vanavond afronden.'

'Jullie zouden nu al mensen ter plekke moeten hebben,' zei Grant. 'Misschien zijn de kidnappers er al.'

'Ik denk dat ze wel ongeveer weten wanneer de postbode langskomt,' zei Lawson. 'Als ze ons echt voor wilden zijn, hadden ze zich al ingegraven nog voordat wij de boodschap met de opdrachten kregen. Dus het maakt niets uit.'

Grant zat naar de polaroid van die morgen te kijken. Dit keer lag Cat op haar zij op een bed, en Adam lag met opengesperde ogen tegen haar aan. Ditmaal werd het bewijs van leven door de *Daily Record* geleverd – in ieder geval een bewijs dat ze de dag tevoren nog in leven waren. 'Waarom daar?' vroeg hij. 'Het is zo'n rare plaats. Je kunt er niet eens snel vandoor gaan.'

'Misschien hebben ze het daarom gekozen. Als zij niet snel de benen kunnen nemen, geldt dat ook voor ons. En zij hebben nog steeds een persoon in gijzeling. Ze kunnen haar gebruiken om te onderhandelen, zodat u op afstand blijft totdat zij bij hun auto kunnen komen,' zei Lawson. Hij spreidde de gedetailleerde kaart uit die Rennie had meegebracht. De plek van de overdracht was rood omcirkeld. 'Lady's Rock. Het is ongeveer halverwege de oude mijningang bij East Wemyss en de oostkant van West Wemyss. De dichtstbijzijnde plaatsen waar je met de auto kunt komen zijn hier, bij het begin van de bossen...' Lawson tikte op de kaart. 'Of hier. Op de parkeerplaats bij West Wemyss. Als ik hun was, zou ik niet West Wemyss kiezen. Het is verder van de hoofdweg af. Je doet er een paar minuten langer over om bij het hekwerk te komen en die minuten kunnen cruciaal zijn.'

'Maar als je daar eenmaal bent, kun je meer kanten op,' zei Grant. 'Je kunt naar Dysart of naar het Boreland, naar Coaltown, of over de Check Bar Road naar de Standing Stone, en van daaruit kan je alle kanten op.'

'We zorgen dat er overal mannetjes staan,' zei Lawson.

'Je mag geen risico nemen,' zei Grant. 'Zij hebben het losgeld. Ze zouden Cat kunnen offeren om veilig weg te komen.'

'Wat bedoelt u?'

'Als ik een kidnapper was die het losgeld al in handen had en ik kreeg in de gaten dat de politie me op de hielen zat, zou ik mijn gijzelaar uit de auto gooien,' zei Grant. Hij klonk veel kalmer dan hij zich voelde. 'U zou voor haar stoppen, omdat u beschaafd bent. Dat weten ze. Ze kunnen zich die gok wel veroorloven.'

'We gaan geen risico's nemen,' zei Lawson.

Grant hief gefrustreerd zijn handen in de lucht. 'Dat is óók niet het goede antwoord. In een situatie als deze kan en mag je niet alleen maar voorzichtig zijn. Je moet bereid zijn ingecalculeerde risico's te nemen. Je moet kunnen improviseren. Je kunt je niet te rigide opstellen. Je moet flexibel zijn. Ik had het nooit zo ver geschopt als ik geen risico's had genomen.'

Lawson keek hem afgemeten aan. 'En als ik een risico neem, omdat ik denk dat het moet en het loopt mis? Staat u dan als eerste te roepen dat mijn kop moet rollen?'

Grant sloot een moment zijn ogen. 'Natuurlijk doe ik dat,' zei hij. 'Bij mij staan twee levens op het spel en een miljoen pond. U moet mij ervan overtuigen dat u weet wat u doet. Kunnen we alles nog een keer doornemen?'

Zaterdag 30 juni 2007; Newton of Wemyss
'Ik wist dat ik haar had laten stikken. Op dat moment wist ik het.' Grant zuchtte diep. 'Maar ik bleef toch geloven dat als alles in de soep liep, iemand zich zou melden. Dat iemand iets moest hebben gezien.'

'Dat is niet gebeurd.' Het was een constatering, geen vraag.

'Nee. Dat is niet gebeurd.' Hij draaide zich om en keek Bel aan met een verbaasde uitdrukking op zijn gezicht. 'Er heeft zich niemand gemeld. Niet naar aanleiding van de ontvoering zelf. Niet met informatie over de plek waar ze werden vastgehouden. De politie heeft nooit een betrouwbaar ooggetuigenverslag in handen gehad. Natuurlijk had je wel de gebruikelijke gekken. En mensen die in goed vertrouwen belden, maar als hun verhaal was gecheckt, bleek het niets voor te stellen.'

'Dat is vreemd,' zei Bel. 'Meestal is er wel iets. Al is het maar dat de boeven onderling ruzie krijgen.'

'Dat lijkt mij ook. De politie stond er blijkbaar niet van te kijken, maar ik heb me altijd afgevraagd hoe ze het hebben klaargespeeld zonder dat iemand iets heeft gezien.'

Bel keek nadenkend. 'Misschien hebben de boeven geen ruzie gekregen omdat het geen boeven waren.'

'Wat bedoelt u?'

'Dat kan ik niet zeggen,' zei ze langzaam.

Grant keek teleurgesteld. 'Dat is de pest bij deze zaak.' Hij liep naar de landrover toe. 'Niemand heeft verdomme ooit iets kunnen zeggen. Het enige wat vaststaat, is dat mijn dochter dood is.'

Zondag 1 juli 2007; East Wemyss

Karen had nooit een hoge pet opgehad van studenten. Het was een van de redenen waarom ze meteen na school bij de politie had gewild, ondanks de pogingen van haar leraren om haar naar de universiteit te laten gaan. Ze zag er de zin niet van in om vier jaar schuld op te bouwen als ze in plaats daarvan goed geld kon verdienen met een echte baan. Niets wat ze gezien had van de levens van haar vroegere klasgenoten had haar ervan kunnen overtuigen dat ze een fout had gemaakt.

Maar het team van River Wilde dwong haar om toe te geven dat misschien niet alle studenten verwende luilakken waren. Ze waren even voor elven gearriveerd; om twaalf uur hadden ze hun spullen uitgepakt en hun zeildoek en schijnwerpers klaargezet; en ze hadden pizza's laten halen, hun eten naar binnen geschrokt en waren toen begonnen aan de zware, maar precieze taak om met de hand tonnen rotsblokken en puin te verplaatsen. Toen ze eenmaal wisten hoe ze moesten omgaan met de pikhouwelen, de troffels, de zeven en de borstels liet River hen alleen en ging bij Karen, die zich een beetje overbodig voelde, aan de tafel van de Stichting zitten.

'Ik ben onder de indruk,' zei Karen.

'Ze komen niet veel buiten,' zei River. 'In elk geval niet voor iets wat met hun studie te maken heeft. Ze staan te trappelen om iets te doen.'

'Hoe lang denk je dat het duurt om alles weg te ruimen?'

River haalde de schouders op. 'Dat hangt af van hoe lang het er al ligt. Het is moeilijk in te schatten. Een van mijn master-studenten heeft aardwetenschappen gestudeerd en volgens hem staat zandsteen erom bekend dat het onvoorspelbaar is als er beweging in komt. Als we eenmaal bovenop een doorgang hebben, kunnen we er een peilstift in stoppen. Dan krijgen we misschien een idee hoeveel er nog ligt. Als we op een lege plek stoten, kunnen we er een vezeloptische camera doorheen duwen. Dan weten we veel beter waar we mee te maken hebben.'

'Ik waardeer dit enorm,' zei Karen. 'Van mijn kant is het eigenlijk een gok.'

'Dat had ik al begrepen. Wil je me bijpraten? Of is het beter als ik niets weet?'

Karen grijnsde. 'Je doet er mij een plezier mee. Je mag dus best iets over de achtergrond weten.' Ze nam met River de hoofdpunten van haar onderzoek door en ging iets dieper in op de aspecten waar River meer details over wilde weten. 'Wat denk je?' vroeg ze ten slotte. 'Denk je dat ik ermee weg kan komen?'

River stak haar hand uit en wiebelde ermee op en neer om aan te geven dat het alle kanten op kon. 'Hoe slim is jouw baas?' vroeg ze.

'Het is een onbenul,' zei Karen. 'Hij heeft het verstand van een garnaal.'

'In dat geval zou je wel eens kunnen boffen.'

Voordat Karen kon antwoorden, doemde er een bekende gestalte op uit het duister van de grotingang. 'Moet er eigenlijk niet nog een meisje bij?' vroeg Phil, toen hij in het licht van de lampen stond en een stoel bijtrok.

'Waar heb je het over?' vroeg Karen.

'De drie heksen van Macbeth. Je weet wel, die met z'n drieën van alles bekokstoven,' zei hij. 'Gezichtsbedrog. Sorry, chef.' Hij stak zijn hand uit. 'U bent zeker dr. Wilde. Ik heb tijden gedacht dat Karen enig in haar soort was, maar blijkbaar had ik dat mis.'

'Hij bedoelt dat niet onaardig,' zei Karen, en ze sloeg haar ogen ten hemel. 'Phil, je moet leren om aardig te doen tegen vreemde vrouwen. Vooral vrouwen die zeventien verschillende manieren kennen om iemand te vermoorden, geen van alle te traceren.'

'Zeg, hoor eens,' zei River, zogenaamd beledigd. 'Ik ken er veel meer dan zeventien, hoor.'

Nu het ijs was gebroken, liet Phil zich door River uitleggen wat haar team hoopte te bewerkstelligen. Hij luisterde aandachtig en toen ze klaar was, keek hij peinzend in de richting van de studenten. 'Ik wil je niet beledigen,' zei hij, 'maar ik hoop dat dit tijdverspilling blijkt te zijn.'

'Hoop jij nog steeds dat Mick levend en wel ergens in Polen aan het graven is, zoals Iain Maclean suggereerde?' vroeg Karen.

'Liever dat dan dat we hem hier onder de rotsblokken vinden.'

'En ik had liever dat ik gisteren de loterij had gewonnen,' zei Karen.

'Een beetje optimisme kan nooit kwaad,' zei River vriendelijk. Ze stond op. 'Kom, ik ga het goede voorbeeld geven. Ik geef wel een scintje als we iets vinden.'

Het was niet moeilijk om twee parkeerplaatsen te vinden in de buurt van Jenny's rijtjeshuis. Phil liep achter Karen het pad op. Hij was zachtjes aan het mopperen dat de Mop uit zijn vel zou springen als hij lucht kreeg van de grote opgraving van River.

'Het is allemaal onder controle,' zei Karen. 'Maak je niet druk.' De deur werd met een ruk opengetrokken en Jenny keek hen woedend aan. 'Goedemiddag, mevrouw Prentice. We zouden graag even met u praten.' Er viel niet te spotten met haar blik en haar stem.

'Ik heb toevallig helemaal geen zin om met jullie te praten. Het komt me niet uit.'

'Ons wel,' zei Phil. 'Wilt u het hierbuiten doen, waar de buren alles kunnen horen? Binnen kan ook, als u dat liever heeft?'

Er verscheen iemand anders achter Jenny. Karens hart maakte onwillekeurig een sprongetje toen ze Misha Gibson herkende. 'Wie is daar, mam?' vroeg ze, en toen drong het besef door. 'Inspecteur Pirie. Hebt u nieuws?' De hoopvolle blik in haar ogen voelde aan als een verwijt.

'Niets tastbaars,' zei Karen. 'Maar je had gelijk. Je vader is niet met de andere stakingsbrekers naar Nottingham gegaan. Wat er wel is gebeurd, weet ik nog niet, maar dat in ieder geval niet.'

'Als u geen nieuws heeft, wat doet u dan hier?'

'We hebben een paar vragen voor je moeder,' zei Phil.

'Dat kan allemaal best tot morgen wachten,' zei Jenny, en ze vouwde haar armen over haar borst.

'Er is geen reden waarom we die vragen vandaag niet kunnen afwerken,' zei Karen; ze glimlachte naar Misha.

'Ik zie mijn dochter niet zo vaak,' zei Jenny. 'Ik heb wel wat beters te doen dan met jullie te praten.'

'We zijn zo klaar,' zei Karen. 'En het heeft ook met Misha te maken.'

'Kom op, mam. Ze zijn hier helemaal naartoe gekomen, we kunnen ze toch wel even binnen laten komen,' zei Misha, en ze trok haar moeder weg van de drempel, die ze volledig in beslag nam. De blik die Jenny hun toewierp zou bijna iedereen doen ineenschrompelen, maar toen bond ze in, draaide zich om en liep terug naar de voorkamer waarin ze de vorige keer hadden zitten praten.

Karen sloeg de thee af die Misha aanbood; ze wachtte nauwelijks tot moeder en dochter plaats hadden genomen en kwam meteen ter zake. 'Toen we laatst met elkaar spraken, heeft u het niet over Tom Campbell gehad.'

'Waarom zou ik?' Jenny kon de vijandige toon in haar stem niet verhullen.

'Omdat hij hier was op de dag dat uw man is verdwenen. En dat was niet de eerste keer.'

'Waarom zou hij hier niet zijn? Hij was een huisvriend. Hij heeft ons tijdens de staking vaak geholpen.' Jenny's mond klapte dicht als een muizenval.

'Wat wilt u eigenlijk zeggen, inspecteur?' Misha klonk oprecht verbaasd.

'Ik wil helemaal niets zeggen. Ik vraag aan Jenny waarom ze niet heeft verteld dat Tom Campbell die dag hier was.'

'Omdat het niet belangrijk was,' zei Jenny.

'Hoe lang na de verdwijning van Mick hebben u en Tom een

relatie gekregen?' De vraag bleef hangen tussen de stofdeeltjes in de lucht.

'U denkt alleen maar aan viezigheid,' zei Jenny.

Karen haalde haar schouders op. 'Het is gewoon een feit dat hij hier bij jullie is ingetrokken. Dat jullie als een gezin samenwoonden. Dat hij in zijn testament alles aan Misha heeft nagelaten. Het enige wat ik vraag, is hoeveel tijd er zat tussen de verdwijning van Mick en het moment dat Tom hier zijn tent opsloeg.'

Jenny wierp haar dochter een raadselachtige blik toe. 'Tom was een goede man. U heeft het recht niet om hier aan te komen zetten met uw roddels en uw insinuaties. De man was net weduwnaar geworden. Zijn vrouw was mijn beste vriendin. Hij had vrienden nodig. En hij was opzichter, dus de meeste mannen wilden niets van hem weten.'

'Dat is ongetwijfeld allemaal waar,' zei Karen. 'Ik probeer de feiten gewoon op een rijtje te krijgen. Als ik Mick wil vinden, moet u me wel het hele verhaal vertellen. Dus hoe lang duurde het voordat Tom en u meer kregen dan gewoon een vriendschap?'

Misha maakte een ongeduldig geluid. 'Vertel haar toch wat ze wil weten, mam. Ze hoort het anders toch wel van iemand anders. Het is beter als het van jouzelf komt dan van die lieve vrouwtjes hier in de buurt.'

Jenny staarde naar haar voeten. Ze zat naar haar aftandse pantoffels te kijken, die bij de tenen bijna waren doorgesleten, alsof daar het antwoord op te lezen was en ze haar goede bril niet ophad. 'We waren allebei eenzaam. We voelden ons allebei in de steek gelaten. En hij was goed voor ons, heel goed.' Het was lang stil en toen stak Misha haar hand uit en legde die op de gebalde vuist van haar moeder. 'Ik heb hem gevraagd bij me te komen slapen op de kop af zes weken nadat Mick ons heeft laten zitten. We waren doodgegaan van de honger als Tom er niet was geweest. We hadden allebei behoefte aan troost.'

'Daar is niets mis mee.' De vriendelijke woorden kwamen vreemd genoeg van Phil. 'We zijn hier niet om u te veroordelen.'

Jenny gaf een minimaal knikje. 'Hij is in mei bij ons ingetrokken.'

'En hij was een fantastische stiefvader,' zei Misha. 'Mijn echte vader had het niet beter kunnen doen. Ik hield van Tom.'

'Dat deden we allebei,' zei Jenny. Karen kon zich niet aan de indruk onttrekken dat ze niet alleen hen probeerde te overtuigen, maar ook zichzelf. Ze herinnerde zich dat mevrouw Mc-Gillivray had beweerd dat Jenny altijd van Mick was blijven houden.

'Heeft u zich ooit afgevraagd of Tom er de hand in heeft gehad dat Mick wegging?'

Jenny's hoofd schoot omhoog en haar ogen spuwden vuur. 'Wat bedoelt u daar nu weer mee? Denkt u dat Tom Mick iets heeft aangedaan? Denkt u dat hij Mick heeft vermoord?'

'Zegt u het maar. Is dat zo?' Karen liet zich niet van de wijs brengen door Jenny's woede.

'U zit helemaal fout,' zei Misha op een harde, uitdagende toon. 'Tom deed geen vlieg kwaad.'

'Ik heb niet gezegd dat Campbell Mick iets heeft aangedaan. Ik vind het uiterst interessant dat jullie er allebei meteen van uitgingen dat ik daarop doelde,' zei Karen. Jenny keek stomverbaasd, Misha woedend. 'Wat ik me afvroeg was of Mick in de gaten had dat er iets tussen u en Tom broeide. Volgens alle verhalen was hij een trotse man. Misschien vond hij het voor alle partijen het beste als hij het veld ruimde voor een man voor wie u kennelijk meer voelde.'

'Dat is absolute onzin,' siste Jenny. 'Er broeide niets tussen Tom en mij.'

'Misschien dacht Tom van wel, vooral als Mick uit beeld was. Hij had meer dan genoeg geld. Misschien heeft hij Mick afgekocht.' Ze wist dat het een schandalige suggestie was, maar het zou wel eens een interessant resultaat kunnen opleveren.

Jenny rukte haar hand onder die van Misha uit en ging wat verder van haar dochter af zitten. 'Dit is jouw schuld,' schreeuwde ze Misha toe. 'Ik hoef hier niet naar te luisteren. Ze heeft het lef om in mijn eigen huis de man zwart te maken die jou alles heeft gegeven. Wat heb je ons aangedaan, Michelle? Wat heb je gedaan?' De tranen liepen haar over de wangen toen ze uithaalde en Misha een harde klap in haar gezicht gaf.

Karen sprong onmiddellijk op, maar ze was niet snel genoeg.

Voordat iemand haar kon tegenhouden, was Jenny de kamer uit. Geschokt drukte Misha haar hand tegen haar vuurrode wang. 'Laat haar,' schreeuwde ze. 'Jullie hebben al genoeg kwaad aangericht voor één dag.' Ze slikte en wist zich toen te beheersen. 'Ik denk dat u beter kunt gaan,' zei ze.

'Het spijt me dat het uit de hand is gelopen,' zei Karen. 'Maar dat krijg je als je ergens de deksel van afhaalt. Dan weet je nooit wat er tevoorschijn komt.'

Maandag 2 juli 2007; Glenrothes
Adjunct-hoofdcommissaris Simon Lees staarde naar het vel papier dat Karen Pirie voor hem had neergelegd. Hij had het drie keer doorgelezen en hij snapte er nog steeds niets van. Hij wist dat hij haar om uitleg moest vragen en dat hij op de een of andere manier het onderspit zou delven. Het was zo oneerlijk. De maandag was nog maar nauwelijks begonnen of het heiligdom van zijn kantoor was al ontheiligd.

'Het is mij niet helemaal duidelijk waarom we betalen voor...' hij keek nog eens goed op het papier en kreeg het angstige vermoeden dat Pirie een misselijke grap met hem uit aan het halen was – 'een "forensische opgraving" van ene dr. River Wilde met een groep studenten.'

'Omdat het ongeveer een tiende kost van wat onze eigen wetenschappers ervoor zouden rekenen. En ik weet dat u graag wilt dat wij waar voor ons geld krijgen,' zei Karen.

Volgens Lees wist ze verdomd goed dat hij dit niet had bedoeld. 'Ik heb het niet over de budgettaire gevolgen,' zei hij knorrig. 'Wat ik zou willen begrijpen is waarom dit...' hij gooide zijn handen gefrustreerd de lucht in, 'dit circus überhaupt nodig is.'

'Ik dacht dat ik geen middel onbeproefd moest laten in mijn onderzoek naar de ontvoering van Catriona Maclennan Grant,' zei Karen poeslief.

Hield ze hem voor de gek? Of begreep ze echt niet wat ze zojuist had gezegd? 'Ik bedoelde dat niet letterlijk, inspecteur. Waar dient dit allemaal toe?' Hij zwaaide naar haar met het formulier waarmee je geld kon aanvragen.

'Ik heb tijdens mijn onderzoek gehoord dat er zich in januari

1985 een wat merkwaardige instorting heeft voorgedaan in de grotten van Wemyss. Ik zeg merkwaardig omdat sinds de sluiting van de Michael in 1967 de grond tot rust is gekomen en er geen andere grote instortingen zijn geweest.' Karen genoot van de verbijsterde blik op het gezicht van Lees. 'Toen ik er wat meer over opzocht, kwam ik erachter dat de instorting is ontdekt op donderdag 24 januari.'

'Ja, en?' Lees keek niet-begrijpend.

'Dat is de dag nadat Catriona is gedood, meneer.'

'Dat weet ik, inspecteur. Ik ben met de zaak bekend. Maar ik begrijp nog steeds niet wat het belang is van een ingestort plafond in een onbekende grot.' Hij friemelde wat aan het fotolijstje op zijn bureau.

'Nou, commissaris, dat zal ik u vertellen.' Karen leunde achterover in haar stoel. 'Voor de mensen hier uit de buurt zijn de grotten geen onbekend terrein. De meesten hebben er wel eens in gespeeld toen ze nog klein waren. Welnu, een van de dingen waar we destijds nooit achter zijn gekomen, is waar Catriona en Adam zijn vastgehouden. Er is nooit een getuige boven water gekomen die ze ergens had gezien. En dat heeft me aan het denken gezet. In die tijd van het jaar zijn de grotten zo goed als verlaten. Het is te koud om er kinderen te laten spelen en het daglicht is nooit helder genoeg om voorbijgangers verder dan een paar meter de grot in te lokken.'

Lees kon er niets aan doen, hij voelde dat het verhaal hem opzoog. Ze bracht heel anders verslag uit dan zijn andere mensen. Meestal ergerde hij zich er een ongeluk aan, maar soms, zoals vandaag, bleef hij geboeid luisteren. 'U zegt dat de grotten mogelijk tot schuilplaats hebben gediend voor de ontvoerders? Lijkt dat niet wat te veel op zo'n kinderboek van Enid Blyton?' vroeg hij in een poging om het heft weer in handen te krijgen.

'Enid Blyton is nog steeds populair, meneer. Misschien zou je haar zelfs inspirerend kunnen noemen. Hoe dan ook, de grot waar het over gaat, Thane's Cave, heeft tegenwoordig een reling die kan worden afgesloten om de mensen buiten te houden. Maar toentertijd stond er alleen een hekje voor de hoofdingang. De mensen konden er gewoon langs. De Stichting tot Behoud van de Grotten van Wemyss gebruikte Thane's Cave als een soort clubhuis. Nog steeds eigenlijk. Het hek stond er alleen maar om mensen die er toevallig waren terechtgekomen weg te houden. Dus het was vast niet moeilijk om erin te komen.'

'Maar als ze waren gevonden, hadden ze als ratten in de val gezeten,' bracht Lees ertegen in.

'Daar wilde ik het net over hebben. Dat weten we niet helemaal zeker. Iedereen hier in de buurt kent het verhaal dat er vanuit Macduff Castle een gang naar de grot loopt.'

'In vredesnaam, inspecteur. Bent u soms aan de drugs? Dit is krankzinnig.'

'Met alle respect, commissaris: het is niet onlogisch. We weten dat de kidnappers in een boot zijn ontsnapt. Destijds zeiden politiegetuigen dat het net klonk als een bootje met buitenboordmotor. Maar tegen de tijd dat onze mannen in de helikopter waren geklauterd en de schijnwerpers hadden ingeschakeld, was er in de buurt van Lady's Rock geen spoor meer van een bootje te bekennen. Die nacht was het vloed. Stel dat ze een paar kilometer verder zijn gevaren en de boot in de grot hebben verstopt. Ze hadden zonder enige moeite een opblaasbare boot binnen kunnen krijgen. Die dumpen ze ergens met de rest van hun geïmproviseerde kamp, maken dat ze wegkomen en blazen achter zich het plafond op.'

Lees schudde zijn hoofd. 'Het klinkt als een kruising tussen *The Dangerous Book for Boys* en *Die Hard*. Hoe denkt u dat ze het hebben aangepakt om' – hij pauzeerde even om het gebaar met twee vingers te maken waarmee hij aanhalingstekens aan wilde geven en dat om de een of andere reden voor zijn vrouw een buitensporige bron van ergernis was – "het plafond achter zich op te blazen"?'

Karen glimlachte, veel te overdreven naar zijn smaak. 'Ik heb geen idee, commissaris. Hopelijk zal het team van dr. Wilde ons dat kunnen vertellen. Ik weet vrij zeker dat we achter die stapel rotsblokken iets zullen vinden dat al deze kosten rechtvaardigt.'

Lees hield zijn hoofd in zijn handen. 'Ik denk dat u uw verstand verloren heeft, inspecteur.'

'Dat zal best,' zei ze en ze stond op. 'Maar het gaat hier om de zaak-Brodie Grant. U hoeft niet op een paar centen te kijken, meneer. Dit keer zal niemand vraagtekens zetten bij uw uitgaven.'

Lees voelde het bloed pompen in zijn oren. 'Zit u me nu te besodemieteren?'

Onmiddellijk had hij spijt van dat lelijke woord, niet op de laatste plaats omdat zij hem zowaar een goedkeurende blik toewierp. 'Nee, commissaris,' zei Karen ingetogen. 'Ik neem deze zaak heel serieus.'

'U heeft een rare manier om dat te tonen.' Lees sloeg keihard met zijn platte handen op het bureau. 'Ik wil dat jullie laten zien hoe het hoort bij de politie, ik wil geen tripje naar de speeltuin. Het is tijd dat u in het verleden gaat graven. Tijd dus voor een gesprekje met Lawson.' Zo, nu wist ze weer wie er de baas was.

Maar ze had de lont al uit zijn bommetje gehaald. 'Ik ben blij dat u dat ook vindt, commissaris. Ik heb een afspraak gemaakt voor' – ze raadpleegde haar horloge – 'over drie uur. Dus met uw welnemen, plankgas op naar de lik.'

'Pardon?' Waarom praatten die stomme boeren geen algemeen beschaafd Engels?

Karen zuchtte. 'Ik moet naar de gevangenis in Peterhead.' Ze liep naar de deur toe. 'Ik vergeet alsmaar dat u niet hier vandaan komt.' Ze wierp even een blik over haar schouder. 'U snapt ons niet zo goed, hè, commissaris?'

Voordat hij kon reageren was ze al weg, en liet de deur wijd open staan. Als de deur van een schuur achter de kont van een koe, dacht hij verbitterd, en hij stond op om hem dicht te gooien. Waar had hij dit irritante mens aan verdiend? En hoe kon hij nou eer behalen aan de zaak-Brodie Grant als hij moest vertrouwen op de onderzoekstalenten van een vrouw die dacht dat het misschien wel een leuk idee was om een stomme grot uit te graven?

Campora, Toscane

Met een gevoel van opluchting nam Bel Richmond de afslag op de ss2, de verraderlijke vierbaansweg die zich door Toscane kronkelt van Florence naar Siena. Zoals gewoonlijk hadden de Italiaanse bestuurders haar de stuipen op het lijf gejaagd. Ze jakkerden als gekken en als ze haar in de strakke bochten passeerden, reden ze zo vlak langs haar heen dat de zijspiegels elkaar bijna raakten. De smalle rijbanen leken daardoor nog smaller. Dat ze in een huurauto reed, maakte het nog onaangenamer. Bel vond van zichzelf dat ze vrij goed reed, maar in Italië kreeg ze het altijd op haar zenuwen. En vanwege haar meest recente opdracht hadden haar zenuwen het al moeilijk genoeg.

Op zondagavond had ze op haar kamer gegeten met een bord op schoot. Haar eigen keus; ze was uitgenodigd om samen met de familie Grant in de eetkamer te eten, maar ze had de uitnodiging afgeslagen onder het mom van drukke werkzaamheden. De werkelijkheid was veel prozaïscher, maar die kon ze niet vertellen, omdat het een egoïstische indruk maakte. De waarheid was dat Bel graag alleen was. Ze wilde uit het raam hangen en de rode Marlboro's roken waarmee ze, na veel gezeur van Vivianne, maanden tevoren zogenaamd was gestopt. Ze wilde naar iets onbenulligs kijken op de tv en ze wilde aan de telefoon lekker zitten roddelen met een van haar vriendinnen. Daarna voelde ze zich altijd beter. Ze wilde naar huis en een of ander agressief PlayStation-game spelen met Harry. Het was altijd hetzelfde als ze ergens moest wonen waar ze dicht op de huid van de onderwerpen van een uiteindelijk artikel zat. De intimiteit die ze kon verdragen, was niet onbeperkt.

Maar haar plezier in haar eigen gezelschap was van korte duur geweest. Ze had zich net geïnstalleerd om naar de eerste aflevering van een nieuwe Amerikaanse politieserie te kijken, toen er op de deur werd geklopt. Bel deed het geluid zachter, zette haar glas wijn neer en stond op van de bank. Toen ze de deur openmaakte, had Susan Charleson daar gestaan met een dunne plastic map in haar hand. 'Sorry dat ik stoor,' zei ze. 'Maar ik vrees dat dit nogal dringend is.'

Hoewel ze er eigenlijk geen zin in had, deed Bel een stap naar achteren en gebaarde dat ze binnen kon komen. 'Kom binnen,' zuchtte ze.

'Mag ik?' Susan wees naar de bank.

'Ga zitten.' Bel ging aan het andere eind zitten, maar ze liet tussen hen in zo veel mogelijk ruimte vrij. Susan Charleson was niet haar type. Achter de kille efficiëntie was er niets waar ze iets mee kon aanvangen, geen warm gevoel dat aanleiding gaf tot een gevoel van vriendschap of solidariteit. 'Wat kan ik voor je doen?'

Susan hield haar hoofd een beetje scheef en glimlachte wrang. 'Je zult er al wel achter zijn dat Sir Broderick snel beslissingen neemt en dat hij van alle anderen verwacht dat ze die ook meteen in praktijk brengen.'

'Zo zou je het kunnen zeggen,' zei Bel. *Gewend om zijn zin door te drijven*, was misschien een passender omschrijving. 'Wat heeft hij voor mij besloten?'

'Jij bent zelf ook niet van gisteren,' zei Susan. 'Daarom mag hij je waarschijnlijk.' Ze wierp Bel een afgemeten blik toe. 'Hij vindt niet veel mensen aardig. Als dat wel het geval is, word je er rijkelijk voor beloond.'

Vleierij en omkoperij, de Siamese tweeling. Gelukkig had ze een punt in haar carrière bereikt dat ze zichzelf in leven kon houden zonder naar de giftige stemmen van het tweetal te hoeven luisteren. 'Ik doe dingen omdat ze me interesseren. Als ze me niet interesseren, doe ik ze niet goed, dus dan heeft het ook niet veel zin.'

'Ik snap het. Hij wil dat je naar Italië gaat.'

Dit had ze absoluut niet verwacht. 'Waarom?'

'Omdat hij denkt dat ze bij de Italiaanse politie geen belang bij de zaak hebben, en dat ze dus ook niet erg hun best zullen doen. Als inspecteur Pirie erheen gaat of als ze er iemand van haar team heen stuurt, zal ze in haar doen en laten worden belemmerd door de taal en omdat ze een buitenstaander is. Hij denkt dat jij het er beter van afbrengt omdat je Italiaans spreekt. En ook omdat je er bent geweest en vermoedelijk nog recent contact hebt gehad met de mensen ter plaatse – natuurlijk niet met de politie, maar met de mensen in de buurt, die misschien echt weten wat er in die vervallen villa is gebeurd.' Susan glimlachte naar haar. 'In ieder geval kun je nu gratis terug naar Toscane.'

Bel hoefde er niet lang over na te denken. Dit was waarschijnlijk haar enige kans om de politie voor te zijn als het om nieuwe informatie ging. 'Hoe weet je dat ik Italiaans spreek?' vroeg ze eerst nog. Ze wilde niet de indruk wekken dat ze met een natte vinger te lijmen was.

Een kille glimlach. 'Journalisten zijn niet de enigen die iets kunnen opzoeken.'

Daar heb je om gevraagd. 'Wanneer wil hij dat ik ga?'

Susan stak haar de map toe. 'Er is om zes uur morgenochtend een vlucht naar Pisa. Er is een plaats voor je gereserveerd en op het vliegveld staat een huurauto klaar. Ik heb geen onderdak geregeld – ik dacht dat je dat misschien liever zelf wilde doen. Alle kosten worden uiteraard vergoed.'

Bel was ietwat van haar stuk gebracht. 'Zes uur 's ochtends?'

'Het is de enige directe vlucht. Ik heb je al ingecheckt. Je wordt naar het vliegveld gebracht. Zo vroeg in de morgen duurt het maar veertig minuten...'

'Ja, dat is goed,' zei Bel ongeduldig. 'Je was er erg zeker van dat ik het zou doen.'

Susan legde de map tussen hen in op de bank en stond op. 'Ik durfde er wel op te gokken.'

Dus reed ze nu stuiterend een zandweg af in het Val d'Elsa, langs velden met zonnebloemen die net felgeel waren uitgekomen. Ze voelde de opwinding warm kloppen in haar keel. Of de naam van Brodie Grant in Italië net als in Schotland deuren zou openen, wist ze niet, maar ze had een vaag vermoeden dat hij precies wist hoe hij de diepgewortelde corruptie waarop alles hier was gebaseerd naar zijn hand kon zetten. Er was tegenwoordig niets meer in Italië waar je niet over kon onderhandelen.

Behalve over vriendschap natuurlijk. En dankzij die vriendschap had ze in ieder geval een dak boven haar hoofd. De villa was natuurlijk een onmogelijkheid. Niet vanwege de kosten – ze wist vrij zeker dat ze Brodie Grant er wel voor had kunnen laten opdraaien – maar omdat het hoogseizoen was in Toscane. Maar ze had geboft. Grazia en Maurizio hadden een van hun oude schuren omgebouwd tot vakantiehuisjes en het kleinste, een studio met een piepklein terrasje, was vrij geweest. Toen ze vanaf het vliegveld had opgebeld, had Grazia het haar voor niks willen aanbieden. Bel had er bijna tien minuten voor nodig gehad om uit te leggen dat iemand anders voor haar betaalde en dat Grazia kon vragen wat ze wilde.

Bel reed vanaf het pad een smaller, onregelmatig pad op dat zich door een bos van eiken en kastanjes kronkelde. Na een paar kilometer reed ze een klein plateau op met een olijvenbosje en een maisveld. Aan de andere kant stonden een paar huisjes dicht bij elkaar met daarvoor een handgeschilderd bord waarop BOS-COLATA stond. Bel nam de scherpe bochten en reed het bos weer in. Toen ze de tweede bocht na Boscolata om reed, minderde ze vaart en tuurde door het struikgewas naar de bouwvallige villa waar deze reis om was begonnen. Je kon nergens aan zien dat er iets mee aan de hand was afgezien van het stuk rood-wit lint dat een beetje halfslachtig aan het hek hing. Meer behelsde het Italiaanse politieonderzoek blijkbaar niet.

Nadat ze nog vijf minuten over kronkelende weggetjes had gereden, stopte Bel op het erf van Grazia. Een bruine hond met flaporen danste aan het eind van zijn ketting, blaffend met de bravoure van een hond die weet dat niemand op bijtafstand zal komen. Voordat Bel het portier open kon doen, verscheen Grazia op de trap die van de loggia naar beneden leidde. Ze veegde haar handen af aan haar schort en haar gezicht plooide zich tot een brede glimlach.

Uitbundige begroetingen en het installeren van Bel in een prachtig ingerichte studio namen een halfuur in beslag en boden het voordeel dat Bel weer wat kon wennen aan de taal. Daarna gingen de twee vrouwen met een kop koffie in Grazia's donkere keuken zitten, waarin de dikke stenen muren de zomerhitte buiten hielden, zoals ze dat al eeuwen hadden gedaan. 'En nu moet je me vertellen waarom je zo vlug terug bent,' zei Grazia. 'Je zei dat het iets met je werk te maken had?'

'Zo ongeveer,' zei Bel, die vreselijk haar best moest doen om haar Italiaans weer op gang te krijgen. 'Trouwens, heb je gezien of er de laatste tijd in die bouwval daarginds iets aan de hand was?'

Grazia keek haar achterdochtig aan. 'Hoe weet jij dat nou? De carabinieri zijn er op vrijdag geweest. Ze hebben even rondgekeken en zijn toen met de mensen in Boscolata gaan praten. Maar wat heb jij daarmee te maken?'

'Toen we hier op vakantie waren, ben ik in die oude villa geweest en heb er wat rondgesnuffeld. Ik heb daar iets gevonden wat in verband staat met een onopgeloste misdaad bij mij in het Verenigd Koninkrijk. Een zaak van twintig jaar geleden.'

'Wat voor misdaad?' Grazia keek bezorgd. Haar handen met

de opgezwollen gewrichten bewogen zich rusteloos over de tafel.

'Een vrouw en haar kleine zoontje zijn ontvoerd. Maar er is iets misgegaan toen het losgeld werd overgedragen. De vrouw is erbij om het leven gekomen en ze hebben nooit kunnen ontdekken wat er met het baby'tje is gebeurd.' Bel spreidde haar handen en haalde haar schouders op. Op de een of andere manier waren dergelijke gebaren normaler als ze Italiaans praatte.

'En jij hebt hier iets gevonden wat daarmee in verband staat?'

'Ja. De ontvoerders noemden zich anarchisten en ze brachten hun eisen over in de vorm van een poster. Ik heb precies zo'n poster in de villa aangetroffen.'

Grazia schudde verbaasd haar hoofd. 'De wereld wordt alsmaar kleiner. Wanneer ben je naar de carabinieri gegaan?'

'Ik ben niet gegaan. Ik dacht dat ze me niet zouden geloven. Of in ieder geval dat ze geen belangstelling zouden hebben voor iets wat zo'n twintig jaar geleden in Groot-Brittannië is gebeurd. Ik heb gewacht tot ik thuis was en toen ben ik naar de vader van die vrouw gegaan. Hij is een heel rijke, heel machtige man. Het soort man dat dingen gedaan krijgt.'

Grazia trok een grimas. 'Zo'n type man moet je wel zijn om de carabinieri in beweging te krijgen en helemaal vanuit Siena hierheen te laten komen. Daarom wilden ze zo graag weten wie er in de villa hadden gewoond.'

'Ja. Ik vond dat het eruitzag alsof er krakers hadden gewoond.'

Grazia knikte. 'De villa was van Paolo Totti. Hij is denk ik een jaar of twaalf geleden gestorven. Een domme man, erg ijdel. Hij had al zijn geld uitgegeven aan een huis om indruk te maken op andere mensen, maar hij had niet genoeg geld over voor het noodzakelijke onderhoud. En toen is hij gestorven zonder testament. Zijn familie heeft sindsdien over het huis lopen steggelen. Het sleept zich maar voort, de ene rechtszaak na de andere, en elk jaar wordt de villa een beetje bouwvalliger. Niemand van de familie doet er iets aan, want ze zijn bang dat het dan uiteindelijk naar een ander gaat. Het is jaren geleden dat ze er voor het laatst zijn geweest. Dus gaan er af en toe mensen in wonen. Ze blijven er een zomer lang en trekken dan weer verder. Het laatste stelletje is wat langer gebleven.' Grazia dronk haar kopje leeg en stond op. 'Ik ken alleen maar wat roddels, maar weet je wat? We gaan naar Boscolata om met mijn vrienden daar te praten. Ze vertellen vast veel meer aan jou dan aan die bazige carabinieri.'

Peterhead, Schotland
Karen nam James Lawson eens goed op toen hij aan kwam lopen. Geen kaarsrechte houding meer, geen opgeheven hoofd, geen rechte rug. Hij had ingezakte schouders en hij nam kleine, benepen passen. Drie jaren in de gevangenis hadden hem tien jaar ouder gemaakt. Hij liet zich voorzichtig op de stoel tegenover haar zakken en bleef een poosje zitten schuiven en wiebelen, totdat hij eindelijk goed zat. Een manmoedige poging om het initiatief niet meteen uit handen te geven, dacht ze.

Toen keek hij op. Hij had nog steeds de harde, borende, uitdrukkingsloze blik van een politieman. 'Karen,' zei hij en hij begroette haar met een knikje. Zijn tot een dunne streep samengeperste lippen waren bleek en blauwachtig.

Ze wist dat een beleefdheidspraatje zinloos was. Op alles wat ze zei, zou onmiddellijk gereageerd worden met verbitterde verwijten. 'Ik heb je hulp nodig,' zei ze. Lawsons mond ontspande zich in een grijns. 'Wie denk je dat je bent? Clarice Starling uit *Silence of the Lambs*? Je zal wat af moeten vallen als je Jodie Foster naar de kroon wilt steken.'

Karen prentte zichzelf in dat Lawson naar dezelfde cursussen ondervragingstechnieken was geweest als zij. Hij wist alles over het speuren naar de zwakheden van je tegenstander. Maar dat gold ook voor haar. 'Misschien zou ik voor Hannibal Lecter nog wel op dieet willen gaan,' zei ze. 'Maar niet voor een aan lagerwal geraakte smeris die nooit meer ergens zijn hengel zal uitgooien.'

Lawson trok zijn wenkbrauwen op. 'Hebben ze je op een cursus De Leukste Thuis gestuurd voordat je je inspecteursexamen deed? Als je hier bent om me te paaien, ben je niet bepaald goed bezig.'

Karen schudde gelaten haar hoofd. 'Ik heb hier de tijd en de energie niet voor. Ik ben hier niet om jouw ego te strelen. We weten allebei hoe dit soort dingen werkt. Als je mij helpt, wordt jouw leven binnen deze vier muren misschien voor een poosje een heel klein beetje minder afschuwelijk. Als je het niet doet, wie weet wat voor rotgeintje jouw leven dan een ietsepietsje ellendiger maakt? Je moet het zelf weten, Jimmy.'

'Voor jou ben ik altijd nog commissaris Lawson.'

Ze schudde haar hoofd. 'Dat zou te veel eer zijn. En dat weet je.' Zo, dat had ze gezegd, en nu zou ze hem gewoon niet meer bij de naam noemen. Ze kon hem zwaar door de neus horen ademen; aan het eind van elke uitademing hoorde ze een klein piepje.

'Denk je dat je mijn leven nog ellendiger kunt maken?' Hij wierp haar een woedende blik toe. 'Je weet er geen reet van. Ze houden me in isolatie, omdat ik een ex-smeris ben. Jij bent dit jaar mijn eerste bezoeker. Ik ben te oud en te lelijk om interessant te zijn voor anderen. Ik rook niet en ik heb ook geen telefoonkaarten nodig.' Hij proestte het uit, waarbij er slijm loskwam in zijn keel. 'Dus veel erger kun je het niet voor me maken, hè?'

Ze beantwoordde zijn blik zonder met haar ogen te knipperen. Ze wist wat hij gedaan had en er was in haar hart geen ruimte voor enige vorm van medeleven. Het interesseerde haar niet dat ze in zijn eten spuugden. Of nog erger. Hij had haar verraden en met haar alle collega's met wie hij had samengewerkt. De meeste politiemensen die Karen kende, deden hun werk om fatsoenlijke redenen. Ze hadden er veel voor over, ze vonden het belangrijk dat het werk goed werd gedaan. De ontdekking dat een man wiens opdrachten ze zonder aarzelen hadden uitgevoerd drie mensen had vermoord, had er bij de recherche flink in gehakt. De wonden waren nog steeds niet helemaal geheeld. Sommigen gaven nog steeds de schuld aan Karen, omdat ze vonden dat ze geen slapende honden wakker had moeten maken. Ze snapte niet hoe die mensen 's nachts rustig konden slapen.

'Ik heb gehoord dat je veelvuldig gebruikmaakt van de bibliotheek,' zei ze. Ze zag dat hij schrok en ze wist dat ze hem te pakken had. 'Het is belangrijk om je hersens te blijven gebruiken, nietwaar? Anders zou je echt tegen de muren op vliegen. Ik heb gehoord dat je tegenwoordig boeken en muziek op een piepklein mp3-spelertje van de bibliotheek kunt downloaden. Dan kun je luisteren als je er zin in hebt.'

Hij wendde zijn blik af, zijn handen lagen geen moment stil. 'Zit je nog steeds bij Cold Cases?' Deze toeschietelijkheid kostte hem blijkbaar veel energie, die hij node kon missen.

'Ik heb er nu de leiding. Robin Maclennan is met pensioen gegaan.' Karen hield haar stem neutraal en haar gezicht uitdrukkingsloos.

Lawson keek over haar schouder naar de kale muur achter haar. 'Ik was een goede smeris. Ik heb niet veel losse eindjes laten liggen waar jullie aasgieren nog wat mee konden,' zei hij.

Karen keek hem onderzoekend aan. Hij had drie mensen vermoord en hij had geprobeerd om een onschuldige man voor twee moorden te laten opdraaien, en toch vond hij zichzelf nog steeds een goede politieman. Het vermogen van misdadigers om zichzelf een rad voor ogen te draaien, bleef haar verbazen. Ze snapte niet hoe hij daar met een uitgestreken gezicht kon zitten, terwijl hij wetten had overtreden, leugens had verteld en levens kapot had gemaakt. 'Je hebt heel wat zaken opgelost.' Ze kreeg het amper over haar lippen. 'Maar nu heb ik iets wat op nieuw bewijs lijkt over een nog onopgeloste zaak.'

Lawsons gezichtsuitdrukking veranderde niet, maar ze voelde een sprankje interesse toen hij wat ging verzitten op zijn stoel. 'Catriona Maclennan Grant,' zei hij, en hij kon een zelfgenoegzame grijns niet onderdrukken. 'Het feit dat jij zelf hierheen komt, betekent dat het om een moord gaat. En dat is de enige onopgeloste moord waarbij ik de leiding van het onderzoek had.'

'Je talent om de juiste conclusies te trekken ben je nog niet kwijt,' zei Karen.

'En? Heb je eindelijk iets gevonden waarmee je die klootzak achter de tralies kunt krijgen?'

'Welke klootzak?'

'Het ex-vriendje natuurlijk...' Lawson kreeg rimpels in zijn grauwe huid toen hij de details uit zijn geheugen probeerde op te diepen. 'Fergus Sinclair. Boswachter. Ze had hem gedumpt, wilde niet dat hij een vader voor zijn kind was.'

'Denk jij dat Fergus Sinclair haar en de baby heeft ontvoerd? Waarom zou hij dat doen?'

'Om zijn kind in handen te krijgen en genoeg geld om er met z'n tweeën goed van te kunnen leven,' zei Lawson, alsof hij iets heel simpels moest uitleggen aan een klein kind. 'Toen heeft hij haar tijdens de overdracht vermoord, zodat zij hem niet als schuldige kon aanwijzen. We wisten allemaal dat hij het gedaan had, we konden het alleen niet bewijzen.'

Karen leunde naar voren. 'Daar staat niets over in het dossier,' zei ze.

'Natuurlijk niet.' Lawson liet een spottend kuchje horen. 'Godsamme, Karen, hoe stom dacht je dat we waren?'

'Je hoefde in 1985 nog niet alles aan de verdediging te laten weten,' merkte ze op. 'Maar er was geen enkele reden waarom je niet een heel kleine aanwijzing voor je eventuele opvolger zou achterlaten.'

'We hebben niets op papier gezet waar we geen degelijk bewijs voor hadden.'

'Oké, dat snap ik. Maar er staat niets in het dossier waaruit blijkt dat jullie zelfs maar naar hem hebben gekeken. Geen aantekeningen of tapes van een verhoor, geen verklaringen. De enige keer dat hij in het dossier voorkomt, is in een verklaring van Lady Grant waarin ze zegt dat ze gelooft dat Sinclair de vader was van Catriona's zoon, maar dat haar dochter dat nooit heeft willen bevestigen.'

Lawson keek wat schichtig. 'Brodie Maclennan Grant is een machtig man. We waren het er allemaal over eens, tot aan de hoofdcommissaris toe. Niets kwam in het dossier, tenzij we het honderd procent zeker wisten.' Hij schraapte zijn keel. 'Sinclair was in onze ogen de meest voor de hand liggende verdachte, maar daarom wilden we nog niet zijn doodvonnis ondertekenen.'

Karen deed haar mond open en toen weer dicht. Ze sperde haar ogen wijd open. 'Dacht je dat Brodie Grant Sinclair zou laten vermoorden?'

'Je hebt niet gezien hoe hij leed nadat Cat was gestorven. Het zou me niet verbazen.' Hij deed zijn mond met een klap dicht en keek haar uitdagend aan.

Ze had Brodie Grant een harde, gedreven man gevonden. Maar het was nooit bij Karen opgekomen dat hij een potentiële klant van een huurmoordenaar was. 'Daar had je geen gelijk in,' zei ze. 'Sinclair is nooit in gevaar geweest. Grant denkt niet dat hij ertoe in staat is.'

Lawson snoof minachtend. 'Misschien zegt hij dat nou. Maar destijds voelde je gewoon de haat die hij voor dat joch koesterde.'

'En jullie hebben een onderzoek aan Sinclair gewijd?'

Lawson knikte. 'Hij leek veelbelovend. Hij had geen alibi. Hij werkte in het buitenland. Oostenrijk, geloof ik. Landgoedbeheer, daar had hij voor gestudeerd.' Hij fronste zijn wenkbrauwen en krabde over zijn gladgeschoren kin. Hij praatte eerst langzaam, maar gaandeweg wat sneller toen hij zich steeds meer herinnerde. 'We hebben daar een team naartoe gestuurd om met hem te praten. Ze hebben niets gevonden dat hem vrijpleitte. Hij was op de cruciale momenten met vakantie – bij de ontvoering, de losgeldbriefjes, de overdracht en de ontsnapping. En de man van de kunstacademie die we hebben geraadpleegd zei dat de poster was getekend in de stijl van de Duitse expressionisten, en daar woonde hij in de buurt, hè?'

Hij haalde zijn schouders op. 'Maar Sinclair zei dat hij op skivakantie was. Dat hij van de ene wintersportplaats naar de andere trok. Dat hij om geld te besparen in zijn auto had geslapen. Hij had skipassen voor alle relevante data, en die had hij met contant geld betaald. We konden niet bewijzen dat hij er niet was geweest. En, wat nog belangrijker was, we konden ook niet bewijzen dat hij was waar we dachten dat hij was. Het was de enige echte aanwijzing die we hadden en we hebben er niets mee kunnen doen.'

Maandag 21 januari 1985; Kirkcaldy
Lawson bladerde de map nog eens door, alsof hij dacht iets te kunnen vinden wat hij bij de vorige keer doorbladeren over het hoofd had gezien. Er waren maar weinig bladzijden. Zonder op te kijken riep hij iets naar rechercheur Rennie aan de andere kant van het kantoor: 'Is er nog niets binnen van de technische jongens?'

'Ik heb ze net gesproken. Ze werken zo snel mogelijk, maar

ze zijn niet optimistisch. Volgens hen gaat het om mensen die slim genoeg zijn om geen sporen achter te laten.' Rennie klonk verontschuldigend en tegelijkertijd bezorgd, alsof hij wist dat hij hier op de een of andere manier de schuld van zou krijgen.

'Waardeloze zakken,' mompelde Lawson. Na het sprankje opwinding meteen na het tweede briefje van de ontvoerders was het een dag geweest waarop alles leek te mislukken. Hij had Grant moeten vergezellen naar de bank, waar ze een onaangename ontmoeting hadden gehad met een hogere functionaris die op zijn strepen was gaan staan en had gezegd dat de bank uit principe niet onderhandelde met kidnappers. En dat terwijl ze geen van beiden een woord hadden gezegd over de reden van Grants verzoek. Ze hadden uiteindelijk met een bankdirecteur moeten praten voordat ze enige vooruitgang hadden geboekt.

Daarna had Grant hem meegenomen naar een chique herenclub in Edinburgh en had hij hem gedwongen een dubbele whisky te drinken, ondanks zijn protesten dat hij in functie was. Toen de ober het drankje voor hem neerzette, liet hij het daar staan en wachtte tot Grant zou zeggen wat hij op zijn lever had. Bij dit onderzoek kon Lawson beter niet doen alsof hij de touwtjes in handen had.

'Ik heb een verzekering tegen ontvoeringen, weet u,' was Grant met de deur in huis gevallen.

Lawson had willen weten hoe zoiets in zijn werk ging, maar hij wilde niet overkomen als een provinciale onbenul die niet van wanten wist. 'Hebt u contact met ze gehad?'

'Nog niet.' Grant walste de whisky in het kristallen glas. De zware lucht van carbolzuur, die als een moerasdamp opsteeg, maakte Lawson een beetje misselijk.

'Mag ik vragen waarom niet?'

Grant haalde een sigaar tevoorschijn en begon aan het gepruts van knippen en aansteken. 'U kent dat wel. Ze zullen er met grof geweld op in willen rammen. Ze zullen in ruil voor het losgeld willen bepalen wat er gebeurt.'

'Is dat dan een probleem?' Lawson wist niet precies hoe hij zich moest opstellen. Hij nam een slokje van zijn whisky en spuugde het bijna meteen weer uit. Het smaakte naar het hoestdrankje waar zijn grootmoeder bij zwoer. Het leek in niets op het slokje Famous Grouse dat hijzelf wel eens dronk bij de open haard.

'Ik maak me zorgen dat het uit de hand zal lopen. Ze hebben twee gijzelaars. Als ze ook maar het minste of geringste vermoeden hebben dat wij ze gaan belazeren, wie weet waar ze dan toe in staat zijn.' Hij stak de sigaar aan en tuurde met samengeknepen ogen door de rook heen naar Lawson. 'Wat ik per se wil weten, is of u denkt dat u dit tot een succesvol einde kunt brengen. Moet ik er misschien buitenstaanders bij halen? Of bezorgt u mij mijn dochter en kleinzoon terug?'

Lawson proefde de zoete, weeïge, rokerige smaak in zijn keel. 'Ik geloof van wel,' zei hij, en hij vroeg zich af of het met zijn carrière net zo zou aflopen als met de sigaar.

En daar hadden ze het bij gelaten. En nu zat hij hier nog steeds achter zijn bureau, terwijl de avond onverbiddelijk overging in de nacht. Er gebeurde niets, behalve dat zijn woorden hem steeds overmoediger voorkwamen. Hij keek woedend Rennies richting uit. 'Ben je er al achter waar Fergus Sinclair is?'

Rennie liet zijn schouders zakken en hij schoof wat ongemakkelijk op zijn stoel heen en weer. 'Ja en nee,' zei hij. 'Ik heb gevonden waar hij werkt en ik heb zijn baas gesproken. Maar hij is er niet, Sinclair. Hij is op vakantie. Aan het skiën blijkbaar. En niemand weet waar.'

'Aan het skiën?'

'Hij is er met zijn skispullen in zijn wagen op uitgetrokken,' zei Rennie afwerend, alsof hij hoogstpersoonlijk Sinclairs spullen had ingepakt.

'Dus hij kan overal zijn.'

'Dat denk ik wel.'

'Ook hier? Hier in Fife?'

'Er is niets dat daarop wijst.' Rennies mond leek wat opzij te vallen, alsof zijn kaak net door begon te krijgen dat hij zich op glad ijs bevond.

'Heb je contact gehad met luchtvaartmaatschappijen? Vliegvelden? Haventerminals? Heb je gevraagd of ze hun passagierslijsten willen doornemen?'

Rennie keek van hem weg. 'Ik zal het nu meteen doen.'

Lawson kneep met zijn duim en wijsvinger in zijn neusrug.

'En neem contact op met de burgerlijke stand. Ik wil weten of Fergus ooit een paspoort voor zijn zoon heeft aangevraagd.'

Maandag 2 juli 2007; Peterhead
'Ik ben er altijd van overtuigd geweest dat Sinclair erbij betrokken was. Er waren bijvoorbeeld niet veel mensen die voldoende op de hoogte waren van Cats doen en laten om haar te kunnen ontvoeren,' zei Lawson, die nu ook wat afwerend klonk. Karen was verbijsterd. 'Maar de baby dan? Als hij dat allemaal heeft gedaan om zijn zoon in handen te krijgen, waar is Adam dan?'

Lawson haalde zijn schouders op. 'Dat is de vraag waar alles om draait, hè? Misschien heeft Adam de schietpartij destijds niet overleefd. Misschien had Sinclair ergens een mevrouw zitten die voor het kind kon zorgen. Als ik jou was, zou ik gaan kijken wat voor leven hij leidt. Of er ergens in zijn buurt een jongen is van de juiste leeftijd.' Hij ging overeind zitten en legde zijn handen in zijn schoot. 'Dus je hebt nog niets bijzonders gevonden? Ben je hier gekomen om te vissen?'

Ze reikte naar de opgerolde poster die ze tegen haar stoel had gezet en haalde het elastiekje eraf. Ze liet hem uitrollen zodat Lawson hem kon zien. Hij strekte zijn hand ernaar uit, maar aarzelde. Hij wierp haar een vragende blik toe. 'Ga je gang,' zei ze. 'Het is een kopie.'

Lawson ontrolde het papier voorzichtig. Hij bestudeerde de grimmige tekening en liet zijn vinger over de poppenspeler en over de marionetten glijden: het skelet, de dood en de geit. 'Dit is de poster die de kidnappers hebben gebruikt om met Brodie Maclennan Grant te communiceren.' Hij wees naar de lege plek aan de onderkant van de poster. 'Daar horen de gegevens voor de voorstelling te staan, maar zij hebben er de boodschappen in gescheven.' Hij keek haar aan met een doffe blik in zijn ogen. 'Maar dat weet je allemaal al. Waar komt dit vandaan?'

'Hij is opgedoken in een verlaten huis in Toscane. Het is helemaal vervallen en heeft jaren leeggestaan. Volgens de plaatselijke bevolking hebben er wel eens krakers in gezeten. De laatste groep is met de noorderzon vertrokken, zonder aankondiging, zonder afscheid te nemen. Ze hebben een heleboel laten liggen, waaronder een stuk of wat van deze posters.'

Lawson schudde zijn hoofd. 'Dit stelt niet veel voor. We hebben er door de jaren heen wel meer gevonden. Sinclair deed het voorkomen alsof een groep anarchisten het op het geld van Brodie Maclennan Grant voorzien had, en daarom kreeg je zo nu en dan een stel idioten die de poster gebruikten voor een actie of een festival of zoiets. We zijn er telkens weer achteraan gegaan en er was nooit iets dat wees op een verband met Catriona.' Hij maakte een minachtend handgebaar.

Karen glimlachte. 'Denk je dat ik dat niet wist? Dat is destijds nog net wél in het dossier terechtgekomen. Maar dit is anders. Geen enkele van de kopieën die hiervoor zijn opgedoken, was identiek aan het origineel. Er waren kleine verschillen, zoals je die onvermijdelijk kreeg als je het natekende van oude krantenknipsels. Maar deze is anders. Deze is precies hetzelfde. De technische recherche zegt dat het een identiek exemplaar is. Dat hij van hetzelfde zeefdrukraam komt.'

Lawson ogen lichtten op; ze had duidelijk zijn belangstelling gewekt. 'Dat meen je niet.'

'Ze hebben er het hele weekend over gedaan om tot deze conclusie te komen. Ze zeggen dat er geen twijfel mogelijk is. Maar waarom zou je al die jaren dat zeefdrukraam bewaren? Het is het enige bewijsstuk dat verband kan leggen tussen misdaad en ontvoerders.'

Lawson grijnsde. 'Misschien hebben ze het zeefdrukraam weggedaan. Misschien hebben ze alleen wat posters gehouden.'

Karen schudde haar hoofd. 'Niet volgens de techneut die het heeft onderzocht. Het type inkt noch het papier waren er in 1985 al. Dit is recentelijk afgedrukt. Op het oorspronkelijke raam.'

'Dat klopt niet.'

'Er klopt zoveel niet bij deze zaak,' mompelde Karen. Onbewust was ze met de man tegenover haar weer teruggevallen op hun vroegere onderlinge verhouding. Zij was de ondergeschikte, die hem aanspoorde om van de stukjes die ze voor hem neerlegde een kloppend verhaal te maken.

En Lawson reageerde even onbewust door zich voor het eerst tijdens het gesprek wat te ontspannen. 'Wat klopt er allemaal niet?' vroeg hij. 'Toen we eenmaal bij Sinclair waren uitgekomen, viel alles op z'n plaats.'

'Ik ben het er niet mee eens. Waarom zou Fergus Sinclair Catriona bij de overdracht vermoorden?'

'Omdat ze hem kon identificeren.'

Zijn ongeduldige toon irriteerde Karen, waardoor ze er weer aan dacht hij haar baas niet meer was. 'Dat begrijp ik. Maar waarom op dat moment? Waarom heeft hij haar niet vóór die tijd vermoord? Hij maakte het wel onnodig ingewikkeld door haar in levenden lijve bij de overdracht te laten zijn. Hij moest Cat en de baby in bedwang houden, het losgeld in handen krijgen, daarna Cat doodschieten en in de daaropvolgende verwarring op de vlucht slaan met de baby. En hij kon niet weten of ze echt dood was. Niet in het donker met al die mensen die door elkaar liepen. Het was veel simpeler geweest om haar vóór de losgeldoverdracht te vermoorden. Waarom heeft hij dat niet gedaan?'

'Hij moest bewijzen dat ze nog leefde,' zei Lawson met de voldoening van een man die met zijn aas iedereen aftroeft. 'Brodie wilde een bewijs van leven hebben, voordat hij verder ging met de overdracht.'

'Die vlieger gaat niet op,' zei Karen. 'De kidnappers hadden nog steeds het kind in handen. Adam was nog in leven. Je wilt toch niet zeggen dat Brodie Grant geen losgeld zou willen betalen als hij geen bewijs had dat Cat ook nog in leven was?'

'Nee… Hij zou sowieso hebben betaald, of Cat nog in leven was of niet.' Lawson fronste zijn voorhoofd. 'Ik had er nog niet op die manier tegenaan gekeken. Je hebt gelijk. Het klopt niet.'

'Maar als het Sinclair niet was, had ze misschien niet hoeven te sterven.' Karens ogen stonden dromerig toen ze de voor- en nadelen van deze gedachte tegen elkaar afwoog. 'Misschien was het wel een vreemde. Misschien had ze hem helemaal niet kunnen identificeren. Misschien was het een ongeluk.'

Lawson hield zijn hoofd schuin en keek haar onderzoekend aan. Karen had het gevoel dat ze werd getest. Hij trommelde wat met zijn vingers op de rand van de geschilferde tafel. 'Sinclair zou de ontvoerder hebben kunnen zijn, Karen. Maar hij hoefde niet de moordenaar te zijn. Zie je, er was nog iets wat niet in het verslag staat.'

Woensdag 23 januari 1985; Newton of Wemyss
De spanning was moordend. De grote bult van Lady's Rock nam
een hap uit de sterrenhemel en belemmerde het zicht op de kust
erachter. De kou knabbelde aan Lawsons neus en oren en aan
het kleine blote stukje tussen zijn leren handschoenen en de
manchetten van zijn trui. Er hing de scherpe geur van gloeiende steenkool en zout. De zee was dichtbij, maar toch was er op
deze windstille avond maar een zwak murmelend gefluister te
horen. De afnemende maan gaf hem net voldoende licht om het
gespannen gezicht van Brodie Grant een paar meter verderop te
kunnen zien. Grant stond net voor de bomen waarin Lawson
zich schuilhield. In de ene hand had hij de weekendtas met het
geld, de diamanten en de peilzenders, met de andere hield hij
de elleboog van zijn vrouw stevig vast. Lawson kon zich voorstellen hoe pijnlijk die greep was en hij was blij dat hij zelf niet
zo in de tang werd genomen. Het gezicht van Mary Maclennan
Grant was overschaduwd; ze had haar hoofd gebogen. Lawson
stelde zich voor hoe ze rilde in haar bontjas, maar niet van de
kou.

Wat hij niet kon zien waren de zes mannen die hij tussen de
bomen had opgesteld. Dat was maar goed ook: als hij ze niet
kon zien, gold dat ook voor de kidnappers. Hij had ze zorgvuldig geselecteerd; hij had diegenen gekozen die volgens hem zowel slim waren als moedig, twee eigenschappen die helaas bijna nooit tegelijk voorkwamen. Een paar hadden ervaring met
vuurwapens, een met een pistool, de andere, die boven op Lady's Rock zat, met een SA80 met nachtvizier. Ze hadden opdracht pas te schieten als hijzelf het bevel gaf. Lawson hoopte
oprecht dat hun aanwezigheid overbodig zou blijken.

Er waren hem tijdelijk een paar agenten ter beschikking gesteld die gewoonlijk de mijningangen en de elektrische centra-
les moesten bewaken. Hun collega's waren niet blij geweest met
die detachering, temeer daar Lawson geen verklaring had kunnen geven voor hun tijdelijke overplaatsing naar zijn team. Deze extra agenten hadden hun plaats ingenomen op het ruwe terrein aan weerskanten van het bos, de dichtstbijzijnde plekken
waar je een auto kon parkeren. Met vereende krachten moesten
zij voorkomen dat de kidnappers konden ontsnappen, als Law-

son en zijn naaste medewerkers de vernederende overdracht zouden verknoeien.

Wat zeker niet onmogelijk was. Dit was een afschuwelijke nachtmerrie. Hij had geprobeerd Grant over te halen om nee te zeggen, om aan te dringen op een andere plaats voor de overdracht. Alles was beter dan een strand in het holst van de nacht. Hij had zich de moeite kunnen besparen. Wat Grant betrof, fungeerden Lawson en zijn mannen alleen maar als een soort particuliere beveiligingsfirma. Hij deed net alsof hij hun al een groot plezier deed door hen mee te vragen, tegen de uitdrukkelijke instructies van de ontvoerders in. Hij had wel gesproken over de verzekering in geval van een ontvoering, maar hij besefte blijkbaar totaal niet wat er allemaal mis kon gaan – zoveel dat je gek werd als je er te lang bij stil bleef staan.

Lawson wierp een snelle blik op de verlichte wijzerplaat van zijn horloge. Nog drie minuten. Het was zo stil dat je de motor van hun auto in de verte zou moeten horen. Maar in de openlucht was de akoestiek altijd onvoorspelbaar. Hij had, toen hij over het pad liep tijdens een eerdere verkenning, gemerkt hoe de dreigende massa van Lady's Rock diende als klankkast die het geluid van de zee even effectief uitschakelde als oordopjes. God mocht weten hoe de bossen het geluid van een naderend voertuig zouden vervormen.

Toen kwam er opeens een schitterend wit licht vanuit de richting van de rots, dat hem volledig verblindde. Het enige wat Lawson nog kon zien was de verlammende lichtcirkel. Zonder erbij na te denken ging hij dieper het bos in, bang dat zijn schuilplaats was ontdekt.

'Jezus christus,' gilde Brodie Grant. Hij liet zijn vrouw los en kwam een paar passen naar voren.

'Staan blijven.' De stem kwam ergens achter het licht vandaan. Lawson probeerde het accent te plaatsen, maar er was niets bijzonders aan te horen, behalve dat het Schots klonk.

Lawson kon Grant zien staan; het leek net alsof hij elke kleur had verloren in het bleek makende, witte licht. Zijn lippen waren vertrokken in een afschuwelijke grimas. De angst knaagde aan Lawsons binnenste als brandend maagzuur. Hoe waren de kidnappers in godsnaam op die plek naast de rots terechtgekomen zonder dat hij ze had gezien? Er was voldoende maanlicht geweest om het pad in beide richtingen te kunnen afkijken. Hij had een voertuig verwacht; per slot van rekening hielden ze twee mensen in gijzeling. Ze konden moeilijk met hen in marstempo een afstand van anderhalve kilometer afleggen over het strand van West Wemyss naar East Wemyss. De steile rots achter hen maakte Newton of Wemyss sowieso onmogelijk.

De kidnapper riep weer iets. 'Oké, daar gaan we. Zoals we hebben afgesproken. Mevrouw Grant, u komt met het geld naar ons toe lopen.'

'Niet zonder een teken van leven,' brulde Grant.

De woorden waren zijn mond nog niet uit of er kwam een gestalte struikelend de lichtbundel in lopen, een griezelige marionet die Lawson deed denken aan de posters waarop de kidnappers hun eisen overbrachten. Toen zijn ogen wat gewend waren, zag hij dat het Cat was. 'Ik ben het, papa,' riep ze met een hese stem. 'Mama, breng me het geld.'

'En Adam?' riep Grant. Hij greep zijn vrouw bij de schouder toen ze de weekendtas wilde pakken. Mary struikelde en viel bijna, maar haar man lette er niet op. 'Waar is mijn kleinzoon, smerige klootzakken?'

'Hij maakt het goed. Als ze het geld en de diamanten hebben, krijgen jullie hem,' schreeuwde Cat met een stem waarin de wanhoop duidelijk te horen was. 'Alsjeblieft, mama, breng me het geld, zoals is afgesproken.'

'Verdomme,' zei Grant. Hij drukte zijn vrouw de tas in handen. 'Schiet op, doe wat ze zegt.'

Dit ging uit de hand lopen, dat wist Lawson. Ze konden barsten met de mediastilte waartoe hij opdracht had gegeven. Hij pakte zijn radio en praatte zo duidelijk als hij durfde. 'Tango 1 en Tango 2. Dit is Tango Lima. Stuur de mannen naar de kustkant van Lady's Rock. Doe het nu. Antwoord niet. Gewoon in stelling brengen. Nu.'

Terwijl hij praatte, zag hij hoe Mary aarzelend naar haar dochter toe liep, met gebogen schouders. Hij schatte de afstand tussen hen op een meter of zeven. Hij kreeg de indruk dat Mary een groter stuk aflegde dan haar dochter. Toen ze elkaar konden aanraken, zag hij hoe Cat haar hand uitstak naar de tas.

Tot zijn verbijstering was dat het moment waarop Mary besloot om de afhankelijkheid overboord te gooien die dertig jaar huwelijk met Brodie Grant er bij haar had ingeramd. In plaats van te doen wat haar gezegd was, eerst op het briefje van de kidnappers en daarna door haar man, bleef Mary zich aan de tas vastklampen, ondanks de pogingen van Cat om hem uit haar hand te trekken. Hij kon Cats ergernis horen toen ze zei: 'In godsnaam, moeder, geef mij dat verrekte ding nou. Die lui zijn gevaarlijk.'

'Geef haar dat rotding toch, Mary,' schreeuwde Grant. Lawson hoorde hoe de man reutelend ademhaalde.

Toen liet de kidnapper weer op dezelfde manier van zich horen. 'Geef die tas af, mevrouw Grant. Anders ziet u Adam nooit meer terug.'

Lawson zag het afgrijzen op het gezicht van Cat toen ze wanhopig over haar schouder in het licht keek. 'Nee, wacht,' riep ze. 'Het komt allemaal in orde.' Het leek alsof ze de tas uit de handen van haar moeder wrong en een stap naar achteren deed.

Plotseling deed Grant een paar passen naar voren; zijn hand verdween in zijn jas. 'Verrek maar,' zei hij. Toen wat harder: 'Ik wil mijn kleinzoon terug, en wel nu meteen.' Zijn hand kwam weer tevoorschijn, en in het felle licht was de doffe glans van een automatisch pistool goed zichtbaar. 'Geen beweging. Ik heb een pistool en ik zal er gebruik van maken ook. Breng Adam onmiddellijk hier.'

Veel later dacht Lawson wel eens met verwondering terug aan de verzameling slechte clichés waaruit Brodie Maclennan Grant bestond. Maar op dat moment voelde hij alleen de zwaarte van de ramp toen de tijd stil leek te staan. Hij begon naar Grant toe te rennen, terwijl de zakenman zijn armen hief en met het pistool in beide handen leek te gaan schieten. Maar voordat Lawson door kon lopen ging het licht uit, waardoor hij hulpeloos en blind bleef staan. Hij zag vlakbij de vonken uit de loop van het pistool komen, hoorde een schot en rook cordiet. Daarna hoorde hij nog eens hetzelfde, maar nu op enige afstand. Hij struikelde over een gevallen tak en viel languit op de grond. Hoorde een schreeuw. Een huilend kind. Een hoge stem die alsmaar 'shit' riep. Besefte toen dat het zijn eigen stem was.

Er viel nog een derde schot, ditmaal vanuit het bos. Lawson probeerde op te staan, maar een hete, scherpe pijn schoot vanuit zijn enkel omhoog. Hij rolde op zijn zij en grabbelde naar de zaklantaarn en de radio. 'Niet schieten,' schreeuwde hij in de radio. 'Niet schieten. Dit is een bevel.' Terwijl hij sprak, zag hij de lichtbundels van zaklantaarns van links naar rechts schieten, toen zijn mannen zich verspreidden rondom de voet van de rots.

'Ze hebben een boot, godverdomme,' hoorde hij iemand schreeuwen. Toen een gebrul dat boven het geluid van de branding uitkwam: een motor die aansloeg. Even sloot Lawson zijn ogen. Wat een fiasco. Hij had meer zijn best moeten doen om Grant te laten inzien dat hij niet aan dit circus mee moest doen. Het was vanaf het begin tot mislukken gedoemd geweest. Hij vroeg zich af wat de kidnappers mee hadden kunnen nemen. In ieder geval de baby. Waarschijnlijk het geld. Misschien de dochter.

Maar wat betreft Catriona Maclennan Grant vergiste hij zich, en wel op een afschuwelijke manier.

Maandag 2 juli 2007; Peterhead
'Had Brodie Maclennan Grant een pistool?' Karens stem schoot omhoog. 'Heeft hij geschoten? En heb je dat niet in je verslag gezet?'

'Ik had geen keus. En op dat moment leek het een goed idee,' zei Lawson op de cynische toon van een man die zijn superieuren citeert.

'Een goed idee? Cat Grant is die nacht gestorven. In wat voor opzicht was het een goed idee?' Karen kon haar oren niet geloven. Een dergelijke nonchalance was haar volkomen vreemd.

Lawson zuchtte. 'De wereld is veranderd, Karen. We hadden toen nog geen klachtencommissies. We werden niet zo op de vingers gekeken als jullie nu.'

'Kennelijk niet,' zei ze droog, en ze dacht aan de reden waarom hij nu hier tegenover haar zat. 'Maar toch. Je hebt het feit verdoezeld dat een burger heeft geschoten tijdens een politie-operatie. Zo zie je maar weer eens dat geld niet stinkt.'

Lawson schudde ongeduldig zijn hoofd. 'Het ging niet alleen

om geld, Karen. De hoofdcommissaris dacht ook aan de publiciteit. Grants enige kind was dood. Zijn kleinzoon was spoorloos. Dat maakte hem tot slachtoffer in de ogen van het publiek. Als wij hem hadden aangeklaagd wegens overtreding van de vuurwapenwet had het de schijn gewekt dat wij rancuneus waren: we kunnen de echte boeven niet te pakken krijgen, dus nemen we jou maar – iets in die trant. Men was van mening dat niemand er iets mee opschoot als we bekendmaakten dat Grant gewapend was.'

'Kan het Grant zelf geweest zijn die Cat heeft doodgeschoten?' vroeg Karen op indringende toon. Ze had haar onderarmen op tafel gelegd en ze stak haar hoofd naar voren als een rugbyaanvaller.

Lawson ging wat verzitten zodat zijn gewicht op één bil leunde. 'Ze was in de rug geschoten. Ga dus zelf maar na.'

Karen ging achterover zitten. Ze was niet tevreden met het voor de hand liggende antwoord, maar ze wist dat ze niets beters hoefde te verwachten van de man tegenover haar. 'Jullie waren vroeger wel een ongelooflijk stelletje cowboys, hè?' Er klonk geen bewondering door in haar stem.

'We deden onze plicht,' zei Lawson. 'De mensen kregen wat ze wilden.'

'Als ik jou moet geloven, wisten de mensen niet half wat er allemaal aan de hand was.' Ze zuchtte. 'Dus er is drie keer geschoten en niet twee keer, zoals in het verslag staat?'

Hij knikte. 'Dat maakt toch niets uit?' Hij verschoof weer wat, zodat hij met zijn gezicht naar de deur zat.

'Is er soms nog iets wat ik zou moeten weten en wat niet in het dossier is terechtgekomen?' vroeg Karen, die met die vraag liet merken dat het initiatief nu weer bij haar lag.

Lawson legde zijn hoofd in de nek en richtte zijn blik op de hoek waar plafond en muren samenkwamen. Hij ademde luidruchtig uit en tuitte toen zijn lippen. 'Ik denk dat dit alles is,' zei hij ten slotte. Hij maakte met moeite zijn ogen los van de hoek en ontmoette haar achterdochtige blik. 'We dachten toen dat Fergus Sinclair erachter zat. En er is sindsdien niets gebeurd waardoor ik er nu anders over denk.'

Campora, Toscane

De warmte van de Toscaanse zon was een weldaad voor Bels stijve schouders. Ze zat in de schaduw van een kastanjeboom die stond weggestopt achter het groepje huisjes aan het eind van Boscolata. Als ze zich uitrekte kon ze een klein stukje zien van de terracotta dakpannen van de vervallen villa van Paolo Totti. Maar waar ze nu op uitkeek, zag er wel wat aantrekkelijker uit. Voor haar op een laag tafeltje stonden een karaf rode wijn, een fles water en een kommetje vijgen. Rondom de tafel zaten haar bronnen uit de eerste hand. Giulia, een jonge vrouw met een verwarde bos zwart haar en een huid die getekend was door de felpaarse littekens van de acne uit haar puberteit. Ze maakte handbeschilderd speelgoed voor de toeristen in een verbouwde varkensschuur. En Renate, een blonde Hollandse vrouw met een huid die de kleur had van Goudse kaas, en die als restauratrice parttime werkte in de Pinoteca Nazionale in het nabijgelegen Siena. Volgens Grazia, die met haar rug tegen een boom erwten zat te doppen, hadden de carabinieri al met beide vrouwen gepraat.

De normale beleefdheden moesten uiteraard in acht genomen worden en daarom hield Bel zich in, en zat ze eerst een poosje te kletsen. Uiteindelijk zette Grazia er wat vaart achter. 'Bel is ook geïnteresseerd in de gebeurtenissen in de villa van Totti,' zei ze.

Renate knikte veelbetekenend. 'Ik heb altijd wel gedacht dat er iemand navraag zou komen doen,' zei ze in een onberispelijk, maar wat robotachtig klinkend Italiaans.

'Waarom?' vroeg Bel.

'Ze zijn zo plotseling vertrokken. De ene dag waren ze er nog, de volgende dag waren ze opeens weg,' zei Renate.

'Ze zijn vertrokken zonder een woord te zeggen,' zei Giulia wat chagrijnig. 'Ik kon het nauwelijks geloven. Dieter was zogenaamd mijn vriendje, maar hij heeft niet eens afscheid genomen. Ik was degene die ontdekte dat ze weg waren. Ik ging die morgen koffiedrinken bij Dieter, zoals ik altijd deed als ze niet vroeg op pad moesten voor een voorstelling. En er was niemand meer. Alsof ze bliksemsnel zo veel mogelijk spullen bij elkaar hadden gegraaid en er toen vandoor waren gegaan. En sindsdien heb ik niets meer van die zak gehoord.'

'Wanneer was dat?' vroeg Bel.

'Eind april. We hadden plannen voor de vrije dag op 1 mei, maar daar is niets van gekomen.' Giulia was duidelijk nog ontstemd.

'Met z'n hoevelen waren ze?' vroeg Bel.

Met vereende krachten begonnen Giulia en Renate op hun vingers af te tellen. Dieter, Maria, Rado, Sylvia, Matthias, Peter, Luka, Ursula en Max. Een mengelmoesje uit heel Europa. Een zootje ongeregeld dat op het eerste gezicht niet veel te maken kon hebben met Cat Grant.

'Wat deden ze hier?' vroeg Bel.

Renate grijnsde. 'Je zou kunnen zeggen dat ze het huis leenden. Ze zijn de afgelopen lente aan komen zetten in twee oude, gammele campers en een flitsende Winnebago, en ze zijn er gewoon gaan wonen. Ze waren erg vriendelijk, erg gezellig.' Ze haalde haar schouders op. 'Hier in Boscolata zijn we allemaal een beetje alternatief. In de jaren zeventig, toen een paar van ons hier illegaal zijn komen wonen, was dit ook niet meer dan een stelletje krotten. We hebben de huisjes een voor een gekocht en ze gerestaureerd tot wat je nu ziet. Dus we waren niet afkerig van onze nieuwe buren.'

'We zijn vrienden geworden,' zei Giulia. 'De carabinieri zijn niet goed snik. Die doen net of ze misdadigers waren.'

'Dus ze zijn hier gewoon onaangekondigd naartoe gekomen? Hoe wisten ze van het bestaan van het huis af?'

'Rado heeft een paar jaar geleden een baan gehad bij de cementfabriek onder in het dal. Hij heeft me verteld dat hij altijd in het bos ging wandelen en dat hij zo op de villa is gestuit. Toen ze een plaats zochten waar ze konden wonen en van waaruit ze gemakkelijk de belangrijkste plaatsen in de buurt konden bereiken, dacht hij aan de villa. Zo zijn ze hier gekomen,' zei Giulia.

'Wat deden ze precies?' vroeg Bel. Ze zocht naar iets wat in verband stond met het verleden waar haar onderzoek over ging.

Renate zei: 'Ze hadden een poppentheater.' Ze leek verbaasd dat Bel dit niet wist. 'Marionetten. Straattheater. Tijdens het toeristenseizoen gingen ze altijd naar dezelfde plaatsen. Florence, Siena, Volterra, San Gimignano, Greve, Certaldo Alto. Ze

traden ook op tijdens festivals. Elk dorpje in Toscane heeft zijn eigen festival – voor paddenstoelen, antieke salamisnijmachines, oude tractors. En BurEst trad overal op waar publiek was.'
'BurEst? Hoe spel je dat?' vroeg Bel.
Renate voldeed aan haar verzoek. 'Het is een afkorting van Burattinaio Estemporaneo. Ze deden veel improvisaties.'
'Gebruikten ze de poster uit de villa, die zwart-wittekening van een poppenspeler met een stelletje vreemde marionetten, om mee te adverteren?' vroeg Bel.
Renate schudde haar hoofd. 'Alleen voor speciale voorstellingen. Ik heb ze er alleen maar eentje zien gebruiken voor een voorstelling in Colle Val d'Elsa op Allerzielen. Meestal gebruikten ze er een met felle kleuren, een beetje commedia dell'arte-achtig. Een moderne versie van de meer traditionele beelden van het poppenspel. Die paste beter bij hun voorstelling dan de zwart-witposter.'
'Waren ze populair?' vroeg Bel.
'Volgens mij deden ze het niet slecht,' zei Giulia. 'In de zomer voordat ze hierheen kwamen, waren ze in Zuid-Frankrijk geweest. Dieter zei dat het in Italië prettiger werken was. Hij zei dat de toeristen er wat minder bevooroordeeld waren en dat de plaatselijke bevolking wat toleranter was. Ze verdienden niet heel veel geld, maar ook niet weinig. Ze hadden altijd brood op de plank en meer dan genoeg wijn. En ze waren erg gastvrij.'
'Ze heeft gelijk,' zei Renate. 'Het waren geen klaplopers. Als ze een keer bij jou hadden gegeten, werd je meteen terug uitgenodigd.' Haar mondhoek trok wat naar beneden. 'Dat is in deze kringen niet zo normaal als je zou denken. Ze hebben hun mond vol over delen en gemeenschappelijk bezit, maar meestal zijn ze nog egoïstischer dan de mensen op wie ze neerkijken.'
'Nu hebben we het niet over Ursula en Matthias,' zei Giulia. 'Die waren wat meer op zichzelf. Zij waren wat minder sociaal dan de anderen.'
Renate snoof minachtend. 'Dat kwam omdat Matthias dacht dat hij de baas was.' Ze schonk iedereen nog eens bij en vervolgde: 'Het was Matthias die met het gezelschap is begonnen, en hij wilde nog steeds door iedereen als de grote circusdirecteur worden behandeld. En Ursula, zijn vriendin, die trapte er-

in. Matthias kreeg kennelijk ook het grootste deel van de inkomsten. Zij hadden de beste camper, ze droegen altijd dure hippieachtige kleren. Ik denk dat het voornamelijk kwam door de generatiekloof – Matthias is zeker vijftig, en de meeste anderen zijn veel jonger. Die waren in de twintig, hoogstens in de dertig.'

Dit was allemaal heel interessant, maar Bel zag nog steeds niet goed wat het een en ander te maken kon hebben met de dood van Cat Grant en de verdwijning van haar zoon. Die Matthias klonk als de enige die oud genoeg was om betrokken te kunnen zijn geweest bij de gebeurtenissen uit het verleden. 'Had die Matthias een zoon?' vroeg ze.

De twee vrouwen keken elkaar verbaasd aan. 'Hij had geen kind bij zich,' zei Renate. 'Ik heb hem nooit over een zoon horen praten.'

Giulia pakte een vijg en beet erin. Het paarse vruchtvlees barstte open en de zaadjes vielen als druppels over haar vingers. 'Hij kreeg soms een vriend op bezoek. Een Engelsman. Die had een zoon.'

Net als alle goede journalisten had Bel een feilloze neus voor een goed verhaal. En die neus vertelde haar nu dat ze zojuist in de roos had geschoten. 'Hoe oud was die zoon?'

Giulia likte haar vingers schoon en dacht na. 'Twintig? Misschien een beetje ouder, maar niet veel.'

In het hoofd van Bel buitelden allerlei vragen over elkaar heen, maar ze was zo verstandig om ze niet allemaal tegelijk af te vuren. Ze nam bedachtzaam een slokje wijn en vroeg: 'Wat kun je je nog meer van die jongen herinneren?'

Giulia schokschouderde. 'Ik heb hem een paar keer gezien, maar ik heb hem maar één keer echt ontmoet. Hij heette Gabriel. Hij sprak perfect Italiaans. Hij zei dat hij in Italië was opgegroeid, dat hij zich niets meer van Engeland herinnerde. Hij studeerde, maar ik weet niet meer wat en waar.' Ze trok een verontschuldigend gezicht. 'Sorry, ik was niet zo in hem geïnteresseerd.'

Oké, het was niet doorslaggevend. Maar het was zeker een mogelijkheid. 'Hoe zag hij eruit?'

Giulia leek nu wat minder zeker van haar zaak. 'Ik weet niet hoe ik hem moet omschrijven. Groot, lichtbruin haar. Best knap.' Ze fronste haar voorhoofd. 'Ik ben niet zo goed in dit soort dingen. Waarom ben je trouwens zo in hem geïnteresseerd?'

Renate voorkwam dat Bel iets moest antwoorden. 'Was hij op het nieuwjaarsfeest?' vroeg ze.

Giulia's gezicht klaarde op. 'Ja. Hij was daar met zijn vader.'

'Dan staat hij misschien wel op de foto,' zei Renate. Ze richtte zich tot Bel. 'Ik had mijn camera bij me. Ik heb die nacht tientallen foto's gemaakt. Ik haal mijn laptop wel even.' Ze sprong overeind en liep terug naar het huis.

'En de vader van Gabriel?' vroeg Bel. 'Je zei dat hij Brits was?'

'Inderdaad.'

'Hoe kende hij Matthias dan? Was die ook Brits?'

Giulia keek weifelend. 'Ik dacht dat hij een Duitser was. Hij en Ursula hebben elkaar jaren geleden in Duitsland ontmoet. Maar hij sprak Italiaans, net als zijn vriend. Ze klonken hetzelfde, dus misschien was hij ook wel Engels. Ik weet het niet.'

'Hoe heette de vader van Gabriel?'

Giulia zuchtte. 'Je hebt niet veel aan me, ik ben zijn naam vergeten. Het spijt me. Het was gewoon een man van de leeftijd van mijn vader, weet je. Ik had iets met Dieter, ik interesseerde me niet voor een oude man van in de vijftig.'

Bel verborg haar teleurstelling. 'Weet je wat hij voor de kost deed? De vader van Gabriel, bedoel ik.'

Giulia keek weer wat vrolijker, blij dat ze ergens wel het antwoord op wist. 'Hij is schilder. Hij schildert landschappen voor de toeristen. Hij verkoopt ze aan een aantal galeries – een in Siena en een in San Gimignano. Hij gaat ook naar hetzelfde soort festivals waar BurEst optrad en verkoopt daar zijn werk.'

'Heeft hij zo Matthias ontmoet?' vroeg Bel, die een gevoel van teleurstelling moest wegslikken nu de vader van de geheimzinnige Gabriel blijkbaar niet de rentmeester Fergus Sinclair was. Maar aan de andere kant: een kunstschilder paste precies bij de achtergrond van Cat. Misschien was de vader van Adam wel iemand die ze kende uit haar studententijd? Of iemand die ze bij een galerie of tentoonstelling in Schotland had ontmoet? Dat moest ze later maar eens uitpluizen. Nu was het zaak om goed naar Giulia te luisteren.

'Dat denk ik niet. Ik denk dat ze elkaar van heel vroeger kennen.'

Ondertussen was Renate teruggekomen met haar laptop. 'Hebben jullie het over Matthias en de vader van Gabriel? Dat is vreemd. Zo te zien vonden ze elkaar helemaal niet zo aardig. Ik weet niet waarom ik dat denk, maar dat doe ik wel. Het was meer iets van... je weet wel, hoe je soms contact met iemand houdt omdat die persoon de enige is die nog iets van jouw verleden weet? Je vindt zo iemand misschien helemaal niet zo aardig, maar hij vormt een link met iets wat belangrijk was. Soms heeft het met familie te maken, soms gaat het om een periode in je leven waarin er belangrijke dingen gebeurden. En jij wilt die band niet kwijt. Die indruk kreeg ik als ik ze samen zag.' Intussen vlogen haar vingers over het toetsenbord, en haalde ze een map met foto's tevoorschijn. Ze zette de laptop zo neer dat Giulia en Bel op het scherm konden kijken. Ze kwam achter hen staan en boog over hen heen, zodat ze de foto's kon aanklikken.

Het zag eruit als de meeste feestjes waar Bel wel eens was geweest. Mensen die aan tafels iets drinken. Mensen die gekke gezichten naar de camera trekken. Mensen die dansen. Mensen die naarmate het later wordt rood aanlopen, die steeds waziger uit hun ogen kijken en ongecoördineerde bewegingen beginnen te maken. De beide vrouwen uit Boscolata giechelden en uitten luidkeels hun verrassing, maar geen van beiden kon Gabriel of zijn vader aanwijzen.

Bel had bijna de moed opgegeven, toen Giulia opeens een kreet slaakte en naar het scherm wees. 'Daar. Dat is Gabriel, daar in de hoek.' Het was geen erg duidelijke foto, maar Bel dacht toch niet dat ze het zich verbeeldde. Er was een leeftijdsverschil van vijftig jaar, maar het was niet moeilijk om een gelijkenis te zien tussen deze jongen en Brodie Grant en tussen hem en Cat, wier gelaatstrekken een vrouwelijke versie waren geweest van het opvallende uiterlijk van haar vader. Hoe onwaarschijnlijk het ook leek, een schaduwbeeld van het origineel keek haar aan vanaf een nieuwjaarsfeest in een Italiaans kraakpand. Dezelfde diepliggende ogen, de haviksneus, de ferme kin en de opvallende dikke haardos; alleen was die op het scherm niet zilvergrijs, maar blond. Ze diepte uit haar handtas een memorystick op.

'Mag ik die foto kopiëren?' vroeg ze.

Renate zweeg even en keek haar peinzend aan. 'Je hebt geen antwoord gegeven toen Giulia vroeg waarom je in deze jongen geïnteresseerd bent. Misschien moest je dat eerst maar eens doen.'

East Wemyss, Fife
River stroopte haar werkhandschoenen af en rechtte haar rug. Ze moest haar best doen om niet hardop te kreunen. Het vervelende van het werken met haar studenten was dat ze geen teken van zwakte mocht tonen. Weliswaar waren ze gemiddeld meer dan tien jaar jonger dan zij, maar River wilde per se laten zien dat haar conditie allerminst onderdeed voor die van hen. Dus haar studenten klaagden wel eens over zere armen of een pijnlijke rug van het gesjouw met rotsblokken en puin, maar zij moest haar rol van Superwoman volhouden. Ze vermoedde dat ze daar alleen zichzelf mee had, maar dat maakte niets uit. De misleiding moest omwille van haar zelfbeeld in stand worden gehouden.

Ze liep de grot door naar de plek waar drie van haar pupillen het gruis aan het uitziften waren dat was vrijgekomen door het verplaatsen van de rotsblokken. Tot dusver was er nog niets van archeologisch of forensisch belang opgedoken, maar hun enthousiasme leek onverminderd. River herinnerde zich haar eigen eerste onderzoeken nog wel; betrokken zijn bij een echte politiezaak was zo opwindend dat het de saaiheid van een ogenschijnlijk zinloze, eentonige taak ruimschoots compenseerde. Ze zag een afspiegeling van haar eigen reacties bij deze studenten, en het deed haar deugd dat ze er op deze manier voor kon zorgen dat de volgende generatie onderzoekers net als zij de spreekbuis van de doden wilde zijn.

'En?' vroeg ze toen ze uit de schaduw de felverlichte plek op stapte waar zij in een kluitje bij elkaar stonden.

Hoofdschudden, gemompelde ontkenningen. Een van de

masterstudenten archeologie keek op. 'Het wordt pas interessant als de sjouwers klaar zijn met het weghalen van de rotsblokken.'

River grijnsde. 'Laat mijn antropologen het maar niet horen dat je ze sjouwers noemt.' Ze wierp hun een blik vol genegenheid toe. 'Met een beetje geluk hebben ze tegen het eind van de middag het grootste deel van de stenen wel weggeruimd.' Ze waren allemaal verbaasd geweest toen ze ontdekten dat de hoop stenen niet veel meer dan een meter dik was. River wist uit ervaring dat het bij grote instortingen meestal om een groot stuk van het plafond ging. Een breuklijn moest eerst altijd flinke afmetingen hebben voordat het kritieke punt werd bereikt en een plafond instortte dat tot dan toe stabiel had geleken. En als dat eenmaal gebeurde, kwam er heel wat naar beneden. Maar hier lag het anders. En dat maakte het ontzettend interessant.

Ze hadden van het hele stuk al de bovenste twee meter afgehaald. Een paar durfallen waren er al bovenop geklauterd om een kijkje te nemen, toen River voor iedereen pasteitjes en broodjes was gaan halen voor de lunch. Ze hadden gerapporteerd dat het er achter de instorting schoon uitzag, afgezien van een paar keien die van de stapel waren af gerold.

River liep naar buiten om een paar telefoontjes te plegen. Dat ze daarbij de zoute zeelucht mocht opsnuiven was mooi meegenomen. Ze had nog maar net het gesprek met haar secretaresse beëindigd, toen een van de studenten de smalle gang uit kwam rennen.

'Dr. Wilde,' schreeuwde hij. 'U moet komen kijken.'

Campora, Toscane

Bel had haar verhaal wat overdreven om een maximale emotionele betrokkenheid uit te lokken. Te oordelen naar de verbijsterde gezichten van Renate en Giulia had ze haar doel bereikt.

'Wat een triest verhaal. Ik zou er kapot van zijn geweest als dat in mijn familie was gebeurd,' zei Giulia ten slotte. Ze had zich het verhaal al toegeëigend, in de stijl van een vrouw die is grootgebracht met soapseries en sensatiebladen. 'Dat arme kleine jongetje.'

Renate reageerde wat nuchterder. 'En jij denkt dat Gabriel die jongen zou kunnen zijn?'

Bel haalde haar schouders op. 'Ik heb geen idee. Maar die poster is de eerste echte aanwijzing in meer dan twintig jaar. En Gabriel lijkt ongelooflijk op de grootvader van de vermiste jongen. Misschien is de wens de vader van de gedachte, maar ik vraag me af of we hier iets op het spoor zijn.'

Renate knikte. 'Dus we moeten nu helpen waar we kunnen.'

'Ik praat niet meer met de carabinieri,' zei Giulia. 'Varkens zijn het.'

'Hé,' protesteerde Grazia, en ze keek op van het erwtendoppen. 'Geen onaardige dingen over varkens zeggen, hè. Onze varkens zijn prachtige beesten. Intelligent. Nuttig. Niet te vergelijken met de carabinieri.'

Renate stak haar hand uit. 'Geef mij die memorystick maar. Het heeft geen zin om met de carabinieri te gaan praten, want zij zijn niet in deze zaak geïnteresseerd. Niet zoals jij. Niet zoals de familie. Daarom moeten we jou zo veel mogelijk helpen.' Geroutineerd kopieerde ze de foto naar de memorystick van Bel. 'Misschien staan er nog wel meer foto's op van Gabriel en zijn vader.'

Toen ze klaar waren met zoeken hadden ze drie foto's waar Gabriel op stond, hoewel ze geen van alle erg duidelijk waren. Renate had ook twee afbeeldingen van zijn vader gevonden – een en profil, en een waarop de helft van zijn gezicht onzichtbaar was door het hoofd van iemand anders. 'Denk je dat er nog iemand foto's van die avond heeft?' vroeg Bel.

De beide vrouwen keken bedenkelijk. 'Ik kan me niet herinneren dat er nog iemand foto's heeft genomen,' zei Renate. 'Maar misschien met een mobieltje? Ik zal ernaar informeren.'

'Bedankt. En het zou fijn zijn als je zou kunnen vragen of iemand anders Gabriel en zijn vader kende.' Bel pakte de kostbare memorystick. Zo gauw ze de kans kreeg, zou ze hem naar een collega sturen die gespecialiseerd was in het pimpen van onduidelijke foto's van beroemdheden die stoute dingen deden met mensen met wie ze dat niet zouden moeten doen.

'Ik heb een beter idee,' zei Grazia. 'Als ik nou vanavond eens een speenvarken meeneem hiernaartoe. Dan rijgen we dat aan het spit en dan kun je alle anderen ontmoeten. Een lekker stukje varkensvlees en een paar glazen wijn en dan wed ik dat ze je alles vertellen wat je over Gabriel en zijn vader wilt weten.'

Renate grijnsde en hief haar glas om te toosten. 'Daar drink ik op. Maar ik waarschuw je, Grazia, misschien hangt jouw varkentje wel tevergeefs aan het spit. Ik geloof niet dat die kerel met veel mensen omging. Ik kan me niet herinneren dat hij echt aan het feest deelnam.'

Grazia vergaarde de doppen van de erwten en propte ze in een plastic tas. 'Geeft niets. Het is een goede smoes om plezier te maken met mijn buren. Bel, blijf jij hier of rijd je mee terug?'

Het vooruitzicht dat ze naar hartenlust met de mensen hier zou kunnen kletsen, maakte alles wat minder dringend. 'Ik kom met je mee en zie jullie straks wel,' zei ze, en ze dronk haar glas leeg.

'Wil je niet over het bloed horen?' vroeg Giulia.

Omdat ze nog niet helemaal stond, verloor Bel bijna haar evenwicht. 'Bedoel je het bloed op de vloer?'

'O. Daar weet je dus van.' Giulia klonk teleurgesteld.

'Ik weet dat er een bloedvlek op de vloer van de keuken ligt,' zei Bel. 'Maar dat is alles wat ik weet.'

'We zijn op vrijdag wezen kijken toen de carabinieri weg waren,' zei Giulia. 'En de bloedvlek zag er anders uit dan toen ik hem voor het eerst zag. De dag nadat ze zijn vertrokken.'

'Hoe anders?'

'Hij is nu helemaal bruin en roestkleurig en het bloed is in de grond getrokken. Maar toen was hij nog rood en glanzend. Alsof hij er net lag.'

'En je hebt de politie niet gebeld?' Bel kon met moeite haar verbazing verbergen.

'Dat was niet onze verantwoordelijkheid,' zei Renate. 'Als die lui van BurEst het een zaak voor de politie hadden gevonden, zouden zij wel gebeld hebben.' Ze haalde haar schouders op. 'Ik weet dat het jou vreemd in de oren klinkt, en als het in Nederland was gebeurd, weet ik niet of ik hetzelfde had gedaan. Maar hier is het anders. Niemand die links denkt vertrouwt hen. Je hebt gezien hoe de Italiaanse politie optrad tijdens de G8 in Genua, de manier waarop ze inhakten op de demonstranten. Giulia heeft een paar van ons gevraagd of we de politie moesten bellen en we waren unaniem van mening dat de politie dan reden had om de poppenspelers de schuld te geven, of ze nou iets gedaan hadden of niet.'

'Dus jullie hebben gewoon net gedaan alsof er niets gebeurd was?'

Renate reageerde met een schouderophalen. 'Het was in de keuken. Misschien was het wel dierenbloed. Het was onze zaak niet.'

Kirkcaldy

Karen reed in een slakkengang door de straat en controleerde de huisnummers. Dit was de eerste keer dat ze Phil Parhatka's nieuwe huis in het centrum van Kirkcaldy bezocht. Hij was er drie maanden geleden in getrokken; hij beloofde alsmaar dat hij een housewarmingparty zou geven, maar het was er nog niet van gekomen. Karen had er vroeger wel eens over gedroomd dat ze op een dag samen een huis zouden kopen, maar daar was ze overheen gegroeid. Een man als Phil zou nooit vallen op een klein dikkerdje als zij, vooral niet nu ze in rang boven hem stond. Misschien waren er mannen die het wel spannend vonden om de baas te neuken. Karen wist instinctief dat Phil daar nooit over fantaseerde. Dus had ze gekozen voor de instandhouding van hun vriendschap en een goede relatie op het werk, en niet voor wat ze nu haar puberale verlangens noemde. Als zij zich erbij moest neerleggen dat ze een ambitieuze, ongetrouwde carrièrevrouw was, kon ze er in ieder geval voor zorgen dat die carrière zo bevredigend mogelijk verliep.

En een praatpaal om ideeën op uit te proberen was een belangrijke voorwaarde voor die tevredenheid. Geen enkele rechercheur was in zijn of haar eentje slim genoeg om een volledig beeld van een ingewikkeld onderzoek te krijgen. Iedereen had een klankbord nodig, iemand die een andere kijk op de zaak had en die slim genoeg was om die verschillen duidelijk te verwoorden. Het was vooral belangrijk bij een afdeling als Cold Cases, waarbij de leidinggevende inspecteur geen uitgebreid team van politiemensen ter beschikking had, maar het moest doen met een of twee agenten. En dat voetvolk miste meestal de ervaring om een waardevolle bijdrage te leveren. Voor Karen was Phil de ideale sparringpartner. En te oordelen naar het aantal keren dat hij zijn zaken met haar doornam, was het tweerichtingsverkeer.

Meestal staken ze de koppen bij elkaar op haar kantoor of in een rustig hoekje van een pub, halverwege haar en zijn huis; maar toen ze hem had opgebeld op de terugweg vanuit Peterhead, had hij al een paar glazen wijn op. 'Ik ben waarschijnlijk nog net niet strafbaar, maar het scheelt niet veel,' had hij gezegd. 'Waarom kom je niet bij mij langs? Dan kun je me meteen helpen gordijnen voor de woonkamer uit te zoeken.'

Karen zag het huisnummer waar ze naar zocht en parkeerde op de oprit. Ze bleef nog even zitten, een vastgeroeste gewoonte van elke smeris. Eerst je omgeving verkennen voordat je je voertuig verlaat. Het was een rustige, onopvallende straat met twee-onder-een-kapwoningen, stoer en betrouwbaar, ogenschijnlijk nog in een even goede staat als toen ze waren gebouwd aan het eind van de negentiende eeuw. Met grind bedekte opritten en keurige bloembedden. Boven, waar de kinderen sliepen, dichtgetrokken gordijnen die zwaar gevoerd waren om het hardnekkige daglicht buiten te houden. Ze wist nog hoe moeilijk het was om als kind op heldere zomeravonden in slaap te vallen. Maar haar slaapkamergordijnen waren dun geweest, en haar straat was lawaaierig van de muziek en de stemmen vanuit de pub op de hoek. Niet zoals hier. Je kon nauwelijks geloven dat het stadscentrum vijf minuten lopen was. Het was alsof je in een buitenwijk woonde.

Phil, gewaarschuwd door het geluid van haar auto, had de deur al open voordat Karen kon uitstappen. Tegen de achtergrond van het licht zag hij er groter uit. Zijn houding had een dreigende onverschilligheid, als van een portier; hij stond met één arm tegen de deurlijst, één been over het andere, zijn hoofd schuin. Maar zijn gezicht straalde niets dreigends uit. Zijn donkere ronde ogen twinkelden in het licht en zijn glimlach maakte vouwtjes in zijn wangen. 'Kom binnen,' begroette hij haar. Hij deed een stap opzij en gebaarde dat ze binnen moest komen.

Ze stapte een exacte replica binnen van een traditionele victoriaanse betegelde hal; terracotta vierkantjes afgewisseld met ruitjes van wit, blauw en donkerrood. 'Mooi,' zei ze, en ze keek naar de lambrisering en het linoleumbehang eronder. 'De vriendin van mijn broer heeft architectuurgeschiedenis gestudeerd. Ze heeft hier als een razende huisgehouden. Als ik niet oppas, woon ik straks in een huis dat onder monumentenzorg valt,' mopperde hij goedmoedig. 'Aan het eind van de hal rechtsaf.'

Karen barstte in lachen uit toen ze de kamer binnenkwam. 'Jezus, Phil,' giechelde ze. 'Het lijkt wel zo'n boekje van Agatha Christie, je weet wel, *Moord in de bibliotheek* of zo. Je zou eigenlijk een smoking aan moeten hebben in plaats van een voetbalshirt van de Raith Rovers.'

Hij haalde quasi-zielig zijn schouders op. 'Het heeft eigenlijk wel iets grappigs. Ik, een smeris, in een entourage waar een regisseur van klassieke Engelse misdaadfilms zijn hart aan zou ophalen.' Hij wuifde naar de donkere houten boekenplanken, naar het bureau met het leren bovenblad en naar de luie stoelen aan weerszijden van de enorme schouw met open haard. De niet al te grote kamer was echt helemaal propvol. 'Volgens die vriendin zou de heer des huizes dit mooi hebben gevonden.'

'In zo'n klein huis?' vroeg Karen. 'Ik denk dat ze lijdt aan grootheidswaan. En ik denk ook niet dat hij dat kleed met die Schotse ruit mooi had gevonden.'

Zijn oren waren roze van schaamte. 'Dat noemen ze blijkbaar postmoderne ironie.' Hij trok spottend zijn wenkbrauwen op. 'Maar het is anders dan je denkt,' zei hij, en zijn gezicht klaarde op toen hij aan een van de boeken begon te prutsen. Een deel van de planken zwaaide open en erachter zag ze het scherm van een plasma-tv.

'Godzijdank,' zei Karen. 'Ik begon me al zorgen te maken. Het lijkt niet erg op je vorige huis, hè?'

'Ik denk dat ik de fase van de raceauto's ontgroeid ben,' zei Phil.

'Tijd om een gezinnetje te stichten?'

Hij haalde zijn schouders op en keek weg. 'Wie weet.' Hij

wees naar een stoel en plofte zelf in de stoel ertegenover. 'En hoe ging het bij Lawson?'

'Hij is totaal veranderd. En niet op een positieve manier. Ik heb er op de terugweg over na zitten denken. Het was altijd een keiharde klootzak, maar tot het moment waarop we ontdekten wat hij in zijn schild voerde, had ik het gevoel dat hij vanuit de juiste beweegredenen handelde, weet je? Maar wat hij me vandaag heeft verteld... ik weet het niet. Ik kreeg bijna het gevoel dat hij pogingen deed om het mij betaald te zetten.'

'Wat bedoel je? Wat heeft hij je verteld?'

Karen stak haar hand op. 'Dat vertel ik je zo. Ik moet gewoon wat stoom afblazen. Ik had het gevoel dat hij me dingen vertelde uit kwaadaardigheid. Omdat hij wist dat het de reputatie van het korps zou schaden, niet omdat hij ons wilde helpen bij de oplossing van de zaak van Cat en Adam Grant.'

Terwijl zij zat te praten, pakte Phil zijn doosje met sigaartjes en stak er eentje op. Ze realiseerde zich dat hij de laatste tijd bijna niet meer rookte in haar gezelschap. Er waren zo weinig plaatsen waar het nog mocht. De bekende bitterzoete geur drong Karens neus binnen, en na alles wat ze achter de rug had, ging er iets merkwaardig troostends van uit. 'Doet het er iets toe wat zijn beweegredenen zijn?' vroeg hij. 'Zolang hij ons maar de waarheid vertelt?'

'Misschien niet. En toevallig kon hij ons wel iets interessants vertellen. Iets wat een heel nieuw licht werpt op de nacht dat Cat Grant is gestorven. Blijkbaar hadden niet alleen de smerissen en de kidnappers die nacht een wapen bij zich. Onze nationale steunpilaar, Sir Broderick Maclennan Grant, had ook een pistool. En dat heeft hij gebruikt ook.'

Phils mond hing open; er kringelde rook uit omhoog. 'Had Grant een blaffer? Je meent het niet! Waarom hebben we daar nooit iets over gehoord?'

'Lawson zei dat er vanboven het bevel kwam dat er niet over gepraat mocht worden. Grant was een slachtoffer, niemand zou er iets mee opschieten als hij werd aangeklaagd. Slechte publiciteit en nog meer van dat soort onzin. Maar ik denk dat door die beslissing de uitkomst heel anders werd.' Karen trok een map met een dossier uit haar tas. Ze haalde er de tekening uit van de plaats delict die toentertijd door de technische recherche was gemaakt en spreidde die tussen hen op tafel uit. Ze wees de plaatsen aan waar iedereen had gestaan. 'Zie je?' vroeg ze.

Phil knikte.

'Wat is er gebeurd? Zeg jij het maar,' zei Karen.

'Het licht ging uit, eentje van ons heeft over alles en iedereen heen geschoten; en toen kwam er van achter Cat nog een schot. Het schot dat haar gedood heeft.'

Karen schudde haar hoofd. 'Niet volgens Lawson. Wat hij nu zegt, is dat Cat en haar moeder allebei stonden te trekken aan die tas met geld. Cat wist de tas in handen te krijgen en wilde zich omdraaien. Toen heeft Grant zijn pistool getrokken en heeft geëist dat hij Adam te zien kreeg. Het licht ging uit en Grant schoot. Er was een tweede schot van ergens achter Cat. Daarna heeft agent Armstrong over iedereen heen geschoten.'

Phil fronste zijn wenkbrauwen. Hij probeerde te begrijpen wat ze had gezegd. 'Oké,' zei hij langzaam. 'Ik snap niet goed hoe dat de zaak verandert.'

'De kogel die Cat doodde, trof haar in de rug en kwam via haar borst weer naar buiten. En kwam in het zand terecht. Die kogel is nooit gevonden. De wond kon niet veroorzaakt zijn door het wapen van Armstrong, dus konden ze, aangezien niemand het ooit heeft gehad over het pistool van Grant, maar met één verklaring naar buiten komen. De kidnappers hadden Cat gedood. En daardoor werd het opeens een moordonderzoek.'

'O shit,' kreunde Phil. 'En daardoor konden ze het wel vergeten om Adam terug te krijgen. Die kerels wisten dat ze levenslang zouden krijgen. Nu Cat dood was, bestond daar geen enkele twijfel over. Ze hebben de tas met geld en de baby. Het is uitgesloten dat ze Grant nog een keer onder ogen willen komen. Ze verdwijnen in de nacht. En Adam is alleen nog maar een blok aan hun been. Hij is waardeloos voor ze, levend of dood.'

'Precies. En we weten allebei wat het zwaarste zal gaan wegen. Maar er is nog meer. Er is altijd beweerd dat de aard van de verwonding plus het feit dat Cat in de rug is geschoten bewees dat de kidnappers de schuldigen waren. Maar volgens Lawson kon de dodelijke verwonding door Grant zijn veroorzaakt. Hij zegt dat Cat zich net naar de kidnappers wilde om-draaien, toen het licht uitging.' Ze keek Phil somber aan. 'Het zit er dik in dat Grant zijn eigen dochter heeft vermoord.' 'En die hele doofpotaffaire heeft hem zijn kleinzoon gekost.' Phil nam een lange trek van zijn sigaartje. 'Ga je hier met Brodie Grant over praten?'

Karen zuchtte. 'Daar kan ik niet omheen, denk ik.'

'Misschien moet je dat op het bordje van de Mop leggen?'

Karen schoot in de lach. 'Dat zou leuk zijn, hè? Maar we weten allebei dat hij nog liever van een hoog gebouw af zou springen. Nee, ik zal zelf open kaart moeten spelen. Ik weet alleen nog niet hoe ik dat het beste kan aanpakken. Misschien wacht ik eerst even af waar de Italianen mee op de proppen komen. Misschien kan ik de pil daarmee vergulden.'

Voordat Phil kon antwoorden, ging Karens telefoon. 'Rotding,' mopperde ze toen ze het uit haar tas opdiepte. Toen zag ze wat er op het schermpje stond en glimlachte. 'Hallo, River,' zei ze. 'Hoe gaat het?'

'Kan niet beter.' De stem van River kraakte en siste in haar oor. 'Hoor eens, ik denk dat je hierheen moet komen.'

'Wat? Heb je iets gevonden?'

'Dit is een kloteverbinding, Karen. Je kunt beter rechtstreeks hiernaartoe komen.'

'Oké. Twintig minuten.' Ze verbrak de verbinding. 'Doe je pantoffels uit, Sherlock. Laat Brodie Grant maar in zijn vet gaar smoren. Onze waarde doctor heeft iets voor ons.'

Boscolata

Bel moest toegeven dat Grazia perfect een sfeer wist te creëren waarin de tongen loskwamen. Toen de zon langzaam wegzakte achter de heuvels in de verte en de lichtjes van middeleeuwse bergstadjes een handjevol sterretjes op de donkere hellingen strooiden, deden de bewoners van Boscolata zich te goed aan een sappig speenvarken met bergen langzaam gebakken aardappels die geurden naar knoflook en rozemarijn, en kommen vol met tomatensalade, gekruid met basilicum en dragon. De bewoners van Boscolata kwamen zelf aandragen met buikflessen wijn van eigen druiven, en Maurizio's bijdrage bestond uit flessen van zijn eigen wijn, de *vinsanto*. De wetenschap dat dit onverwachte feestje ter ere van Bel werd gegeven, maakte dat iedereen haar gunstig gezind was. Ze liep tussen hen rond en praatte over van alles en nog wat. Maar de poppenspelers die illegaal in de villa van Totti hadden gewoond, kwamen telkens weer ter sprake. Beetje bij beetje vormde zich in haar hoofd een beeld van de mensen die daar hadden gewoond. Rado en Sylvia, een Serviër uit Kosovo en een Sloveense die erg goed was in het maken van marionetten. Matthias, die het gezelschap had opgestart en die nu het decor ontwierp en in elkaar zette. Zijn vriendin Ursula, die verantwoordelijk was voor de optredens en die ervoor zorgde dat alles gesmeerd liep. Maria en Peter uit Oostenrijk, de belangrijkste poppenspelers, en hun dochtertje van drie, dat ze absoluut niet naar een gewone school wilden laten gaan. Dieter, een Zwitser, die verantwoordelijk was voor licht en geluid. Luka en Max, de poppenspelers van het tweede garnituur, die de posters opplakten en het leeuwendeel van het zware werk op zich namen en die hun eigen show moesten opvoeren als er onverwacht een speciale voorstelling werd ingelast.

En dan waren er nog de bezoekers. Blijkbaar waren er heel wat geweest. Gabriel en zijn vader waren niet speciaal opgevallen, behalve dat de vader duidelijk meer een vriend van Matthias was dan een huisvriend. Hij trok niet veel met de anderen op. Altijd beleefd, maar nooit bijzonder open. De meningen verschilden als het op zijn naam aankwam. De een dacht dat hij David heette, de ander Daniel en weer een ander hield het op Darren.

Naarmate de avond vorderde, begon Bel zich af te vragen of haar instinctieve reactie bij het zien van de foto die Renate haar had laten zien, wel ergens op gebaseerd was. Ze had nog steeds niets gehoord wat haar enig houvast bood. Maar toen ze nog een glas vinsanto voor zichzelf inschonk en een handjevol *cantuccini* pakte, kwam er een tienerjongen schuchter naast haar staan.

'U wilde toch iets weten over BurEst?' mompelde hij.

'Dat klopt.'

'En over die jongen, Gabe?'

'Wat weet jij daarvan?' vroeg Bel, en ze ging wat dichter bij hem staan om hem het gevoel te geven dat ze met z'n tweeën een geheimpje hadden.

'Hij was hier, die avond dat ze 'm gesmeerd zijn.'

'Gabriel, bedoel je?'

'Ja. Ik heb er nooit iets over verteld, omdat ik eigenlijk op school moest zitten en daar was ik niet, weet je.'

Bel gaf hem een klopje op zijn arm. 'Geloof me, daar weet ik alles van. Ik had ook wat moeite met school. Je kon zoveel leukere dingen doen.'

'Ja, hè? Nou, ik was dus in Siena en toen zag ik Matthias en Gabe die van het station kwamen. Matthias was een paar dagen weg geweest. Ik had toch niets anders te doen, dus ik ben achter ze aan gegaan. Ze zijn dwars door de stad naar de parkeerplaats bij de Porta Romana gelopen en zijn toen vertrokken in het busje van Matthias.'

'Praatten ze met elkaar? Maakten ze de indruk dat ze met elkaar konden opschieten?'

'Ze zagen er allebei nogal kwaad uit. Ze liepen met gebogen hoofd, ze zeiden bijna niets. Niet alsof ze kwaad waren. Meer alsof ze allebei ergens de pest over in hadden.'

'Heb je ze daarna nog een keer gezien? Toen je weer hier was?'

Hij haalde wat ongecoördineerd zijn schouders op. 'Ik heb ze niet meer gezien. Maar toen ik terugkwam, stond het busje van Matthias er wel. De anderen waren helemaal naar Grosseto voor een speciale voorstelling. Dat is een paar uur rijden, dus waren ze al weg toen ik terugkwam. Ik ging er gewoon van uit dat Matthias en Gabe in de villa waren.' Hij grijnsde besmuikt. 'En wie weet wat ze daar deden, hè?'

Gezien al dat bloed op de vloer, dacht Bel, was het zeker niet zoiets leuks als deze fantasieloze jongeman voor ogen stond. Maar wiens bloed was het? Dat was de vraag waar alles om draaide. Was BurEst ervandoor gegaan toen ze bij thuiskomst hun leider in een plas van zijn eigen bloed aantroffen? Of waren ze alle kanten uit gevlucht omdat hun leider het bloed van Gabe aan zijn handen had? 'Bedankt,' zei ze, en ze liep weg om haar glas, dat opeens leeg bleek te zijn, bij te vullen. Ze slenterde in gedachten weg van de kwebbelende mensen en wandelde langs de rand van de wijngaard. Haar zegsman had haar meer dan genoeg stof tot nadenken gegeven. Matthias was een paar dagen weggeweest. Hij kwam terug met Gabriel. De twee waren alleen in de villa geweest. Halverwege de volgende morgen had het hele gezelschap plotseling de benen genomen, met achterlating van een grote bloedvlek op de vloer en van de posters die lang geleden gebruikt waren door het Schots Anarchistisch Verbond.

Je hoefde geen briljante speurder te zijn om tot de conclusie te komen dat er iets afschuwelijk fout was gegaan. Maar voor wie? En, misschien nog belangrijker: waarom?

East Wemyss
Zomer in Schotland, dacht Karen verbitterd, toen ze het pad naar Thane's Cave af klauterde. Om negen uur nog niet donker, een lichte motregen die haar doornat maakte en kleine rotmugjes die beten dat het een lieve lust was. Ze zag hoe ze in een wolk om het hoofd van Phil dansten toen ze achter hem aan naar het strand toe liep. Ze wist zeker dat er nu veel meer waren dan toen ze nog jong was. Dat kwam door die verdomde opwarming van de aarde. Die rotbeestjes werden steeds valser en het weer werd steeds slechter.

Toen het pad wat minder steil werd, zag ze een groepje van Rivers studenten op een kluitje onder een overhangende rots staan om even snel een sigaretje te roken.

Misschien kon ze beter wat meer in de wind gaan staan, dan kon hun rook de muggen wegjagen. Een eindje verderop liep River te ijsberen, de telefoon aan haar oor, het hoofd naar beneden, het lange donkere haar bijeengebonden in een paardenstaart die ze door de achterkant van haar honkbalpetje had gestoken. Karen voelde hoe ze verkilde, en dat kwam niet door de regen, maar door de stralend witte overall die River droeg. De antropologe draaide zich om, zag hen staan en brak haar gesprek onmiddellijk af. 'Ik zeg net tegen Ewan dat hij me nog een paar dagen moet missen,' zei ze bedroefd.

'Wat heb je voor me?' vroeg Karen, te ongeduldig om behoorlijk te groeten.

'Kom maar binnen, dan laat ik het je zien.'

Ze liepen achter haar aan de grot in. De werklampen veroorzaakten een onnatuurlijk patroon van licht en schaduw, waar ze even aan moesten wennen. Het team dat de rotsblokken had verwijderd was opgehouden met werken. Ze zaten her en der broodjes te eten en blikjes frisdrank te drinken. Karen en Phil trokken meteen de aandacht en alle blikken waren op hen gevestigd.

River ging hen voor naar de plek waar de instorting de gang die verder de rots in leidde had afgesloten. Bijna alle grote en kleine stenen waren verplaatst en er was een smalle opening zichtbaar. Ze liet haar zaklantaarn over het overgebleven puin schijnen om te laten zien dat de stapel stenen nauwelijks een meter diep was geweest. 'We ontdekten tot onze verbazing dat de instorting niet erg veel had voorgesteld. Je zou eerder hebben verwacht dat de stapel een meter of vier diep zou zijn geweest. Dat maakte me meteen al achterdochtig.'

'Hoe bedoel je?' vroeg Phil.

'Ik ben geen geoloog. Maar als ik mijn collega's van aardwetenschappen moet geloven, is er veel druk nodig voordat er een instorting plaatsvindt. Toen ze hier nog onder de grond aan het graven waren, kwam er veel spanning te staan op de rotsen erboven, en als gevolg daarvan ontstonden er grote breuklijnen en instortingen. Dat soort geologische druk deed in oude grotten als deze het plafond instorten. Deze grotten zijn er al achtduizend jaar. Die storten niet zomaar in. Maar als het wel gebeurt, is het alsof je de sluitsteen uit een brug haalt. Dan stort alles in.' Tijdens haar verhaal liet River de lichtbundel overal heen schijnen om te laten zien dat het plafond zelfs na de instorting nog in een verrassend goede staat was. 'Aan de andere kant heb je, als je weet waar je mee bezig bent, maar een kleine hoeveelheid springstof nodig om een gecontroleerde instorting te veroorzaken in een betrekkelijk klein gedeelte van de grot.' Ze keek Karen met opgetrokken wenkbrauwen aan. 'Iets wat in mijnen heel vaak wordt gedaan.'

'Vertel je me nu dat deze instorting opzettelijk is veroorzaakt?' vroeg Karen.

'Een deskundige kan je daar definitief uitsluitsel over geven, maar op basis van het weinige dat ik weet zou ik zeggen dat het daarop lijkt, ja.' Ze draaide zich met een ruk om en bescheen met de zaklantaarn een stuk van de wand, ongeveer een meter boven de grond. Er zat een taps toelopend gat in de rots, en op de rode zandsteen waren zwarte strepen te zien. 'Dat lijkt mij een kogelgat,' zei River.

'Shit,' zei Karen. 'Wat nu?'

'Toen ik dit zag, wist ik dat we heel voorzichtig te werk moesten gaan als het pad erdoorheen eenmaal vrij was. Dus heb ik een witte overall aangetrokken en ben er zelf doorheen gekropen. De gang loopt ongeveer drie meter verder en dan kom je in een vrij grote ruimte. Misschien vier bij vijf meter.' River zuchtte. 'Het wordt een berenklus om daar te werken.'

'Maar moeten jullie daar dan werken?'

'Dat moeten we zeker.' Ze liet haar zaklantaarn op de grond schijnen. 'Je kunt zien dat de vloer bestaat uit aangestampte grond. Als je de ruimte binnenkomt, zie je aan je linkerhand los zand. Het was wel aangestampt, maar ik kon zien dat het er anders uitzag dan de rest van de vloer. Ik heb er een paar lampen op gezet en een camera en ben de grond gaan weghalen.' De stem van River klonk koel en afstandelijk. 'Ik hoefde niet diep te gaan. Op een diepte van ongeveer vijftien centimeter vond ik een schedel. Ik heb hem laten liggen. Ik wilde dat jullie hem zagen voordat we verdergaan.' Ze gebaarde dat ze uit de buurt van de instorting moesten blijven. 'Jullie moeten ook zo'n pak aan,' zei ze, en ze wendde zich tot de studenten. 'Jackie, zou jij voor inspecteur Pirie en voor brigadier Parhatka een pak en laarzen kunnen pakken?'

Terwijl ze zich aankleedden, ging River de mogelijkheden na die hun ter beschikking stonden. Er waren twee opties. Ze lieten de studenten doorwerken onder voortdurend toezicht van River, of ze haalden de technische recherche erbij. 'Jij beslist,' zei River. 'Ik kan alleen maar zeggen dat wij niet alleen de goedkoopste optie zijn; we zijn ook een team dat nog studeert en dat bestaat uit specialisten. Ik weet niet wat jullie voor deskundigen op het gebied van archeologie en antropologie kunnen mobiliseren, maar ik wed dat een klein korps als dat van Fife geen team van vooraanstaande specialisten in dienst heeft.'

Karen wierp haar de blik toe waar haar agenten het altijd van in hun broek deden. 'We hebben, zolang als ik hier werk, nog nooit een dergelijke zaak gehad. Bij alles wat buiten het gewone patroon valt, maken wij gebruik van externe deskundigen. Waar het om draait, is dat het bewijsmateriaal voor de rechtbank overeind blijft. Ik weet dat jij een gekwalificeerde getuigedeskundige bent, maar dat geldt niet voor je studenten. Ik zal het er met de Mop over moeten hebben, maar ik denk dat we moeten doorgaan met jouw team. Alles moet met twee videocamera's worden opgenomen, en jij moet er constant bij zijn.' Ze knoopte haar pak dicht en was blij dat Jackie haar er een had gegeven waarin haar royale omvang paste. De politietechneuten hielden daar niet altijd rekening mee. Volgens haar deden ze dat soms expres, om te zorgen dat ze zich niet op haar gemak voelde op een terrein dat zij als het hunne beschouwden. 'Laten we dan maar eens gaan kijken.'

River gaf hun beiden een zaklantaarn. 'Ik heb nog geen echt pad afgebakend,' zei ze, terwijl ze de lamp aan haar helm vastmaakte. 'Blijf zo veel mogelijk aan de linkerkant.'

Ze volgden haar dansende lichtje het donker in. Karen keek nog een keer over haar schouder, maar behalve de contouren van Phil was er niets te zien. Het rook anders toen ze de stapel stenen van de instorting waren gepasseerd. In plaats van de zilte zeelucht rook het nu een beetje muf, onder meer door het zuur van oude uitwerpselen van vogels en vleermuizen. Voor hen uit gaf een doffe glans aan dat de videocamera in de grote ruimte nog steeds aanstond. River bleef staan toen de muren wegvielen en ze zich in de grotere ruimte bevonden. Haar zaklantaarn vulde het licht van de camera aan en ze konden een klein stukje van de aarden vloer zien waar de grond was weggeschraapt en waar nu een ondiepe kuil ontstaan was. De onmiskenbare vorm van een menselijke schedel glansde dof in het roodbruine zand.

'Je had gelijk,' zei Phil zacht.

'Ik kan hier zo kwaad van worden,' zei Karen treurig, terwijl ze alles goed in zich opnam. Ze draaide zich om en probeerde haar gedachten op een rijtje te krijgen. 'Arme stakker, wie je ook mag zijn.'

Dinsdag 3 juli 2007; Glenrothes

Karen reed de parkeerplaats bij het hoofdbureau op en zette de motor af. Ze bleef een poosje zitten kijken hoe de regen weer bezit nam van haar voorruit. Dit zou niet de gemakkelijkste morgen van haar carrière worden. Ze had een lijk, maar strikt genomen was het niet het goede lijk. Ze moest zien te verhinderen dat de Mop de verkeerde conclusie trok, dat hij meteen dacht dat dit een van de kidnappers van Catriona Maclennan Grant was. En dus zou ze open kaart moeten spelen en vertellen dat ze aan iets werkte waar hij niets van afwist. Phil had gelijk gehad. Ze had niet alles alleen moeten willen opknappen. Het was een schrale troost dat ze in de zaak-Mick Prentice meer vooruitgang had geboekt dan de agenten van het hoofdbureau zouden hebben gedaan. Ze zou blij zijn als ze hier zonder een berisping mee wegkwam.

Met een zucht pakte ze haar dossiers bij elkaar en rende de striemende regen in. Ze duwde met gebogen hoofd de deur open en zette meteen koers naar de liften. Maar de stem van Dave Cruickshank hield haar tegen. 'Inspecteur Pirie,' riep hij. 'Er is een dame die u wil spreken.'

Karen draaide zich om en zag hoe Jenny Prentice aarzelend opstond van een stoel in de ontvangstruimte. Ze had duidelijk haar best gedaan. Haar grijze haren waren netjes gevlochten en ze had kennelijk haar zondagse kleren aangetrokken. De donkerrode wollen jas zou normaal gesproken idioot warm voor juli zijn geweest, maar dit jaar niet. 'Mevrouw Prentice,' zei Karen. Ze hoopte dat je aan haar gezicht niet kon zien dat de moed haar in de schoenen zonk.

'Ik moet met u praten,' zei Jenny. 'Het duurt niet lang,' voegde ze eraan toe, toen ze zag dat Karen een blik op de klok wierp.

'Goed. Want ik heb niet veel tijd,' zei Karen. Er was een kleine verhoorkamer die in de hal uitkwam en ze ging Jenny voor. Ze liet de dossiers op een stoel in een hoek vallen en ging toen tegenover Jenny aan een klein tafeltje zitten. Ze was niet in de stemming om zoete broodjes te bakken. 'U komt vast de vragen beantwoorden die ik u gisteren probeerde te stellen.'

'Nee,' zei Jenny, even koppig als Karen zelf ook kon zijn. 'Ik kom u vertellen dat u het moet afblazen.'

'Wat afblazen?'

'Die zogenaamde zoektocht naar Mick.' Ze keek Karen uitdagend aan. 'Hij wordt niet vermist. Ik weet waar hij is.'

Karen had van alles verwacht, maar dit niet. 'Wat bedoelt u? U weet waar hij is?'

Jenny haalde haar schouders op. 'Ik weet niet hoe ik het anders moet zeggen. Ik weet al jaren waar hij is. En dat hij niets meer met ons te maken wilde hebben.'

'Waarom hebt u het geheim gehouden? Waarom heb ik hier niet eerder van gehoord? Weet u dat u kostbare politietijd heeft verspild?' Karen besefte dat ze bijna schreeuwde, maar dat interesseerde haar niet.

'Ik wilde Misha niet overstuur maken. Hoe zou u het vinden als u te horen kreeg dat uw vader niets met u te maken wilde hebben? Dat wilde ik haar besparen.'

Karen keek haar onzeker aan. Jenny klonk overtuigend, en zo keek ze ook. Maar Karen kon zich niet veroorloven om haar klakkeloos te geloven. 'En Luke dan? U heeft er toch zeker alles voor over om hem te redden? Heeft Misha niet het recht om zijn hulp in te roepen?'

Jenny keek haar minachtend aan. 'Dacht u dat ik hem dat al niet gevraagd had? Ik heb gebeden en gesmeekt. Ik heb hem foto's van de kleine Luke gestuurd om hem over te halen. Maar hij zei dat hij niets met de jongen te maken had.' Ze keek weg. 'Ik denk dat hij een nieuw gezin heeft. Wij tellen niet meer voor hem. Mannen kunnen daar blijkbaar beter mee omgaan dan vrouwen.'

'Ik zal toch met hem moeten praten,' zei Karen.

Jenny schudde haar hoofd. 'Geen sprake van.'

'Hoor eens, mevrouw Prentice,' zei een steeds kwader wordende Karen, 'een man is als vermist opgegeven. U zegt dat hij dat niet is, maar ik heb alleen uw woord. Ik moet een bevestiging hebben van wat u me zojuist hebt verteld. Anders zou ik mijn taak niet goed vervullen.'

'En wat gebeurt er dan?' Jenny klemde zich vast aan de tafelrand. 'Wat zegt u als Misha vraagt hoe het onderzoek gaat? Liegt u dan tegen haar? Hoort dat ook bij uw taak? Liegt u tegen haar en hoopt u dat ze nooit achter de waarheid komt? Dat er niet ergens een of andere politieman zijn mond voorbijpraat? Of vertelt u haar de waarheid en laat u toe dat Mick nog een keer haar hart breekt?'

'Het is niet mijn taak om dat soort afwegingen te maken. Ik word verondersteld achter de waarheid te komen, en daarna is het mijn verantwoordelijkheid niet meer. U moet mij vertellen waar Mick is, mevrouw Prentice.' Karen wist dat ze meestal haar zin kreeg als ze al haar overredingkracht in de strijd gooide. Maar dit koppige vrouwtje bood haar goed partij.

'Ik blijf zeggen dat u uw tijd verspilt met het zoeken naar een vermiste persoon die niet wordt vermist. Stop ermee, inspecteur. Stop er gewoon mee.'

Iets in Jenny Prentice wekte Karens achterdocht. Ze wist niet wat het was, maar ze zou niet opgeven totdat ze erachter was. Ze stond op en liep doelbewust alvast wat weg om haar mappen te pakken. 'Ik geloof u niet. En overigens bent u te laat,' zei ze, terwijl ze zich weer met haar gezicht naar haar toe draaide. 'We hebben een lichaam gevonden.'

Ze had wel eens gelezen dat iemand lijkbleek werd, maar ze had het nog nooit in het echt gezien. 'Dat kan toch niet,' fluisterde Jenny.

'Dat kan dus best, Jenny. Ik mag wel Jenny zeggen, hè? Dankzij jou weten we dat de plek waar we het lichaam hebben gevonden een plek is waar Mick vroeger veel tijd doorbracht.' Karen maakte de deur open. 'We hebben nog wel contact.' Ze bleef nadrukkelijk wachten, terwijl Jenny zich herpakte en de deur uit schuifelde, niet meer in staat om een woord uit te brengen. Ditmaal had Karen wel wat medelijden met haar. Hoewel ze de reden van het toneelstukje niet kende, was ze er nu zeker van dat het inderdaad een toneelstukje was geweest. Jenny wist net zomin waar Mick Prentice was als Karen zelf.

Waar ze nu nog achter moest zien te komen, was waarom het zo belangrijk voor Jenny was dat de politie ophield met zoeken. Een nieuwe ontmoeting, een nieuw raadsel. Het ene werd tegenwoordig altijd vergezeld door het andere. Er waren weken dat je nergens een normaal antwoord op kreeg.

'Maar dat is fantastisch nieuws, inspecteur.' Het kwam niet vaak

voor dat een verslag van Karen bij Simon Lees tevredenheid opriep, laat staan blijdschap. Maar hij kon er niet omheen dat hij
buitengewoon in zijn sas was met wat ze hem net was komen
vertellen. Niet alleen hadden ze een lichaam opgegraven, wat
weer wat schot zou brengen in een zaak die al twintig jaar slui-
merde, maar ze hadden dat ook nog voor een prikkie weten te
doen.

Toen schoot hem opeens iets verschrikkelijks te binnen. 'Is
het een skelet van een volwassene?' vroeg hij, en de angst greep
hem bij de keel.

'Ja, meneer.'

Waarom keek ze er zo ongelukkig bij? Ze had intuïtief gehandeld en het had resultaat opgeleverd. Als hij in haar schoenen stond, zou hij dolblij zijn. Nou ja, eigenlijk was hij dat ook
wel enigszins. Uiteindelijk had hij hier de leiding; de resultaten
waren net zo goed zijn verdienste als die van zijn ondergeschikten. Voor de verandering had ze hem nu eens niet met de gebakken peren opgezadeld. 'Goed werk,' zei hij opgewekt, en hij
duwde zijn stoel naar achteren. 'Ik denk dat we nu rechtstreeks
naar Rotheswell moeten om Sir Broderick het goede nieuws te
vertellen.' Op haar bolle toet was een scala aan uitdrukkingen te
zien, waarvan de laatste verrekte veel leek op consternatie.

'Wat is er? Je hebt hem toch nog niets verteld?'

'Nee, dat niet,' zei ze langzaam. 'En dat komt omdat ik er eigenlijk niet van overtuigd ben dat dit iets te maken heeft met
de verdwijning van Adam Maclennan Grant.'

Hij begreep de woorden op zich wel, maar toch kon hij er
geen touw aan vastknopen. Ze had de hele operatie georganiseerd op basis van het feit dat het ingestorte plafond was ontdekt na het debacle met het losgeld. Ze had laten doorschemeren dat een van de kidnappers onder het puin zou kunnen liggen.
Anders had hij er nooit toestemming voor gegeven. Maar als hij
haar goed begreep, suggereerde ze nu dat dit lijk niets te maken
had met de zaak waar zij mee bezig zou moeten zijn. Het was
de omgekeerde wereld. 'Ik snap het niet,' zei hij op klagerige
toon. 'Je zei dat je dacht dat er misschien een boot lag. En een
lijk. En dan vind je een lijk. Maar in plaats dat je daar blij mee
bent, zeg je nu dat het niet het goede lijk is.'

'Ik had het zelf niet beter kunnen verwoorden,' zei ze met een voorzichtig lachje.

'Maar waarom?' Hij hoorde dat zijn stem bijna oversloeg en schraapte luidruchtig zijn keel. 'Waarom,' zei hij nog eens, maar nu een octaaf lager.

Ze ging verzitten en sloeg haar benen over elkaar. 'Het is wat moeilijk uit te leggen.'

'Dat dondert niets. Begin maar ergens. Het liefst bij het begin.' Lees kon er niets aan doen: hij zat er handenwringend bij. Hij wou dat hij de stressbal nog had die hij een keer met Kerstmis van zijn kinderen had gekregen. Hij had de bal weggegooid, omdat iemand die zichzelf zo goed onder controle had zoiets niet meer nodig had.

'We hebben laatst een heel merkwaardige zaak op ons bord gekregen,' begon ze. Ze klonk aarzelend en liet hem een aspect van haar persoonlijkheid zien dat hij nog niet eerder had mogen aanschouwen. Als dit niet zo hemeltergend was, zou hij er bijna van hebben kunnen genieten. 'Een man die door zijn dochter als vermist is opgegeven.'

'Dat is nauwelijks opzienbarend,' snauwde hij.

'Wel als de verdwijning dateert uit 1984, het hoogtepunt van de mijnstaking,' kwam Karen daar meteen overheen. Ze vertoonde nu geen enkele aarzeling meer. 'Ik heb er even naar gekeken en ontdekte toen dat er een paar mensen waren die een goede reden hadden om van die kerel af te willen. Beiden deden iets bij de mijnen. Beiden wisten hoe je rotsblokken opblaast. Geen van beiden zou enige moeite hebben gehad om aan explosieven te komen. En zoals ik u al eerder heb proberen uit te leggen, commissaris, iedereen hier uit de buurt weet dat hier grotten zijn.' Ze zweeg even en keek hem verontwaardigd aan. Het was een blik die nog net niet onder de noemer 'insubordinatie' viel. 'Ik wist dat u nooit zou goedkeuren dat we op de plek waar het plafond was ingestort zouden gaan graven, alleen vanwege een stakende mijnwerker die op de lijst van vermiste personen staat.'

'Dus heb je gelogen,' sloeg Lees toe. Hij nam het niet langer dat ze op zo'n luchthartige manier tegen hem in ging.

'Nee, ik heb niet gelogen,' zei ze kalm. 'Ik ben gewoon wat

creatief met de waarheid omgegaan. Die instorting is echt pas na de dood van Catriona Maclennan Grant aan het licht gekomen. En de helikopter heeft de boot, waarin de kidnappers zijn ontsnapt, niet kunnen vinden. Wat ik u gegeven heb, was een redelijke hypothese. Maar als ik de diverse mogelijkheden tegen elkaar afweeg, zeg ik dat het hier waarschijnlijk niet gaat om een onbekende kidnapper, maar om Mick Prentice.'

Lees kon het bloed door zijn hoofd voelen pompen. 'Ongelooflijk.'

'Eigenlijk, commissaris, zou u moeten zeggen dat we een resultaat hebben geboekt. Ik bedoel dat we dit geld niet voor niets hebben uitgegeven. We hebben in ieder geval een lijk. Oké, misschien levert het op dit moment meer vragen op dan antwoorden. Maar weet u, we hebben het er altijd over dat we de spreekbuis van de doden zijn, dat we gerechtigheid willen voor mensen die daar zelf niet meer voor kunnen zorgen. Als u het op die manier bekijkt, biedt dit ons een kans om onze taak goed te verrichten.'

Lees voelde hoe er iets in hem knapte. 'Een kans? Op wat voor planeet leef jij? Het is godverdomme een nachtmerrie. Je had de opdracht al je middelen in te zetten om erachter te komen wie Catriona Grant heeft vermoord en wat er met haar zoontje is gebeurd, niet om een beetje aan te zitten klooien met een zaak uit 1984 waarin een persoon wordt vermist. Wat moet ik in godsnaam tegen Sir Broderick zeggen? "We komen wel aan uw familie toe als inspecteur Pirie er tijd voor wil vrijmaken?" Jij denkt dat je de wet in eigen hand kunt nemen,' tierde hij. 'Je veegt gewoon de vloer aan met de regels. Je gaat op je gevoel af alsof dat op iets anders gebaseerd is dan op die zogenaamde vrouwelijke intuïtie. Je... Je...'

'Pas op, commissaris. Dat was nog net geen seksistische opmerking, maar het scheelde niet veel,' zei Karen liefjes, met onschuldige, wijd opengesperde ogen. 'Mannen hebben ook hun intuïtie. Alleen noemen jullie het logica. Bekijk het eens van de optimistische kant. Als het Mick Prentice is, hebben we al een heleboel informatie klaarliggen over de gebeurtenissen ten tijde van zijn verdwijning. We lopen al voor bij dat moordonderzoek. En we negeren die zaak van Grant helemaal niet. Ik werk nauw samen met de politie in Italië, maar dit soort dingen kost tijd. Maar als ik naar Italië kon gaan, zou dat de zaak wel wat versnellen.'

'Jij gaat nergens heen. Als dit allemaal achter de rug is, zit je misschien niet eens meer...' De telefoon voorkwam dat hij zijn dreigement kon afmaken. Hij greep ernaar. 'Ik dacht dat ik gezegd had dat ik geen telefoontjes wilde hebben, Emma. Ja, ik weet wie dr. Wilde is...' Hij zuchtte hartgrondig. 'Goed. Laat haar maar binnenkomen.' Hij legde de telefoon behoedzaam neer en keek Karen boos aan. 'We komen hier nog op terug. Maar dr. Wilde is hier. Laten we maar eerst eens kijken wat zij te zeggen heeft.'

De vrouw die binnen kwam lopen was heel anders dan hij verwacht had. Om te beginnen zag ze eruit als een puber die nog een groeistuip moet krijgen. Ze was nog geen één meter zestig groot en zo mager als een windhond. Donkere haren, die haar gezicht vrij lieten, en een brede mond ondersteunden de vergelijking. Ze droeg bouwvakkersschoenen, een spijkerbroek en een verschoten denim blouse onder een sjofele waxcoat. Lees had nog nooit iemand gezien die zo weinig op een academica leek. Ze stak een slanke hand naar hem uit en zei: 'U bent Simon Lees, hè? Aangenaam u te ontmoeten.'

Hij keek naar de hand en zag in gedachten waar die hand allemaal geweest was en wat ermee was aangeraakt. Hij deed zijn best een huivering te onderdrukken, greep haar koele vingers even vast en gebaarde naar de andere bezoekersstoel. 'Bedankt voor uw hulp,' zei hij. Zijn woede op Karen probeerde hij tijdelijk naar de achtergrond te schuiven.

'Graag gedaan,' zei River, en ze klonk alsof ze het meende. 'Het is voor mij een prima gelegenheid om mijn studenten aan een echte zaak te laten werken. Ze doen veel ervaring op in het lab, maar dat is niet te vergelijken met dit. En ze hebben het geweldig goed gedaan.'

'Blijkbaar wel, ja. Goed, ik mag aannemen dat u hier bent omdat u iets te melden heeft?' Hij wist dat hij zo stijf klonk als een van haar kadavers, maar het was de enige manier waarop hij zijn zelfbeheersing kon bewaren. River wisselde een snelle raadselachtige blik met Karen en hij voelde hoe zijn woede weer toenam. 'Of wilt u soms nog meer faciliteiten tot uw beschikking hebben? Is dat het?'

'Nee, wij hebben alles wat we nodig hebben. Ik wilde alleen inspecteur Pirie op de hoogte brengen van de ontwikkelingen, en toen brigadier Parhatka me vertelde dat ze met u zat te vergaderen, leek me dit een prima gelegenheid om u te ontmoeten. Ik hoop dat ik niet stoor?' River leunde wat naar voren, waardoor hij het volle zicht had op een glimlach die hem deed denken aan Julia Roberts. Het was moeilijk om boos te blijven als je tegen zo'n glimlach aankeek.

'Nee hoor,' zei hij, en hij voelde zich met de seconde rustiger worden. 'Het is altijd goed als je weet welk gezicht er bij een naam hoort.'

'Ook al is het nog zo'n stomme naam,' zei River quasi-zielig. 'Hippieouders, ik zeg het meteen maar. Oké, u wilt vast weten wat ik tot nu toe heb ontdekt.' Ze haalde haar zakcomputer tevoorschijn en drukte op een paar toetsen. 'We hebben gisteren tot laat doorgewerkt om het skelet vrij te krijgen en het uit het ondiepe graf te halen.' Ze wendde zich tot Karen. 'Ik heb Phil een kopie van de video gegeven.' Toen keek ze weer op haar zakcomputer. 'Ik heb vanmorgen vroeg een voorlopig onderzoek uitgevoerd en ik kan u al wel wat vertellen. Ons skelet is van een man. Hij is tussen de twintig en de veertig. Er is nog wat haar over, maar het is moeilijk te zeggen wat de oorspronkelijke kleur was: het heeft de kleur van de bodem aangenomen. Hij is wel eens bij een tandarts geweest, dus als we een aantal mogelijkheden hebben uitgesloten kunnen we daar waarschijnlijk wel wat mee. En we kunnen DNA krijgen.'

'Wanneer is hij begraven?' vroeg Lees.

River haalde haar schouders op. 'We zouden nog een paar tests kunnen doen die wat uitgebreider zijn, maar die zijn ook duurder en kosten meer tijd. Op dit moment is het moeilijk om precies te weten hoe lang hij al in de grond ligt. Maar ik kan met een hoge mate van zekerheid zeggen dat hij tijdens een aantal maanden van 1984 nog leefde.'

'Ongelooflijk,' riep Lees uit. 'Wat kunnen jullie toch veel!'

Karen keek hem koeltjes aan. 'Hij had zeker wat wisselgeld in zijn zak,' zei ze tegen River.

'Eerlijk gezegd was er van zijn zakken niet veel meer over,' zei River. 'Hij droeg katoenen en wollen kleding, dus die is praktisch verdwenen. De munten lagen in zijn bekken.' Ze glimlachte weer naar Lees. 'Het spijt me. Ditmaal geen wetenschap. Gewoon goed kijken.'

Lees, die voelde dat hij was afgegaan, kuchte. 'Kunt u ons in dit stadium nog iets anders vertellen?'

'Jazeker,' zei River. 'Hij is beslist geen natuurlijke dood gestorven.'

San Gimignano

Terwijl ze voor de derde keer de parkeerplaats rond reed op zoek naar die ene open plek, ging Bel in gedachten terug naar haar herinneringen aan San Gimignano voordat het op de werelderfgoedlijst stond. Het was ongetwijfeld die plaats op de lijst dubbel en dwars waard. De bewoners uit de middeleeuwen hadden de zachtgrijze kalksteen gebruikt om een doolhof van straatjes te bouwen rondom de piazza met de oude bron. Toen het stadje uit zijn voegen dreigde te barsten, hadden ze er eenvoudigweg voor gekozen om de hoogte in te gaan en niet de breedte. Tientallen torens doorkliefden de skyline, zodat de stad er vanaf de vlakte beneden uitzag als een onregelmatig gebit waarin tanden ontbraken. Absoluut uniek. Absoluut een werelderfgoed. En absoluut verpest door zijn bekendheid.

Bel was voor het eerst in de vroege jaren tachtig in het spectaculaire Toscaanse stadje in de heuvels geweest, toen er nog bijna geen toeristen kwamen. Er waren toen nog echte winkels – bakkers, groenteboeren, slagers en schoenmakers. Winkels waarin je waspoeder kon kopen of een onderbroek of een kam. De plaatselijke bevolking dronk toen nog koffie in de bars en cafés. Nu had het stadje een gedaanteverandering ondergaan. De enige plek waar je nog echt eten en kleding kon kopen was de donderdagse markt. Afgezien daarvan was alles erop gericht toeristen te trekken. *Enoteche* die veel te dure vernaccia en chianti verkochten, wijnen die de plaatselijke bevolking voor geen geld zou drinken. Winkels voor lederwaren die allemaal dezelfde in de fabriek gemaakte handtassen en portemonnees verkochten.

Souvenirwinkels en ijssalons. En natuurlijk galeries voor de mensen met meer geld dan verstand. Bel hoopte dat het geld bij de plaatselijke bevolking terechtkwam, want zij moesten de hoogste prijs betalen.

Nu, zo vroeg in de morgen, zouden de straten nog niet zo druk zijn, omdat de touringcars er nog niet waren. Bel kon eindelijk haar auto kwijt op een smalle open plek en ging op weg naar de grote stenen poort die de hoogste ingang naar de stad bewaakte. Ze had nog geen honderd meter afgelegd toen ze al bij de eerste galerie kwam. De eigenaar trok net zijn rolluiken op. Bel keek wat voor type hij was; waarschijnlijk van haar leeftijd, met een gladde huid en donker haar, een bril met een trendy montuur dat zijn ogen klein maakte. Hij was een beetje te mollig voor de strakke spijkerbroek en het overhemd van Ralph Lauren. Waarschijnlijk bereikte ze het meest als ze een beroep deed op zijn ijdelheid. Ze wachtte geduldig en liep toen achter hem aan naar binnen. De muren hingen vol prenten en aquarellen met de gebruikelijke Toscaanse plaatjes: cipressen, zonnebloemen, rustieke boerderijtjes, klaprozen. Ze waren allemaal goed geschilderd en aantrekkelijk, maar er was er niet een bij die ze thuis aan de muur zou willen hangen. Lopendebandwerk voor de toeristen, die weer een naam op hun lijstje konden afstrepen. God, ze werd nog een snob op haar oude dag.

De eigenaar was achter een bureau met een leren blad gaan zitten, dat er klaarblijkelijk antiek uit moest zien. Waarschijnlijk niet ouder dan zijn auto, dacht Bel. Ze liep naar hem toe en plakte haar liefste glimlach op haar gezicht. 'Goedemorgen,' zei ze. 'Wat een prachtige verzameling schilderijen. Als je zoiets aan je muur kunt hangen, bof je verschrikkelijk.'

'We zijn erg trots op de kwaliteit van onze kunstwerken,' zei hij zonder een zweem van ironie.

'Ongelooflijk. Ze laten het landschap tot leven komen. Ik vraag me af of u me kunt helpen.'

Hij nam haar van top tot teen op. Ze kon zien dat hij overal een prijskaartje aan hing, aan haar zonnejurk van Harvey Nichols tot en met de rieten tas van de markt, en pas daarna bepaalde hoeveel energie hij in zijn eigen glimlach zou stoppen. Wat hij zag, beviel hem kennelijk; ze mocht genieten van alle kostbare cosmetische ingrepen aan zijn gebit. 'Met genoegen,' zei hij. 'Waar bent u naar op zoek?' Hij stond op en trok zijn overhemd recht om het teveel aan ponden te verbergen.

Een verontschuldigende glimlach. 'Ik ben eigenlijk niet op zoek naar een schilderij,' zei ze. 'Ik ben op zoek naar een schilder. Ik ben journalist.' Bel haalde haar visitekaartje uit de zak van haar jurk en gaf het aan hem. Ze negeerde de ijzige blik die de warmte van het begin had verdrongen. 'Ik ben op zoek naar een Britse landschapsschilder die hier woont en die hier in de afgelopen twintig jaar de kost heeft verdiend. Het probleem is dat ik zijn naam niet weet. Die begint met een D – David, Darren, Daniel. Iets dergelijks. Hij heeft een zoon van voor in de twintig. Gabriel.' Ze had afdrukken gemaakt van de foto's van Renate en ze haalde ze uit haar tas. 'Dit is de zoon en dit is de schilder die ik zoek. Mijn redacteur denkt dat er een artikel in zit.' Ze haalde haar schouders op. 'Ik weet het niet. Ik moet met hem praten, kijken of dat inderdaad zo is.'

Hij wierp een blik op de foto's. 'Ik ken hem niet,' zei hij. 'Al mijn kunstenaars zijn Italianen. Weet u zeker dat hij een beroepsschilder is? Er zijn een heleboel amateurs die hun spullen op straat verkopen. Daar zijn veel buitenlanders bij.'

'Nee, hij is echt een vakman. Er hangen hier in de stad werken van hem, en ook in Siena.' Ze spreidde haar handen om te omvatten wat er aan de muur hing. 'Maar kennelijk niet goed genoeg voor u.' Ze nam de foto's weer terug. 'Ik dank u hartelijk voor de moeite.' Hij had zich afgewend en was al op weg naar zijn gemakkelijke stoel die omringd was door zijn zielloze schilderijen. Niets verkocht, dus hoefde hij niets meer te zeggen.

Ze wist dat er een heleboel galeries waren. Nog twee en dan was het tijd voor koffie en een sigaret. Daarna nog eens drie en dan had ze een ijsje verdiend. Kleine traktaties die het werk moesten veraangenamen.

Ze haalde het ijsje niet: bij de vijfde galerie was het raak. Het was een lichte, luchtige ruimte, en de schilderijen en beelden stonden verspreid zodat ze op waarde konden worden geschat. Bel vond het absoluut geen opgave om helemaal naar het bureau achterin te moeten lopen. Ditmaal was het een vrouw van middelbare leeftijd die achter een modern functioneel bureau zat, waarop stapels brochures en catalogi lagen. Ze droeg de gekreukte linnen standaardjurk van Italiaanse vrouwen uit de middenklasse die lekker in hun vel zitten. Ze keek op van haar computer en wierp Bel een vage, lichtelijk gestreste blik toe. 'Kan ik helpen?' vroeg ze.

Bel draaide het bekende riedeltje weer af. Ze was nog niet halverwege of de vrouw sloeg haar hand voor haar mond en keek haar verschrikt aan. 'Mijn god,' zei ze. 'Daniel. Bedoelt u Daniel?'

Bel haalde de afdrukken tevoorschijn en liet ze aan de vrouw zien. Ze zag eruit alsof ze elk moment in tranen kon uitbarsten. 'Dat is Daniel,' zei ze. Ze strekte haar hand uit en raakte met haar vingertoppen Gabriels hoofd aan. 'En Gabe, die arme, lieve Gabe.'

'Ik begrijp het niet,' zei Bel. 'Is er een probleem?'

De vrouw haalde trillend adem. 'Daniel is dood.' Ze maakte een gebaar met haar handen waaruit verdriet sprak. 'Hij is afgelopen april gestorven.'

Nu was het aan Bel om te schrikken. 'Hoe dan?'

De vrouw leunde achterover in haar stoel en liet haar hand door haar donkere krulhaar glijden. 'Alvleesklierkanker. Het is pal voor Kerstmis ontdekt. Het was verschrikkelijk.' Tranen schitterden in haar ogen. 'Het had hem niet moeten overkomen. Hij was... Hij was zo'n lieve man. Heel vriendelijk, heel bescheiden. En hij hield zoveel van zijn jongen. De moeder van Gabe is bij de geboorte gestorven. Daniel heeft hem alleen grootgebracht en dat heeft hij fantastisch gedaan.'

'Het spijt me verschrikkelijk,' zei Bel. Het bloed op de vloer van Villa Totti was in ieder geval niet van Daniel. 'Ik had er geen idee van. Ik had alleen iets gehoord over een geweldige Britse kunstenaar die hier al jaren van zijn werk leefde. Ik wilde een artikel over hem schrijven.'

'Kent u zijn werk?' De vrouw stond op en gaf aan dat Bel haar moest volgen. Ze kwamen uit in een kleine kamer achter in de galerie. Aan de muur hing een serie kleurrijke drieluiken. Abstracte landschappen en zeegezichten. 'Hij heeft ook aquarellen gemaakt,' zei de vrouw. 'De aquarellen waren meer figuratief. Daar kon hij er meer van verkopen. Maar hier hield hij van.'

'Ze zijn prachtig,' zei Bel, en ze meende het. Ze had de man die zo'n kijk op de wereld had, graag willen ontmoeten.

'Ja. Dat zijn ze. Ik vind het vreselijk dat er nooit meer een bij komt.' Ze stak haar hand uit en raakte de acrylverf met haar vingertoppen aan. 'Ik mis hem. Hij was niet alleen een zakenrelatie, hij was ook een vriend.'

'Zou u me misschien in contact kunnen brengen met zijn zoon?' vroeg Bel, die het doel van haar bezoek niet uit het oog verloor. 'Misschien kan ik nog steeds dat artikel schrijven. Als eerbetoon.'

De vrouw glimlachte; even krulden de lippen wat triest omhoog. 'Daniel heeft nooit de publiciteit opgezocht toen hij nog leefde. Hij had geen belangstelling voor persoonsverheerlijking. Hij wilde dat de schilderijen namens hem spraken. Maar nu... ik zou graag zien dat zijn werk gewaardeerd werd. Misschien vindt Gabe dat ook wel prettig.' Ze knikte langzaam.

'Kunt u mij zijn telefoonnummer geven? Of zijn adres?' vroeg Bel.

De vrouw keek een beetje gechoqueerd. 'O nee, dat kan ik niet doen. Voor Daniel was zijn privacy altijd heel belangrijk. Geeft u me alstublieft uw kaartje en dan neem ik wel contact op met Gabe. Dan vraag ik of hij met u over zijn vader wil praten.'

'Is hij hier dan nog steeds?'

'Waar zou hij anders moeten zijn? Toscane is het enige thuis dat hij ooit heeft gekend. Zijn vrienden wonen allemaal hier. We zorgen er om beurten voor dat hij ten minste één keer in de week fatsoenlijk eet.'

Toen ze terugliepen naar het bureau, schoot het Bel te binnen dat ze Daniels achternaam nog niet wist. 'Heeft u een brochure of een catalogus van zijn werk?' vroeg ze.

De vrouw knikte. 'Ik zal er een voor u uitprinten.'

Tien minuten later stond Bel weer op straat. Eindelijk had ze iets concreets in handen. De jacht kon beginnen.

Coaltown of Wemyss
De witgepleisterde huisjes aan weerszijden van de hoofdstraat zagen er pico bello uit, met veranda's die ondersteund werden door rustieke boomstronken. Ze hadden er altijd prima uitgezien, want iedereen die door het dorp reed, kwam erlangs. Tegenwoordig zagen de zijstraten er even chic uit. Maar Karen wist dat dat niet altijd zo geweest was. De krotten van Plantation Row waren een beruchte achterbuurt geweest, waar geen huisbaas zich om bekommerde, omdat je niet hoefde om te kijken naar een plek die toch niet gezien werd door de goegemeente. Maar Effie Reekie zou van elke huisje een paradijsje hebben gemaakt, zelfs als ze in de hel was terechtgekomen, vermoedde Karen toen ze voor de deur stond. De voordeur zag eruit alsof hij die morgen nog was afgesopt, er was geen uitgebloeide bloem in de bloembakken op de vensterbank te zien en de vitrage hing in volmaakte plooien naar beneden. Ze vroeg zich af of haar eigen moeder en Effie misschien tweelingzusjes waren geweest die bij de geboorte van elkaar waren gescheiden.

'Ga je nog aanbellen of niet,' vroeg Phil.

'Sorry. Ik had gewoon een déjà vu-ervaring. Of iets dergelijks.' Karen drukte op de bel en voelde zich onmiddellijk schuldig dat ze er een vingerafdruk op had achtergelaten.

De deur ging bijna meteen open. Het gevoel dat ze in een tijdmachine zat, bleef Karen achtervolgen. Ze had sinds het overlijden van haar grootmoeder nooit meer een vrouw gezien die op die manier een sjaal als een tulband om haar hoofd had gewonden. Met haar jasschort en haar opgerolde mouwen zag Elsie Reekie eruit als een overjarige werkster. Ze bekeek Karen van top tot teen, alsof ze zo kon inschatten of ze schoon genoeg was om haar drempel te mogen overschrijden. 'Ja?' vroeg ze. Het klonk niet bepaald gastvrij.

Karen stelde zichzelf en Phil voor. Effie fronste haar voorhoofd, kennelijk beledigd dat ze politie aan haar deur kreeg. 'Ik heb niets gezien of gehoord,' zei ze kortaf. 'Dat is altijd mijn motto geweest.'

'We moeten met u praten,' zei Karen voorzichtig. Ze voelde hoe de vrouw wanhopig haar best deed om haar kwetsbaarheid te verbergen.

'Nee hoor, dat moet helemaal niet,' zei Effie.

Phil deed een stap naar voren. 'Mevrouw Reekie,' zei hij, 'misschien heeft u ons niets te vertellen, maar ik zou u eeuwig dankbaar zijn als u een kop thee voor ons zou kunnen zetten. Ik heb een keel zo droog als de Sahara.'

Ze aarzelde, keek toen met grote angstogen van de een naar de ander. De innerlijke strijd tussen gastvrijheid en kwetsbaarheid trok rimpels in haar gezicht. 'Dan moesten jullie maar binnenkomen,' zei ze ten slotte. 'Maar ik heb niets te vertellen.'

De keuken was onberispelijk. River had op de keukentafel een lijkschouwing kunnen uitvoeren zonder gevaar voor besmetting. Karen zag tot haar genoegen dat ze goed had gegokt. Net als haar moeder beschouwde Effie Reekie elk beschikbaar oppervlak als een plaats om beeldjes en prulletjes neer te zetten. Het was, dacht Karen, een afschuwelijke verspilling van de hulpbronnen van de aarde. Ze probeerde niet te denken aan al de rotzooi die ze zelf van schooluitjes mee naar huis had gebracht. 'Wat heeft u een mooi huis,' zei ze.

'Ik heb altijd geprobeerd het netjes te houden,' zei Effie, terwijl ze de waterketel pakte. 'Ik heb nooit goedgevonden dat Ben in huis rookte. Dat was mijn man, Ben. Hij is nu vijf jaar dood, maar hier in de buurt stelde hij heel wat voor. Iedereen kende Ben Reekie. Er zou in deze straat heel wat minder overlast zijn als mijn Ben nog leefde. Nou en of.'

'We moeten het toevallig net met u hebben over Ben, mevrouw Reekie,' zei Karen.

Ze draaide zich met een ruk om, met wijd opengesperde ogen, als een konijn dat in de koplampen kijkt. 'Er valt niets over te zeggen. Hij is nu vijf jaar dood. Longkanker. Jaren gerookt. Jaren vergaderingen van het afdelingsbestuur, met al die anderen die rookten als een schoorsteen.'

'Hij was de afdelingssecretaris, hè?' vroeg Phil. Hij stond te kijken naar een paar versierde borden die aan de muur hingen. Ze vertegenwoordigden verschillende mijlpalen in de geschiedenis van de vakbond. 'Een belangrijke baan, zeker tijdens de staking.'

'Hij hield van de mannen,' zei Effie fel. 'Hij zou alles voor ze hebben overgehad. Hij was er kapot van toen die teef van een

Thatcher ze op de knieën heeft gedwongen. En Scargill.' Ze bracht met wat gerinkel van porselein hun thee naar de tafel. 'Ik heb nooit een hoge pet opgehad van koning Arthur. Hij heeft ze de vallei van de dood binnengeleid, niet meer en niet minder. Het zou heel anders zijn afgelopen als Mick McGahey de touwtjes in handen had gehad. Heel anders. Hij had respect voor de mannen. Net als mijn Ben. Die had ook respect voor zijn mannen.' Ze wierp Karen een blik toe die bijna wanhopig was.

'Dat begrijp ik, mevrouw Reekie. Maar nu is het tijd om orde op zaken te stellen.' Karen wist dat ze zich op glad ijs begaf. Mick Prentice kon zich hebben vergist. Misschien had Ben Reekie niemand anders in vertrouwen genomen. En Effie Reekie wilde misschien absoluut niet meer denken aan de manier waarop haar man het vertrouwen had beschaamd van de mannen van wie hij zogenaamd zoveel hield.

Effies hele lichaam leek te verstijven. 'Ik weet niet waar u het over heeft.' Haar stem klonk schril en het was duidelijk dat ze glashard loog.

'Ik denk het toch wel, Effie,' zei Phil, toen hij bij de vrouwen aan tafel ging zitten. 'Ik denk dat het je al heel lang heeft dwarsgezeten.'

Effie sloeg haar hand voor haar gezicht. 'Ga weg,' zei ze, met gedempte stem. Ze trilde nu als een schaap dat net is geschoren.

Karen zuchtte. 'Het is vast niet gemakkelijk voor jullie geweest. Om te zien hoe moeilijk alle anderen het hadden toen jullie het zelf nog wel goed hadden.'

Effie zat doodstil en haalde haar handen van haar gezicht. 'Waar heeft u het over?' vroeg ze. 'Jullie denken toch niet dat hij het voor zichzelf heeft gepakt?' De belediging had haar weer kracht gegeven. Of ze werd er onverschillig van.

Godverdegodver. Karen besefte dat ze een volledig verkeerde inschatting had gemaakt. Maar als dat zo was, had dat anderen ook kunnen overkomen. Iemand als Mick Prentice bijvoorbeeld. Mick Prentice, wiens beste vriend vakbondsfunctionaris was geweest. Die misschien wel op de hoogte was geweest van wat Ben Reekie deed. De gedachten tuimelden over elkaar heen, maar ze dwong zichzelf ertoe weer bij de les te zijn.

'Natuurlijk denken we dat niet,' zei Phil. 'Karen bedoelde alleen dat er bij jullie nog een salaris binnenkwam.'

Effie keek onzeker van de een naar de ander. 'Hij is er pas mee begonnen toen ze beslag gingen leggen op het geld uit de vakbondskas,' zei ze. De woorden rolden er nu uit, alsof het een opluchting was ze eindelijk te kunnen uitspreken. 'Hij zei: "Wat heeft het voor zin om geld door te sluizen naar de afdeling als zij het op hun beurt rechtstreeks aan het hoofdkantoor geven?" Hij zei dat geld dat hier in de buurt werd opgehaald ook ten goede moest komen aan mijnwerkers uit de buurt, dat het niet mocht worden verdonkeremaand.' Ze wist een zielig lachje tevoorschijn te toveren. 'Dat zei hij altijd. "Verdonkeremaand." Hij nam maar hier en daar een beetje weg, de hoge pieten hebben nooit iets gemerkt. En hij keek heel goed aan wie hij het gaf. Hij liet Andy Kerr de brieven aan het steunpunt doornemen, met de verzoeken om financiële steun, en dan gaf hij wat aan de mensen die er het meest behoefte aan hadden.'

'Is er ooit iemand achter gekomen?' vroeg Phil. 'Heeft iemand hem ooit betrapt?'

'Wat denk je? Ze hadden hem eerst aan de hoogste paal gehangen en dan pas vragen gesteld. De vakbond was heilig hier in de buurt. Hij had het er niet levend afgebracht als iemand ook maar het geringste vermoeden had gehad.'

'Maar Andy wist het.' Karen wist nog niet van opgeven.

'Nee, nee, hij heeft er nooit iets van geweten. Ben heeft nooit gezegd dat hij ze geld gaf. Hij vroeg alleen of Andy een lijst wilde maken van de meest schrijnende gevallen, zogenaamd voor hulp van de afdeling. Alleen kwam er toen geen hulp meer van de afdeling, omdat al het geld naar de landelijke instanties ging.' Effie wreef in haar handen alsof ze pijn deden. 'Hij wist dat hij daar met niemand over mocht praten. Ziet u, ook al hadden ze geloofd dat hij het voor de mannen en hun gezinnen deed, dan nog hadden ze het opgevat als verraad. De vakbond kwam altijd eerst, vooral voor de functionarissen zelf. Wat hij deed zou onvergeeflijk zijn geweest. En dat wist hij.'

San Gimignano

Bel vond eindelijk een bar die niet stampvol toeristen zat, ergens weggestopt in een achterafstraatje. De enige klanten waren zes oude mannen die zaten te kaarten en die kleine glaasjes donkerpaarse wijn dronken. Ze bestelde een espresso en een glas water en ging bij de achterdeur zitten, van waaruit je uitkeek op een klein met kasseien bestraat binnenplaatsje. Ze keek een paar minuten in de catalogus die ze bij de galerie had gekregen. Daniel Porteous was een kunstenaar geweest wiens werk ze best zou willen kopen. Maar wie was hij in vredesnaam geweest? Wat was zijn achtergrond? En hadden hij en Cat elkaar gekend of was Bel nu een beetje aan het luchtfietsen? Het feit dat Daniel Porteous kunstenaar was en dat hij in verband kon worden gebracht met de plek waar de posters waren gevonden, betekende nog niet dat hij met de ontvoering te maken had gehad. Misschien had ze de verkeerde man op het oog. Misschien was het Matthias, de man die de marionetten ontwierp, en het decor. De man die zowel voor de rol van moordenaar als voor die van slachtoffer in aanmerking kwam.

Terwijl ze naar de reproducties van het werk van Porteous zat te kijken, belde ze Jonathan, de student die stage bij haar liep.

'Ik heb je gisteren proberen te bereiken,' zei hij. 'Maar je mobieltje stond niet aan. Dus heb ik de ijskoningin op Rotheswell gebeld, en zij zei dat je niet bereikbaar was.'

Bel lachte. 'Ze wil erg graag belangrijk lijken, hè? Sorry dat het gisteren niet lukte. Ik zat op een feest.'

'Een feest? Ik dacht dat je Miss Marple aan het spelen was?'

Ergens vond ze dat het vrijgevochten, flirterige gedrag van Jonathan niet door de beugel kon, maar het idee alleen al van een flirt was zo absurd dat ze het door de vingers zag. 'Dat ben ik ook. Het feestje was in Italië.'

'Italië? Zit je in Italië?'

Bel praatte Jonathan snel bij. 'Dus nu weet je meer dan alle anderen,' rondde ze haar verhaal af.

'Wauw,' zei Jonathan. 'Ik had nooit gedacht dat het zo spannend zou worden. De anderen hebben lang niet zo'n leuke stageplaats. Het lijkt Woodward en Bernstein wel die op het punt staan Watergate naar buiten te brengen.'

'Zo belangrijk is het niet,' protesteerde Bel.

'Natuurlijk wel. Je zei dat er bloed op de vloer van de villa lag. De mensen slaan meestal niet op de vlucht als er thuis een ongelukje gebeurt of als er iemand zelfmoord pleegt, dus dat wijst erop dat er iemand is vermoord. En in omstandigheden die in verband staan met de moord en de ontvoering van tweeëntwintig jaar geleden. Bel, er loopt daar op z'n minst één onaangenaam type rond en jij bent hem duidelijk op het spoor.'

'Op dit moment, Jonathan, ben ik een jongeman op het spoor die net zijn vader heeft verloren. Dat is niet zo eng, hè?' zei Bel op luchtige toon.

Jonathan klonk opeens ernstig. 'Bel, ze zijn niet allemaal zo charmant en onschuldig als ik. Wij mannen kunnen ons ook beestachtig gedragen. Je hebt genoeg verhalen over verkrachting en moord geschreven om te weten hoe het in elkaar zit. Behandel me niet als een kind. Dit is geen spelletje. Beloof me dat je het serieus neemt.'

- Bel zuchtte. 'Als ik iets tegenkom wat er serieus uitziet, zal ik het serieus nemen, Jonathan. Dat beloof ik. Maar in de tussentijd moet je iets voor me doen.'

'Natuurlijk, zeg het maar. Ik neem aan dat ik er niet voor naar Toscane hoef?'

'Je moet ervoor naar het Gezinsarchief in Islington om alles te weten te komen over een man die Daniel Porteous heet. Hij zou nu achter in de veertig, begin vijftig zijn geweest. Hij is in april in Italië gestorven, maar waar precies weet ik niet. En bovendien staat er op Italiaanse overlijdensverklaringen bijna niets. Ik ben dus op zoek naar zijn geboortebewijs of misschien een trouwakte. Kun je dat voor me doen?'

'Laat dat maar aan mij over. Ik neem weer contact op zo gauw ik iets heb. Bedankt, Bel. Het is fantastisch om bij zoiets interessants als dit betrokken te zijn.'

'Jij ook bedankt,' zei Bel, maar hij was al weg. Ze nipte aan haar espresso en dacht na. Ze verwachtte niet dat de galeriehoudster met het adres van Gabriel Porteous op de proppen zou komen; ze zou zelf aan de bak moeten. Het archief bevond zich waarschijnlijk in de provinciehoofdstad Siena, en het had geen zin om daar nu heen te gaan. Tegen de tijd dat ze er was, zou

iedereen al naar huis zijn. Middagen en de Italiaanse bureaucratie gingen nu eenmaal niet goed samen.

Er zat niets anders op: ze zou terug naar Campora moeten
om bij het zwembad van Grazia te gaan liggen. Misschien kon
ze Vivianne opbellen om te worden bijgepraat over haar familie. Het leven bestond niet alleen uit rozengeur en maneschijn.

Edinburgh

Op weg naar Edinburgh liet Karen haar stoel, die rechtovereind
stond, wat achterover zakken en ging er eens goed voor zitten.
'Ik wil je wel vertellen,' zei ze, 'dat deze zaak me hoorndol maakt.
Telkens als ik denk dat ik wat licht in de duisternis zie, struikel
ik weer ergens over.'

'Welke zaak had je in gedachten? De zaak waarvan de Mop
denkt dat het je prioriteit is of de zaak waar je echt aan werkt?'
vroeg Phil, terwijl hij het kleine weggetje in reed dat uitkwam
bij de boerderij annex tearoom naast de snelweg. Een voordeel
van een baan bij Cold Cases was dat het je meestal lukte om op
gezette tijden te eten. Je hoefde niet constant in de startblokken
te staan voor het geval er weer een misdrijf werd gepleegd. Het
was een levensstijl waarbij ze zich allebei prettig voelden.

'Ik kan in de zaak-Cat Grant niets doen, totdat ik een behoorlijk verslag van de Italiaanse politie krijg. En ze zitten er
niet bepaald bovenop. Nee, ik heb het over Mick Prentice. Eerst
denkt iedereen dat hij naar Nottingham is gegaan, maar nu lijkt
het erop dat hij Wemyss niet levend verlaten heeft. Hij is niet
met de stakingsbrekers meegegaan, al heeft een van hen wel wat
verwarring gesticht door geld naar Jenny te sturen. Maar één
ding hebben we wel van de verraders gehoord, en dat is dat Mick
nog springlevend in Newton rondliep, meer dan twaalf uur nadat hij volgens Jenny was weggelopen.'

'Wat wel vreemd is,' zei Phil. 'Als hij haar in de steek wilde
laten, zou je denken dat hij allang weg was. Tenzij hij haar alleen een lesje wilde leren. Misschien is hij wel uren weggeble-
ven om haar te pesten. Misschien was hij op weg naar huis en
is hij ergens door afgeleid.'

'Je zou inderdaad denken dat hij ergens overstuur van was.

Die kerels die weer aan het werk wilden, verwachtten kennelijk dat hij razend op ze zou zijn. Toen ze hem zagen, dachten ze dat ze er letterlijk of figuurlijk van langs zouden krijgen. Maar het enige wat gebeurde, was dat hij ze heeft gesmeekt niet te gaan, met een gezicht alsof hij ieder moment in tranen kon uitbarsten.'

'Misschien was dat wel de avond dat hij hoorde dat Jenny en Tom Campbell iets met elkaar hadden,' opperde Phil. 'Daarvan zou hij wel van slag zijn geweest.'

'Misschien.' Ze klonk niet overtuigd. 'Als je gelijk hebt, zou hij over zijn toeren zijn. Dan had hij niet naar huis gewild. Dus misschien heeft hij wel onderdak gezocht bij zijn vriend Andy in het huisje in het bos.'

'Als dat zo is, waarom heeft niemand hem na die avond dan nog gezien? Je weet hoe het er hier toen aan toeging. Als mensen uit elkaar gingen, verlieten ze de stad niet. Ze gingen gewoon een stukje verderop in de straat wonen.'

Karen zuchtte. 'Dat is waar. Maar hij kan toch best naar Andy zijn gegaan. Misschien is het wel heel anders gelopen. We weten dat Andy depressief thuiszat. En we weten van zijn zus dat hij graag in de Highlands ging wandelen. Stel dat Mick met hem is meegegaan? Stel dat ze een ongeluk hebben gehad en dat hun lichamen ergens op de bodem van een ravijn liggen? Je weet hoe het daar is. Bergbeklimmers raken er vermist en worden nooit meer gevonden. En dan hebben we het alleen nog maar over de gevallen die ons bekend zijn.'

'Het is mogelijk.' Phil gaf richting aan en reed de parkeerplaats op. 'Maar als dat inderdaad gebeurd is, van wie is dan het lichaam in de grot? Ik denk dat het allemaal veel eenvoudiger ligt.'

Zwijgend liepen ze het café binnen. Ze bestelden elk een vleespastei met erwten en nieuwe aardappels, zonder op de menukaart te kijken, en toen zei Karen: 'Hoezo eenvoudiger?'

'Ik denk dat je gelijk hebt en dat hij inderdaad naar het huisje van Andy is gegaan. Ik weet niet of hij voorgoed weg wilde of dat hij alleen maar wat afstand tussen hemzelf en Jenny wilde scheppen. Maar ik denk dat hij Andy over Ben Reekie heeft verteld. En ik denk dat ze toen een meningsverschil hebben gehad. Ik weet niet of Andy ruzie met Mick heeft gekregen of dat Ben is langsgekomen en het allemaal uit de hand is gelopen. Maar ik denk dat Mick die avond in dat huisje is gestorven.'

'En toen hebben ze hem zeker mee naar de grot gesleept om hem kwijt te raken? Dat lijkt me wel wat omslachtig. Waarom zouden ze hem niet gewoon in het bos begraven?'

'Andy was een buitenmens. Hij wist dat lijken in ondiepe graven in een bosachtig gebied niet blijven liggen. Als hij hem in een grot legde en dan een stuk van de grot opblies, was dat veel veiliger. En ook veel minder opvallend dan proberen een graf te graven midden in de bossen van Wemyss. Herinner je je nog hoe het toen was? Elk stukje bos stikte van de stropers, die allemaal een konijn of een hert wilden verschalken.'

'Dat is waar.' Karen glimlachte dankbaar naar de serveerster die de koffie bracht. Ze deed een volle lepel suiker in haar kopje en roerde er langzaam in. 'En Andy dan? Wat is er met hem gebeurd? Denk je dat hij zichzelf daarna van kant heeft gemaakt?'

'Waarschijnlijk wel. Uit jouw verhalen blijkt dat hij vrij gevoelig was.'

Ze moest toegeven dat het allemaal best logisch klonk. Doordat hij wat meer afstand bewaarde, kon Phil de zaak wat duidelijker zien. Ze was zelf slim genoeg om te weten wanneer ze een stapje terug moest doen, zodat iemand anders naar de zaak kon kijken. 'Als je gelijk hebt, denk ik dat we nooit zullen weten wat er uiteindelijk is gebeurd. Of het alleen tussen Andy en Mick ging of dat Ben Reekie er ook nog een rol bij heeft gespeeld.'

Phil schudde glimlachend zijn hoofd. 'In ieder geval kunnen we daar Effie Reekie niet meer mee lastigvallen. Tenzij we er nog een lijk bij willen hebben.'

'Ze zou ter plekke een beroerte krijgen,' beaamde Karen.

Hij grinnikte. 'Natuurlijk kan het ook allemaal nog op niets uitdraaien als Jenny de waarheid vertelde toen ze zei dat je moest ophouden met zoeken.'

Karen snoof. 'Die heeft haar fantasie de vrije loop gelaten. Ik denk dat ze gewoon een eind wil maken aan allerlei praatjes. Ze wil dat we haar met rust laten, dan kan zij weer de martelares gaan spelen.'

Phil keek verbaasd. 'Denk je dat ze haar eigen rustige leventje zwaarder laat wegen dan het leven van haar kleinzoon?'

'Nee. Ze is ongelooflijk met zichzelf bezig, maar ik denk niet dat ze het in die termen ziet. Ik denk dat ze zich diep in haar hart een beetje verantwoordelijk voelt voor de verdwijning van Mick. En dat houdt in dat het gedeeltelijk aan haar te wijten is dat hij niet beschikbaar is als donor voor Luke. Dus probeert ze nu die schuld af te schuiven. Wij moeten ophouden met zoeken, dan kan zij haar kop weer in het zand steken.'

Phil krabde over zijn kin. 'Wat zijn sommige mensen toch knettergek,' verzuchtte hij.

'Ja, dat is waar. Maar dit tochtje van ons gaat in ieder geval wel resultaat opleveren.'

'Misschien. Maar je vraagt het je wel eens af,' zei Phil.

'Wat vraag je je precies af?'

Hij trok een grimas. 'We gaan helemaal naar Edinburgh om een DNA-monster op te halen, zodat River het met een lijk kan vergelijken. Maar stel dat Misha niet het kind van Mick is. Stel dat ze het dochtertje van Tom Campbell is?'

Karen keek hem vol bewondering aan. 'Wat ben jij een slecht mens, Phil. Ik denk niet dat je gelijk hebt, maar je hebt het prachtig bedacht.'

'Zullen we wedden? Of het DNA laat zien dat Mick Prentice de vader is of niet?'

Ze gingen allebei achterover zitten om de serveerster de gelegenheid te geven de hoog opgetaste borden voor hen neer te zetten. Het rook fantastisch. Karen zou het bord wel willen oppakken om de geur in te ademen, maar eerst moest ze Phil antwoord geven. 'Nee,' zei ze. 'En niet omdat ik denk dat Misha wel eens van Tom Campbell kan zijn. Er zijn nog andere mogelijkheden. River zegt dat de schedel van achteren is ingeslagen, Phil. Als Andy Kerr Mick Prentice heeft vermoord was dat in een opwelling. Hij zou nooit stiekem naar hem toe zijn geslopen om hem dan van achteren een klap op zijn hoofd te geven. Jouw theorie klinkt aardig, maar ik ben niet overtuigd.' Ze glimlachte. 'Maar daarom houd je ook van me.'

Hij keek haar wat bevreemd aan. 'Wat is dit nu weer?'

Karen slikte een overheerlijke hap vleespastei door. 'Ik wil een paar antwoorden hebben, Phil. Echte antwoorden, niet van die rare ideeën die jij en ik bij elkaar fantaseren, omdat ze passen bij wat we weten. Ik wil de waarheid.'

Phil hield zijn hoofd schuin en keek haar nadenkend aan. Toen zei hij: 'En dat is nu precies de reden waarom ik van u houd, mevrouw de inspecteur.'

Een uur later stonden ze op de stoep van de flat in Marchmont waarin Misha Gibson woonde. Karen vroeg zich nog steeds af of Phil zijn woorden alleen maar plagerig had bedoeld. Ze had heel lang gedacht dat alles tussen hen bespreekbaar was. Kennelijk had ze zich vergist. Ze ging hem beslist niet vragen wat hij bedoeld had. Ze drukte nog eens op de bel, maar er werd niet opengedaan.

Een stem achter hen vroeg: 'Zoekt u Misha?'

'Dat klopt,' zei Phil.

Een al wat oudere man liep zo dicht langs hen heen dat Karen een stap terug moest doen als ze niet onder de voet gelopen wilde worden. 'Op deze tijd van de dag is ze er nooit. Dan is ze in het kinderziekenhuis bij de jongen.' Hij keek hen veelbetekenend aan. 'Ik ga jullie niet binnenlaten en ik ga mijn toegangscode ook niet intoetsen zolang jullie hier staan te kijken.'

Karen lachte. 'Heel prijzenswaardig, meneer. Maar op het gevaar af dat we als een afgezaagde mop klinken: wij zijn van de politie.'

'Dat wil tegenwoordig nog niet zeggen dat jullie eerlijk zijn,' zei de oude man.

Een beetje van haar stuk gebracht deed Karen een stap achteruit. In wat voor wereld leefden ze als de mensen dachten dat de politie hen ging beroven? Of nog erger? Ze wilde net gaan protesteren toen Phil een hand op haar arm legde. 'Zinloos,' zei hij zacht. 'We weten genoeg.'

'Godverdorie,' zei Karen toen ze buiten gehoorsafstand waren. 'Ze zitten naar die Amerikaanse politieseries te kijken waarin op elke twee politiemannen er eentje corrupt is en ze denken dat wij ook zo zijn. Daar word ik echt kwaad van.'

'En dat zegt de vrouw die de adjunct-hoofdcommissaris achter de tralies heeft gezet. Het zijn niet alleen de Amerikanen,' zei Phil. 'Je hebt overal mensen die de boel verzieken. Daar krijgen die scriptschrijvers hun ideeën van.'

'Dat weet ik wel. Maar ik baal er gewoon van. In al die jaren dat ik bij de politie ben, is Lawson de enige echt rotte appel met wie ik te maken heb gehad. Maar meer hebben de mensen niet nodig om hun respect voor de politie kwijt te raken.'

'Je weet wat ze zeggen: vertrouwen is als maagdelijkheid. Je kunt het maar één keer verliezen. En? Zullen we onze rollen van de goeie en de kwaaie smeris maar weer eens spelen?' Ze bleven bij de stoeprand staan wachten tot ze konden oversteken en liepen toen de heuvel af naar het ziekenhuis.

'Ik vind het prima,' zei Karen.

Het was niet moeilijk om de zaal van Luke Gibson te vinden, maar ze werden er niet vrolijk van. Het was onmogelijk om de overal aanwezige zieke kinderen te mijden; de beelden van hun lijden etsten zich in hun geheugen. Het was, dacht Karen, een van de voordelen van kinderloosheid. Je hoefde niet machteloos toe te zien hoe je kind leed.

De deur van Lukes kamer stond open en Karen bleef een paar minuten naar het tafereeltje van moeder en zoon staan kijken. Luke zag er nietig uit, zijn gezicht was bleek en ingevallen, maar je kon nog net zien wat een lief gezichtje hij had gehad. Misha zat naast hem op het bed en ze las hem voor uit een spannend boek. Ze deed alle stemmen na, zodat het verhaal voor haar zoontje ging leven. Hij moest hardop lachen om de slappe grappen en het gekke verhaaltje.

Ten slotte schraapte Karen haar keel en ging naar binnen. 'Hoi, Misha.' Ze glimlachte naar de jongen. 'Jij bent Luke, hè? Ik heet Karen. Ik moet heel eventjes met je mama praten. Mag dat?'

Luke knikte. 'Ja hoor. Mam, mag ik naar de dvd van *Doctor Who* kijken als je weggaat?'

'Ik ben zo terug,' zei Misha, en ze liet zich van het bed glijden. 'Maar je mag best naar de dvd kijken.' Ze pakte een dvd-speler en zette die voor hem klaar.

Karen wachtte geduldig en liep toen met haar naar de gang, waar Phil stond te wachten. 'We moeten met je praten,' zei Karen.

'Dat kan,' zei Misha. 'Er is ginds in de hal een kamer voor de ouders.' Zonder op hun reactie te wachten liep ze die kant vast op. Karen en Phil liepen achter haar aan naar een kleine, vrolijk ingerichte kamer met een koffieautomaat en een drietal ingezakte sofa's. 'Hier zoeken we onze toevlucht als het allemaal wat te veel wordt.' Ze gebaarde naar de sofa's. 'Je staat er versteld van waarop je kunt liggen dutten als je twaalf uur aan het bed van een ziek kind hebt gezeten.'

'Sorry dat we je hebben gestoord...'

'Jullie storen niet,' viel Misha haar in de rede. 'Het is goed dat jullie Luke hebben gezien. Hij is een schatje, hè? Nu begrijpen jullie waarom ik dit niet opgeef, ook al vindt mijn moeder het niet leuk dat jullie in het verleden zitten te wroeten. Ik heb haar gezegd dat ze laatst op zondag over de schreef is gegaan. Dat jullie dat soort vragen moeten stellen als jullie mijn pa willen vinden.'

Karen wierp Phil een snelle blik toe. De verbazing op zijn gezicht vertolkte haar gevoelens. 'Wist je dat je moeder mij vanmorgen heeft opgezocht?' vroeg ze.

Misha fronste haar voorhoofd. 'Ik had geen idee. Heeft ze je verteld wat je wilde weten?'

'Ze wilde dat we zouden ophouden met zoeken. Ze zei dat je vader volgens haar helemaal niet vermist werd. Dat hij vrijwillig jullie beiden in de steek had gelaten en dat hij niet terug wilde komen.'

'Maar dat klopt niet,' zei Misha. 'Hij heeft ons misschien wel in de steek gelaten, maar hij zou toch zijn eigen kleinzoon niet laten stikken als die hem nodig had? Het enige wat ik altijd over mijn vader gehoord heb, is dat hij een goed mens was.'

'Ze zegt dat ze jou wil beschermen,' zei Karen. 'Ze is bang dat hij je voor een tweede keer laat zitten als we hem vinden.'

'Wat natuurlijk kan,' zei Phil grimmig, 'maar het kan ook zijn dat ze meer over zijn verdwijning weet dan ze wil toegeven.' 'Wat je waarschijnlijk nog niet weet, is dat we een lichaam hebben gevonden.'

Campora

Bel zat op haar piepkleine terrasje en keek hoe de lucht en de heuvels van kleur veranderden toen de zon langzaam en prachtig onderging. Ze prikte wat in de koude restjes varkensvlees en aardappel die Grazia voor haar in de koelkast had laten staan en overwoog wat haar volgende stap moest zijn. Ze verheugde zich niet op de strijd met de Italiaanse bureaucratie, maar als ze Gabriel Porteous wilde vinden, zou ze die strijd aan moeten gaan. Ze haalde de foto's van Renate voor de zoveelste keer tevoorschijn en vroeg zich af of ze zich de gelijkenis verbeeldde.

Maar opnieuw werd ze erdoor getroffen. De diepliggende ogen, de haakneus, de brede mond. Het was een perfecte nabootsing van de gelaatstrekken van Brodie Grant. De mond was wel iets anders. De lippen waren voller, wat meer gewelfd. Lippen die je wilde kussen, dacht Bel, en tikte zichzelf onmiddellijk op de vingers. Het haar was ook anders van kleur. Zowel Brodie Grant als zijn dochter hadden haren die bijna zwart waren, maar het haar van deze jongen was veel lichter, zelfs als je rekening hield met de Italiaanse zon. Zijn gezicht was ook breder. Ja, er waren verschillen. Je zou Gabriel Porteous nooit verwarren met de jonge Brodie Grant, niet als je afging op de foto's die Bel had gezien op Rotheswell. Maar je zou hen voor broers kunnen houden.

Haar gedachten werden onderbroken door de telefoon. Het was irritant dat in het buitenland de nummerherkenning niet altijd werkte. Je wist nooit of er aan de andere kant iemand zat die je juist wilde ontlopen. En een telefoontje laten overgaan op voicemail, zodat je kon schiften, werd algauw afschuwelijk duur. Bovendien was ze gedeeltelijk verantwoordelijk voor haar neefje, en dat betekende dat ze de telefoon altijd moest opnemen. 'Hallo?' zei ze aarzelend.

'Bel? Met Susan Charleson. Komt het uit?'

'Ja, prima.'

'Ik heb je mail ontvangen. Sir Broderick heeft me gevraagd je te zeggen dat hij erg tevreden is over je voortgang tot dusver. Hij wilde weten of we hier nog iets voor je konden doen. We zouden bijvoorbeeld iemand bij de burgerlijke stand kunnen laten zoeken.'

Bel moest stiekem even lachen. Ze had haar hele werkende leven haar eigen vuile werk opgeknapt, of ze had het met veel moeite weten uit te besteden. Het was niet bij haar opgekomen dat ze haar vervelende werkjes kon uitbesteden als ze voor Brodie Grant werkte. 'Ik heb alles onder controle,' zei ze. 'Maar je zou me wel met een persoonlijke zaak kunnen helpen. Ik denk toch echt dat er in het verleden van Catriona ergens een moment moet zijn geweest dat ze deze Daniel Porteous is tegengekomen, of die Matthias, die Duits of Brits kan zijn. Hij kan zelfs een Zweed zijn, want Catriona heeft daar gestudeerd. Ik moet erachter zien te komen wanneer en waar dat is gebeurd. Ik weet niet of ze een dagboek bijhield of dat ze een adressenboekje had? En als ik terug ben, zou ik zeker haar vriendinnen willen opzoeken. Vrouwen die ze in vertrouwen nam.'

Susan Charleson liet een beschaafd lachje horen, 'Dan moet ik je teleurstellen. Haar vader is ook vrij terughoudend, maar in vergelijking met Catriona is hij een open boek. Ze was ongelooflijk eenzelvig. Haar moeder was eigenlijk haar beste vriendin. Ze waren erg close. Afgezien van Mary was Fergus de enige persoon die tot Cat kon doordringen.' Ze liet de naam ergens tussen hen in hangen.

'Je weet waarschijnlijk niet waar ik die Fergus kan vinden?'

'Je zou met zijn vader kunnen praten als je terug bent. Hij komt in deze tijd van het jaar vaak bij zijn familie op bezoek,' zei Susan. 'Willie vindt niet dat hij daar Sir Broderick altijd van op de hoogte moet stellen. Maar ik weet het altijd.'

'Bedankt.'

'En ik zal kijken of ik iets te weten kan komen over een dagboek of een adressenboekje. Maar ik zou er niet te veel van verwachten. Het probleem met kunstenaars is dat ze communiceren via hun werk. Wanneer denk je terug te komen?'

'Dat weet ik nog niet. Het hangt ervan af of ik morgen wat verder kom. Ik laat het je wel weten.'

Ze waren uitgepraat, en aan beleefdheden deden ze niet. Bel was nog nooit een vrouw tegengekomen met wie ze zo weinig contact had. Ze had in haar volwassen leven geprobeerd te leren hoe ze mensen voor zich moest innemen, zodat ze haar dingen toevertrouwden die ze eigenlijk aan niemand wilden vertellen. Bij Susan Charleson was haar dat niet gelukt. Deze klus, die in het begin niet veel meer had ingehouden dan dat ze een man die notoir publiciteitsschuw was aan het praten moest krijgen, had haar op een onverwachte manier een spiegel voorgehouden. Wat nu, vroeg ze zich af, terwijl ze een grote slok wijn nam. Wat nu?

Woensdag 4 juli 2007, East Wemyss
Op de radio was de een of andere Amerikaanse vrouw een prachtige *alt.country song* over Onafhankelijkheidsdag aan het galmen. Alleen ging het nu eens niet over de Amerikaanse vlag maar over een radicaal andere benadering van huiselijk geweld. Als politiefunctionaris kon Karen het niet goedkeuren, maar als vrouw moest ze toegeven dat de oplossing die in het lied werd aangedragen, nog zo gek niet was. Als Phil nu naast haar had gezeten, had ze best met hem een wedje durven maken dat de man naar wie ze op weg was niet keihard 'Independence Day' aan had staan op zijn autoradio.

Ze reed langzaam het smalle straatje in dat leidde naar de plek waar vroeger de poort en de kantoren van de Michael waren geweest. Er was nu niets meer van over behalve een pokdalig stuk grond waar de kantine had gestaan, naast het kantoor waar het loon werd uitbetaald. Al het andere was omgevormd tot een parkachtig landschap. Zonder de roodbruine pyloon van de schacht kon ze zich moeilijk oriënteren. Maar waar het asfalt ophield, stond een auto geparkeerd, met de neus naar de zee. Haar afspraakje.

De auto waarnaast ze stopte was een oude Rover, die er onberispelijk gepoetst bij stond. Ze dacht opeens lichtelijk beschaamd aan de verzameling dode insecten op haar nummerbord. Het portier van de Rover ging open toen ze haar eigen portier opendeed en beide chauffeurs stapten tegelijkertijd uit, alsof er een choreograaf aan te pas was gekomen. Karen ging voor haar auto staan en wachtte tot hij zich bij haar voegde.

Hij was kleiner dan ze had verwacht. De minimumlengte voor een politieman was één meter zeventig en dat haalde hij krap.

Misschien hadden zijn haren de doorslag gegeven. Ze waren nu weliswaar staalgrijs, maar de kuif kon zich nog steeds meten met die van Elvis. Het kippenkontje en de tochtlatten hadden niet door de beugel gekund toen hij nog bij het korps was, maar nu hij eenmaal met pensioen was had Brian Beveridge zich wat kapsel betreft geen beperkingen meer opgelegd.

Net als Elvis was hij ook nogal uitgedijd sinds hij surveilleerde in de straten van de dorpen van de gemeente Wemyss. De knopen van zijn smetteloos witte overhemd spanden zich over een flinke buik, maar zijn benen waren onevenredig dun en zijn voeten verrassend sierlijk. Zijn gezicht had de hoogrode kleur en de vlezigheid van een man bij wie ieder moment iets mis kon gaan met zijn hart. Als hij glimlachte veranderden zijn wangen in strakke roze ballen, alsof iemand er watten in had gepropt. 'Inspecteur Pirie?' vroeg hij opgewekt.

'Karen,' zei ze. 'En jij bent Brian, hè? Bedankt dat je me wilde ontmoeten.' Het was net alsof ze het Michelinmannetje een hand gaf; ze zakte weg in een en al zachte warmte.

'Het is beter dan wat aanrommelen in de tuin,' zei hij met zijn zware accent uit de streek. 'Ik vind het altijd fijn als ik kan helpen. Ik heb dertig jaar lang mijn ronde gemaakt in deze dorpen en als ik eerlijk ben mis ik dat gevoel wel, dat ik elke stoep en elk huis ken. Vroeger kon je nog gewoon wijkagent zijn. Je hoefde niet per se carrière te maken of bij de recherche te gaan.' Hij rolde met zijn ogen. 'Daar heb je mij weer. Ik heb mijn vrouw nog zo beloofd dat ik het niet zou gaan hebben over die goeie ouwe tijd, maar ik kan er gewoon niets aan doen.'

Karen lachte. Ze had nu al sympathie opgevat voor dit vrolijke mannetje, ook al besefte ze terdege dat ze er vroeger waarschijnlijk heel anders tegenaan zou hebben gekeken. 'Ik wed dat je je die zaak van Catriona Maclennan Grant nog wel herinnert,' zei ze.

Hij keek opeens ernstig en knikte. 'Die zal ik nooit vergeten. Ik was erbij die nacht – dat weet je natuurlijk, want daarom ben ik hier. Maar ik droom er nog wel eens van. De schoten, de stank van het cordiet vermengd met de zeelucht, het geschreeuw en gehuil. Wat heeft het nu, zoveel jaren later, eigenlijk opgeleverd? Lady Grant ligt in haar graf naast haar dochter. Jimmy

Lawson zit voor de rest van zijn leven in de gevangenis. En Brodie Grant is verdomme overal heer en meester. Een nieuwe vrouw, een nieuwe erfgenaam. Vreemd hoe het allemaal kan gaan, hè?'

'Ja, het kan raar lopen in het leven,' zei Karen, blij dat ze een pasklaar cliché paraat had. 'Zou je me misschien kunnen vertellen hoe het toen is gegaan, dan lopen we ondertussen naar Lady's Rock.'

Ze liepen om te beginnen langs een rijtje huizen dat sprekend leek op de straat in Newton of Wemyss waar Jenny Prentice woonde. Ze lagen er eenzaam en verlaten bij, nu hun reden van bestaan er niet meer was. Al snel kwamen ze bij het bos, waar het pad naar beneden liep, met aan de ene kant een door dik struikgewas geflankeerd muurtje dat tot haar middel reikte. In de verte zag ze de glinstering van de zee, want wonder boven wonder scheen de zon toen ze naar het strand afdaalden. 'Hier stond een stel agenten en in de richting van East Wemyss nog een paar,' zei Beveridge. 'In die tijd kon je niet langs de kust naar East Wemyss lopen vanwege de steenbergen. Maar toen ze het kustpad hebben aangelegd, hebben ze geld van de EU gekregen en hebben ze al het mijnafval met vrachtwagens weggehaald van het strand. Als je nu kijkt, zie je er niets meer van.'

Hij had gelijk. Toen ze op het strand stonden, kon Karen helemaal langs East Wemyss kijken tot aan Buckhaven, dat op een hoge klip lag. In 1985 was dit uitzicht er nog niet geweest. Ze draaide zich om in de richting van West Wemyss en stelde verbaasd vast dat ze vanaf de plek waar ze stond Lady's Rock niet echt kon zien.

Karen liep achter Beveridge aan en probeerde zich voor te stellen hoe het die nacht was geweest. In het dossier stond dat het nieuwe maan was. In gedachten zag ze het dunne sikkeltje aan de hemel en de sterren als speldenknopjes in de ijskoude nacht. De Grote Beer als een grote steelpan. De gordel en het zwaard van Orion, en al die ander sterren waar ze de namen niet van kende. De agenten verscholen in de bossen, ademend met open mond, zodat hun adem al koud was en geen wolkjes vormde. Ze nam de hoge platanen in zich op en vroeg zich af hoeveel kleiner ze toen waren geweest. Aan dikke takken hingen touwen waar kinderen aan konden slingeren, zoals zijzelf gedaan had toen ze klein was. Op dit moment, nu haar verbeeldingskracht groter was dan normaal, vond Karen dat ze op de strop van een beul leken, doodstil hangend in de zachte ochtendlucht, wachtend op de volgende hals. Ze rilde even en versnelde haar pas om Beveridge in te halen.

Hij wees omhoog naar de hoge rotsen, waar de toppen van de bomen eindigden. 'Daarboven, daar ligt Newton. Je ziet hoe steil de rotsen zijn. Niemand zou daar ongezien naar beneden kunnen komen. De kerels die de operatie leidden, dachten dat de kidnappers hoe dan ook het pad moesten nemen, dus hebben ze de meeste mannen hier tussen de bomen gestationeerd.' Hij draaide zich om en wees naar een enorme kei naast het pad. 'En een vent met een geweer ginds boven op Lady's Rock.' Hij lachte spottend. 'Met zijn gezicht de verkeerde kant uit.'

'Hij is veel kleiner dan ik me herinner van toen ik klein was.' Nu ze ernaar keek, kon Karen maar moeilijk geloven dat iemand de moeite had genomen om zo'n onbetekenend stuk zandsteen een naam te geven. De rotswand naast het pad was kaarsrecht, ongeveer acht meter hoog en zat vol met gaten en barsten. Een paradijs voor kleine jongetjes. Aan de andere kant was een helling van vijfenveertig graden bedekt met polletjes grof gras en struikjes. In haar verbeelding had het er veel dreigender uitgezien.

'Je denkt dat je geheugen je parten speelt, maar dat is niet helemaal zo. Ik weet dat het er nu niet erg indrukwekkend uitziet, maar twintig jaar geleden lag het strand een stuk lager en was de rots een stuk groter. Kom maar mee, ik zal het je laten zien.'

Beveridge ging haar voor langs de rots naar beneden. Het pad bestond eigenlijk alleen uit wat gras dat door vele voeten was platgetrapt; het leek in niets meer op het mooi aangelegde pad van de EU. Ze liepen een klein stukje voorbij de rots en kwamen uit bij iets wat leek op een smal weggetje van ruw beton. Een paar meter verder was er een roestige metalen ring in het beton ingegoten. Karen trok vragend haar wenkbrauwen op, want ze wist absoluut niet waar ze naar keek. Ze zag hoe de weg een bocht maakte en toen doodliep in de zee. 'Ik snap het niet,' zei ze.

'Het was een kade,' zei Beveridge. 'Dat is een ring voor een meertros. Twintig jaar geleden kon je hier nog aanmeren met een redelijk grote boot. De kust lag ongeveer drie tot vijf meter lager dan nu, afhankelijk van waar je stond. Zo hebben ze het gedaan.'

'Jezus,' zei Karen, terwijl ze alles in zich opnam: de zee, de rots, de kade, het bos achter hen. 'Maar dan hebben jullie ze toch wel aan horen komen?'

Beveridge glimlachte naar haar als een leraar naar zijn lievelingsleerling. 'Dat zou je denken, hè? Maar als ze een open bootje gebruikten, kon je het bij vloed gewoon naar binnen roeien. Met een goede roeier zou je niets horen. Bovendien dient de rots zelf als geluiddemper als je je op het pad bevindt. Zelfs de zee kun je nauwelijks horen. Toen ze moesten vluchten, konden ze natuurlijk volgas geven. Ze waren al in Buckhaven of Dysart voordat wij de helikopter in de lucht hadden.'

Karen bestudeerde nog eens hoe de omgeving eruitzag. 'Ongelooflijk dat niemand aan de zee heeft gedacht.'

'Dat hebben ze wel.' Het kwam er wat kortaf uit.

'Bedoel je dat jij er wel aan had gedacht?'

'Inderdaad. En mijn brigadier ook. Hij wendde zich af en keek uit over zee.

'Waarom heeft er niemand naar jullie geluisterd?'

Hij haalde zijn schouders op. 'Eerlijk gezegd hebben ze wel geluisterd. We hebben nog een bijeenkomst gehad met inspecteur Lawson en Brodie Grant. Ze geloofden geen van tweeën dat het mogelijk was. Een grote boot zou te veel opvallen, zou te gemakkelijk herkend en ingehaald kunnen worden. Een klein bootje was ook niet mogelijk, want je kon een volwassen gijzelaar niet in bedwang houden in een open boot. Ze zeiden dat de gijzelnemers hadden getoond dat ze vooruit planden, dat ze intelligent waren en dat ze nooit een dergelijk stom risico zouden nemen.' Hij draaide zich met een zucht naar haar om. 'Misschien hadden we meer moeten aandringen. Misschien was het dan allemaal anders afgelopen.'

'Misschien,' zei Karen nadenkend. Tot dusver had iedereen naar de mislukte losgeldoperatie gekeken vanuit het standpunt van de politie en Brodie Grant. Maar een andere invalshoek was net zo goed het overwegen waard. 'Maar ze hadden wel een punt, hè? Hoe is ze dat gelukt in zo'n klein bootje? Ze hebben een volwassen gijzelaar. Plus een baby. Ze moeten met de boot manoeuvreren en tegelijkertijd de gegijzelden onder controle houden, en er kunnen niet al te veel mensen in zo'n klein bootje hebben gezeten. Als het een grote boot was geweest, waren ze zeker ontdekt. Ik had niet graag de leiding gehad bij die operatie.'

'Ik ook niet,' zei Beveridge. 'Het zou al moeilijk genoeg zijn geweest om dat zootje aan land te krijgen als iedereen aan dezelfde kant stond, maar dat deden ze niet.'

'Tenzij ze er al een hele poos vóór de uiteindelijke overdracht waren. Het was om vier uur al donker en aan de kade zelf zou een bootje van bijna alle kanten onzichtbaar zijn...' Ze dacht na. 'Hoe laat hebben jullie je positie ingenomen?'

'Het was de bedoeling dat we vanaf twee uur het hele gebied onder bewaking hadden. De teams in de voorhoede stonden tegen zessen op hun plaats.'

'Dus feitelijk konden ze stiekem zijn aan komen varen nadat het donker was en voordat jullie teams op hun post stonden,' zei ze peinzend.

'Het is mogelijk,' zei Beveridge, niet erg overtuigd. 'Maar hoe wisten ze dan dat we geen posten bij de kade hadden staan? En hoe kon je met enige zekerheid weten dat je een baby van zes maanden drie of vier uur stil kon houden in de ijzige kou?'

Karen liep langs de oude kade en verwonderde zich over de veranderingen in de kustlijn. Hoe meer ze ontdekte over deze hele zaak, hoe minder ze ervan snapte. En ze vond toch niet dat ze dom was. Maar in dit geval was een plus een geen twee. Na hun ontvoering waren Cat en Adam door niemand meer gezien. Niemand had ooit iemand gezien die zich verdacht ophield in de buurt van haar huis, laat staan dat er een getuige was van de ontvoering zelf. Niemand had gezien hoe ze op de plaats van de losgeldoverdracht aankwamen. Niemand had hen zien ontsnappen. Als het zeer overtuigende lichaam van Cat Grant er niet was geweest, kon je bijna geloven dat het nooit had plaatsgevonden.

Maar dat had het wel.

Brodie Grant gaf het verslag van Bel aan zijn vrouw en begon wat te rommelen met het espressoapparaat in zijn kantoor. 'Ze doet het verrassend goed,' zei hij. 'Ik had wat twijfels over dit plannetje van Susan, maar het lijkt erop dat het resultaten oplevert. Ik dacht dat we een privédetective in de arm moesten nemen, maar die journalist doet het minstens even goed.'

'Voor haar staat er meer op het spel dan voor een detective, Brodie. Ik denk dat ze bijna even graag iets wil ontdekken als wij,' zei Susan Charleson. Ze schonk een glas water voor zichzelf in en ging op de vensterbank zitten. 'Nu ze als eerste en enige toegang tot jou heeft, ziet ze zich vermoedelijk al op de bestsellerlijsten staan.'

'Als ze ons helpt bij het vinden van antwoorden na zoveel tijd, verdient ze dat ook,' zei Judith. 'Je hebt gelijk, dit is een indrukwekkend begin. Wat vindt inspecteur Pirie ervan?'

Grant en Susan wisselden even een schuldbewuste blik. 'We hebben haar nog niet op de hoogte gesteld,' zei Grant.

'Waarom niet in vredesnaam? Ik kan me voorstellen dat ze er iets aan zou hebben.' Judith keek verbaasd van de een naar de ander.

'We houden het voorlopig nog even voor onszelf,' zei Grant, en hij drukte op een knopje dat onder hoge druk heet water door de koffie stuwde met als eindresultaat een espresso zoals je die kreeg in een heel goede Italiaanse bar. 'Mijn ervaring met de politie was de laatste keer niet bepaald gunstig. Zij hebben de boel in de soep laten lopen met als resultaat dat mijn dochter dood is. Ditmaal wil ik liever zo weinig mogelijk aan hen overlaten.'

'Maar dit is een zaak voor de politie,' protesteerde Judith. 'Jij hebt ze er zelf bijgehaald. Je kunt ze nu niet negeren.'

'O nee?' Hij keek op. 'Misschien had Cat nog geleefd als ik ze destijds had genegeerd en mijn eigen gang was gegaan. En Adam zou nu...' Hij hield abrupt zijn mond, want hij besefte dat hij net een kuil had gegraven waar niets hem nog uit kon halen. Wat hij ook zei.

'Juist,' zei Judith op een messcherpe toon. Ze gooide de papieren op zijn bureau en liep de kamer uit.

Grant trok een lelijk gezicht. 'Daar heb je dat trommelijs

weer,' zei hij toen de deur achter zijn vrouw in het slot viel. 'Dat had ik wel wat handiger aan kunnen pakken. Hachelijke dingen, woorden.'

'Ze komt er wel overheen,' zei Susan onverschillig. 'Maar ik ben het met je eens. We moeten dit voorlopig voor onszelf houden. Iedereen weet dat ze bij de politie altijd alles laten uitlekken.'

'Daar maak ik me geen zorgen over. Ik ben eerder bang dat ze het weer verpesten. Dit zou wel eens de laatste kans kunnen zijn om erachter te komen wat er met mijn dochter en mijn kleinzoon is gebeurd, en ik wil niet het risico lopen dat het weer misgaat. Daar is het te belangrijk voor. Ik had destijds de touwtjes meer in eigen hand moeten houden. Die fout maak ik geen tweede keer.'

'We zullen de politie uiteindelijk wel moeten inlichten als Bel Richmond met een serieuze verdachte op de proppen komt,' bracht Susan naar voren.

Grant trok zijn wenkbrauwen op. 'Niet per se. Niet als hij dood is.'

'Ze zullen de zaak willen oplossen.'

'Dat is niet mijn probleem. Degene die mijn gezin heeft verwoest, verdient het om dood te zijn. Als je de politie erbij haalt, gebeurt dat niet. Als hij al dood is, is de zaak daarmee af. En als hij nog leeft – nou ja, dan lossen we dat wel op.'

Ze was al dertig jaar bij Brodie Grant in dienst, dus Susan Charleson was niet gauw door iets geschokt, maar nu was ze toch wel enigszins van haar stuk gebracht. 'Ik ga net doen alsof ik dat niet heb gehoord.' zei ze.

'Dat is waarschijnlijk wel zo verstandig,' zei hij terwijl hij een laatste slokje van zijn espresso nam. 'Erg verstandig zelfs.'

Glenrothes
Phil was aan het bellen toen Karen terug op kantoor kwam. Met de hoorn van de telefoon tussen zijn kin en zijn schouder krabbelde hij wat in zijn aantekenboekje. 'En dat weet je zeker?' hoorde ze hem vragen toen ze haar tas op haar bureau gooide en rechtstreeks op de koelkast af liep. Toen ze terugkwam met een cola light, zat hij somber naar zijn aantekeningen te staren. 'Dat

was dr. Wilde,' zei hij. 'Ze heeft het DNA extra vlug laten nakijken. Misha Gibson en het lijk in de grot hebben niets met elkaar te maken.'

'Shit,' zei Karen. 'Dus het is niet het lichaam van Mick Prentice.'

'Of Mick Prentice was niet de vader van Misha.'

Karen leunde achterover in haar stoel. 'Aardig bedacht, maar als ik eerlijk ben, denk ik niet dat Jenny Prentice is vreemdgegaan toen Mick er nog was. Dan hadden we daar onderhand wel iets over gehoord. Een dorp als Newton is één grote roddelclub. Er is altijd wel iemand die over zijn buurman wil klikken. Het zal dus wel niet om het lichaam van Mick Prentice gaan.'

'Bovendien zei je dat de buurvrouw keihard volhield dat Jenny van hem hield. Dat Tom Campbell duidelijk haar tweede keus was...'

'Dus als we ervan uit kunnen gaan dat hij Misha's vader was, was Mick misschien wel degene die het lijk daar heeft neergelegd. Hij kende de grotten, hij kon waarschijnlijk wel aan explosieven komen. We moeten zien uit te vinden of hij ervaring had met het opblazen van rotsen. Maar als je een lichaam begraaft in Thane's Cave is dat een vrij goede reden om te verdwijnen. En we weten dat er ongeveer in dezelfde tijd iemand anders op de lijst van vermisten verscheen...' Karen pakte haar aantekenboekje en bladerde erin tot ze vond wat ze zocht. Ze wierp een blik op haar horloge. Het was halftwaalf. 'Vind je dat ik zo laat nog iemand kan opbellen?'

Phil keek stomverbaasd. 'Hoe bedoel je, zo laat? Het is nog niet eens etenstijd.'

'Ik bedoel 's avonds. In Nieuw-Zeeland.' Ze pakte de telefoon en toetste het nummer van Angie MacKenzie in. 'Het gaat nu wel om een moordonderzoek, hè. Dat is belangrijker dan een schoonheidsslaapje.'

Een man nam op. 'Met wie spreek ik?' vroeg hij knorrig.

'Het spijt me dat ik u stoor. U spreekt met de politie van Fife in Schotland. Ik zou graag met Angie spreken,' zei Karen zo vriendelijk mogelijk.

'Jezus. Weet je hoe laat het is?'

'Ja, het spijt me. Maar ik moet echt met haar praten.'

'Wacht even, ik zal haar halen.' In de verte hoorde ze hem de naam van zijn vrouw roepen.

Er ging een volle minuut voorbij voordat Angie aan de lijn kwam. 'Ik stond onder de douche,' zei ze. 'Spreek ik met inspecteur Pirie?'

'Inderdaad.' Karens toon was nu nog iets aardiger. 'Het spijt me heel erg je te moeten storen, maar ik wilde je laten weten dat we in een van de grotten van Wemyss, daar waar een stuk was ingestort, menselijke resten hebben gevonden.'

'En je denkt dat het misschien om Andy gaat?'

'Dat zou kunnen. Het klopt met het tijdstip van zijn verdwijning.'

'Maar wat zou hij daar in de grotten moeten doen? Hij was veel meer een buitenmens. Toen hij bij de vakbond ging werken, was hij blij dat hij nooit meer onder de grond hoefde.'

'We weten nog niet of het om je broer gaat,' zei Karen. 'Dat zijn vragen voor later, Angie. We moeten de resten nog identificeren. Weet jij misschien wie de tandarts van je broer was?'

'Hoe is hij gestorven?'

'Dat weten we nog niet,' zei Karen. 'Je zult begrijpen dat het allemaal lang geleden is. Het is echt een flinke klus voor onze forensische deskundigen. Uiteraard houd ik je op de hoogte. Maar in de tussentijd moeten we het behandelen als een onverklaard sterfgeval. Dus, wie was Andy's tandarts?'

'Hij ging naar dokter Torrance in Buckhaven. Maar die is een paar jaar voordat ik uit Schotland wegging overleden. Ik weet niet eens of er nog een praktijk is.' Ze klonk lichtelijk in paniek. Het begint nu pas echt door te dringen, dacht Karen.

'Maak je geen zorgen. Dat zoeken wij wel uit,' zei ze.

'DNA,' flapte Angie eruit. 'Kunnen jullie DNA krijgen van... wat jullie gevonden hebben?'

'Jazeker. Kunnen we met de politie bij jou in de buurt een afspraak maken om bij jou een monster af te nemen?'

'Dat hoeft niet. Voordat ik naar Nieuw-Zeeland ben vertrokken, heb ik met mijn notaris geregeld dat hij kon beschikken over een officiële kopie van mijn DNA-analyse.' Haar stem brak. 'Ik dacht dat hij van een berg was gevallen. Of dat hij misschien in een *loch* was gelopen met zijn zakken vol keien. Ik wilde niet dat hij daar zou liggen en dat niemand wist wie hij was. Mijn notaris heeft instructies om mijn DNA-analyse aan de politie ter beschikking te stellen als er ergens een lichaam wordt aangetroffen van de juiste leeftijd dat ze niet kunnen identificeren.' Karen hoorde een snik van de andere kant van de wereld. 'Ik heb altijd gehoopt...'

'Het spijt me,' zei Karen. 'Ik zal contact opnemen met je notaris.'

'Alexander Gibb,' zei Angie. 'In Kirkcaldy. Sorry, ik moet nu ophangen.' De verbinding werd abrupt verbroken.

'Toch niet te laat dus,' zei Phil.

Karen schudde haar hoofd en zuchtte. 'Hangt ervan af wat je onder "te laat" verstaat.'

Hoxton, Londen

Jonathan belde met de sneltoets naar Bels mobieltje. Toen ze opnam, begon hij vlug te praten. 'Ik heb geen tijd voor een praatje, ik heb een afspraak met mijn studieleider. Ik heb wat materiaal dat ik je kan mailen, dat doe ik straks wel. Maar dit moet je echt weten: Daniel Porteous is dood.'

'Weet ik toch,' zei Bel ongeduldig.

'Wat je niet weet, is dat hij in 1959 is overleden op vierjarige leeftijd.'

'Shit,' zei Bel.

'Je haalt me de woorden uit de mond. Maar hier zul je helemaal van achterover vallen. In november 1984 heeft Daniel Porteous de geboorte van een zoon aangegeven bij de burgerlijke stand.'

Bel voelde zich duizelig. Ze besefte dat ze haar adem inhield en zuchtte diep. 'Je meent het.'

'Geloof me, dit is echt waar. Onze Daniel Porteous heeft op de een of andere manier, vijfentwintig jaar na zijn dood, nog een zoon gekregen.'

'Te gek. En wie is de moeder?'

Jonathan grinnikte. 'Het wordt alsmaar gekker, vrees ik. Ik zal het voor je spellen. F-R-E-D-A C-A-L-L-O-W is de naam op het geboortebewijs. Zeg het eens hardop, Bel.'

'Freda Callow. Klinkt als Frida Kahlo. De rotzak!'
'Ja, die Daniel Porteous van ons heeft wel gevoel voor humor.'

Dundee
Karen trof River op de universiteit achter haar laptop. Ze zat in een kamertje met planken langs de muren, waarop doorzichtige plastic dozen stonden die stampvol botjes zaten. 'Wat is dit in godsnaam voor een plek?' vroeg ze, terwijl ze zich op de enige andere stoel liet ploffen.

'De professor hier is de beste deskundige van de wereld op het gebied van het gebeente van baby's en jonge kinderen. Heb je ooit de schedel van een foetus gezien?'

Karen schudde haar hoofd. 'En dat wil ik ook niet, dank je wel.'

River grijnsde. 'Oké, dan dwing ik je er niet toe. Laten we zeggen dat als je dat hebt gezien je meteen begrijpt waar ze het idee van *ET* vandaan hebben. Maar ik neem aan dat dit geen gezelligheidsbezoekje is.'

Karen proestte het uit. 'O ja hoor, de afdeling anatomie van de universiteit van Dundee is mijn favoriete bestemming voor een leuk dagje uit. Nee, River, dit is geen gezelligheidsbezoekje. Ik ben hier omdat ik een sluitende garantie moet hebben op een bewijsstuk in een moordonderzoek.' Ze legde een vel papier op het bureau. De notaris van Angela Kerr had niet stilgezeten. 'Dit is het DNA van Angie, de zus van Andy Kerr. Ik dien een officieel verzoek bij jou in om het te vergelijken met het DNA van de menselijke resten die je hebt gevonden op een plek die Thane's Cave wordt genoemd en die ligt tussen East Wemyss en Buckhaven. Je krijgt het ook op schrift, zodra ik weer achter mijn bureau zit.'

River keek er nieuwsgierig naar. 'Knap werk, Karen. Waar heb je dit vandaan?'

'Angie Mackenzie is een vrouw met een vooruitziende blik,' zei Karen. 'Ze heeft dit bij haar notaris gedeponeerd. Voor het geval er ooit een lichaam opdook.' Ondertussen zat River wat toetsen op haar laptop aan te slaan.

'Je krijgt een gedetailleerd verslag op schrift,' zei ze langzaam, omdat ze werd afgeleid door de dingen die ze zag. 'En ik moet dit nog inscannen om zekerheid te krijgen... Maar op het eerste gezicht zou ik zeggen dat deze mensen nauw verwant zijn.' Ze keek op. 'Volgens mij zijn we erachter wie jouw geheimzinnige man is.'

Siena
Bel vroeg zich af hoe Italiaanse onderzoeksjournalisten hun werk behoorlijk konden doen. Ze dacht dat de Britse bureaucratie vermoeiend en lastig was, maar die was heilig vergeleken bij de Italiaanse ambtenarij. Eerst had ze van het ene naar het andere kantoor moeten sjouwen. Daarna kreeg ze te maken met de wezenloze blik van negatieve functionarissen die het duidelijk niet leuk vonden dat hun vrije tijd werd onderbroken door iemand die hen op hun plicht wees. Het was een wonder dat er in dit land nog mensen waren die de informatie in handen kregen die ze nodig hadden.

Tegen het eind van de morgen begon ze te vrezen dat ze vóór sluitingstijd niets meer te weten zou komen. Toen, een paar minuten voordat het kantoor van de burgerlijke stand ging sluiten voor de middagpauze, hoorde ze haar naam roepen door een verveeld uitziende vrouw, die haar blonde haren te danken had aan de inhoud van een flesje. Bel rende naar de balie, maar wist eigenlijk al zeker dat ze afgescheept zou worden. In plaats daarvan kreeg ze twee vellen papier aangereikt in ruil voor een stapeltje euro's, waarvoor geen kwitantie werd afgegeven. Ze waren kennelijk gefotokopieerd op een apparaat dat aan een verse tonercartridge toe was. Boven het ene papier stond *Certificato di Morte* en boven het andere *Certificato di Residenza*. Als puntje bij paaltje kwam had ze meer gekregen dan ze had verwacht.

De overlijdensverklaring van Daniel Simeon Porteous vermeldde alleen dat hij was gestorven op 7 april 2007 in de leeftijd van tweeënvijftig jaar in de Policlinico Le Scotte in Siena. De namen van zijn ouders waren Nigel en Rosemary Porteous. En dat was dat. Geen doodsoorzaak, geen adres. Ze had er net zoveel aan als aan een theepot van chocola, dacht Bel verbitterd. Ze overwoog of ze naar het ziekenhuis zou gaan op zoek naar meer informatie, maar wees dit idee meteen van de hand. Het zou godsonmogelijk zijn om een bres te slaan in de muren van de bureaucratie, vooral voor iemand die onbekend was met het systeem. De kans dat ze iemand trof die omkoopbaar was en die zich na zo lange tijd Daniel Porteous nog herinnerde was minimaal, en haar beheersing van de taal was waarschijnlijk ook niet toereikend. Met een zucht richtte ze haar blik op het andere papier, zo te zien een lijstje van adressen en data. Ze was er algauw achter dat het hier ging om alle verblijfplaatsen van Daniel sinds hij in 1986 in de Commune di Siena was komen wonen. En dat het laatste adres op de lijst hoorde bij het huis waar hij had gewoond toen hij gestorven was. Wat haar nog meer verbaasde, was dat ze min of meer wist waar het was. Costalpino was het laatste dorpje waar ze doorheen was gereden op weg van Campora naar Siena. De hoofdweg slingerde er zich in een serie bochten door de hoofdstraat naar beneden en aan weerszijden van de weg stonden huizen, met af en toe een winkel of een bar ertussenin.

Ondanks de zweterige warmte van het middaguur rende Bel op een holletje terug naar de auto. Ze hapte dankbaar naar adem toen de airco aanging en zonder nog een seconde te verliezen reed ze de parkeerplaats af, op weg naar Costalpino. De man achter de bar van het eerste café onderweg gaf haar uitstekende aanwijzingen en al een kwartier nadat ze Siena had verlaten, parkeerde ze haar auto een paar huizen verder dan het huis waar ze verwachtte Gabriel Porteous aan te treffen. Het was een aardige straat, breder dan de meeste in dat deel van Toscane. Hoge bomen wierpen hun schaduw over de smalle trottoirs en de scheidslijn tussen kleine, maar goed onderhouden villa's werd gevormd door muurtjes die tot haar middel reikten, met een ijzeren hekwerk erbovenop. Bel voelde hoe haar hart in haar keel klopte. Als ze gelijk had, kon ze ieder moment oog in oog staan met de verloren zoon van Catriona Maclennan Grant. De politie was er tot twee keer toe niet in geslaagd, maar Bel Richmond zou wel eens laten zien hoe je zoiets aanpakte.

Ze was zo zeker van haar zaak dat ze geen notitie nam van het bord op de voorkant van de geel bepleisterde villa. Ze controleerde nogmaals de huisnummers om zich ervan te vergewissen dat ze voor het goede huis stond, maar ze had zich niet vergist. De donkergroene luiken zaten potdicht. De planten in de hoge terracottapotten die naast de oprit stonden, zagen er verlept en stoffig uit. Her en der kwam er wat onkruid tussen het grind tevoorschijn en uit de brievenbus staken allerlei reclameblaadjes. Alles vormde een bevestiging van het bordje met SE VENDE, met de naam en het telefoonnummer van een makelaar in het naburige Sovicille. Waar Gabriel Porteous ook mocht zijn, hier was hij in ieder geval niet.

Een tegenvaller, maar niet het einde van de wereld. Op weg naar de verhalen waarop haar reputatie berustte, die van de journalist die de onderste steen boven kreeg, was ze grotere obstakels tegengekomen. Ze moest gewoon een plan de campagne opstellen en dat uitvoeren. En ditmaal kon ze een beroep doen op de faciliteiten die Brodie Grant haar had aangeboden, als ze iets niet zelf kon oplossen. Het stelde haar niet helemaal gerust, maar het was beter dan niets.

Voordat ze op pad ging naar Sovicille, besloot ze om eerst nog bij de buren te gaan kijken. Het zou niet de eerste keer zijn dat iemand die wist dat men naar hem op zoek was, de gekste dingen deed om het huis er onbewoond te laten uitzien. Op de veranda van een villa schuin tegenover het huis van Porteous had Bel een man zien staan. Hij had haar ongegeneerd staan aangapen toen ze de straat in kwam lopen en naar het verkoopbordje stond te kijken. Het was tijd om de waarheid wat geweld aan te doen.

Ze stak de straat over en zwaaide naar hem ter begroeting 'Hallo,' zei ze.

De man, die net zo goed midden vijftig als midden zeventig zou kunnen zijn, keek haar onderzoekend aan. Ze wou dat ze een wijd T-shirt droeg in plaats van het strakke topje met de spaghettibandjes dat ze die morgen had aangetrokken. Ze hield van Italië, maar ze had ongelooflijk de pest aan de manier waarop veel mannen vrouwen bekeken. Alsof ze zich op een veemarkt bevonden. Dit exemplaar zag er bovendien niet erg aantrekkelijk uit; zijn ene oog was groter dan het andere, hij had een neus als een slecht uitgevallen pastinaak en beharing die met bossen uit zijn onderhemd piepte. Hij streek met zijn pink een wenkbrauw glad en schonk haar een scheve grijns. 'Hallo,' zei hij. Uit zijn mond klonk het uiterst veelbetekenend.

'Ik ben op zoek naar Gabriel,' zei ze. Ze gebaarde over haar schouder naar het huis. 'Gabriel Porteous. Ik ben een vriendin van de familie, uit Engeland. Ik heb Gabriel niet meer gezien sinds het overlijden van Daniel, en dit is het enige adres dat ik heb. Maar het huis staat te koop en blijkbaar woont Gabriel er niet meer.'

De man stak zijn handen in zijn zakken en haalde zijn schouders op. 'Gabriel woont hier al meer dan een jaar niet meer. Hij zou ergens studeren, ik weet niet waar. Hij is nog even terug geweest voordat zijn vader stierf, maar ik heb hem nu al een paar maanden niet meer gezien.' De grijns was weer terug, wat breder dan eerst. 'Misschien kunt u me uw nummer geven, dan kan ik bellen als hij zijn gezicht weer laat zien.'

Bel glimlachte. 'Dat is erg vriendelijk, maar ik ben hier nog maar een paar dagen. U zei dat Gabe ergens "zou studeren".' Ze keek hem samenzweerderig aan. 'Denkt u dat hij weer in zijn oude fout is vervallen?'

Het werkte. 'Daniel, die werkte hard. Hij klooide niet zomaar wat aan. Maar Gabe? Die zit altijd maar wat aan te klooien, hangt wat rond met zijn vrienden. Ik heb hem nog nooit met een boek in zijn handen gezien. Wat zou hij moeten studeren? Als het hem ernst was geweest, had hij zich ingeschreven bij de universiteit van Siena, dan had hij thuis kunnen wonen en hoefde hij alleen maar aan zijn studie te denken. Maar nee, hij gaat liever de hort op.' Hij maakte een afkeurend geluidje. 'Daniel was al weken ziek voordat Gabe zijn gezicht liet zien.'

'Misschien heeft Daniel hem niet verteld dat hij ziek was. Hij is altijd nogal op zichzelf geweest,' zei Bel, die dit ter plekke stond te verzinnen.

'Een goede zoon had het geweten, omdat hij regelmatig langskwam,' zei de man koppig.

'En u hebt geen idee waar hij studeert?'

De man schudde zijn hoofd. 'Nee. Ik heb hem een keer in de trein gezien. Ik kwam terug uit Florence. Dus ergens in het noorden. Florence, Bologna, Padua. Het zou overal kunnen zijn.'

'Nou ja. Dan moet ik het maar eens bij de makelaar proberen. Ik had hem graag willen zien. Ik voel me schuldig dat ik niet op de begrafenis ben geweest. Waren er veel vrienden van vroeger?'

Hij keek verbaasd. 'Hij is in besloten kring begraven. Wij, de buren, wisten er ook niets van, totdat het achter de rug was. Ik heb Gabe achteraf nog gesproken. Ik wilde hem condoleren, weet u. Hij zei dat zijn vader het zo had gewild, maar nu doet u net alsof het helemaal niet in besloten kring was.' Hij haalde een pakje sigaretten tevoorschijn en stak er een op. 'Kinderen zijn gewoon niet te vertrouwen, hè?'

Er was geen echte reden waarom ze haar sporen zou moeten uitwissen bij iemand die ze toch nooit meer zou ontmoeten, maar haar credo was nu eenmaal dat ze niets aan het toeval overliet. 'Ik had het eigenlijk meer over een soort samenkomst van een stel van Daniels vrienden van vroeger. Niet een begrafenis als zodanig.'

Hij knikte. 'Het kunstenaarskliekje. Hij heeft ze nooit voorgesteld aan zijn vrienden in het dorp. Ik heb er een keer een paar ontmoet. Ze kwamen onverwacht langs toen we bij hem thuis met een stel zaten te kaarten. Een andere Engelsman en een Duitse vrouw.' Hij rochelde en spuugde over de stenen balustrade. 'Ik heb het niet zo op Duitsers. Maar die Engelsman! Je zou zeggen dat het een Duitser was, zo gedroeg hij zich.'

'Matthias?' raadde Bel.

'Ja, die. Arrogant. Behandelde Daniel als een stuk vuil. Alsof hijzelf degene was met de hersens en het talent. En hij moest lachen toen hij zag dat Daniel zat te kaarten met de mensen uit de buurt. Het gekke was dat Daniel er niets van zei. Wij zijn niet gebleven, hebben het potje uitgespeeld en hebben ze alleen gelaten. Als dat nou intellectuele kunstenaars zijn, mag je ze van mij houden.'

'Ik heb Matthias ook nooit aardig gevonden,' zei Bel. 'Maar bedankt voor uw hulp. Ik ga maar eens in Sovicille kijken of de makelaars weten hoe ik Gabe kan bereiken.'

Het was ongelooflijk hoe een ontmoeting die er absoluut niet veelbelovend uitzag je weer zoveel wijzer kon maken, dacht Bel, toen ze weer op pad ging. Weer iemand die dacht dat Matthias Engels was ondanks zijn Teutoonse naam en Duitse vriendin.

Een Brit die zijn wortels verloochende, die artistieke neigingen had, die in verband stond met de losgeldposters en die bevriend was met de man wiens zoon een griezelige gelijkenis vertoonde met Cat Grant en haar vader. Haar oorspronkelijke vermoedens begonnen een aantrekkelijk vaste vorm aan te nemen.

Twee jongemannen, aankomende kunstenaars, die Cat Grant kennen omdat ze zich in dezelfde kringen beweegt. Die ook weten dat ze een steenrijke vader heeft. Ze broeden een plan uit om hun eigen zakken te vullen. Ze kidnappen Cat en haar zoontje en doen net alsof het om iets politieks gaat. Ze gaan er met het losgeld vandoor en kunnen de rest van hun leven voor hun plezier schilderen. Zo simpel als wat. Alleen loopt het op een afschuwelijke manier mis en Cat sterft. Ze blijven zitten met het kind en met het losgeld, maar nu worden ze gezocht voor moord.

Beroepscriminelen zouden weten wat ze moesten doen en zouden dat koelbloedig ten uitvoer brengen. Maar dit zijn aardige, nette jongens, die dachten dat ze zich inlieten met iets wat maar een beetje erger was dan een studentengrap. Ze hebben een boot, dus ze varen gewoon door over de Noordzee naar Europa. Daniel komt in Italië terecht, Matthias in Duitsland. En ergens onderweg besluiten ze het kind niet te vermoorden of in de steek te laten. Om de een of andere reden houden ze hem bij zich. Daniel voedt hem op als zijn zoon. Met het losgeld als financiële buffer gaan ze ergens comfortabel wonen en dan, ironisch genoeg, ontwikkelt hij zich tot een redelijk succesvolle kunstenaar. Maar hij kan geen munt slaan uit zijn succes. Voor hem geen interviews in de media en geen persoonsgerichte reclame. Hij weet immers dat hij een misdadiger is die door de politie wordt gezocht. En hij weet dat zijn zoon niet Gabriel Porteous is. Hij is Adam Maclennan Grant, een jongeman die behept is met een opvallend uiterlijk.

Het was een aantrekkelijk scenario, daar was geen twijfel over mogelijk. Maar wel een scenario dat vragen opriep. Hoe hadden ze het losgeld in handen gekregen, terwijl ze zich struikelend een weg zochten in het donker op zoek naar een dode vrouw, de laatste die het geld had gehad? Hoe hadden ze de peilzendertjes onschadelijk gemaakt die de politie bij het losgeld had gestopt? Hoe konden ze ontsnappen in de boot zonder gezien te worden door de helikopter? Hoe was een stel kunststudenten destijds aan een pistool gekomen? Stuk voor stuk goede vragen, maar ze was er gerust op dat ze die, slim als ze was, wel zou oplossen. Ze moest wel: dit was te goed om te laten lopen, alleen vanwege een paar weerbarstige details.

Ze had geweten dat ze iets goeds op het spoor was toen zij als enige toegang kreeg tot Brodie Grant, maar dit was nog oneindig veel beter dan ze ooit had kunnen dromen. Dit was het soort verhaal waar ze haar naam mee kon vestigen. Dan zou ze worden bijgeschreven op het lijstje van journalisten wier naam voor zichzelf sprak. Stanley met de ontdekking van dr. Livingstone. Woodward en Bernstein met Watergate. Max Hastings met de bevrijding van Port Stanley op de Falklands. Nu konden ze daar Annabel Richmond bij voegen met de onthulling over Adam Maclennan Grant.

Er zaten nu nog een heleboel hiaten in het verhaal, maar die vulde ze later wel in. Bel moest nu dringend op zoek naar de jongeman die bekendstond als Gabriel Porteous. Met of zonder zijn medewerking moest ze een monster van zijn DNA zien te pakken te krijgen, zodat Brodie Grant zekerheid had dat het hier inderdaad om zijn kleinzoon ging. En dan was haar naam gemaakt. Krantenartikelen, een boek, misschien wel een film. Het was te mooi om waar te zijn.

Het kantoor van de makelaar lag weggestopt in een achterafstraatje, een klein stukje van de Via Nuova af. De etalage hing vol A4'tjes met foto's en een paar bijzonderheden van de diverse panden. De villa van Porteous hing er ook bij, met een opsomming van het aantal kamers en de verdere voorzieningen. Bel duwde de deur open en bevond zich toen in een klein grijs kantoor. Grijze dossierkasten, een grijze vloerbedekking, lichtgrijze muren en grijze bureaus. De enige aanwezige, een vrouw van in de dertig, leek in vergelijking hiermee wel een paradijsvogel. Haar opvallende knalrode blouse en turkooizen ketting deden haar warrige bos donker haar en haar volmaakt opgemaakte gezicht extra goed uitkomen. Ze haalt er in ieder geval alles uit wat erin zit, dacht Bel, toen ze nog in het stadium van de beleefdheden waren.

'Ik ben bang dat ik eigenlijk niet geïnteresseerd ben in een huis,' zei Bel met een verontschuldigend gebaar. 'Ik probeer in contact te komen met de eigenaar van de villa die u in Costalpino te koop hebt staan. Ik ben een vriendin van vroeger van Daniel, de vader van Gabriel Porteous. Helaas was ik in Australië toen Daniel is gestorven. Ik ben nu weer even in Italië en ik wilde Gabriel graag persoonlijk condoleren. Zou u mij met hem in contact kunnen brengen?'

De vrouw sloeg haar ogen ten hemel. 'Het spijt me, dat kan ik niet doen.'

Bel wilde haar portemonnee al tevoorschijn halen voor het aloude recept: omkoperij. 'Ik kan u betalen voor de moeite,' zei ze.

'Nee, nee, dat is het niet,' zei de vrouw, die absoluut niet beledigd leek. 'Als ik zeg dat ik het niet kan, bedoel ik dat letterlijk. Niet dat ik het niet wil. Ik kan het niet.' Ze klonk wat geagiteerd. 'Het is heel ongebruikelijk, ik heb geen adres of telefoonnummer of zelfs maar een e-mailadres van signore Porteous. Ook geen mobiel nummer. Ik heb geprobeerd hem duidelijk te maken dat dit heel onconventioneel was. Toen zei hij dat hij dat zelf ook was. Hij zei dat hij van plan was te gaan reizen, nu zijn vader dood was, en dat hij niet aan zijn verleden vast wilde zitten.' Ze glimlachte wrang. 'Jonge mensen vinden zoiets romantisch.'

'En wij op onze beurt vinden zoiets hopeloos verwend,' zei Bel. 'Gabriel is altijd al wat eigenzinnig geweest. Maar hoe moet u het huis verkopen als u geen contact met hem kunt opnemen? Hoe kan hij met een verkoop instemmen?'

De vrouw spreidde haar handen. 'Hij belt ons elke maandag. Ik heb tegen hem gezegd: "Stel nou dat er op dinsdagmorgen iemand met een bod komt?" Hij zei: "Vroeger schreven de mensen elkaar brieven. Als ze echt geïnteresseerd zijn, is het geen ramp als ze tot de volgende maandag moeten wachten."'

'En hebben er al veel mensen een bod gedaan?'

De vrouw keek chagrijnig. 'Niet voor die prijs. Ik denk dat hij er minstens vijfduizend af moet halen voordat er iemand een bod doet. Maar we zien wel. Het is een leuk huis, er komt wel een koper. Hij heeft het gelukkig leeggehaald, waardoor de kamers stukken groter lijken.'

Bel wilde net vragen of ze er een kijkje mocht nemen om te zien of er iets lag dat mogelijk wat kon vertellen over de verblijfplaats van Gabriel en dus kwam deze laatste mededeling als een teleurstelling. In arren moede haalde ze toen maar haar visitekaartje tevoorschijn, waarop haar naam, mobiele nummer en haar e-mailadres stonden. 'Jammer dan,' zei ze. 'Als hij belt op maandag, zou u hem dan misschien kunnen vragen of hij contact wil opnemen? Ik heb zijn vader bijna twintig jaar gekend. Ik zou hem graag willen ontmoeten.' Ze overhandigde het kaartje.

Vingers met knalrode nagels plukten het uit haar hand. 'Ik zal de boodschap uiteraard doorgeven. En mocht u geïnteresseerd zijn in een huis hier in de buurt...?' Ze maakte een handgebaar naar de schat aan informatie in de etalage. 'We hebben een fantastische keus. Ik zeg altijd dat we aan de verkeerde kant van de autostrada zitten en dat de prijzen dus lager zijn, maar de huizen even mooi.'

Bel liep terug naar de auto, want ze wist dat ze niets meer kon doen. Nog vijf dagen, dan pas zou Gabriel Porteous haar boodschap krijgen, en dan was het nog maar de vraag of hij contact zou opnemen. Zo niet, dan moest ze het maar overlaten aan een Italiaanse privédetective, iemand die het klappen van de zweep kende en wist in welke hand hij de bruine, goedgevulde enveloppen moest stoppen. Het bleef haar verhaal, maar het sjouwwerk werd dan door iemand anders opgeknapt. In de tussentijd moest zij terug naar Rotheswell om te zien of ze Fergus Sinclair te spreken kon krijgen.

Het was tijd om de hulpbronnen aan te boren die Brodie Grant haar ter beschikking had gesteld. Ze toetste het nummer van Susan Charleson in. 'Hallo, Susan,' zei ze. 'Kun je een vlucht voor me boeken? Ik moet zo snel mogelijk terug naar Schotland.'

Glenrothes
Het vervelende van het werken bij Cold Cases, dacht Karen, was dat er zoveel muren waren waar je met je hoofd tegenaan kon lopen. Dan had je echt niets meer wat je kon doen. Geen veelbelovende getuige met wie je kon praten. Geen forensische mon-

sters die je kon verwerken. Op dit soort momenten moest ze het doen met haar verstand. Alsof ze net zolang met de kubus van Rubik moest zitten te draaien totdat er een nieuw, onverwacht patroon tevoorschijn kwam.

Ze had met iedereen gepraat die haar iets kon vertellen over het lot van Mick Prentice. Op de keper beschouwd had ze daar voordeel van moeten hebben bij het onderzoek naar de dood van Andy Kerr. Ze had immers al met hen gepraat in het kader van een onderzoek naar een vermissing. Als ze konden helpen bij het opsporen van vermiste personen waren de meeste mensen vrij open tegenover de politie, tenzij ze iets te verbergen hadden. Als het om moord ging, waren ze meestal wat terughoudender. En als ze wel wat zeiden, dekten ze zich meteen aan alle kanten in. In theorie wist ze wel dat ze weer terug moest naar haar getuigen voor een nieuwe verklaring. Die zou haar dan op het spoor kunnen zetten van weer andere getuigen die zich nog herinnerden wat Andy Kerr vlak voor zijn dood had gezegd of gedaan. Maar de ervaring leerde haar dat dit tijdverspilling zou zijn, nu het om een verdacht sterfgeval ging. Desondanks had ze de Prof en een leuke, jonge assistent-rechercheur erop uitgestuurd om nog eens met iedereen te gaan praten. Misschien dat zij boften en iets oppikten wat zij over het hoofd had gezien. Hoop doet leven, nietwaar.

Ze pakte het dossier over Cat Grant. Daarmee kon ze ook niet echt verder. Totdat ze een goed verslag van de Italiaanse politie kreeg, zat ze eigenlijk vast. Maar ze had wel een klein meevallertje gehad. Ze had contact opgenomen met de ouders van Fergus Sinclair om erachter te komen waar hun zoon werkte, zodat ze een afspraak voor een gesprek kon maken. Tot haar verbazing had Willie Sinclair haar verteld dat zijn zoon toevallig die avond met vrouw en kinderen voor hun jaarlijkse vakantie in Schotland zou arriveren. Morgenochtend zou ze met Fergus Sinclair kunnen praten. Misschien zou ze dan eindelijk iemand ontmoeten die haar iets kon vertellen over Cat Grant. Cats moeder was dood, haar vader werkte niet mee, en in de dossiers stond niets over eventuele vrienden of vriendinnen.

Karen vroeg zich af of het ontbreken van vriendschappen een kwestie van keuze was geweest of dat het aan haar persoonlijkheid had gelegen. Ze wist dat er mensen waren die zo in hun werk opgingen dat ze nauwelijks merkten dat ze eigenlijk met niemand een intieme relatie hadden. Ze kende ook mensen die hevig snakten naar contacten, maar die alleen maar erg goed waren in het afstoten van mensen. Zijzelf telde haar zegeningen: ze had vrienden die haar steunden en met haar konden lachen en die daarmee een belangrijke rol in haar leven vervulden. Ze had dan wel geen echte relatie, maar desondanks had ze het gevoel dat haar leven een stevige en troostrijke basis had.

Hoe had Cat Grant haar leven ervaren? Karen had vrouwen gezien die werden opgeslokt door hun kinderen. Als ze die adorerende blik zag, voelde ze zich altijd ongemakkelijk. Kinderen waren mensen, geen godheidjes die vereerd moesten worden. Had voor Cat de wereld om haar kind gedraaid? Was Adam de enige van wie ze had gehouden? Oppervlakkig gezien had het daar alle schijn van. Iedereen nam aan dat Fergus de vader van de baby was, maar zelfs als dat niet zo was, leek één ding duidelijk: de vader van Adam had geen plaats gehad in zijn leven; zijn moeder had haar zoon kennelijk met niemand willen delen.

Of wel? Karen vroeg zich af of ze door het verkeerde eind van de telescoop keek. Stel dat het niet Cat was geweest die Adams vader de deur had gewezen? Stel dat hij zijn eigen redenen had gehad om geen rol in het leven van zijn zoon te spelen? Misschien kon hij de verantwoordelijkheid niet aan. Misschien had hij andere verantwoordelijkheden, een ander gezin en zag hij opeens des te duidelijker dat ze recht op hun vader hadden, nu er weer een kind op komst was. Misschien was hij gewoon een losse scharrel geweest en was hij al weg voordat ze wist dat ze zwanger was. Er was ontegenzeggelijk nog een aantal andere mogelijkheden die de moeite van het overwegen waard waren.

Karen zuchtte. Ze zou meer weten als ze met Fergus gesproken had. Met een beetje geluk zou ze met zijn hulp een paar van de meest absurde ideeën kunnen schrappen. 'Cold cases,' zei ze hardop. Je werd er diepbedroefd van. Net als minnaars paaiden ze je met beloftes dat het ditmaal anders zou zijn. In het begin was het allemaal nieuw en opwindend, je probeerde de kleine ergernissen te negeren, want die zouden zeker verdwijnen als je alles beter begreep. En dan stond opeens alles stil. Als wielen die vruchteloos tolden in een bak met grind. En voordat je het wist, was het voorbij. Dan was je weer terug bij af.

Ze keek eens naar Phil, die achter zijn computer in een stel databases een getuige in een andere zaak aan het opsporen was. Het was waarschijnlijk maar goed dat het tussen hen nooit iets was geworden. Ze kon hem beter als vriend hebben dan dat ze verbitterd en gefrustreerd zo veel mogelijk afstand tussen hen probeerde te scheppen.

En toen ging de telefoon. 'CCT, met inspecteur Pirie,' zei ze. Ze probeerde niet zo chagrijnig over te komen als ze zich voelde.

'U spreekt met Capitano di Stefano van de carabinieri in Siena,' zei een stem met een zwaar accent. 'Bent u de persoon met wie ik heb gesproken over Villa Totti bij Boscolata?'

'Dat klopt,' zei Karen, die overeind was geschoten en pen en papier pakte. Ze herinnerde zich van hun vorige gesprek hoe di Stefano praatte. Zijn Engels was verrassend goed voor zover het de woordenschat en de grammatica betrof, maar zijn accent was afschuwelijk. Hij sprak het Engels uit alsof het een libretto van een opera was, de klemtonen lagen op merkwaardige plaatsen en zijn uitspraak grensde aan het absurde. Maar dat deed er allemaal niet toe. Wat er wel toe deed, was de inhoud van zijn boodschap, en Karen was tot alles bereid om daar het fijne over te weten te komen. 'Bedankt voor het bellen.'

'Het was mij een genoegen,' zei hij, elke klinker een aparte klemtoon gevend. 'Welnu. We zijn in de villa geweest en hebben met de buren gepraat.'

Hij sprak de woorden lettergreep voor lettergreep uit, wat erg grappig klonk.

'Dank u. Wat heeft u ontdekt?'

'We hebben nog meer kopieën gevonden van de poster die u ons gemaild heeft. Ook hebben we het zeefdrukraam gevonden waar het op is gedrukt. Nu zijn we bezig met de vingerafdrukken op dat raam en op andere plekken in de villa. U begrijpt dat er veel mensen zijn geweest en dat er overal sporen zijn. Zodra we de afdrukken en het andere materiaal hebben bewerkt, zullen we u de resultaten doen toekomen met daarbij kopieën van de vingerafdrukken en de DNA-resultaten. Het spijt me, maar dit facet heeft geen prioriteit voor ons, begrijpt u?'

'Natuurlijk begrijp ik dat. Is het misschien mogelijk dat u ons wat monsters opstuurt, zodat we onze eigen tests kunnen uitvoeren? Gewoon om tijd te winnen, niet om een andere reden.' *Bijvoorbeeld dat iedereen bij mij op de afdeling denkt dat jullie er geen moer van kunnen.*

'*Sì*. Dat is al gedaan. Ik heb u monsters gestuurd van de bloedvlek op de vloer en van andere bloedvlekken in de keuken en de huiskamer. Ook ander bewijsmateriaal waar wij meerdere monsters van hebben. Dus ik hoop dat u die morgen binnenkrijgt.'

'Wat hadden de buren te vertellen?'

Di Stefano liet een afkeurend 'ts, ts' horen. 'Ik geloof dat u deze mensen "linksen" noemt. Ze zijn niet gek op de carabinieri. Het is het type mensen dat naar Genua gaat voor de G8. Ze spelen onder één hoedje met die lui die illegaal in Villa Totti wonen. Dus mijn mannen zijn niet zoveel te weten gekomen. Wat we weten, is dat de mensen die daar hebben gewoond een rondreizend poppentheater hadden, dat BurEst heet. We hebben een paar foto's die in een plaatselijke krant hebben gestaan, en mijn collega mailt die naar u toe. We kennen een paar namen. Maar dit zijn mensen die ook zo weer kunnen verdwijnen. Ze leven in de wereld van de zwarte economie. Ze betalen geen belasting. Sommigen zijn waarschijnlijk illegaal in het land.'

Karen zag bijna voor zich hoe hij met een gefrustreerd schouderophalen zijn handen spreidde. 'Ik begrijp hoe moeilijk het is. Kunt u me de lijst opsturen met de namen die u wel heeft?'

'Die kan ik u nu geven. We hebben alleen maar voornamen. Tot dusver nog geen achternamen. Dieter, Luka, Maria, Max, Peter, Rado, Sylvia, Matthias, Ursula. Matthias had de leiding. Ik stuur u deze lijst toe. Van sommigen weten we de nationaliteit, maar bij de meesten is dat een grote gok.'

'Zijn er Britten bij?'

'Het lijkt er niet op, hoewel een van de buren denkt dat Matthias Engels zou kunnen zijn vanwege zijn accent.'

'Het is geen erg Engelse naam.'

'Misschien is het niet altijd zijn naam geweest,' opperde di Stefano. 'Dat zie je vaak bij dat soort mensen, ze proberen de hele tijd opnieuw geboren te worden. Een nieuwe naam, een nieuwe achtergrond. Dus het spijt me. Ik heb u waarschijnlijk niet zo goed kunnen helpen.'

'Ik waardeer uw inspanningen. Ik weet dat het financieel problematisch kan zijn om bij een zaak als deze over voldoende mensen te beschikken.'

'Inspecteur, ik krijg sterk de indruk dat er een moord in deze villa is gepleegd. We behandelen het als een mogelijk moordonderzoek. Intussen proberen we u wel te helpen, maar we zijn meer geïnteresseerd in wat er drie maanden geleden is gebeurd dan in wat er tweeëntwintig jaar geleden in uw land is gebeurd. We zijn hard op zoek naar deze mensen. Morgen gaan we erheen met speurhonden en radarapparatuur om te zien of er ergens iemand begraven ligt. Het zal moeilijk worden, want de villa ligt midden in de bossen. Maar we moeten het proberen. Dus u ziet dat mankracht niet het probleem is.'

'Natuurlijk. Ik wilde helemaal niet suggereren dat u het niet serieus opvatte. Ik weet hoe het is, hoor.'

'We hebben nog één ander ding ontdekt. Ik weet niet of u dit belangrijk vindt, maar er is hier een Engelse journalist geweest die vragen heeft gesteld.'

Karen stond even met de mond vol tanden. Er was geen persbericht naar de media uitgegaan. Waarom zat een journalist in haar zaak te snuffelen? Toen schoot haar opeens iets te binnen. 'Bel Richmond,' zei ze.

'Annabel,' zei di Stefano. 'Ze woonde in een boerderij op de heuvel. Ze is vanmiddag vertrokken en ze gaat vanavond terug naar Engeland. De buren zeiden dat ze dingen vroeg over die lui van BurEst. Een jongen heeft aan een van mijn mensen verteld dat ze ook geïnteresseerd was in een paar vrienden van Matthias. Een Engelse schilder en zijn zoon. Maar ik heb geen namen, geen foto's, niets. Misschien kunt u met haar praten? Misschien denken die buren in Boscolato wel dat je beter met een journalist kunt praten dan met een agent. Wat denkt u?'

'Ik vrees dat u gelijk heeft,' zei Karen bitter. Ze wisselden nog een paar beleefdheden uit en beloofden bij elkaar op bezoek te komen, waarna het gesprek werd beëindigd. Karen verfrommelde een stuk papier en gooide het naar Phil toe. 'Ongelooflijk!'

'Wat?' Hij keek verschrikt op. 'Wat is ongelooflijk?'

'Die trut van een Bel Richmond,' zei ze. 'Wie denkt ze wel dat ze is? Het privépolitiekorps van Brodie Grant?'

'Wat heeft ze gedaan?' Hij rekte zich eens goed uit en gromde toen hij de wervels in zijn ruggengraat voelde knakken.

'Ze is verdorie in Italië geweest.' Karen gaf een trap tegen de prullenmand. 'Wat een kreng. Wat een ongelooflijk brutaal mens. Ze is erheen geweest en heeft zitten flikflooien met de buren. De buren die niks aan de politie vertellen, omdat het een stelletje overjarige hippies is. Godallemachtig.'

'Wacht even,' zei Phil. 'Moeten we daar eigenlijk niet blij mee zijn? Ik bedoel dat we iemand hebben die de juiste informatie krijgt, ook al zijn het niet onze Italiaanse collega's?'

'Kun je even hier komen en in mijn postvak kijken en me dan de mails van Bel Richmond aanwijzen waarin ze vertelt wat ze goddomme in Toscane boven water heeft weten te krijgen? Kun je misschien even in mijn bakje hier kijken of er een fax in ligt met alle informatie die ze daar heeft verzameld? Of misschien is het mijn voicemail waar ik opeens niet meer bij kan komen? Phil, ze kan wel ik weet niet wat hebben ontdekt. Maar wij zijn niet degenen aan wie ze die informatie doorgeeft.'

Van Edinburgh Airport naar Rotheswell Castle

Bel stond wezenloos naar de lege bagagecarrousel te staren. Ze was te moe om na te kunnen denken. Een rit naar het vliegveld van Florence, geheimzinnig weggestopt ergens in een van de voorsteden; een troosteloze reis via Charles de Gaulle, een vliegveld dat ontworpen moest zijn door een hedendaagse markies de Sade; en nu nog een rit van vele kilometers voor de boeg voordat ze kon gaan slapen. En niet eens in haar eigen bed. Eindelijk kwamen er koffers en weekendtassen tevoorschijn. Het was veelzeggend dat de hare er nog niet bij waren. Ze wilde net haar woede gaan koelen op het grondpersoneel achter de balie toen haar tas er ten slotte aan kwam, enigszins gehavend weliswaar, met een loshangend hengsel. Als ze eerlijk was, wist ze wel dat Susan Charleson niets kon doen aan al haar ellende, maar het was prettig om iemand de schuld te kunnen geven, al was het dan ook onterecht. Ze hoopte vurig dat er iemand was om haar af te halen.

Haar stemming had wat moeten verbeteren toen ze de aankomsthal binnenliep en zag dat er inderdaad een chauffeur op haar stond te wachten. Maar het feit dat het Brodie zelf was, beklemtoonde haar vermoeidheid alleen maar. Ze wilde zich lekker in een stoel nestelen en in slaap vallen, of het in diezelfde stoel op een zuipen zetten. Ze had helemaal geen zin om nu veertig minuten lang ondervraagd te worden. Als puntje bij paaltje kwam, kreeg ze er niet eens voor betaald. Hij vergoedde alleen haar onkosten en hij opende wat deuren voor haar. Wat helemaal niet zo gek was, maar volgens haar betekende dat niet dat ze dag en nacht voor hem klaar hoefde te staan. *En dat ga je hem nu zeker onder zijn neus wrijven. Ja, daag.*

Grant begroette haar met een knikje en ze stonden even aan twee kanten aan de tas te trekken, voordat Bel hem met tegenzin aan hem overliet. Terwijl ze haastig door de hal liepen, was Bel zich bewust van starende blikken. Brodie Grant had duidelijk een gezicht dat iedereen kende – iets wat niet veel zakenlieden konden zeggen. Oké, Richard Branson, Bill Gates. Maar zij verschenen vaak in tv-programma's om redenen die niets met het zakenleven te maken hadden. Grant zou in Londen waarschijnlijk niet herkend worden, maar hier in Schotland kende het publiek zijn gezicht, ondanks het feit dat hij de media meed. Charisma, of gewoon een grote vis in een kleine vijver? Bel zou er geen weddenschap op durven afsluiten.

Het was niet alleen het publiek. Voor de aankomsthal, waar bordjes en omroepberichten duidelijk aangaven dat je er niet mocht parkeren, stond een gewapende politieman naast Grants wagen. Hij stond er niet om Grant te waarschuwen of om hem een bekeuring te geven; hij stond er om te voorkomen dat er iemand aan de auto zat. Grant gaf hem een goedkeurend knikje toen hij de tas in de kofferbak zette en zwaaide nog even minzaam voordat hij wegreed

'Ik ben onder de indruk,' zei Bel. 'Ik dacht dat alleen leden van het Koninklijk Huis zo behandeld werden.'

Zijn gezicht vertrok alsof hij niet goed wist of ze het als kritiek bedoelde. 'In mijn land hebben ze respect voor succes.'

'Wat? Hebben die driehonderd jaren van onderdrukking door de Engelsen dat er nog niet uit geslagen?'

Grant schoot overeind en besefte toen dat ze hem plaagde. Tot haar opluchting moest hij lachen. 'Nee. Jullie geven veel meer af op succes dan wij. Volgens mij houd jij ook wel van succes, Annabel. Ben je daarom niet hier, om met mij te werken, in plaats van in Londen aan een gruwelverhaal over verkrachting en vrouwenhandel te schrijven?'

'Gedeeltelijk. En gedeeltelijk omdat ik nu ook zelf wil weten wat er is gebeurd.' Ze had het nog niet gezegd of ze kon zichzelf wel voor het hoofd slaan. Nu kon hij zijn vragen gaan stellen.

'Vertel eens, wat ben je in Toscane te weten gekomen?' vroeg hij.

Terwijl ze door de nacht over lege wegen reden, vertelde ze hem wat ze had ontdekt en wat ze had geraden. 'Ik ben teruggekomen omdat ik niet over de middelen beschik om Gabriel Porteous op te sporen,' zei ze ten slotte. 'Misschien dat inspecteur Pirie die Italiaanse agenten wat achter de broek kan zitten...'

'We houden inspecteur Pirie hier helemaal buiten,' zei Grant resoluut. 'We gaan een privédetective inhuren. Hij kan de informatie kopen die we nodig hebben.'

'Gaat u de politie niet inlichten over wat ik heb ontdekt? Gaat u die informatie niet met hen delen? Of de foto's?' Ze wist dat ze niet verbaasd moest zijn over de hebbelijkheden van de superrijken, maar ze was toch wel wat van haar stuk gebracht door zijn pertinente afwijzing.

'De politie stelt niets voor. We klaren het wel zonder hen. Als deze jongen Adam is, hebben we het over een familieaangelegenheid. Het is niet de verantwoordelijkheid van de politie om hem te vinden.'

'Ik begrijp het niet,' zei Bel. 'Toen we hiermee begonnen, was u degene die naar de politie ging. En nu wilt u ze buitensluiten.'

Er volgde een lange stilte. In het licht van het dashboard kwam zijn profiel duidelijk uit. Zijn kaakspieren waren gespannen en onvermurwbaar. Ten slotte begon hij weer te praten. 'Neem me niet kwalijk, maar ik geloof niet dat je dit helemaal hebt overdacht, Bel.'

'Wat heb ik dan over het hoofd gezien?' Ze herkende het gevoel van angst dat ze vroeger altijd kreeg als bureauredacteuren vraagtekens zetten bij haar kopij.'

'Je had het over een aanzienlijke hoeveelheid bloed op de keukenvloer. Je dacht dat iemand die zoveel bloed had verloren waarschijnlijk dood was. Dat betekent dat er ergens een lijk ligt, en nu de politie op de zaak zit vinden ze dat vast. En als ze het vinden, gaan ze op zoek naar een moordenaar...'

'En de avond voordat ze allemaal verdwenen, was Gabriel er. U denkt dat de verdenking wel eens op Gabriel kan vallen,' zei Bel, die het opeens begreep. 'En als hij uw kleinzoon is, wilt u dat hij niet als verdachte in aanmerking komt.'

'Je hebt het begrepen, Bel,' zei hij. 'En het gaat nog verder. Ik wil niet dat de Italiaanse politie hem alleen maar de schuld in de schoenen schuift omdat ze de echte moordenaar niet kunnen vinden. Als hij er niet is, is de verleiding minder groot, vooral omdat er andere, meer aantrekkelijke verdachten rond zullen lopen. En de privédetectives in Italië gaan niet alleen op zoek naar Gabriel Porteous.'

O mijn god, hij gaat iemand anders erin luizen. Alleen maar om zich extra in te dekken. Bel voelde zich misselijk. 'U bedoelt dat u een zondebok gaat zoeken?'

Grant wierp haar een bevreemde blik toe. 'Wat een merkwaardig idee. Ik ga er gewoon voor zorgen dat de Italiaanse politiemensen alle hulp krijgen die ze verdienen.' Zijn grijns was onverbiddelijk. 'We zijn allemaal Europese staatsburgers, Bel.'

Donderdag 5 juli 2007; Kirkcaldy
Karen had wel eerder op vreemde plekken met mensen gesproken, maar Ravenscraig Castle stond zeker in de top vijf van merkwaardige locaties. Toen ze Fergus Sinclair had gebeld voor een afspraak, had hij het kasteel als ontmoetingsplaats voorgesteld. 'Dan kan mijn vrouw de kinderen het kasteel laten zien en daarna nog naar het strand gaan,' zei hij. 'Dit is onze zo-

mervakantie. Ik zie niet in waarom we ergens binnen opgesloten moeten zitten, alleen omdat u met me wilt praten.'

'Vanwege het weer,' zou een prima antwoord zijn geweest. Karen zat op de restanten van een muur, met de kraag van haar jack opgeslagen tegen een schrale wind van zee. Phil zat naast haar, weggedoken in een leren jack. 'Hopelijk is al deze moeite niet voor niets,' zei hij. 'Ik weet niet of ik hier reumatiek of aambeien van krijg, maar ik weet wel dat het me geen goeddoet.'

'Met zijn baan als jachtopziener is hij er waarschijnlijk aan gewend.' Karen keek met een schuin oog naar de lucht. De wolken waren hoog en dun, maar ze wist vrij zeker dat het tegen het middaguur zou regenen. 'Wist je dat dit in de middeleeuwen het familiebezit was van de St Clairs?'

'Daarom heet dit deel van Kirkcaldy Sinclairtown, Karen.' Phil rolde met zijn ogen. 'Denk je dat hij ons wil intimideren?'

Ze lachte. 'Als ik een ontmoeting met Brodic Grant kan overleven, geldt dat ook voor een afstammeling van de St Clairs van Ravenscraig. Denk je dat dat hem is?'

Een lange, magere man kwam door het poortgebouw van het kasteel en achter hem liepen een vrouw die bijna net zo groot was als hij en twee kleine, stevig gebouwde jongetjes. Ze hadden allebei, net als hun moeder, een helblonde haardos. De jongens keken om zich heen, en weg waren ze. Rennend, springend en klauterend gingen ze op verkenning. De vrouw hief haar gezicht op en de man gaf haar een zoen op haar voorhoofd. Hij gaf haar een klopje op de rug toen ze aanstalten maakte om achter de jongens aan te gaan. Toen keek hij om zich heen en zag de politiemensen zitten. Hij stak zijn hand op en kwam met grote, lange passen naar hen toe lopen.

Terwijl hij naderbij kwam, keek Karen goed naar het gezicht dat ze alleen maar op tweeëntwintig jaar oude foto's had gezien. Hij zag er niet gek uit voor zijn leeftijd, hoewel hij een verweerd gezicht had. Een netwerk van fijne witte lijntjes rondom zijn scherpe, blauwe ogen getuigden van veel tijd die was doorgebracht in de zon en de wind. Zijn gezicht was smal, de wangen waren hol, de contouren van de botten waren goed te zien onder de huid. Zijn lichtbruine haren waren in een dunne pony geknipt, zodat hij er bijna middeleeuws uitzag. Hij droeg een flanellen overhemd in een Schotse ruit dat hij in een dikke katoenen broek had gestopt, en aan zijn voeten droeg hij lichtgewicht wandelschoenen. Karen stond op en knikte. 'U bent Fergus Sinclair, hè?' zei ze, en ze stak haar hand uit. 'Ik ben inspecteur Karen Pirie en dit is brigadier Phil Parhatka.'

Hij pakte haar hand vast en kneep er veel te hard in, iets wat bij Karen altijd de neiging opriep om met haar vrije hand de ander een klap in zijn gezicht te geven. 'Ik waardeer het dat u hier wilde afspreken,' zei hij. 'Ik wilde mijn ouders niet nog eens confronteren met de slechte herinneringen aan vroeger.' Zijn accent was bijna helemaal verdwenen. Als iemand ernaar gevraagd had, had Karen misschien gezegd dat hij een Duitser was die uitzonderlijk goed Engels sprak.

'Geen probleem,' loog ze. 'U weet waarom we de zaak heropend hebben?'

Hij ging op de muur zitten, schuin tegenover Karen en Phil. 'Mijn vader zei dat het iets te maken had met de losgeldposter. Is er weer ergens een kopie opgedoken?'

'Inderdaad. In een vervallen villa in Toscane.' Karen wachtte. Hij zei niets.

'Niet zo ver van waar u woont,' zei Phil.

Sinclair trok zijn wenkbrauwen op. 'Het is niet bepaald pal naast de deur.'

'Ongeveer zeven uur rijden volgens het internet.'

'Dat zal dan wel. Ik zou het op een uur of acht, negen hebben geschat. Maar hoe het ook zij, ik weet niet precies wat u hiermee wilt zeggen.'

'Ik wil er niets mee zeggen, meneer. Ik zeg gewoon hoe ver u van de locatie af woont,' zei Phil. 'De villa was gekraakt door een groep poppenspelers. Ze noemden zich BurEst. De leiders waren een paar Duitsers, Matthias en Ursula. Bent u die ooit tegengekomen?'

'Jezus,' zei Sinclair geïrriteerd. 'Dat is net alsof je aan een Schot vraagt of hij je tante uit Londen ooit is tegengekomen. Ik geloof niet dat ik ooit naar een poppentheater ben geweest, zelfs niet met de kinderen. En ik ken ook geen Matthias. De enige Ursula die ik ken, werkt bij de bank bij mij in de buurt, en ik betwijfel ten zeerste of ze in haar vrije tijd iets met poppen doet.'

Hij wendde zich tot Karen. 'Ik dacht dat u over Cat wilde praten.'

'Dat willen we ook. Het spijt me, ik dacht dat u wilde weten waarom we de zaak heropenen,' zei ze ernstig, moeiteloos in de rol van 'goeie smeris' glippend. 'Ik vermoed dat u het allemaal achter u heeft gelaten, nu u een vrouw en kinderen heeft.'

Hij liet zijn handen tussen zijn knieën hangen en strengelde zijn vingers ineen. 'Ik zal het nooit helemaal achter me laten. Ik hield nog van haar toen ze stierf. Er ging geen dag voorbij dat ik niet aan haar dacht, ook al had ze me de laan uit gestuurd. Ik heb een heleboel brieven geschreven, maar ik heb er niet één verstuurd.' Hij sloot zijn ogen. 'Maar al zou ik Cat achter me kunnen laten, ik zal dat nooit met Adam kunnen doen.' Hij knipperde met zijn ogen en ving Karens blik. 'Hij is mijn zoon. Cat heeft hem van me weggehouden toen hij klein was, maar de kidnappers hebben hem meer dan tweeëntwintig jaar van me weggehouden.'

'Denkt u dat hij nog leeft?' vroeg Karen zacht.

'Ik weet dat hij naar alle waarschijnlijkheid zijn moeder nauwelijks heeft overleefd. Maar ik ben een vader. Ik moet wel hopen dat hij nog ergens op deze aardbol rondloopt. En dat hij een fatsoenlijk leven leidt. Zo denk ik graag aan hem.'

'U hebt altijd zeker geweten dat hij uw zoon was,' zei Karen. 'Cat wilde u niet als vader erkennen, maar u heeft nooit getwijfeld.'

Hij zat er handenwringend bij. 'Waarom zou ik twijfelen? Kijk, ik weet dat mijn relatie met Cat niet veel meer voorstelde toen ze zwanger raakte. We hadden het al heel vaak uitgemaakt, en weer goedgemaakt. We zagen elkaar bijna niet meer. Maar we hebben wel met elkaar geslapen, precies negen maanden voordat Adam werd geboren. Toen we onze… problemen hadden, heb ik haar gevraagd of er iemand anders was, maar ze ontkende dat in alle toonaarden. En god weet dat ze geen reden had om te liegen. Integendeel, ze had veel beter kunnen zeggen dat er iemand anders was. Dan had ik moeten accepteren dat het voorbij was. Dus er was niemand anders in beeld.' Hij opende zijn handen en spreidde zijn vingers. 'Hij leek zelfs wat haarkleur betreft op mij. Ik wist vanaf het allereerste moment dat hij mijn zoon was.'

'U zult wel kwaad zijn geweest toen Cat niet wilde toegeven dat Adam van u was,' zei Karen.

'Ik was witheet,' zei hij. 'Ik wilde er een rechtszaak van maken en alle tests laten doen.'

'Waarom heeft u dat niet gedaan?' vroeg Phil.

Sinclair keek strak naar de grond. 'Mijn moeder heeft me dat uit mijn hoofd gepraat. Brodie Grant vond het idee dat Cat en ik samen waren verschrikkelijk. Als je bedenkt dat hij uit een straatarme familie uit Kelty kwam, had hij wel erg verheven ideeën over een geschikte partner voor zijn dochter. En een zoon van een jager kwam daar zeker niet voor in aanmerking. Hij heeft bijna een rondedansje gemaakt toen het uit was tussen ons.' Hij zuchtte. 'Mijn moeder zei dat als ik Adam van Cat probeerde af te pakken, Grant het dan haar of mijn vader betaald zou zetten. Mijn ouders wonen in een dienstwoning die bij het landgoed hoort. Grant heeft mijn vader een keer beloofd dat ze daar voor de rest van hun leven mochten blijven wonen. Ze hebben hun hele leven voor een laag loon gewerkt en ze hebben geen andere oudedagsvoorziening. Dus heb ik ter wille van hen maar door de zure appel heen gebeten. Ik ben ergens heen getrokken waar ik niet elke dag Cat of haar vader tegen het lijf zou lopen.'

'Ik weet dat ze het u destijds ook al hebben gevraagd, maar is het nooit bij u opgekomen om wraak te nemen op deze mensen, die uw leven hebben verpest?' vroeg Karen.

Het gezicht van Sinclair vertrok alsof hij pijn had. 'Als ik had geweten hoe ik wraak moest nemen, had ik het gedaan. Maar ik had geen flauw idee en ik had ook geen geld of zoiets. Ik was vijfentwintig en ik werkte als beginnend jachtopziener op een landgoed in Oostenrijk. Ik maakte lange dagen en in mijn vrije tijd dronk ik en leerde ik de taal. Ik probeerde te vergeten wat ik had achtergelaten. Geloof me, inspecteur, het idee om Cat en Adam te kidnappen is nooit bij me opgekomen. Zo denk ik helemaal niet. U wel?'

Karen haalde haar schouders op. 'Ik weet het niet. Gelukkig heb ik me nooit in die situatie bevonden. Ik weet wel dat als ik zo was behandeld als u, ik wel iets terug had willen doen.'

Het knikje naar opzij van Sinclair gaf aan dat ze een punt had.

'Ik zal u vertellen wat ik weet. Mijn moeder zei altijd dat je het beste wraak neemt door goed te leven. En dat heb ik geprobeerd. Ik bof dat ik een baan heb in een prachtig stukje van de wereld. Ik kan jagen en vissen en bergen beklimmen en skiën. Ik heb een goed huwelijk en twee slimme, gezonde jongens. Ik benijd niemand, en Brodie Grant wel het minst. Die man heeft alles waar ik om gaf van me afgenomen. Hij en zijn dochter hebben me diep gekwetst. Dat kan ik niet ontkennen. Maar ik heb een nieuw leven opgebouwd en het is een goed leven. Ik heb uit mijn verleden littekens overgehouden, maar die drie' – hij wees naar zijn vrouw en zoontjes die juist een met gras begroeide heuvel op klauterden – 'die drie mensen hebben verdomd veel goedgemaakt.'

Dat was mooi gezegd, maar Karen was nog niet helemaal overtuigd. 'Ik zou, denk ik, meer wrok koesteren als ik in uw schoenen stond.'

'Dan is het maar beter dat u niet in mijn schoenen staat. Wrok is geen gezonde emotie, inspecteur. Het vreet je op als kanker.' Hij keek haar recht in de ogen. 'Er zijn mensen die geloven dat er tussen die twee een direct verband bestaat. En ik wil niet doodgaan aan kanker.'

'Mijn collega's hebben na de dood van Cat met u gesproken. Ik neem aan dat u zich dat nog goed herinnert?'

Zijn gezicht vertrok en opeens zag Karen iets van het vuur dat Fergus Sinclair zo goed verborgen hield.

'Dat je als een verdachte wordt behandeld als de vrouw van wie je houdt is gestorven? Dat is iets wat je niet gauw vergeet,' zei hij; hij sprak zacht van ingehouden woede.

'Dat je iemand om een alibi vraagt, betekent nog niet dat je hem als verdachte ziet,' zei Phil. Ze kon merken dat hij Sinclair niet sympathiek vond en ze hoopte dat het geen nadelige invloed op het gesprek zou hebben. 'We moeten mensen uitsluiten, dus we gaan geen tijd verspillen aan gesprekjes met mensen die onschuldig zijn. Soms kom je via het natrekken van alibi's het vlugst bij het uitsluiten van personen als mogelijke verdachte.'

'Misschien wel,' zei Sinclair. Hij stak zijn kin uitdagend naar voren. 'Maar destijds kreeg ik een andere indruk. Ik kreeg de indruk dat jullie ongelooflijk veel moeite deden om te bewijzen dat ik niet was waar ik zei dat ik was.'

Het was tijd om de zaak wat te sussen, dacht Karen. 'Hebt u sindsdien nog iets bedacht wat ons zou kunnen helpen?'

Hij schudde zijn hoofd. 'Wat zou dat kunnen zijn? Ik heb nooit de geringste interesse gehad in politiek, laat staan in anarchistische splintergroeperingen. De mensen met wie ik omga willen geen revolutie.' Hij glimlachte een beetje zelfgenoegzaam. 'Of het moet een revolutie zijn op het gebied van skikleding.'

'Eerlijk gezegd geloof ik niet dat het een anarchistische groepering was,' zei Karen. 'We hebben vrij goed in de peiling welk soort mensen dergelijke acties ondernemen bij het nastreven van hun politieke idealen. En het tot dan toe onbekende Schots Anarchistisch Verbond heeft nooit meer iets van zich laten horen.'

'Ze konden naderhand moeilijk nog eens de aandacht naar zich toe trekken, hè? Niet met die beschuldigingen van moord en ontvoering die hun boven het hoofd hingen.'

'Niet onder die naam, nee. Maar ze zijn ervandoor gegaan met een miljoen pond aan geld en diamanten. Dat zou tegenwoordig drie miljoen zijn. Als het om politieke fanatici ging, zou je verwachten dat er af en toe beetjes van dat geld op zouden duiken in de geldkist van radicale groepen met soortgelijke idealen. Mijn voorgangers bij deze zaak hebben MI5 gevraagd om een en ander in de gaten te houden. In de vijf jaren na de moord op Cat is er nooit iets gebeurd. Geen enkele van die groepen randdebielen zat opeens dik in de slappe was. Dus we denken niet dat de kidnappers politieke activisten waren. Wij denken dat ze waarschijnlijk uit de naaste omgeving van Cat kwamen.'

Sinclairs gezichtsuitdrukking sprak voor zich. 'En daarom zit ik nu met u te praten.' Hij keek sarcastisch.

'Niet om de reden die u denkt,' zei Karen. 'We praten niet met u omdat ik u verdenk.' Ze stak haar handen op in een gebaar van overgave. 'Het is ons nooit gelukt u in verband te brengen met de ontvoering en met de losgeldoverdracht. Op uw bankafschriften stonden alleen maar overschrijvingen die verantwoord waren. Ja, ik weet dat u woest bent dat we uw bankrekening hebben gecontroleerd. Niet doen. Niet als u echt iets geeft om Cat en Adam. U zou blij moeten zijn dat we al die jaren ons werk zo goed mogelijk hebben gedaan. En dat u vrijuit gaat.'

'Ondanks de lasterpraatjes die Brodie Grant over mij heeft verspreid?'

Karen schudde haar hoofd. 'U zou daar wel eens aangenaam verrast over kunnen zijn. Maar waar het nu om gaat, is dit. We praten met u omdat u de enige bent die Cat echt gekend heeft. Ze leek te veel op haar vader; ik vermoed dat ze uiteindelijk elkaars beste vrienden hadden kunnen worden, maar ze lagen nog steeds met elkaar in de clinch. Haar moeder is dood. Ze had blijkbaar geen echt goede vriendinnen. Dus dan blijft u alleen over om mij een kijkje te gunnen in het leven van Cat. En ik denk dat het geheim van haar dood daar ergens te vinden is.' Ze hield Sinclair in haar blik gevangen. 'Dus wat doen we, Fergus? Ga je me helpen?'

Zondag 14 augustus 1983; Newton of Wemyss
Catriona Maclennan Grant maakte met uitgestrekte armen een pirouette. 'Van mij, helemaal van mij,' zei ze op een toon die deed denken aan de boze heks uit het sprookje. Ze stopte pas toen ze van de duizeligheid bijna niet meer op haar benen kon staan. 'Wat vind je ervan, Fergus? Is het niet volmaakt?'

Fergus Sinclair keek het armoedige kamertje rond. Het poorthuis op het landgoed van Wemyss leek in niets op het eenvoudige, maar brandschone huisje waarin hij was opgegroeid. En op Rotheswell Castle leek het al helemaal niet. Het was zelfs nog minder aantrekkelijk dan de studentenflats waarin hij had gewoond. Het had een aantal jaren leeggestaan en er was geen spoor meer van de vorige bewoners. Toch kon hij nauwelijks enig enthousiasme opbrengen. Hij had zich het samenwonen heel anders voorgesteld. 'Het kan wel wat worden als we er met een emmer verf overheen zijn geweest,' zei hij.

'Natuurlijk,' zei Cat. 'Ik wil het eenvoudig houden. Vrolijk, maar eenvoudig. Hier een abrikooskleur, denk ik.' Ze liep naar de deur. 'Citroen voor de hal, de trap en de overloop. Zonnegeel in de keuken. Ik ga het andere kamertje beneden als kantoor inrichten, dus daar komt iets neutraals.' Ze rende de trap op, leunde over de trapleuning en grijnsde hem toe. 'Blauw voor mijn slaapkamer. Een mooie Zweedse kleur blauw.'

Sinclair lachte om haar enthousiasme. 'Heb ik ook nog iets in te brengen?'

Cats glimlach verdween. 'Waarom zou jij er iets over mogen zeggen, Fergus? Het is jouw huis niet.'

De woorden troffen hem alsof hij een klap had gekregen. 'Wat bedoel je? Ik dacht dat we samen gingen wonen?'

Cat ging op de bovenste trede zitten, met haar knieën dicht tegen elkaar gedrukt en haar armen om haar lichaam geslagen. 'Hoezo dacht je dat? Daar heb ik nooit iets over gezegd.'

Fergus voelde de grond onder zijn voeten wegzakken. Hij moest zich aan een trapspijl vastklampen. 'Daar hebben we het altijd over gehad. We zouden onze studie afmaken en dan zouden we samen gaan wonen. Ik zou jachtopziener worden, jij zou glazen kunstwerken gaan maken. Zo hebben we het gepland, Cat.' Hij keek haar smekend aan, alsof hij haar zo kon dwingen toe te geven dat hij gelijk had.

En dat deed ze, maar niet op een manier waardoor hij zich beter ging voelen. 'Fergus, we waren toen nog kinderen. Het is net zoiets als een oudere neef die, als je nog klein bent, zegt dat hij later met je gaat trouwen. Je meent het op dat moment echt, maar dan groei je eroverheen.'

'Nee,' protesteerde hij en hij begon de trap op te lopen. 'Nee, we waren geen kinderen. We wisten wat we zeiden. Ik houd nog steeds evenveel van je. Alles wat ik je heb beloofd – daar wil ik me aan houden.' Hij ging naast haar op de smalle tree zitten, zodat zij tegen de muur werd gedrongen. Hij sloeg zijn arm om haar schouders, maar ze hield haar armen om zich heen geslagen.

'Fergus, ik wil op mezelf wonen,' zei Cat. Ze richtte zich nog steeds tot de plek waar hij zo-even had gestaan. 'Dit is de eerste keer dat ik mijn eigen werkruimte heb en mijn eigen woonruimte. Mijn hoofd zit barstensvol ideeën over dingen die ik wil maken. En over hoe ik wil leven.'

'Ik zal me niet met jouw ideeën bemoeien,' drong Sinclair aan. 'Je mag alles precies zo doen zoals jij wilt.'

'Maar dan ben jij hier, Fergus. Als ik 's avonds naar bed ga, als ik 's ochtends wakker word. Dan moet ik erover nadenken wat en wanneer we gaan eten.'

'Ik kook wel,' zei hij. Hij kon voor zichzelf koken, dan kon hij dat toch ook voor twee personen? 'We kunnen dit op jouw voorwaarden doen.'

'Ik zal nog steeds over etenstijden moeten denken en over dingen die op vaste tijden gebeuren, ik kan me niet volledig laten leiden door mijn creativiteit. Ik zal me met jouw wasgoed bezig moeten houden en wanneer jij in de badkamer moet zijn. Waar je naar kijkt op de tv.' Cat wiegde heen en weer, de natuurlijke angst die ze altijd had willen verbergen, kwam naar de oppervlakte. 'Ik wil me daar niet om hoeven te bekommeren.'

'Maar Cat...'

'Ik ben een kunstenaar, Fergus. Ik bedoel daar niet mee dat het iets heel bijzonders is, iets wat me boven anderen verheft. Wat ik bedoel, is dat ik een beetje gestoord ben. Ik ben er niet goed in om voor langere perioden bij andere mensen te zijn.'

'We gaan toch heel goed samen, vind ik.' Hij kon de smekende toon in zijn stem horen en hij schaamde zich niet. Ze was het hem waard.

'Maar we zijn in feite nooit voor langere perioden bij elkaar, Fergus. Kijk maar naar de afgelopen jaren. Ik was in Zweden, jij in Londen. We hebben af en toe een weekend samen doorgebracht, maar we hebben elkaar toch vooral hier op Rotheswell gezien. We zijn bijna nooit een hele nacht bij elkaar gebleven. En dat komt mij prima uit.'

'Mij niet,' zei hij nors. 'Ik wilde wel de hele tijd bij je zijn. Zoals ik al zei, we kunnen het op jouw voorwaarden doen.'

Ze glipte onder zijn arm door en ging een paar treden lager zitten, waarna ze zich omdraaide om hem aan te kunnen kijken. 'Snap je niet hoe beangstigend dat voor mij is? Het geeft me al een claustrofobisch gevoel als ik het je hoor zeggen. Je zegt dat je het op mijn voorwaarden wilt doen, maar bij geen van mijn voorwaarden hoort dat ik met iemand onder hetzelfde dak wil wonen. Fergus, je bent zo belangrijk voor me. Ik voel me bij jou als bij niemand anders. Verpest dat nou alsjeblieft niet door me te dwingen of door me een schuldgevoel aan te praten om iets te doen waaraan ik niet eens wil of kan denken.'

Zijn gezicht leek bevroren. Alsof hij boven op een heuvel stond in een storm, de huid hard tegen zijn botten gedrukt, met tranende ogen van het natuurgeweld. 'Dat doen mensen als ze van elkaar houden,' zei hij.

Nu stak ze haar hand uit en legde die op zijn knie. 'Het is één model van houden van,' zei ze. 'De manier die het meest voorkomt. Maar dat heeft voor een groot deel een economische reden, Fergus. Mensen gaan samenwonen omdat het goedkoper is dan apart wonen. Met z'n tweeën is even goedkoop als alleen. Het betekent nog niet dat het voor iedereen de beste manier is. Een heleboel mensen hebben relaties die niet volgens dat patroon verlopen. En die andere manieren werken net zo goed. Jij denkt dat ik niet van je houd als ik niet samen wil wonen. Maar, Fergus, het is net andersom. Als we samen zouden wonen, zou onze relatie kapotgaan. Ik zou gek worden. Ik zou je willen vermoorden. Juist omdat ik van je houd, wil ik niet met je samenwonen.'

Hij duwde haar hand weg en stond op. 'Je bent godverdomme te lang in Zweden geweest,' schreeuwde hij. Hij voelde hoe zijn keel werd dichtgeknepen. 'Je zou eens naar jezelf moeten luisteren. Modellen van houden van. Volgens patronen leven. Dat is geen liefde. Liefde is... liefde is... Cat, waar is er in jouw wereld nog plaats voor genegenheid en tederheid en elkaar helpen?'

Ze stond op en leunde tegen de muur. 'Op dezelfde plaats als altijd. Fergus, we zijn altijd lief tegen elkaar geweest. We hebben altijd om elkaar gegeven. Waarom moeten we die relatie veranderen? Waarom moeten we al die mooie dingen veranderen die zo goed tussen ons gaan? Zelfs seks. Bij iedereen die ik ken, is de seks niet meer zo opwindend als ze eenmaal samenwonen. En na een jaar of twee, drie neuken ze bijna nooit meer. Maar moet je ons zien.' Ze kwam een paar treden omhoog, totdat ze weer op dezelfde hoogte was. 'Wij vinden elkaar nog steeds bijzonder. Dus als we elkaar zien is het spannend.' Ze deed een stap naar voren, zette een hand plat op zijn borst en legde de andere in een kommetje om zijn ballen. Ondanks zichzelf voelde hij hoe het bloed hem hard maakte. 'Toe maar, Fergus – neuk me,' fluisterde ze. 'Hier. Nu.'

En dus kreeg ze haar zin. Zoals gewoonlijk.

Donderdag, 5 juli 2007

'Ze kon erg goed haar zin doordrijven, net als haar vader. Ze was subtieler dan hij, maar het resultaat was hetzelfde,' besloot Sinclair.

Voor het eerst sinds de Mop haar deze opdracht had gegeven, had Karen het gevoel dat ze iets van Catriona Maclennan Grant begon te begrijpen. Een eigenzinnige vrouw. Een kunstenaar met een visie die ze per se wilde verwezenlijken. Een eenling die wel gezelschap wilde hebben, maar alleen als het haar uitkwam. Een minnares die pas leerde te accepteren dat ze verplichtingen had nadat ze moeder was geworden. Een moeilijke vrouw, maar wel een dappere, vermoedde Karen. 'Weet u misschien of ze ooit met iemand in aanraking is gekomen die haar zou willen straffen?' vroeg ze.

'Straffen? Waarvoor?'

'Zegt u het maar. Haar talent. Haar bevoorrechte positie. Haar vader.'

Hij dacht erover na. 'Ik kan het me moeilijk voorstellen. Ze was namelijk net vier jaar in Zweden geweest. Ze noemde zich gewoon Cat Grant. Ik denk niet dat iemand daarginds ook maar kon vermoeden wie Brodie Maclennan Grant was.' Hij strekte zijn benen uit en sloeg zijn enkels over elkaar. 'Ze heeft de eerste paar jaren dat ze in Zweden was hier een zomercursus gedaan. Ze kreeg toen weer wat contact met een paar mensen die ze nog kende van de kunstacademie in Edinburgh.'

Karen schoot overeind. 'Ik wist niet dat ze in Edinburgh op de kunstacademie had gezeten,' zei ze. 'Daar stond niets over in het dossier. Er staat alleen dat ze in Zweden heeft gestudeerd.'

Sinclair knikte. 'Dat was ook zo. Maar in plaats van haar eindexamenjaar af te maken op haar chique privéschool in Edinburgh, heeft ze een inleidende cursus gevolgd op de kunstacademie. Het staat waarschijnlijk niet in het dossier omdat haar ouweheer er niets van afwist. Hij wilde uiteraard niet dat ze in de kunst zou terechtkomen. Dus was het een groot geheim tussen Cat en haar moeder. Ze ging elke morgen met de trein op pad en kwam 's avonds min of meer om dezelfde tijd thuis. Maar in plaats van naar school te gaan ging ze naar de academie. Wist u dat echt niet?'

'Nee, dat wist ik niet,' Karen keek Phil aan. 'We moeten die mensen die op die introductiecursus zaten eens onder de loep nemen.

'Het goede nieuws is dat er niet zoveel op zaten,' zei Sinclair. 'Een stuk of tien maar. Natuurlijk kende ze ook andere studenten, maar ze ging vooral om met haar jaargenoten.'

'Kunt u zich herinneren met wie ze bevriend was?'

Sinclair knikte. 'Ze waren met z'n vijven. Ze hielden van dezelfde bands, ze hielden van dezelfde kunstenaars. Ze zaten altijd over het modernisme en de erfenis daarvan te praten.' Hij sloeg zijn ogen ten hemel. 'Ik voelde me altijd een enorme boerenkinkel.'

'Namen? Bijzonderheden?' Phil voerde de druk weer wat op. Hij pakte zijn aantekenboekje en klapte het open.

'Er was een meisje uit Montrose, Diana Macrae. Eentje uit Peebles; hoe heette die ook al weer...? Iets Italiaans... Demelza. Demelza Gardner.'

'Demelza is geen Italiaanse naam, het is een naam uit Cornwall,' zei Phil. Karen legde hem met een blik het zwijgen op.

'Ook goed. Mij klonk het Italiaans in de oren,' zei Sinclair. 'Er waren ook nog twee jongens bij. Eentje kwam uit Crieff of uit zo'n andere stom gat in Perthshire: Toby Inglish. En dan had je ook nog Jack Docherty. Dat was een arbeidersjoch uit Glasgow. Het waren allemaal nette burgerkindertjes en Jack werd altijd voor gek gezet. Hij leek het niet erg te vinden. Hij was een van die mensen die het niet kan schelen wat voor aandacht ze krijgen, als ze maar aandacht krijgen.'

'Heeft ze nog met deze of gene contact gehouden toen ze in Zweden zat?'

Sinclair stond op en lette niet meer op haar, toen zijn zoontjes over het gras naar hem toe kwamen rennen. Ze wierpen zich op hem onder het uiten van allerlei opgewonden kreten waarvan Karen aannam dat het Duits was. Sinclair hield ze stevig vast en zette strompelend een paar passen, terwijl zij als aapjes aan hem hingen. Toen liet hij ze vallen, zei iets tegen hen, woelde door hun haren en zei toen dat ze hun moeder moesten opzoeken, die was verdwenen in de richting van de trap naar het strand beneden. 'Sorry,' zei hij toen hij weer terug was en ging zitten. 'Ze willen altijd dat je weet wat je allemaal mist. Om op uw vraag terug te komen: ik weet het niet. Ik herinner me vaag dat Cat het wel eens over de een of de ander heeft gehad, maar ik heb er niet echt op gelet. Ik had niets met hen gemeen. Ik ben nooit meer een van hen tegengekomen toen Cat van de academie af was.' Hij streek met zijn hand over zijn kaak. 'Als ik er nu op terugkijk, denk ik dat hoe ouder we werden, hoe minder Cat en ik gemeen hadden. Als ze was blijven leven, waren we nooit meer bij elkaar gekomen.'

'Misschien hadden jullie uiteindelijk in Adam iets gemeenschappelijks gevonden,' zei Karen.

'Dat zou ik graag denken.' Hij keek verlangend naar het poorthuis waardoor zijn zoontjes waren verdwenen. 'Heeft u nog iets? Ik wil namelijk weer graag terug naar mijn eigen leven.'

'Denkt u dat er misschien iemand uit die tijd van de kunstacademie een wrok tegen haar kan hebben gehad?' vroeg Karen.

Sinclair schudde zijn hoofd. 'Ze heeft nooit iets in die richting gezegd,' zei hij. 'Ze had een sterke persoonlijkheid, maar het was moeilijk om een hekel aan haar te hebben. Ik kan me niet herinneren dat ze ooit heeft geklaagd over iemand die haar lastigviel of zoiets.' Hij stond weer op en streek zijn broek glad. 'Ik moet zeggen dat ik niet kan geloven dat een bekende van haar dacht dat hij haar zomaar kon ontvoeren. Ze was veel te goed in het doordrijven van haar eigen zin.'

Glenrothes

De Prof prikte met zijn wijsvingers op het toetsenbord. Hij wist niet waarom ze dat gepriegel 'touch typing' noemden. Je kon toch niet typen zonder het toetsenbord aan te raken? Als punt je bij paaltje kwam was het allemáál touch typing. Hij wist ook niet precies waarom de chef hem maar bleef opzadelen met zoektochten op de computer, of het zou uit louter sadisme moeten zijn. Iedereen dacht dat jonge kerels zoals hij niets liever deden dan computeren, maar voor de Prof was het alsof hij in een vreemd land was waar hij niet eens het woord voor 'bier' kende.

Hij had het veel leuker gevonden als ze hem met Parhatka naar die kunstacademie had gestuurd om met echte mensen te praten en om rond te neuzen in jaarboeken en in tastbare documenten. Daar was hij beter in. Bovendien kon je best lol hebben met brigadier Parhatka. Er was niets lolligs aan het doorploegen van ledenlijsten op de internetsite van *bestdaysofourlives*, op zoek naar de namen die de chef op zijn bureau had gegooid, op een miezerig blaadje dat uit een aantekenboekje was gescheurd.

Hiervoor was hij niet bij de politie gegaan. Hoe zat het met de actie? Waar waren de spannende autoachtervolgingen en de arrestaties? In plaats van opwindende dingen te beleven zat hij nu opgescheept met de chef en Parhatka, die een soort act opvoerden alsof ze meespeelden in zo'n oudbakken komische tv-serie, zoiets als *French and Saunders*. Of was het *Flanders and Swann*? Die kon hij nooit uit elkaar houden.

Hij had niet eens iemand de schrik op het lijf hoeven te jagen om vrije toegang tot de site te krijgen. De vrouw met wie hij had gepraat had zich in allerlei bochten gewrongen om hem ter wille te zijn. Hij had zijn verzoek nog niet gedaan of ze zat al te kakelen. 'We hebben de politie al eerder geholpen, we doen altijd graag wat we kunnen.' Degene met wie ze eerder te maken had gehad, had haar kennelijk flink de wacht aangezegd. Dat mocht hij graag zien.

Hij nam de lijst met namen nog eens door. Diana Macrae. Demelza Gardner. Toby Inglis. Jack Docherty. 1977-1978 was het jaar waar hij naar zocht. Na een paar keer iets verkeerds aangeklikt te hebben, kwam hij uiteindelijk op de ledenlijst uit. Die bevatte maar één naam. Diana Macrae heette nu Diana Waddell, maar daar was je gauw achter. Hij klikte het profiel van Diana aan.

Ik ben na de inleidende cursus op de kunstacademie afgestudeerd aan de Glasgow School of Art met als specialisatie beeldhouwen. Na mijn afstuderen ben ik me met kunsttherapie voor psychiatrische patiënten gaan bezighouden. Ik ben Desmond, mijn man, tegengekomen toen we allebei in Dundee werkten. We zijn in 1990 getrouwd en we hebben twee kinderen. We wonen in Glenisla en vinden het daar heerlijk. Ik ben weer beelden van hout gaan maken en heb een contract met een plaatselijk tuincentrum en ook met een galerie in Dundee.

Een galerie in Dundee, dacht de Prof minachtend. Kunst? In Dundee? Ongeveer even waarschijnlijk als vrede in het Midden-Oosten. Hij las vlug nog meer onzin door over haar man en kinderen en klikte toen verder naar haar boodschappen en e-mails van vroegere medestudenten. Waarom deden die mensen al die moeite? Hun levens waren ongeveer even boeiend als een thuiswedstrijd van het team van East Fife. Nadat hij langs een stel onbenullige uitwisselingen had gescrold, stuitte hij op een boodschap van een zekere Shannon. Hoor je nog wel eens iets van Jack Docherty? vroeg ze.

Die lieve Jack! We sturen elkaar een kerstkaart. Hoewel e-mail erom bekendstond dat je geen nuances kon aanbrengen droop de zelfgenoegzaamheid ervan af. Hij zit nu in het westen van Australië. Hij heeft zijn eigen galerie in Perth. Hij werkt veel met Aboriginalkunstenaars. We hebben een paar werken van hem, ze zijn ongelooflijk. Hij is heel gelukkig. Hij heeft een vriend die Aboriginal is. Best wat jonger dan hij en erg knap, maar hij klinkt heel lief. Als onze kinderen gaan studeren, zijn we van plan om daar een keer heen te gaan.

Twee vliegen in één klap, dacht de Prof, toen hij de bijzonderheden opschreef. Hij las de rest van Diana's gezeur door, en vond toen dat hij wel een pauze verdiend had voordat hij zijn volgende slag ging slaan.

Na een kop koffie ging hij door met zijn speurtocht. Zowel Toby Inglis als Demelza Gardner schitterde door afwezigheid op de bladzijde die aan de kunstacademie was gewijd. Maar dankzij de behulpzaamheid van zijn contactpersoon kon hij de hele site afzoeken. Hij typte de naam van de vrouw in en tot zijn stomme verbazing kreeg hij een hit. Hij klikte erop en las dat Gardner werd beschreven als best wel mijn lievelingslerares. Het bericht stond op de site van een middelbare school in Norwich.

Hij had het benul om de school te googelen. En daar was Demelza Gardner. Hoofddocent expressievakken. God, dit computergedoe was een fluitje van een cent, als je eenmaal wist hoe het ging. Hij voerde de naam van Toby Inglis in en weer kreeg hij een hit. De Prof werd verwezen naar een forum waar vroegere leerlingen van een kostschool in Crieff naar hartenlust konden doorzeuren over hun fantastische levens. Het kostte hem wel wat tijd om de verschillende correspondenties uit elkaar te halen, maar ten slotte vond hij toch wat hij zocht.

De Prof, die best tevreden was met zichzelf, scheurde het bovenste velletje van zijn blocnote af en ging op zoek naar inspecteur Pirie.

Het was, dacht Karen, ongeveer als volgt gegaan. Ze had Bel Richmond gebeld en haar gevraagd of ze zo gauw mogelijk voor een gesprek naar het CCT wilde komen. Graag binnen een uur. Bel had geweigerd. Karen had toen even aangestipt dat het hier om strafbare obstructie ging.

Toen was Bel naar Brodie Grant gegaan om te klagen dat ze geen zin had om meteen braaf naar Glenrothes te rijden, omdat het Karen Pirie toevallig zo uitkwam.

Toen had Grant de Mop opgebeld en uitgelegd dat Bel geen gesprek wilde en dat inspecteur Pirie haar dreigementen beter voor zich kon houden.

Toen had de Mop haar op het matje geroepen en haar verweten dat ze Brodie Grant boos had gemaakt en dat ze Bel Richmond met rust moest laten.

Toen had Karen Bel Richmond nog eens gebeld. Met haar liefste stem had ze Bel verteld dat ze zich om twee uur bij het CCT moest melden. 'Als u er dan niet bent,' zei ze, 'staat er tien minuten later een patrouillewagen bij Rotheswell om u te arresteren wegens obstructie.' Toen had ze de telefoon neergelegd.

Nu was het één minuut voor twee en Dave Cruickshank had haar net gebeld met de mededeling dat Bel Richmond in het gebouw was. 'Laat haar door een agent naar verhoorkamer 1 brengen. Hij moet bij haar blijven tot ik er ben.' Karen pakte een cola light uit de koelkast en ging nog vijf minuten achter haar bureau zitten. Ze nam een laatste slok uit het blikje en liep toen de hal door naar de verhoorkamer.

Bel zat aan de tafel in de grauwe, raamloze kamer, en ze keek woest. Er lag een pakje rode Marlboro's voor haar op tafel met een losse sigaret ernaast. Ze was duidelijk vergeten dat de Schotten er eerder bij waren geweest dan de Engelsen met hun rookverbod, en de agent in uniform had haar eraan moeten herinneren.

Karen trok een stoel naar achteren en liet zich erop vallen. Het schuimrubber had onder de druk van allerlei billen een bepaalde vorm aangenomen en ze schoof wat heen en weer voor ze lekker zat. Met de ellebogen op tafel leunde ze naar voren. 'Probeer me niet nog eens te verneuken,' zei ze, op conversatietoon, maar met ogen die schitterden als graniet.

'Alsjeblieft, zeg,' zei Bel. 'Laten we er geen wedstrijd van maken wie het verste kan pissen. Ik ben er, dus zeur niet.'

Karen bleef Bel strak aankijken. 'We moeten het over Italië hebben.'

'Waarom niet? Prachtig land. Heerlijk eten en de wijn wordt ook steeds beter. En dan heb je nog de kunst...'

'Ophouden. Ik meen het. Ik dien een aanklacht tegen je in wegens obstructie en dan zet ik je in een cel en laat je daar zitten totdat ik je voor de rechter kan slepen. Ik ben niet van plan me te laten belazeren door Sir Broderick Maclennan Grant of door zijn onderdanen.'

'Ik ben geen onderdaan van Brodie Grant,' zei Bel. 'Ik ben een onafhankelijke onderzoeksjournalist.'

'Onafhankelijk? Je woont onder zijn dak, eet zijn eten, drinkt zijn wijn. Geen Italiaanse wijn, durf ik te wedden. En wie heeft dat tochtje naar Italië betaald? Je bent niet onafhankelijk, je bent gewoon in loondienst.'

'Niet waar.'

'Wel waar. Ik heb op dit moment een grotere vrijheid van handelen dan jij, Bel. Ik kan tegen mijn baas zeggen dat hij op het dak kan gaan zitten. Eigenlijk heb ik dat net ook gedaan. Kun jij hetzelfde zeggen? Het is dat de Italiaanse politie me op de hoogte houdt, maar anders had ik niet eens geweten dat je met mensen in Italië over Villa Totti hebt gepraat. Het feit dat je Grant wel inlicht maar ons niet, vertelt me dat hij jou bezit.'

'Onzin. Verslaggevers praten niet met de politie over hun onderzoeken totdat hun werk af is. Dat is nu eenmaal zo.'

Karen schudde langzaam haar hoofd. 'Dat denk ik niet. En eerlijk gezegd verbaast het me. Ik had niet gedacht dat jij zo'n type vrouw was.'

'U weet niets van me af, inspecteur.' Bel ging er eens lekker voor zitten, alsof ze zich klaarmaakte voor iets leuks.

'Ik weet dat je je goede naam niet te danken hebt aan het spuien van dit soort clichés.' Karen trok haar stoel nog wat dichter bij de tafel, waardoor de afstand tussen hen niet veel meer dan een meter bedroeg. 'En ik weet dat je bijna je hele carrière voor dingen gevochten hebt. Weet je wat er over je wordt gezegd, Bel? Dat je een vechter bent. Dat je iemand bent die altijd de juiste weg bewandelt, ook al is het niet de gemakkelijkste weg. Bijvoorbeeld dat je je zus en haar zoontje onder je hoede hebt genomen toen ze dat nodig hadden. Ze zeggen dat je je niet bekommert om je populariteit, dat je hoe dan ook de waarheid boven tafel krijgt en dat je de mensen daarmee confronteert. Ze zeggen dat je een non-conformiste bent. Iemand die handelt volgens haar eigen regels. Iemand die geen bevel van de Grote Man opvolgt.' Ze wachtte tot Bel haar ogen zou neerslaan. De journalist knipperde even met haar ogen, maar ze bleef Karen aankijken. 'Denk je dat de mensen die dat zeggen je nu zouden herkennen? Dat je handelt in opdracht van Sir Broderick Maclennan Grant? Een man die het kapitalistische systeem belichaamt. Een man die iedere poging van zijn dochter om zelfstandig te worden heeft gedwarsboomd tot het punt waar ze zichzelf in gevaar bracht. Ben je al zo diep gezonken?'

Bel pakte haar sigaret en tikte ermee op de tafel. 'Soms moet je je een plekje veroveren in de tent van de tegenstander, zodat je erachter kunt komen wat voor iemand hij is. U zou dat toch zeker moeten begrijpen. De politie maakt constant gebruik van infiltranten als dat de enige manier is om achter de waarheid te komen. Heeft u enig idee hoeveel keer Brodie Grant in de afgelopen twintig jaar met de pers heeft gepraat?'

'Laat me eens een gokje wagen. Nul keer?'

'Precies. Toen ik een bewijsstuk vond waarmee die oude zaak misschien kon worden opengebroken, begreep ik dat Grant weer volop in de belangstelling zou komen te staan. Belangstelling van uitgevers bijvoorbeeld. Maar alleen als iemand Grant zou kunnen benaderen en kon zien hoe hij in werkelijkheid was.' Ze trok een mondhoek op in een cynisch glimlachje. 'Ik dacht: waarom zou ik dat niet zijn?'

'Dat snap ik wel. Ik ga hier geen gaten zitten prikken in je zelfrechtvaardiging. Maar wat voor recht geeft jouw speurtocht naar de definitieve waarheid over die ongelukkige familie jou om boven de wet te gaan staan?'

'Zo zie ik het niet.'

'Natuurlijk zie je het niet zo. Jij ziet jezelf als de persoon die namens Cat Grant optreedt. De persoon die haar zoon thuis gaat brengen, dood of levend. De heldin. Je kunt je niet veroorloven om eerlijk naar jezelf te kijken. Want dan zou je zien dat je al die dingen juist tegenwerkt. Nou, ik heb een nieuwtje voor je, Bel. Je beschikt niet over de middelen om dit tot een goed einde te brengen. Ik weet niet wat Brodie Grant je heeft beloofd, maar dat is geen zuivere koffie. Op geen enkele manier.' Karen voelde hoe de boosheid die in haar broeide ieder moment tot uitbarsting kon komen. Ze duwde haar stoel achteruit, waardoor er wat ruimte tussen hen ontstond.

'De politie in Italië is helemaal niet geïnteresseerd in wat er met Cat Grant is gebeurd,' zei Bel.'

'Dat klopt. Waarom zouden ze?' Karen voelde dat ze rood werd. 'Maar ze interesseren zich wel voor de persoon wiens bloed op de keukenvloer van Villa Totti ligt. Zoveel bloed dat die persoon bijna zeker dood is. Daar interesseren ze zich voor en ze doen nu hun uiterste best om erachter te komen wat daar is gebeurd. En tijdens dat onderzoek komt er informatie boven tafel waarbij wij gebaat zijn. Zo pakken wij dat aan. Wij huren geen privédetectives in die hun verslagen aanpassen aan de wensen van de klant. Wij creëren geen persoonlijk wetssysteem waarmee we ons eigen belang dienen. Mag ik je een vraag stellen, Bel? Gewoon een persoonlijke vraag?' Karen wendde zich tot de agent in uniform die nog steeds bij de deur stond. 'Wil je ons even alleen laten?'

Ze wachtte tot hij de deur achter zich had dichtgedaan. 'Onder de Schotse wet kan ik niets gebruiken van wat je nu tegen me zegt. Er is geen getuige die het kan bevestigen, zie je. En nu mijn vraag. En ik wil dat je er goed over nadenkt. Je hoeft me geen antwoord te geven. Ik wil alleen zeker weten dat je er eerlijk en oprecht over hebt nagedacht. Als jij de kidnappers zou vinden, wat denk je dat Brodie Grant dan met die informatie doet?'

De spieren rondom Bels mond verstrakten. 'Dat vind ik een gemene insinuatie.'

'Ik insinueer niets. Jij hebt een conclusie getrokken.' Karen stond op. 'Ik ben geen onbenul, Bel. Je moet niet doen alsof ik dat wel ben.' Ze deed de deur open. 'Je kunt weer binnenkomen.'

De agent nam opnieuw zijn post bij de deur in en Karen ging weer zitten. 'Jullie zouden je moeten schamen,' zei ze. 'Wie denken jullie wel dat je bent met jullie persoonlijke wetten. Heb je hier altijd zo hard voor gewerkt? Voor een wet voor de rijken en machtigen der aarde, waarmee ze een lange neus kunnen maken naar de rest van de wereld?' *Dat was raak. En dat werd verdommme tijd.*

Bel schudde haar hoofd. 'Je beoordeelt me verkeerd.'

'Bewijs dat dan maar. Vertel me wat je in Toscane hebt ontdekt.'

'Waarom zou ik? Als jullie van de politie je zaakjes voor elkaar hadden, waren jullie er zelf wel achter gekomen.'   '

'Vind je dat ik mijn bekwaamheid moet verdedigen? Het enige wat ik moet verdedigen is dat onze onderzoeken te lijden hebben onder een zware last van regels, voorschriften en gebrek aan middelen. Dat betekent soms dat het mij en mijn team wat tijd kost om al het nodige te kunnen doen. Maar je kunt ervan verzekerd zijn dat als dat lukt, elk grassprietje wordt bekeken. Als rechtvaardigheid je nog wat waard is, zou je het me moeten vertellen.' Ze glimlachte zonder enige warmte. 'Anders zou je zelf wel eens het mikpunt van verslaggevers kunnen worden.'

'Is dat een dreigement?'

Karen kreeg de indruk dat het een laatste stuiptrekking was. Bel stond op het punt om te gaan praten, dat voelde ze. 'Ik hoef niet te dreigen,' zei ze. 'Zelfs Brodie Grant weet dat de politie zo lek is als een mandje. Er komt van alles zomaar in de openbaarheid terecht. En je weet hoe leuk de pers het vindt als iemand die zich altijd heeft voor laten staan op een moreel hoogstaand standpunt, opeens vuile handen blijkt te hebben.' *Ze had gelijk. Bel voelde zich duidelijk niet op haar gemak.*

'Hoor eens, Karen – ik mag je toch wel Karen noemen?' De stem van Bel kreeg opeens een chocoladeachtige warmte.

'Je mag me noemen zoals je wilt, het maakt mij niets uit. Ik ben je vriendinnetje niet, Bel. Ik heb zes uur tot mijn beschikking waarin ik je mag verhoren zonder advocaat en ik ben van plan eruit te halen wat erin zit. Vertel me wat je in Italië hebt ontdekt.'

'Ik vertel je helemaal niets,' zei Bel. 'Ik wil even buiten een sigaretje roken. Ik laat mijn tas hier op tafel liggen. Pas op dat je hem er niet afgooit, er kunnen spullen uit vallen.' Ze stond op. 'Gaat u daarmee akkoord, inspecteur?'

Karen onderdrukte met moeite een glimlach. 'De agent zal bij je moeten blijven. Maar neem er de tijd voor. Rook er desnoods twee. Ik heb hier genoeg te doen.' Ze keek hoe de vrouw de kamer uitliep en voelde onwillekeurig iets van bewondering voor haar stijl. Iets geven zonder dat je toegeeft. *Niet gek bedacht, Bel.*

Haar arm streek langs de rieten boodschappentas die omviel en een waaier van papieren op de tafel uitspreidde. Zonder iets te lezen raapte Karen alles bij elkaar en liep gehaast de hal door naar haar kantoor. Binnen tien minuten lag het hele zaakje onder het fotokopieerapparaat en had ze alles gekopieerd, een pakketje kopieën veilig opgeborgen in haar kluisje en de oorspronkelijke exemplaren weer in haar hand. Toen keerde ze terug naar de verhoorkamer, waar ze ging zitten lezen.

Terwijl ze Bels verslag voor Brodie Grant op zich in liet werken, was ze in gedachten al een opsomming aan het maken van de belangrijkste punten. Een zootje ongeregeld, poppenspelers die illegaal in Villa Totti woonden. Daniel Porteous, een Britse schilder, niet zozeer huisvriend als wel bevriend met Matthias, de baas, en zijn vriendin. Matthias de decorontwerper en de maker van posters. Gabriel Porteous, zoon van Daniel. Gezien in het gezelschap van Matthias op de dag voordat BurEst met de noorderzon vertrok. Bloed op de keukenvloer, vers die morgen. Daniel Porteous, een bedrieger. Ook al een bedrieger in 1984, toen hij zijn zoon onder een valse naam liet inschrijven.

Ze bleef even steken bij de naam van de moeder, omdat ze wist dat ze die eerder had gezien, maar zich niet meer herinnerde in welk verband. Toen ze de naam hardop uitsprak, ging haar een lichtje op. Frida Kahlo. Die Mexicaanse kunstenares over wie Michael Marra dat liedje had geschreven. 'Frida Kahlo's Visit to the Tayside Bar'. Ze was heel ongelukkig in de liefde geweest. Nou, dat kwam vaker voor, nietwaar. Maar iemand had een loopje genomen met de ambtenaar van de burgerlijke stand, had in zijn vuistje zitten lachen over een mannetje bij Burgerzaken dat het verschil niet wist tussen Michelangelo en Frida Kahlo. Aanstellerij. Dacht dat hij slim was, maar had niet in de gaten dat hij ondertussen iets van zichzelf verraadde. Maar hij moest wel een talentvolle vervalser zijn, deze Daniel Porteous, om met de noodzakelijke papieren op de proppen te komen om de ambtenaar te overtuigen. En brutaal, om het tot een goed einde te brengen.

Het was allemaal heel interessant, maar waardoor was Bel ervan overtuigd geraakt dat Gabriel Porteous Adam Maclennan Grant was? En, in het verlengde daarvan, dat Daniel Porteous zijn biologische vader was? En, nog meer in het verlengde, dat Daniel Porteous en Matthias de kidnappers waren? Die na al die jaren nog steeds met elkaar in contact stonden, en die nog steeds in het bezit waren van dat zeefdrukraam? Als je je baseerde op de poster kon je de draad doortrekken, maar de bewijzen waren slechts indirect.

In het besef dat Bel elk moment terug kon komen, bladerde Karen snel door en keek vluchtig of ze iets bekends zag. Ze zocht naar iets waarmee ze de theorie kon verbinden met solide feiten. De laatste paar pagina's bestonden uit foto's – oorspronkelijke foto's die op een feestje waren genomen en uitvergrotingen met onderschriften.

Haar maag draaide zich om en haar verstand weigerde eerst te accepteren waar ze naar keek. Ja, het was waar dat Gabriel een treffende gelijkenis vertoonde met zowel Brodie als Cat Grant. Maar dat was niet de reden waarom haar maag opeens in opstand was gekomen. Karen staarde naar het beeld van Daniel Porteous, en ze werd er kotsmisselijk van. Lieve god, wat moest ze hier nu weer van denken? En toen, alsof iemand een lamp in haar hoofd had aangeknipt, zag ze iets waardoor alles op zijn kop werd gezet. Daniel Porteous had drie maanden voor de ontvoering de geboorte van zijn zoon aangegeven. Hij had een valse identiteit aangenomen, minstens drie maanden voor het tijdstip waarop hij er gebruik van ging maken om ervandoor te gaan. Oké. Dat wees op een vooruitziende geest. Maar hij had zich ook verzekerd van het recht om zijn zoon mee te nemen. 'Dat doe je niet als je van plan bent hem voor geld te ontvoeren,' zei ze zachtjes tegen zichzelf.

Karen stopte Bels papieren terug in de rieten tas en liep naar de deur. Dit was krankzinnig. Ze moest nodig met iemand praten die haar hierbij kon helpen. Waar was Phil potverdorie, net nu ze hem nodig had?

Toen ze de verhoorkamer uit rende, botste ze bijna tegen de Prof op. Hij sprong verschrikt opzij. 'Ik was naar u op zoek,' zei hij.

Dat was beslist niet wederzijds. 'Ik heb nu geen tijd,' zei ze, en ze duwde hem opzij.

'Ik heb hier iets voor u,' zei hij klagerig.

Karen draaide zich met een ruk om, graaide hem het papier uit handen en zette het op een lopen. Ze had het gevoel dat er een leger boodschappers in haar hoofd rondrende, ieder met een stukje van een puzzel in handen. Op dit moment pasten de stukjes nog niet in elkaar. Maar ze had een sterk vermoeden dat als dat wel zou lukken, het uiteindelijke plaatje iedereen versteld zou doen staan.

Rotheswell Castle
Er was een wisseling van de wacht geweest sinds Bel voor haar gesprek met Karen Pirie was vertrokken, dus toen ze bij het kasteel terugkwam in een taxi, moest de bewaker die zijn post bij de poort had betrokken, navragen of het in orde was. Daarmee was de kans verkeken om ongemerkt naar binnen te glippen. Toen ze nog aan het afrekenen was, ging de deur al met een zwaai open en daar stond een streng kijkende Grant. Bel plooide haar gezicht in een blik van blijde herkenning en liep naar hem toe.

Er was geen tijd voor nietszeggende praatjes. 'Wat heb je haar verteld?' wilde hij meteen weten.

'Niets,' zei Bel. 'Een goede journalist beschermt zijn bronnen en zijn informatie. Ik heb haar niets verteld.' Op de keper beschouwd was dat ook zo. Ze had Karen Pirie niets verteld. Dat had ook niet gehoeven. De inspecteur was het gebouw uit komen vliegen en had alleen even vaart geminderd om Bel te vertellen dat ze kon gaan.

'Er is net nieuws binnengekomen over een andere zaak waar ik aan werk; ik moet naar Edinburgh. Ik neem wel contact op. Je kunt terug naar Rotheswell gaan, als je wilt,' had Karen gezegd. Toen had ze Bel een knipoogje gegeven. 'En je kunt met je hand op je hart tegen Brodie zeggen dat je niets hebt gezegd.'

Met een gerust hart, omdat ze eigenlijk niet loog, liep Bel naar binnen, waardoor hij de keus had tussen haar bij de arm grijpen of haar volgen.

'Zeg je nu dat je haar niets hebt verteld en dat ze je gewoon heeft laten vertrekken?' Hij moest grote stappen nemen om haar bij te houden, toen ze gehaast de hal door rende in de richting van de trap.

'Ik heb inspecteur Pirie duidelijk verteld dat ik niets zou zeggen, en daarmee zaten we in een impasse. Ze zag in dat het geen zin had om te blijven aandringen.' Bel wierp een blik over haar schouder. 'Dit is niet de eerste keer in mijn carrière dat ik informatie voor de politie heb achtergehouden. Ik zei toch dat u haar niet de wacht aan hoefde te zeggen?'

Grant gaf met een knikje te kennen dat hij haar begreep. 'Het spijt me dat ik je niet geloofde.'

'Goed zo,' zei Bel. 'Ik...' Ze brak het gesprek af om haar telefoon te beantwoorden. 'Bel Richmond,' zei ze, en ze stak een vinger op om Grant het zwijgen op te leggen.

Een stortvloed aan Italiaans stroomde haar oor binnen. Ze ving 'Boscolata' op en herkende toen de stem van de jongen die Gabriel met Matthias had gezien op de avond dat de leden van BurEst ervandoor waren gegaan. 'Langzaam, doe maar rustig aan,' protesteerde ze zwakjes, in zijn eigen taal.

'Ik heb hem gezien,' zei de jongen. 'Gisteren. Ik heb Gabe weer in Siena gezien. En ik wist dat je hem zocht, dus ben ik hem achternagegaan.'

'Je bent hem achternagegaan?'

'Ja, zoals in de film. Hij is in een bus gestapt en ik heb stiekem in kunnen stappen zonder dat hij het in de gaten had. We kwamen uit in Greve. Ken je Greve in Chianti?'

Ze kende Greve. Een schitterend marktplaatsje vol trendy

winkeltjes voor rijke Engelsen, met als verzachtende omstandigheid een paar bars en trattoria's waar de plaatselijke bevolking nog wel eens at en dronk. Een ontmoetingsplaats voor jonge mensen op vrijdag en zaterdag. 'Ik ken Greve,' zei ze.

'We komen dus uit op de grote piazza en hij gaat een bar binnen en gaat zitten bij een stelletje andere jongens van ongeveer zijn leeftijd. Ik ben buiten gebleven, maar ik kon hem door het raam zien zitten. Hij heeft een paar biertjes gedronken en een bord pasta gegeten en toen kwam hij weer naar buiten.'

'Heb je hem kunnen volgen?'

'Niet echt. Ik dacht van wel, maar hij had een paar straatjes terug een Vespa staan. Hij is de weg af gereden die aan de oostkant de stad verlaat.'

Bijna raak, maar nog net niet helemaal. 'Je hebt het goed gedaan,' zei ze.

'Ik heb het nog beter gedaan. Ik heb zo'n twintig minuten gewacht en ben toen de bar in gegaan waar hij was geweest. Ik zei dat ik op zoek was naar Gabe, dat ik daar met hem had afgesproken. Zijn vrienden zeiden dat ik hem net was misgelopen. Dus toen heb ik heel onschuldig gedaan en gevraagd of ze me konden vertellen hoe ik zijn huis kon vinden, want dat ik de weg niet wist.'

'Ongelooflijk,' zei Bel, die echt verbaasd stond over zijn initiatiefrijke optreden. Grant maakte aanstalten om weg te lopen, maar zij gebaarde dat hij moest blijven staan.

'Dus toen hebben ze een kaart voor me getekend,' zei hij. 'Best cool, hè? Blijkbaar woont hij in een veredelde schaapherdershut.'

'Wat heb je toen gedaan?'

'Ik heb de laatste bus naar huis genomen,' zei hij, alsof dat vanzelfsprekend was. Wat het vermoedelijk ook was als je nog maar een tiener was.

'En je hebt dat kaartje nog?'

'Ik heb het meegenomen,' zei hij. 'Ik dacht dat het u misschien wel wat waard was. Ik dacht aan honderd euro.'

'Daar hebben we het nog wel over. Hoor eens, ik kom zo gauw mogelijk terug. Je mag er met niemand over praten, alleen met Grazia, oké?'

'Oké.'

Bel beëindigde het gesprek en stak een duim op naar Grant. 'Een resultaat,' zei ze. 'Vergeet die privédetectives maar. Mijn contactpersoon heeft ontdekt waar Gabriel woont. En nu moet ik terug naar Italië om met hem te praten.'

Het gezicht van Grant klaarde op. 'Dat is geweldig nieuws. Ik kom met je mee. Als die jongen mijn kleinzoon is, wil ik hem ook ontmoeten. Hoe vlugger hoe beter.'

'Dat denk ik niet. Hier moeten we voorzichtig mee omgaan,' zei Bel.

Ze kreeg bijval van een stem achter haar. 'Ze heeft gelijk, Brodie. We moeten veel meer over deze jongen weten voordat je je blootgeeft.' Judith kwam naar hen toe lopen en legde een hand op de arm van haar man. 'Dit zou een val kunnen zijn. Als dit de mensen zijn die tweeëntwintig jaar geleden Adam hebben ontvoerd en jou hebben beroofd, weten we dat ze niet terugschrikken voor wreedheden. Dat is het enige wat we zeker weten. Laat Bel het maar afhandelen.' Grant mopperde nog wat, maar zij suste hem. 'Bel, denk je dat je een DNA-monster kunt krijgen zonder dat die jongeman het merkt?'

'Dat is niet zo moeilijk,' zei Bel. 'Dat krijg ik wel voor elkaar.'

'Ik vind nog steeds dat ik moet gaan,' zei Grant.

'Natuurlijk vind je dat, lieverd. Maar ditmaal hebben de vrouwen gelijk. En je zult gewoon je ziel in lijdzaamheid moeten bezitten. Waar staat het vliegtuig?'

Grant zuchtte. 'In Edinburgh.'

'Perfect. Tegen de tijd dat Bel gepakt heeft, zal Susan alles wel geregeld hebben.' Ze wierp een blik op haar horloge. 'Je zei dat je Alec na school mee uit vissen zou nemen, dan kan ik Bel wel rijden.' Ze glimlachte naar Bel. 'We hebben geen tijd te verliezen. Ik zie je over een kwartier hier beneden, oké?'

Bel knikte, volledig overbluft. Als ze zich ooit al had afgevraagd hoe Judith Grant zich in dit huwelijk staande hield, had ze daar net een spectaculair staaltje van gezien. Grant was volledig voor het blok gezet. Hij kon geen kant op, of hij moest een enorme scène gaan maken. Ze draaide zich om en rende de trap op. *Voeg nog maar een nul toe aan het voorschot.* Met dit verhaal zou ze de kroon op haar carrière zetten. Iedereen die haar ooit beledigd had, zou zijn woorden terug moeten nemen. Het zou zalig zijn. Oké, er waren nog een paar vervelende karweitjes die ze moest opknappen, maar je kreeg nu eenmaal niets cadeau. Alleen was er meestal geen eer aan te behalen. Maar nu wel.

Kirkcaldy

Karen liep te ijsberen volgens een vast patroon. Tien stappen door de woonkamer, dan een draai en dan tien stappen terug. Meestal kon ze door beweging wel wat orde in haar chaotische gedachten brengen, maar op deze avond werkte het niet. De chaos in haar hoofd was onhandelbaar, alsof ze een stel katten moest vangen of met water moest vechten. Ze vermoedde dat het kwam omdat ze zich diep in haar hart verzette tegen de onvermijdelijke conclusie. Ze had Phil nodig om haar hand vast te houden terwijl zij aan het ondenkbare dacht.

Waar was hij toch, verdorie? Ze had bijna twee uur geleden een boodschap achtergelaten op zijn voicemail, maar hij had nog niets van zich laten horen. Het was niets voor hem om onbereikbaar te zijn. Toen ze dat net voor de honderdste keer dacht, werd er gebeld. Nog nooit had ze de afstand naar de voordeur zo snel overbrugd.

Phil stond met een schaapachtige uitdrukking op zijn gezicht op de stoep. 'Het spijt me,' zei hij. 'Ik ben naar de Nationale Bibliotheek in Edinburgh geweest en ik moest mijn mobieltje uitzetten. Ik ben vergeten het weer aan te zetten, tot een paar minuten geleden. Ik dacht dat ik beter zo vlug mogelijk hiernaartoe kon komen.'

Karen was hem intussen voorgegaan naar de woonkamer. Hij keek nieuwsgierig om zich heen. 'Ziet er leuk uit,' zei hij.

'Niet waar. Het is gewoon een ding om in te wonen,' zei ze.

'Maar wel een goed ding. Het is ontspannend. De kleuren passen allemaal bij elkaar. Je hebt er oog voor.'

Ze had de moed niet om hem te vertellen dat het oog aan iemand anders toebehoorde. 'Ik heb niet gevraagd of je langs wilde komen om mijn interieur te bewonderen,' zei ze. 'Wil je een biertje? Of een glas wijn?'

'Ik ben met de auto,' zei hij.

'Geeft niets. Je kunt altijd een taxi nemen. Geloof me maar, je zult een borrel nodig hebben.' Ze duwde hem de fotokopie van Bels aantekeningen in de hand. 'Bier of wijn?'

'Heb je rode wijn?'

'Ga dat maar lezen. Ik ben zo terug.' Karen liep naar de keuken, koos de beste van de zes flessen die ze in het rek had liggen, draaide de dop eraf en schonk twee grote glazen in. Het fruitige aroma van de Australische syrah kietelde haar neus toen ze de glazen optilde. Het was het eerste wat echt tot haar doordrong sinds ze haar kantoor had verlaten.

Phil was naar de eethoek gelopen en was aan tafel gaan zitten. Hij zat aandachtig te lezen. Verstrooid nam hij een slok. Karen kon niet stil blijven zitten. Ze ging zitten en stond toen weer op. Ze liep naar de keuken en kwam terug met een bord kaaskoekjes. Toen herinnerde ze zich het vel papier dat de Prof haar had gegeven. Ze had het zonder ernaar te kijken in haar tas gestopt.

Uiteindelijk vond ze haar tas in de keuken. De aantekeningen van de Prof waren niet bepaald de duidelijkste en beknoptste die ze ooit had gelezen, maar de essentie van wat hij had ontdekt drong tot haar door. Drie van de vrienden van Cat waren duidelijk niet interessant, maar het bericht op het forum over Toby Inglis, dat hij had gekopieerd, drong tot haar door met de kracht van een opgerolde springveer. **Maar je raadt nooit wie we in een bistro in Perpignan tegen het lijf liepen. Toby Inglis! Je weet toch nog wel hoe hij aan de weg zou gaan timmeren, hoe hij de volgende Laurence Olivier zou worden? Nou, het is blijkbaar heel anders gelopen. Hij wilde niet veel kwijt toen we naar bijzonderheden vroegen, maar hij zei dat hij regisseur was en decorontwerper. Naar mijn bescheiden mening was hij niet helemaal eerlijk. Brian zei dat hij eruitzag als een overjarige hippie. In ieder geval rook hij zo, allemaal patchoeli en hasj. We vroegen waar we een van zijn producties konden zien, maar hij zei dat hij met vakantie was. Ik wilde eigenlijk ontzettend graag nog wat doorvragen, maar toen kwam er een Duitse vrouw bij staan. Volgens mij dacht ze dat ze daar zouden eten, maar hij duwde haar zo gauw mogelijk de deur uit. Ik denk dat hij niet wilde dat we met haar praatten en achter de waarheid kwamen. Wat die ook is. Dus na Perpignan...**

Karen las de krabbels van de Prof nog een keer door. Zou dit Matthias kunnen zijn? Het klonk wel degelijk als de geheimzinnige Matthias, die niet meer was gezien sinds hij in Siena met Gabriel Porteous was gesignaleerd. Nog een stukje dat bij de puzzel leek te horen, maar dat toch niet helemaal paste.

Karen dwong zichzelf om diep adem te halen en ging toen bij Phil aan tafel zitten. Hij had de fotoafdrukken op tafel uitgespreid en schoof er eentje met zijn vinger naast de andere. 'Hij is het, hè?'

'Adam?'

Hij maakte een ongeduldig handgebaar. 'Natuurlijk is het Adam. Het moet Adam zijn. Niet alleen omdat hij op zijn moeder en zijn grootvader lijkt, maar omdat de man die hem heeft grootgebracht Mick Prentice is.'

Karen voelde zich een moment gewichtloos. De onrust bedaarde en ze kon weer normaal denken. Ze was niet gek aan het worden en ze liet zich ook niet meeslepen door haar fantasie. 'Weet je het zeker?'

'Hij is eigenlijk niet eens zo sterk veranderd,' zei Phil. 'En kijk, daar heb je dat litteken…' Hij ging er met zijn vingertop overheen. 'De kolentatoeage door zijn rechterwenkbrauw. Dat dunne blauwe streepje. Het is Mick Prentice. Daar wil ik wel wat onder verwedden.'

'Was Mick Prentice een van de kidnappers?' Zelfs in haar eigen oren klonk Karens stem ietwat bibberig.

'Ik denk dat we allebei weten dat hij meer was dan dat,' zei Phil.

'De aangifte,' zei Karen.

'Precies. Dit was al gepland voordat Mick Jenny in de steek liet. Hij had voor die valse identiteit gezorgd, zodat hij een nieuw leven kon beginnen. Maar er is maar één reden waarom hij ook voor Adam een valse identiteit moest regelen.'

'Hij was helemaal niet van plan losgeld voor hem te vragen,' zei Karen. 'Omdat híj Adams vader was. Niet Fergus Sinclair. Mick Prentice.' Ze nam een grote slok van de rode wijn. 'Het was doorgestoken kaart, hè? Er waren geen anarchisten?'

'Nee.' Phil zuchtte. 'Er waren twee mijnwerkers. Mick en zijn vriend Andy.'

'Denk je dat Andy ook in het complot zat?'

'Daar heeft het alle schijn van. Hoe kun je anders verklaren dat hij op precies het juiste tijdstip werd bedolven in de grot?'

'Maar waarom? Waarom moest hij worden vermoord? Hij was Micks beste vriend,' protesteerde Karen. 'Als hij íémand kon vertrouwen, was het Andy wel. Hij kon Andy waarschijnlijk nog meer vertrouwen dan Cat, als je kijkt hoe dat bij mannenvriendschappen gaat.'

'Misschien was het een ongeluk. Misschien heeft hij zijn hoofd gestoten toen hij in of uit de boot stapte.'

'River zei dat de achterkant van zijn schedel was ingeslagen. Dat klinkt niet als een ongeluk bij het in de boot stappen.'

Phil gooide zijn handen in de lucht, alsof hij wilde zeggen: ik weet het ook niet, hoor! 'Hij kan zijn gestruikeld; hij kan met zijn hoofd op de kade zijn terechtgekomen. Het was een grote puinhoop die nacht, er kan van alles zijn gebeurd. Ik wil wedden dat Andy in het complot zat.'

'En Cat? Was zij onderdeel van het plan of was zij het slachtoffer? Waren zij en Mick nog bij elkaar of probeerde hij zijn kind te pakken te krijgen plus zoveel van het geld van Brodie Grant dat ze de rest van hun leven comfortabel konden leven?'

Phil krabde op zijn hoofd. 'Ik denk dat zij ook in het complot zat,' zei hij. 'Als ze uit elkaar waren en hij had ze allebei ontvoerd, dan zou ze Adam nooit hebben losgelaten. Dan was ze veel te bang geweest dat hij het joch van haar af zou pakken.'

'Ik kan niet geloven hoe ze hem dat hebben geflikt,' zei ze.

Phil legde de foto's op een net stapeltje. 'Lawson zocht in de verkeerde richting. En om een goede reden.'

'Nee, nee. Ik bedoel niet de ontvoering. Ik bedoel de relatie. Iedereen weet altijd alles van iedereen in een dorp als Newton. Het is gemakkelijker om er ongemerkt een moord te plegen dan een buitenechtelijke relatie te hebben. Dat denk ik tenminste.'

'Dus het ziet ernaar uit dat wij hebben gedaan wat Lawson niet gelukt is. De ontvoering oplossen en Adam Maclennan Grant opsporen.'

'Niet helemaal,' zei Karen. 'We weten nog niet waar hij is. En dan is er nog het probleempje van een heleboel bloed op een vloer in Toscane. Dat bloed kan van hem zijn.'

'Of hij kan het zelf hebben veroorzaakt. En in dat geval zal hij er niet om zitten te springen dat hij gevonden wordt.'

'Er is één ding waar we nog geen rekening mee hebben gehouden,' zei Karen terwijl ze het resultaat van de speurtocht van de Prof aan Phil gaf. 'Het lijkt erop dat Matthias, de poppenspeler, in werkelijkheid een vriend van de kunstacademie was van Cat. Toby Inglis wordt beschreven op een manier die met een beetje goede wil op Matthias zou kunnen slaan, de leider van dat stelletje hippies. Waar past hij in het plaatje?'

Phil keek naar het papier. 'Interessant. Als hij bij de ontvoering betrokken was, houdt hij zich sindsdien dus niet alleen gedeisd omdat hij zich schaamt voor zijn niet al te florissante carrière.' Hij dronk zijn glas wijn leeg en hield het schuin naar Karen toe. 'Is er nog meer?'

Ze haalde de fles en schonk hem bij. 'Valt je nog iets slims in?'

Phil nam bedachtzaam een slok. 'Oké, als die Toby Matthias is, dan was hij een oude vriend van Cat. Zo kan hij in contact met Mick zijn gekomen. Dat hoeft niet te zijn gepland, hij kan onverwacht zijn langsgekomen toen Mick er was. Je weet hoe kunstenaars zijn.'

'Ik niet, eerlijk gezegd. Ik geloof niet dat ik iemand ken die op de kunstacademie heeft gezeten.'

'De vriendin van mijn broer heeft erop gezeten. Degene die bij mij thuis alles nieuw inricht...'

'En zij is niet altijd even betrouwbaar?' vroeg Karen.

'Nee, onbetrouwbaar is ze niet,' moest Phil erkennen. 'Maar ze is wel onvoorspelbaar. Ik weet nooit waar ze me nu weer mee opzadelt. Misschien had ik het door jou moeten laten doen. Dit huis straalt veel meer rust uit.'

'Dat is mijn ideaal,' zei Karen. 'Rustgevend zijn.' Er volgde een beladen moment van stilte en toen schraapte ze snel haar keel en zei: 'Maar hoe zit het hier dan mee, Phil? Als ze elkaar ontmoet hadden toen Mick bij Cat was en elkaar toen weer toevallig tegenkwamen in Italië, hoe heeft Mick dan in godsnaam uitgelegd wat er met Cat was gebeurd en waarom hij nu met dat kind zat opgescheept?'

'Dus jij zegt dat hij ook bij de ontvoering betrokken moet zijn geweest?'

Ze haalde haar schouders op. 'Dat weet ik niet. Dat weet ik echt niet. Wat ik wel weet, is dat we de Italiaanse politie zover moeten krijgen dat ze de persoon gaan zoeken wiens bloed níét op de vloer van die villa ligt, zodat we hem een stel relevante vragen kunnen stellen.'

'Weer zo'n opdracht waar de vrouw die Jimmy Lawson achter de tralies heeft gezet haar tanden in kan zetten.' Hij hief zijn glas naar haar.

'Daar kom ik nooit meer van af, hè?'

'Waarom zou je dat willen?'

Karen wendde haar blik af. 'Soms heb ik het gevoel dat het als een molensteen om mijn nek hangt. Zoiets als bij die film. Je weet wel, *The Man who shot Liberty Valance.*'

'Zo is het niet,' zei Phil. 'Je hebt Jimmy Lawson op een eerlijke manier te pakken gekregen.'

'Nadat iemand anders al het werk had gedaan. Net als nu. Nu is het grotendeels het werk van Bel Richmond.'

'Je hebt in beide gevallen datgene gedaan wat belangrijk was. We waren nog steeds geen centimeter opgeschoten, als jij die grot niet had laten uitgraven en die kerels in Nottingham niet grondig had laten verhoren. Als je toch uit die film wilt gaan citeren, moet je het goed doen. "When the legend becomes fact, print the legend." Jij bent een legende, Karen. En dat verdien je ook.'

'Hou op, je maakt me verlegen.'

Phil leunde achterover in zijn stoel en grijnsde haar toe. 'Bezorgen ze hier ook pizza's aan huis?'

'Hoezo? Trakteer jij?'

'Ik trakteer. We verdienen wel een klein feestje, vind je niet? We zijn hard op weg om twee oude zaken op te lossen. De moord op Andy Kerr hebben we nog wel als extraatje op ons bord liggen, maar oké. Bestel jij de pizza's maar, dan kijk ik wat voor dvd's je in huis hebt.'

'Ik moet eigenlijk contact opnemen met de Italianen,' zei Karen aarzelend.

'Als we rekening houden met het tijdsverschil, is het daar bijna acht uur. Denk je echt dat er nog iemand aanwezig is die hoger in rang is dan een eenvoudige agent? Je kunt net zo goed tot morgen wachten en dan die vent bellen met wie je al eerder hebt gepraat. Ontspan je nu maar eens. Draai het knopje om. We drinken de wijn op, slaan een pizza achterover en kijken naar een film. Wat vind je?'

Ja, ja, ja! 'Klinkt als een goed plan,' zei Karen. 'Ik heb nog wel een folder van die pizzeria.'

Celadoria, bij Greve in Chianti

De zon, een scharlakenrode bal in haar achteruitkijkspiegel, zakte al weg achter de heuvels toen Bel vanuit Greve de weg naar het oosten nam. Grazia had haar in een bar op de piazza ontmoet en had haar het papier gegeven waarop stond hoe ze naar het eenvoudige huisje moest rijden waarin Gabriel Porteous woonde. Iets meer dan drie kilometer buiten de stad vond ze het weggetje dat rechtsaf sloeg en dat stond aangegeven op de slordig getekende kaart. Ze nam het weggetje, langzaam rijdend, omdat ze moest uitkijken naar de stenen palen aan de linkerkant. Onmiddellijk erna zou er aan de linkerkant een zandweg moeten zijn.

En daar was het. Een smal paadje dat zich kronkelde tussen rijen met wijnstokken die de contouren van de heuvel volgden; als je niet goed oplette, zou je het over het hoofd zien. Maar Bel lette wel op en ze aarzelde niet. Op het kaartje stond een kruis links van het pad, maar er was kennelijk iets mis met de schaal. Ze begon zich wat ongerust te maken toen ze steeds verder van de hoofdweg af raakte. Opeens kreeg ze een laag stenen huisje in zicht, dat overgoten was met de roze gloed van de ondergaande zon. Het was nog net geen ruïne. Maar dat zag je wel meer, zelfs in een populair gebied als de Chianti in Toscane.

Bel stopte en stapte uit. Ze rekte haar rug, want ze had lang achter het stuur gezeten. Voordat ze een paar passen had gedaan, ging de planken deur met veel gekraak open en verscheen de jongeman van de foto's in de deuropening. Hij was gekleed in een zwart mouwloos hemd dat de egaal gebruinde huid goed deed uitkomen. Hij stond er nonchalant bij, met één hand op de deur, de andere op de deurstijl en een beleefd vragende blik op zijn gezicht. In levenden lijve was de gelijkenis met Brodie Grant zo opvallend dat het bijna griezelig was. Alleen de haarkleur was anders. Waar het haar van de jonge Brodie even zwart als dat van Cat was geweest, waren de haren van Gabriel karamelkleurig met gouden strepen. Afgezien daarvan zouden ze broers kunnen zijn.

'Jij bent Gabriel, hè?' zei Bel in het Engels.

Hij hield zijn hoofd wat schuin en hij keek lichtelijk dreigend, waardoor de diepliggende ogen nog minder zichtbaar waren. 'Ik geloof niet dat we elkaar kennen,' zei hij. Hij sprak Engels met een ondertoon van het zangerige Italiaans.

Ze kwam wat dichterbij en stak haar hand uit. 'Ik ben Bel Richmond. Heeft Andrea van de galerie in San Gimi niet gezegd dat ik langs zou komen?'

'Nee,' zei hij. Hij vouwde zijn armen over zijn borst. 'Ik heb geen werk van mijn vader te koop. U bent hier tevergeefs naartoe gekomen.'

Bel lachte. Het was een innemend lachje waar ze jarenlang hard aan had gewerkt, speciaal voor dit soort drempelmomenten. 'Je begrijpt me verkeerd. Ik probeer jou of Andrea niet te belazeren of zo. Ik ben journalist. Ik had over je vaders werk gehoord en wilde een artikel over hem schrijven. En toen ontdekte ik dat ik te laat was.' Haar gezicht werd zachter en ze glimlachte even meelevend. 'Het spijt me verschrikkelijk. Een man die zo heeft geschilderd, moet wel een bijzonder iemand zijn geweest.'

'Dat was hij ook,' zei Gabriel. Het klonk alsof hij de woorden met tegenzin uitsprak. Zijn gezicht bleef ondoorgrondelijk.

'Ik dacht dat ik misschien toch nog iets over hem zou kunnen schrijven.'

'Dat heeft geen zin, hè? Hij is dood.'

Bel wierp hem een berekenende blik toe. Reputatie of geld, dat was de vraag. Ze kende deze jongen nog niet goed genoeg om te weten wat hem zou doen besluiten haar binnen te laten. En ze wilde binnen zijn, voordat ze met haar sensationele mededeling op de proppen zou komen over wat ze echt wist over hem en zijn vader. 'Het zou goed zijn voor zijn reputatie,' zei ze. 'Dan zou zijn naam gevestigd zijn. En dat zou de waarde van zijn werk uiteraard ook vergroten.'

'Ik ben niet in publiciteit geïnteresseerd.' Hij deed een stap naar achteren en maakte aanstalten de deur dicht te trekken. *Het was tijd om haar troefkaart uit te spelen.* 'Dat laatste snap ik heel goed, Adam.' Ze had raak geschoten, te oordelen naar de siddering die over zijn gezicht trok. 'Ja, zie je, ik weet veel meer dan ik Andrea heb verteld. Genoeg om er een verhaal van te maken. Wil je erover praten? Of zal ik gewoon weggaan en opschrijven wat ik weet, zonder dat jij inspraak kunt hebben in hoe de wereld jou en je vader ziet?'

'Ik weet niet waar u het over heeft,' zei hij.

Bel had in haar leven genoeg ervaring met stoerdoenerij opgedaan om het nu te herkennen. 'Alsjeblieft,' zei ze, 'ga mijn tijd niet staan te verspillen.' Ze draaide zich om en liep terug naar haar auto.

'Wacht,' schreeuwde hij haar achterna. 'Luister, ik denk dat u het bij het verkeerde eind heeft. Maar kom binnen, een glas wijn kan nooit kwaad.' Bel draaide zich onmiddellijk om en liep weer naar hem toe. Hij haalde met een schaapachtige grijns op zijn gezicht zijn schouders op. 'Het is het minste wat ik kan doen, aangezien u dat hele eind hiernaartoe bent komen rijden.'

Ze liep achter hem aan de klassieke schemerige Toscaanse kamer in die woonkamer, eetkamer en keuken tegelijk was. Er was zelfs een soort bedstee naast de open haard, maar in plaats van een smalle matras herbergde die een plasma-tv en een geluidsinstallatie die Bel ook best in haar eigen huis had willen hebben.

Een gebutste, schoongeboende grenenhouten tafel stond naast een fornuis. Een pakje Marlboro light en een weggooiaansteker lagen naast een overvolle asbak. Gabriel trok een stoel voor Bel naar achteren en kwam daarna aanzetten met een paar glazen en een etiketloze fles rode wijn. Terwijl hij met de rug naar haar toe stond, pakte ze een sigarettenpeukje uit de asbak en liet dat in haar zak glijden. Ze kon nu op elk gewenst moment vertrekken, want ze had alles wat ze nodig had om te bewijzen dat deze jongeman echt Adam MacLennan Grant was. Gabriel ging aan het hoofd van de tafel zitten, schonk de wijn in en hief zijn glas naar haar. 'Proost.'

Bel klonk met hem. 'Leuk om je eindelijk te ontmoeten, Adam,' zei ze.

'Waarom noem je me steeds Adam?' vroeg hij, met een verbaasd gezicht. Hij was goed, dat moest ze toegeven. Een betere huichelaar dan haar neefje Harry, die nooit kon voorkomen dat zijn wangen knalrood werden als hij loog. 'Mijn naam is Gabriel.' Hij nam een sigaret uit het pakje en stak hem op.

'Nu wel,' gaf Bel toe. 'Maar het is niet je echte naam, net zomin als Daniel Porteous de echte naam van je vader was.'

Hij moest een beetje lachen en zwaaide wat met zijn hand in een gebaar van onbegrip. 'Zie je, dit is erg bizar voor me. Je komt bij mij thuis opdagen, ik heb je nog nooit gezien en dan kom je opeens op de proppen met al deze... ik wil niet onbeleefd klinken, maar er is echt geen ander woord voor, met al deze lulkoek. Alsof ik niet zou weten hoe ik heet.'

'Ik denk dat je heel goed weet hoe je heet. Ik denk dat je precies weet waar ik het over heb. Wie je vader ook was, zijn naam was niet Daniel Porteous. En jij bent niet Gabriel Porteous. Jij bent Adam Maclennan Grant.' Bel raapte haar tas op en haalde er een map uit. 'Dit is je moeder.' Ze trok er een foto uit van Cat Grant op het jacht van haar vader. Ze lachte met haar hoofd achterover. 'En dit is je grootvader.' Ze legde een krantenfoto op tafel van het hoofd van Brodie Grant toen hij even in de veertig was. Ze keek op en zag hoe Gabriels borst omhoogkwam en weer inzakte in de maat met zijn vlugge, oppervlakkige ademhaling. 'De gelijkenis is opvallend, vind je niet?'

'Je hebt dus een stel mensen gevonden die een beetje op mij lijken. Wat bewijst dat?' Hij nam een flinke trek van zijn sigaret en kneep zijn ogen dicht vanwege de rook.

'Op zichzelf niets. Maar jij duikt op in Italië met een man die de identiteit gebruikt van een jongen die jaren daarvoor is overleden. Jullie verschenen opeens op het toneel, niet lang nadat Adam Maclennan Grant en zijn moeder ontvoerd werden. De moeder van Adam is gestorven toen er iets misging met de overdracht van het losgeld, maar Adam zelf is spoorloos verdwenen.'

'Dat is niet erg overtuigend,' zei Gabriel. Hij ontweek haar blik. Hij dronk zijn glas leeg en schonk nog eens bij. 'Ik zie niet echt wat dat met mijn vader en met mij te maken heeft.'

'Voor de losgeldeis is gebruikgemaakt van een opvallend soort brief. Een poster van een poppenspeler. Dezelfde poster is boven water gekomen in een villa vlak bij Siena die is gekraakt door een groep poppenspelers geleid door een zekere Matthias.'

'Ik kan je niet volgen.' Hij durfde haar weliswaar niet in de ogen te kijken, maar zijn glimlach was uiterst charmant. Net als die van zijn grootvader.

Bel legde de foto van Gabriel op tafel die op het feest in Boscolata was genomen. 'Fout antwoord, Adam. Dit ben jij op een feest waar jij en je vader gasten waren van Matthias. Het brengt jullie in verband met een losgeldeis van tweeëntwintig jaar geleden voor jou en je moeder. Dat geeft wel te denken, nietwaar?'

'Ik weet niet waar je het over hebt,' zei hij. Ze herkende de koppige kaaklijn van haar ontmoetingen met Brodie Grant. Eigenlijk kon ze nu wel weggaan en erop vertrouwen dat het DNA de rest zou doen. Maar ze kon het niet helpen. Haar journalisteninstinct zei haar dat ze een fantastische primeur in handen had.

'Natuurlijk wel. Dit is een fantastisch verhaal, Adam. En ik ga het schrijven, met of zonder jouw hulp. Maar er is nog meer, hè?'

Er lag niets vriendelijks meer in de blik die Gabriel haar toewierp. 'Dat is gelul. Je hebt gewoon een stel toevalligheden genomen en daarmee deze fantasie opgebouwd. Wat hoop je hiermee te bereiken? Geld van die Grant? Een of ander stom verhaaltje in een tijdschrift? Als je al een reputatie hebt, dan gaat die er nu wel aan als je dit opschrijft.'

Bel glimlachte. Zijn zwakke dreigementen vertelden haar dat ze hem in de tang had. Het was tijd om definitief toe te slaan. 'Zoals ik al zei, er is meer. Je denkt misschien dat je veilig bent, Adam, maar dat is niet zo. Er is namelijk een getuige...' Ze maakte expres haar zin niet af.

Hij drukte zijn sigaret uit en haalde onmiddellijk een nieuwe uit het pakje. 'Een getuige van wat?' Zijn stem had een scherpe klank, waardoor Bel wist dat ze op het juiste spoor zat.

'Jij en Matthias zijn de dag voordat de groep van BurEst uit Villa Totti verdween, samen gezien. De dag daarop was iedereen weg. En jij ook.'

'Nou en?' Nu klonk hij kwaad. 'Ook al is dat zo, wat dan nog? Ik heb contact met een vriend van mijn vader. Mijn vader die net is gestorven. De volgende dag verlaat hij de stad samen met zijn groep. Nou en? Godverdomme.'

Bel liet de woorden in de lucht hangen. Ze stak haar hand uit naar zijn sigaretten en nam er een. 'Er ligt een vlek op de vloer van een paar liter bloed. Oké, dat weet je al.' Ze knipte de aansteker aan; het licht van het vlammetje liet zien hoeveel donkerder het was geworden in de korte tijd dat ze hier was. Toen de sigaret was aangestoken, zoog ze haar mond vol met rook en liet die vanuit een mondhoek met kleine beetjes tegelijk ontsnappen. 'Wat je waarschijnlijk niet weet, is dat de Italiaanse politie op jacht is naar een moordenaar.' Ze tikte de sigaret wat overbodig af op de rand van de asbak. 'Ik denk dat het tijd wordt dat je openheid van zaken geeft over de gebeurtenissen van afgelopen april.'

Donderdag 26 april 2007; Villa Totti, Toscane
Tot aan de laatste levensdagen van zijn vader had Gabriel Porteous niet begrepen hoe nauw de band was die hij had met de man die hem alleen had grootgebracht. De relatie tussen vader en zoon was niet iets waar hij vaak over had nagedacht. Als men hem de pin op de neus had gezet, zou hij hun relatie hebben omschreven als hoffelijk en niet erg hartstochtelijk, vooral als hij haar vergeleek met de dynamische verstandhouding die de meeste van zijn vrienden met hun vaders hadden. Daniel was een Brit, dat zou het wel zijn. Per slot van rekening stonden de Britten erom bekend dat ze zich niet gemakkelijk uiten. Bovendien hadden al zijn vrienden een uitgebreide familie die verticaal en horizontaal in leeftijd en omvang varieerde. In een dergelijke omgeving moest je je een plaats veroveren, of anders roemloos ten onder gaan. Maar Gabriel en Daniel hadden alleen elkaar. Ze hoefden niet om elkaars aandacht te vechten. Dus wat maakte het uit dat ze het niet duidelijk uitten? Dat maakte hij zichzelf in ieder geval wijs. Het was zinloos om toe te geven dat hij eigenlijk stiekem verlangde naar het soort familie dat hij nooit zou hebben. Zijn grootouders waren dood en hij was het enige

kind van twee enige kinderen, en daarom zou hij nooit deel uit-
maken van een uitgebreide familiekring zoals die van zijn vrienden. Hij zou stoïcijns zijn net als zijn pa en accepteren wat hij
toch niet kon veranderen. In de loop der jaren had hij zichzelf
afgeleerd om te verlangen naar iets anders, had hij geleerd zich
te schikken in het onvermijdelijke en had hij zichzelf voorgehouden dat hij de zegeningen moest tellen die hoorden bij zijn
enig-kindschap.

Dus toen Daniel hem had verteld over de prognose van zijn
kanker, had Gabriel dat gewoon ontkend. Hij kon zich een leven zonder Daniel niet voorstellen. Dit afschuwelijke bericht
paste niet in zijn levensvisie, dus ging hij gewoon door met zijn
leven, alsof hij het nieuws niet had gehoord. Het was niet nodig om vaker thuis te komen. Het was niet nodig iedere gelegenheid te baat te nemen om tijd met Daniel door te brengen.
Het was niet nodig om te praten over een toekomst zonder Daniel. Want het ging niet gebeuren. Gabriel zou niet in de steek
worden gelaten door de enige familie die hij had.

Maar uiteindelijk was het onmogelijk om de werkelijkheid te
blijven negeren – een werkelijkheid die sterker was dan zijn vermogen om te ontkennen. Toen Daniel hem vanuit de Policlinico Le Scotte had gebeld en hem met een stem nog zwakker dan
gefluister had gezegd dat hij hem, Gabriel, nodig had, had de
waarheid hem getroffen alsof hij met een zandzak een klap in
zijn nek had gekregen. Die laatste dagen aan zijn vaders ziekbed waren een marteling voor Gabriel geweest, niet het minst
omdat hij zichzelf niet had toegestaan zich erop voor te bereiden.

Het was te laat voor het gesprek dat Gabriel uiteindelijk toch
heel graag had willen hebben, maar in een van zijn heldere momenten had Daniel hem verteld dat Matthias een brief voor hem
in bewaring had. Hij kon Gabriel geen idee geven waar de brief
over ging, alleen dat hij belangrijk was. Het was, dacht Gabriel,
typisch iets voor zijn vader, de kunstenaar, om op papier met
hem te communiceren en niet van man tot man. Hij had de aanwijzingen voor zijn begrafenis al eerder in een e-mail doorgegeven. Een besloten dienst, vooraf geregeld en betaald, in een
klein maar prachtig renaissancekerkje in Florence. Gabriel was

de enige die hem mocht begeleiden naar het graf op een onopvallend kerkhof aan de westkant van de stad. Daniel had een mp3-bestand meegestuurd van de *Tenebrae Responsories* van Gesualdo, dat zijn zoon op zijn iPod moest zetten om er op de dag van de begrafenis naar te luisteren. De muziekkeuze had Gabriel verbaasd; zijn vader had tijdens het schilderen altijd naar muziek geluisterd, maar nooit naar zoiets. Maar er stond geen verklaring bij deze muziekkeuze. Het zoveelste raadsel, net als de brief die bij Matthias was achtergelaten.

Gabriel was van plan geweest om Matthias op te zoeken in de vervallen villa bij Siena als de eerste bitterheid van het verdriet voorbij was. Maar bij het verlaten van het kerkhof had de poppenspeler op hem staan wachten. Matthias en zijn vriendin Ursula waren de mensen geweest die in de ogen van Gabriel het dichtst in de buurt kwamen van een oom of tante. Ze hadden altijd deel van zijn leven uitgemaakt, ook al waren ze nergens zo lang gebleven dat hij echt vertrouwd met ze kon worden. Ze waren ook niet bepaald emotioneel benaderbaar geweest; Matthias was veel te veel opgegaan in zichzelf en Ursula was opgegaan in Matthias. Maar in zijn jeugd had hij vakanties bij hen doorgebracht als zijn vader er een paar weken alleen op uittrok. Aan het eind van de vakantie had Gabriel dan een gebruinde huid, een wilde haardos en schrammen op zijn knieën; Daniel kwam altijd thuis met een tas vol nieuw werk, gemaakt op plaatsen die ver weg lagen: Griekenland, Joegoslavië, Spanje, Noord-Afrika. Gabriel was altijd blij om zijn vader weer te zien, maar zijn vreugde werd getemperd doordat hij weer afscheid moest nemen van de luchthartige houding die Matthias en Ursula ten opzichte van kinderverzorging tentoonspreidden.

Nu vielen de twee mannen elkaar zwijgend in de armen bij de poort van het kerkhof; ze klemden zich aan elkaar vast als schipbreukelingen aan een nietig stuk drijfhout. Ten slotte lieten ze elkaar los. Matthias klopte hem voorzichtig op de schouder. 'Kom mee,' zei hij.

Gabriel was naast hem gaan lopen en had gezegd: 'Je hebt een brief voor me.'

'Die is in de villa.'

Ze gingen met de bus naar het station, met de trein naar Siena en toen in het busje van Matthias naar Villa Totti, en ze hadden nauwelijks een woord gewisseld. Het verdriet lag als een deken over hen heen; hun hoofden waren gebogen, hun schouders gekromd. Toen ze in de villa waren, was drank de enige oplossing die ze allebei nog aankonden. Gelukkig was de rest van de groep al eerder op de dag naar een optreden in Grosseto vertrokken, en daardoor konden Gabriel en Matthias hun dode ongestoord begraven.

Matthias schonk de wijn in en legde een dikke envelop voor Gabriel op tafel. 'Dit is de brief,' zei hij. Hij ging zitten en rolde een joint.

Gabriel pakte de brief en legde hem toen weer neer. Hij dronk het glas wijn bijna leeg en ging toen met zijn vinger langs de rand van de envelop. Hij nam nog een slokje, nam een trek van de joint en dronk door. Hij kon zich niet voorstellen dat Daniel hem iets te vertellen had waar hij zoveel papier voor nodig had. Het rook naar iets onthullends en Gabriel wist niet zeker of hij wel in de stemming was voor een onthulling. Het was pijnlijk genoeg om de herinnering vast te houden aan wat hij nu kwijt was.

Op een bepaald moment stond Matthias op en stopte een cd in de discman. Gabriel hoorde tot zijn verbazing de muziek waar hij eerder op de dag naar geluisterd had. Hij herkende de vreemde dissonanten. 'Pa heeft me dat toegestuurd,' zei hij. 'Ik moest er vandaag naar luisteren.'

Matthias knikte. 'Gesualdo. Hij heeft zijn vrouw en haar minnaar vermoord, weet je. Er wordt ook gezegd dat hij zijn tweede zoon heeft doodgemaakt, omdat hij niet zeker wist of hij de vader wel was. En vermoedelijk ook zijn schoonvader, omdat de oude man op wraak uit was. Gesualdo was hem net voor. Toen kreeg hij berouw en heeft hij de rest van zijn leven kerkmuziek geschreven. Zo zie je maar. Je kunt vreselijke dingen doen en toch nog gered worden.'

'Ik snap het niet,' zei Gabriel, niet op zijn gemak. 'Waarom zou ik daar naar moeten luisteren?' Ze waren al aan de tweede fles wijn toe en aan de derde joint. Hij voelde zich een beetje wazig, maar niet te erg.

'Je moet echt de brief lezen,' zei Matthias.

'Weet jij wat erin staat?' vroeg Gabriel.

'Zo ongeveer.' Matthias stond op en liep naar de deur toe. 'Ik ga even naar de loggia voor wat frisse lucht. Lees de brief, Gabe.'

Je kon je moeilijk aan de gedachte onttrekken dat een brief die je op zo'n manier kreeg, iets akeligs bevatte. Of dat de wereld onherroepelijk zou veranderen. Gabriel wou dat hij kon passen; dat hij de brief dicht kon laten, dat hij gewoon met zijn oude leven door kon gaan. Maar hij kon deze laatste boodschap van zijn vader niet negeren. Hij greep de brief en scheurde hem gehaast open. De tranen sprongen hem in de ogen bij het zien van het bekende handschrift, maar hij dwong zichzelf te gaan lezen.

Beste Gabriel,

Het is altijd mijn bedoeling geweest om je de waarheid te vertellen over jezelf, maar het leek er nooit een geschikt moment voor. Nu ben ik stervende, en jij verdient de waarheid, maar ik ben te bang om het je te vertellen. Stel dat je wegloopt en dat ik alleen ben als ik sterf. Dus schrijf ik deze brief die je na mijn dood van Matthias zult krijgen. Oordeel niet te hard over me. Ik heb een paar stomme dingen gedaan, maar ik heb ze uit liefde gedaan.

Het eerste wat ik ga zeggen is dat ik je een heleboel leugens heb verteld, maar wat wel de waarheid is en niets dan de waarheid, is dat ik je vader ben en dat ik meer van je houd dan van wie ook. Blijf daarin geloven, ook als je wou dat ik nog leefde zodat je me kon vermoorden.

Ik weet niet goed waar ik dit verhaal moet beginnen. Maar daar gaan we dan. Mijn naam is niet Daniel Porteous en ik kom niet uit Glasgow. Mijn voornaam is Michael, maar iedereen noemde me Mick. Mick Prentice, zo heette ik vroeger. Ik was een mijnwerker, geboren en getogen in Newton of Wemyss in Fife in Schotland. Ik had een vrouw en een dochtertje, Misha. Ze was vier jaar toen jij geboren werd. Maar nu loop ik op mezelf vooruit, want jullie hebben verschillende moeders en dat moet ik eerst uitleggen.

Het enige waar ik echt goed in was, afgezien van steenkool delven, was schilderen. Op school was ik goed in tekenen, maar het was ondenkbaar dat iemand als ik daar iets mee kon. Ik was voorbestemd voor de mijn en dat was dat. Toen organiseerde het Welzijnswerk een cursus schilderen en ik kreeg de kans iets te leren van een echte kunstenaar. Ik bleek talent te hebben voor het schilderen met waterverf. De mensen vonden het mooi wat ik schilderde en ik kon af en toe iets voor een paar pond verkopen. Tenminste, dat kon ik vóór de mijnstaking van 1984, toen de mensen nog geld hadden voor extraatjes.

Op een middag in september 1983 was ik klaar met de dagploeg en het licht was fantastisch, dus nam ik mijn verfspullen mee de rotsen op aan de andere kant van het dorp. Ik was bezig een zeegezicht te schilderen door de bomen. Het water gaf bijna licht, ik kan me nog steeds herinneren hoe onwezenlijk mooi het eruitzag. Hoe dan ook, ik was volledig verdiept in waar ik mee bezig was en lette verder nergens op. En plotseling zei er een stem: 'Jij bent echt goed.'

En wat me onmiddellijk trof was dat ze niet verbaasd klonk. Ik was eraan gewend dat de mensen ervan opkeken dat een mijnwerker een mooi landschap kon schilderen. Alsof ik een aap in een circus was of zoiets. Maar zij niet. Catriona niet. Vanaf het allereerste moment praatte ze tegen me alsof we op gelijke voet stonden.

Ik schrok me bijna een ongeluk. Ik dacht dat ik helemaal alleen was en opeens begon er iemand pal naast me te praten. Ze zag me schrikken en ze lachte en zei dat het haar speet dat ze me had gestoord. Intussen had ik wel gezien dat ze verdomd mooi was. Haren zo zwart als de vleugels van een kauw, jukbeenderen alsof ze met een feilloze beitel waren geciseleerd. Diepliggende ogen zodat je alleen van heel dichtbij de kleur kon zien (denimblauw, tussen twee haakjes) en een gulle glimlach die de zon deed verbleken. Je lijkt soms zoveel op haar dat mijn hart een slag overslaat en dan kan ik als een kind gaan zitten huilen.

Dus daar stond ik in dat bos, oog in oog met dit ongelooflijke wezen, en ik kon geen woord uitbrengen. Ze stak haar hand uit en zei: 'Ik ben Catriona Grant.' Ik stikte bijna toen ik mijn keel schraapte om haar te kunnen vertellen hoe ik heette. Ze zei dat ze

335

ook aan kunst deed, dat ze glassculpturen maakte. Dat verbaasde me nog meer. De enige andere kunstenaar die ik ooit had ontmoet was de vrouw van de schildercursus, en zij stelde niet veel voor. Maar ik wist gewoon dat Catriona wel een echte kunstenares was. Ze liep rond met een zelfvertrouwen dat je alleen maar hebt als je er reden voor hebt. Maar ik loop weer op mezelf vooruit.

Hoe dan ook, we praatten wat over het soort werk dat we graag zouden willen maken en we konden goed met elkaar opschieten. Voor mij gold dat ik gewoon dankbaar was dat ik met iemand over kunst kon praten. Ik had nog niet veel echte kunst gezien, alleen wat ze in de kunstgalerie in Kirkcaldy hadden. Maar ze bleken daar vrij goed spul te hebben, waardoor ik in het begin wat op weg geholpen werd. Catriona vertelde me dat ze een atelier en een huisje aan de hoofdweg had en zei dat ik een keer langs moest komen om te zien hoe ze woonde. Toen vertrok ze en ik had het gevoel dat het licht uit de dag was verdwenen.

Het kostte me een paar weken voordat ik de moed bij elkaar had geraapt om haar atelier te gaan bekijken. Het was niet moeilijk om er te komen – maar een paar kilometer door het bos – maar ik wist niet zeker of ze echt wilde dat ik kwam of dat ze alleen maar beleefd was geweest. Dat laat zien hoe slecht ik haar toen kende. Catriona zei nooit iets wat ze niet meende. En ze hield zich ook nooit in als ze iets te zeggen had.

Ik ben bij haar langsgegaan op een dag dat het regende en ik niet kon schilderen. Haar huisje was een oud poorthuis op het landgoed van Wemyss. Het was niet groter dan het huis waar ik met mijn vrouw en kind in woonde, maar zij had alles geschilderd in levendige kleuren waardoor de kamers groter en zonniger leken, zelfs op een miezerige, grauwe dag. Maar het atelier annex galerie dat achter het huisje lag, sloeg alles. Er was een grote glasoven en een flinke werkruimte en aan het andere eind waren schappen om spullen op te zetten die de mensen konden kopen. Haar werk was prachtig. Gladde ronde lijnen. Buitengewoon sensuele vormen. En ongelooflijke kleuren. Ik had nog nooit zulk glas gezien en zelfs hier in Italië zul je nauwelijks zulke rijke en intense kleuren aantreffen. Het glas leek in brand te staan in verschillende kleuren. Je wilde het oppakken en tegen je aan houden. Ik wou dat ik werk van haar had, maar ik heb nooit beseft dat ik een deel van haar wilde hebben totdat het te laat was. Misschien dat je op een dag iets kunt opsporen wat zij heeft gemaakt; dan zul je begrijpen hoe krachtig haar werk was.

Het was een goede middag. Ze heeft koffie voor me gezet, echte koffie zoals je toen niet vaak in Schotland vond. Ik moest er extra veel suiker in doen, want het smaakte raar. En we praatten. Ik vond het ongelooflijk hoe we met elkaar konden praten. Over alles onder de zon, of zo leek het in ieder geval. Het was meteen duidelijk, vanaf het eerste moment dat ze haar mond opendeed die dag in het bos, dat zij en ik een totaal andere sociale achtergrond hadden, maar die middag leek dat niet veel uit te maken.

We spraken af dat we elkaar een paar dagen later in de studio zouden treffen. Ik denk dat we er allebei geen moment bij stilstonden dat we met vuur speelden. Maar we speelden wel met vuur. We hadden geen van beiden iemand anders in ons leven met wie we op deze manier konden praten. We waren jong – ik was achtentwintig en zij was vierentwintig, maar in die tijd waren we veel onschuldiger dan jij en je vrienden op dezelfde leeftijd. En vanaf onze allereerste ontmoeting was er een bepaalde spanning tussen ons.

Ik weet dat je de gedachte aan je pa en ma die verliefd zijn en alles wat daarbij hoort niet leuk vindt, dus zal ik je niet vermoeien met de bijzonderheden. Het enige wat ik kwijt wil, is dat we al vrij gauw minnaars werden, en ik denk dat het voor ons allebei was alsof we in fel zonlicht stonden terwijl we kunstlicht gewend waren. We waren knettergek op elkaar.

En natuurlijk was het onmogelijk. Ik ontdekte algauw wie je moeder werkelijk was. Ze was niet gewoon maar een leuk burgermeisje. Ze was niet gewoon Catriona Grant. Ze was de dochter van een man die Sir Broderick Maclennan Grant heette. Het is een naam die iedereen in Schotland kent, zoals iedereen in Italië Silvio Berlusconi kent. Grant is aannemer en project-ontwikkelaar. Overal waar je komt in Schotland zie je op hijskranen en schuttingen de naam van zijn bedrijf. Bovendien bezit hij grote delen van radiostations, een voetbalclub, een whiskydistilleerderij, een transportbedrijf en een aantal fitnesscentra. Hij is ook een tiran. Hij heeft geprobeerd Catriona

ervan te weerhouden om kunstenaar te worden. Alles wat ze deed,
deed ze ondanks hem. Hij zou nooit geaccepteerd hebben dat ze
een relatie had met een ordinair iemand als een mijnwerker. Laat
staan een mijnwerker die met iemand anders was getrouwd.

En ja, ik was met iemand anders getrouwd. Ik probeer me nu
niet schoon te praten. Het was nooit mijn bedoeling om mijn
vrouw te belazeren, maar ik ben halsoverkop verliefd geworden
op Catriona. Ik had nog nooit – en nu nog steeds niet – zoiets
voor iemand gevoeld. Het is je misschien opgevallen dat ik nooit
een vriendin heb gehad. Dat kwam omdat niemand in de
schaduw kon staan van Catriona. Zij gaf me een gevoel dat
niemand anders me ooit zal kunnen geven.

En toen raakte ze in verwachting van jou. Je ziet, jongen, dat
je niet Gabriel Porteous bent. Je bent eigenlijk Adam Maclennan
Grant. Of Adam Prentice, als je dat liever hebt.

Toen dat gebeurde, had ik mijn vrouw voor Catriona in de
steek willen laten, daar bestond geen twijfel over. Ik wilde het en
dat heb ik haar verteld. Maar zij had net een relatie achter de
rug die jaren had geduurd, en die steeds weer aan en uit was. Ze
was er nog niet aan toe om met mij samen te wonen en ze was er
niet aan toe om weer met haar vader in de clinch te gaan liggen.
Ik geloof niet dat iemand zelfs maar vermoedde dat wij elkaar
kenden. We waren voorzichtig. Ik kwam en ging altijd door de
bossen, en iedereen wist dat ik schilderde, dus niemand lette erop
als ik rondzwierf.

Dus we spraken af dat we niets zouden doen. De meeste dagen
zagen we elkaar, ook al was het niet langer dan een minuut of
twintig. En toen jij eenmaal geboren was, bracht ik zo veel
mogelijk tijd bij jullie door. Tegen die tijd was de staking al aan
de gang, dus hoefde ik niet te werken en kon ik gemakkelijk naar
jullie toe.

Ik zal je niet vermoeien met verhalen over de mijnstaking, die
een jaar heeft geduurd en die het einde van de vakbond betekende
en die de mannen totaal heeft gedemoraliseerd. Er zijn meer dan
genoeg boeken over geschreven. Lees GB84 *van David Peace er*
maar op na, als je wilt weten hoe het was. Of probeer de dvd
van Billy Elliot *te pakken te krijgen. Het enige wat je moet*
weten, is dat iedere week die voorbijging bij mij een verlangen

naar iets anders aanwakkerde, naar een leven waarin we met z'n drieën samen konden zijn.

Toen je een paar maanden oud was, dacht Catriona er ook anders over. Ze wilde dat we bij elkaar zouden zijn. Een nieuw begin maken op een plaats waar niemand ons kende. Het feit dat we geen geld hadden was een groot probleem. Catriona kon nauwelijks het hoofd boven water houden met haar glassculpturen, en ik werkte helemaal niet vanwege de staking. Ze kon zich het huisje en het atelier alleen maar veroorloven omdat haar moeder de huur betaalde. Dat was een soort smeergeld om Catriona bij haar in de buurt te houden. Dus we wisten dat haar moeder het niet meer zou bekostigen als we ergens anders gingen wonen. We konden ook niet blijven waar we waren. Als ik mijn vrouw en mijn dochtertje in de steek zou laten op het hoogtepunt van de staking en zou intrekken bij iemand van de klasse van de bazen, zou dat beschouwd worden als het allergrootste verraad. Ze zouden bakstenen door de ruiten hebben gegooid. Dus zonder geld om ergens opnieuw te beginnen konden we geen kant op.

Toen kreeg Catriona een idee. Toen ze het er voor de eerste keer over had, dacht ik dat ze gek was geworden. Maar hoe meer ze erover praatte, hoe meer ze me ervan overtuigde dat het mogelijk was. Het idee was dat we een ontvoering zouden ensceneren. Ik zou mijn gezin in de steek laten en net doen alsof ik mijn collega's verraden had en me schuilhouden in het huisje van Catriona. Een paar weken later zouden jij en Catriona verdwijnen en haar vader zou een losgeldbrief krijgen. Iedereen zou denken dat jullie ontvoerd waren. We wisten dat haar vader het losgeld zou betalen, zo niet voor haar, dan in elk geval voor jou. Ik zou het geld meenemen, jij en Catriona zouden teruggaan en dan, een paar weken later, zou Catriona jou meenemen onder het voorwendsel dat ze zo overstuur was van de ontvoering dat ze daar niet langer kon blijven wonen. En dan zouden we weer bij elkaar komen en ons gezamenlijke leven beginnen.

Het klinkt eenvoudig als je het zo leest. Maar het werd ingewikkeld en het is allemaal jammerlijk mislukt. Zelfs als ze er haar hele leven over had kunnen nadenken, had je moeder geen slechter plan kunnen bedenken.

Het eerste wat we beseften toen we de plannen gingen uitwerken was dat we het niet met z'n tweeën afkonden. We hadden er nog iemand bij nodig. Kun je je voorstellen hoe het was om iemand te zoeken die we voldoende konden vertrouwen om hem met een dergelijk plan mee te laten doen? Ik kende niemand die gek genoeg zou zijn om mee te doen, maar Catriona wel. Een van haar oude vrienden van de kunstacademie in Edinburgh, een zekere Toby Inglis. Een van die maffe aristocratische klootzakken die overal voor in zijn. Jij kent hem al heel lang als Matthias de poppenspeler. De man van wie je deze brief hebt gekregen. En hij is overigens nog steeds een maffe klootzak.

Hij had het slimme idee om de ontvoering een politiek tintje te geven, hij kwam aanzetten met die posters van een griezelige poppenspeler met zijn marionetten en gebruikte die om de losgeldeisen kracht bij te zetten. Het leek net alsof ze van een anarchistische groepering kwamen. Het was een goed idee. Het was een nog beter idee geweest als hij het zeefdrukraam waarmee hij ze geprint heeft had vernietigd, maar Toby heeft altijd al gedacht dat hij alle anderen te slim af was. Dus heeft hij het raam gehouden en gebruikt hij die poster nog steeds wel eens voor speciale voorstellingen. Telkens als ik er een zie, doe ik het bijna in mijn broek. Er hoeft maar één persoon door te hebben waar hij vandaan komt en dan zitten we diep in de shit.

Maar ik loop alweer op de zaken vooruit. Ik wist eigenlijk niet zeker of ik je dit allemaal wel moest vertellen en Toby dacht dat ik beter geen slapende honden wakker kon maken, vooral niet omdat je er ook al aan moet wennen dat ik er niet meer ben. Maar hoe langer ik erover nadacht, hoe meer ik vond dat je het recht had om de hele waarheid te weten, ook al zou je het er waarschijnlijk moeilijk mee hebben. Je moet gewoon denken aan de jaren die we samen hebben gehad. Denk aan de goede dingen, en zet die tegenover al het slechte dat ik heb aangericht. Ik hoop tenminste dat het zo werkt.

Op de avond waarop ik mijn vrouw en dochtertje in de steek liet, gebeurde er iets heel ergs. Ik was die morgen weggegaan zonder te reppen over mijn vertrek. Ik had gehoord dat er die avond een stel stakingsbrekers naar Nottingham ging en ik dacht dat iedereen zou denken dat ik met ze mee was gegaan. Ik ging rechtstreeks naar het huisje van Catriona en ik heb die dag op jou gepast, terwijl zij aan het werk was. Het was die dag verdomd koud en we verbruikten veel hout. Toen het donker was, ben ik naar buiten gegaan om wat hout te hakken.

Dit is moeilijk voor me. Ik heb hier tweeëntwintig jaar niet over gepraat en het achtervolgt me nog steeds. Toen ik opgroeide, had ik twee vrienden. Net zoals jij Enzo en Sandro hebt. Een van hen, Andy Kerr, was vakbondsfunctionaris geworden. De staking ging hem niet in de koude kleren zitten en hij zat depressief thuis. Hij woonde in een huisje in het bos, een kilometer of vijf ten westen van Catriona's huisje. Hij was gek op alles wat met de natuur te maken had en hij liep altijd 's nachts door de bossen om naar dassen en uilen en zo te kijken. Ik hield van hem als van een broer.

Ik was hout aan het hakken toen hij zijn hoofd om de hoek van de werkplaats stak. Ik weet niet wie het ergste schrok. Hij vroeg of ik wel wist wat ik aan het doen was. Houthakken voor Catriona Maclennan Grant! Toen begreep hij het. En hij ging door het lint. Hij stortte zich als een waanzinnige op me. Ik liet de bijl vallen en we vochten als domme kleine jongens.

Het gevecht staat me niet helemaal helder meer voor de geest. Het volgende wat ik me herinner, is dat Andy gewoon ophield. Hij zakte tegen me aan in elkaar. Ik moest mijn armen om hem heen slaan, anders was hij gevallen. Ik bleef maar naar hem kijken. Ik snapte er niets van. Toen zag ik Catriona achter hem staan met de bijl in de hand. Ze had hem met de botte kant een klap gegeven, maar ze was sterk voor een vrouw en ze had hem zo hard geraakt dat ze zijn schedel had ingeslagen.

Ik kon het niet geloven. Een paar uur daarvoor waren we nog in de zevende hemel geweest. En nu zat ik in de hel en hield ik het dode lichaam van mijn beste vriend in mijn armen.

Ik weet niet hoe ik de uren daarna ben doorgekomen. Mijn hersenen leken een eigen leven te leiden. Ik wist dat ik een oplossing moest bedenken om Catriona te beschermen. Andy had een motor met zijspan. Ik ben door het bos teruggelopen naar zijn huis en ben toen met zijn motor naar het huisje van Catriona gereden. We hebben hem in het zijspan gelegd en zijn naar

Thane's Cave bij East Wemyss gereden. Er zijn daar grotten die
al vijfduizend jaar door mensen worden gebruikt en ik was
betrokken bij de Stichting tot Behoud van de Grotten van
Wemyss, dus ik wist wat ik deed. Ik kon met de motor vlak bij de
ingang van Thane's Cave komen. Ik heb Andy het laatste stukje
gedragen en heb hem begraven in een ondiep graf achter in de grot.

Een paar dagen later ben ik weer teruggegaan en heb ik het
plafond laten instorten, zodat niemand Andy zou vinden. Ik
wist hoe ik aan mijnexplosieven kon komen — de vriendin van
mijn vrouw was met een mijnopzichter getrouwd en ik
herinnerde me dat hij eens zat op te scheppen over een paar
staven dynamiet in het schuurtje in zijn tuin.

Maar terug naar die avond. Ik was nog niet klaar. Ik reed
met de motor terug door East Wemyss en daarna naar de
steenbergen. Ik draaide het gas helemaal open en liet hem in de
zijkant van de steenberg rijden. Hij verdween uit het zicht,
terwijl ik erbij stond.

Ik ben volledig verdoofd naar huis gelopen. Ironisch genoeg
kwam ik de stakingsbrekers nog tegen, toen ze net weg wilden
rijden. Ik heb geen idee wat ik tegen ze heb gezegd, ik was
volledig van slag.

Toen ik weer terugkwam bij Catriona, was ze in alle staten.
We hebben allebei die nacht geen oog dichtgedaan. Maar tegen de
ochtend wisten we dat we haar idee moesten doorzetten. We
moesten niet alleen een nieuw leven beginnen, we moesten ook
afstand tussen ons en Andy creëren. Dus begonnen we onze
plannen te smeden. Met de dood van Andy werd er in ieder geval
één probleem opgelost dat in verband stond met de zogenaamde
ontvoering, namelijk waar we jou en Catriona konden verbergen
zonder dat iemand het in de gaten had. Ik bedacht opeens dat we
een briefje konden vervalsen in het handschrift van Andy voor
als zijn familie voorbijkwam om te kijken waarom ze niets van
hem hadden gehoord. Het was niet een rechttoe, rechtaan
zelfmoordbriefje. Ik wilde hen niet overstuur maken, dus ik liet
het zo'n beetje in het midden. Ik weet dat dit idioot klinkt, maar
ik wil er niet omheen draaien en ik wil het niet goedpraten.
Zoals ik al zei, ik heb dingen gedaan waar ik me voor schaam,
maar ik heb het allemaal uit liefde gedaan.

We lieten wat tijd voorbijgaan voordat we de ontvoering
ensceneerden, omdat we niet wilden dat iemand op het idee zou
komen dat mijn vertrek en de ontvoering met elkaar in verband
stonden. Bovendien wilden we er zeker van zijn dat Andy's
familie had geaccepteerd dat hij was weggegaan en dat ze niet
meer zouden langskomen om te kijken of hij misschien terug was.
Ik schaam me te zeggen dat ik een paar ansichtkaarten in zijn
handschrift heb geschreven en dat ik naar het noorden ben gereisd
om ze na Nieuwjaar op de post te doen, zodat ze niet naar zijn
huisje zouden komen. We moesten zeker weten dat we daar veilig
waren.

Op de afgesproken dag gingen we met z'n drieën naar het
huisje van Andy met jouw speelgoed en je kleertjes, en daar
bleven we tot de nacht van de losgeldoverdracht. Toby was er
niet vaak bij – hij was de boten aan het regelen. We hadden
besloten dat we de overdracht zouden laten plaatsvinden op een
plaats waarvandaan we met de boot konden ontsnappen. We
hadden tegen Grant gezegd dat hij de politie erbuiten moest
houden, maar we wisten niet zeker of hij dat zou doen, dus we
dachten dat we de politie op het verkeerde been zouden zetten als
we vluchtten over het water.

Destijds woonde Toby op de boot van zijn vader, een
motorjacht met vier slaapplaatsen. Hij had verstand van boten
en hij had besloten dat we ervandoor zouden gaan in een
opblaasboot met buitenboordmotor. Hij kende iemand die er een
had liggen in een botenhuis in Johnstown. Volgens hem zou tot
mei niemand in de gaten hebben dat hij er niet lag, dus dat leek
een goed idee. Hoe het ook zij, de avond van de overdracht brak
aan en wij gingen op weg. We hadden afgesproken dat Catriona
het geld zou aannemen en dan zouden wij jou overhandigen aan
haar moeder. We zouden dan met Catriona weggaan en de
volgende dag zou ze ergens langs de weg worden gevonden,
zogenaamd gedumpt door de kidnappers toen die hadden gezien
dat het losgeld overeenkwam met de eis. Ondertussen zou ik Toby
zijn derde deel geven en we zouden beiden ons weegs gaan, en ik
zou ergens in de Highlands in het noorden een plek voor ons
zoeken waar we konden wonen en werken.

Niets ging volgens plan. Op de plaats van de overdracht

krioelde het van de gewapende politieagenten, hoewel we dat niet wisten. Toby had ook een pistool, maar dat wist ik niet, totdat we bij de afgesproken plek uit de boot stapten. En Grant had een pistool. Het moest gewoon wel op een ramp uitdraaien, en dat is ook gebeurd.

Zelfs na al deze tijd kan ik er niet aan denken zonder dat ik het gevoel krijg dat ik stik. Alles ging volgens plan, maar om de een of andere reden begon de moeder van Catriona opeens heel raar te doen toen het losgeld werd overhandigd. Grant kon zich niet beheersen en begon met zijn pistool te zwaaien. Toen schakelde Toby de schijnwerper uit en begon iedereen te schieten. Catriona zat tussen twee vuren. Ik had een bril met nachtzicht van de legerdump en ik zag haar vallen. Ze was vlak bij me. Ik rende naar haar toe; ze stierf in mijn armen. Het duurde allemaal maar een paar seconden. Ze had de tas met het losgeld laten vallen toen ze was geraakt, en Toby pakte hem. Ik wist niet wat ik moest doen. Jij was nog bij de boot in je reiswiegje. We waren van plan je daar te laten liggen. Maar ik wist dat ik je niet achter kon laten, niet nu je moeder dood was. Ik kon je niet achterlaten zodat Grant je kon opvoeden naar zijn beeld en gelijkenis. Dus renden we naar de boot. Ik pakte jouw reiswiegje en gooide het terug aan boord. En toen maakten we dat we wegkwamen.

Het enige wat wel volgens plan ging, was wat we hadden besloten te doen om te voorkomen dat er peilzenders konden worden ingezet om ons te volgen. Het losgeld bestond uit een aantal bankbiljetten en ruwe diamanten. We stopten het geld in een andere tas, die we bij ons hadden, en hebben de oorspronkelijke overboord gegooid. Toen heb ik de tas met de diamanten in zee laten hangen. We dachten dat het water eventuele zenders die ze er tussenin hadden verstopt onschadelijk zou maken. Het bleek te werken, want we werden niet achternagezeten toen we langs de kust naar Dysart raceten, waar de boot van Toby al een paar dagen aangemeerd lag. Het was maar een paar kilometer, dus we waren er al voordat de helikopter in de lucht was. We konden hem vanaf de boot horen en zien. Nadat hij weg was, heeft Toby de opblaasbare boot de haven uit gevaren en heeft die toen voor de kust laten zinken.

We hebben ons daar schuilgehouden tot het licht werd en zijn vertrokken toen het vloed werd. Eerlijk gezegd was ik in een shocktoestand. Een paar keer heb ik op het punt gestaan het dichtstbijzijnde politiebureau binnen te lopen om mezelf aan te geven. Maar Toby heeft zijn hoofd koel gehouden en dat heeft ons gered.

We hebben er een paar weken over gedaan om in Italië te komen. Het grootste deel van het geld hebben we witgewassen in geldautomaten en casino's langs de Franse kust. Het leeuwendeel van het losgeld was uitgekeerd in ruwe diamanten, en die hebben we gehouden.

Toen we eenmaal hier waren, zijn we uit elkaar gegaan. Ik heb Toby bij de boot achtergelaten en ik heb voor een paar maanden een huis gehuurd in de heuvels buiten Lucca, totdat ik had besloten waar ik wilde wonen. Ik herinner me niet veel meer van die tijd. Ik was verdoofd van verdriet en schuldgevoel en door de verschrikkelijke pijn van het verlies van Catriona. Als jij er niet was geweest, had ik het misschien niet overleefd. Ik kan nog steeds niet geloven hoe het allemaal zo heeft kunnen mislukken. Ik weet dat je, als je mijn leven bekijkt, waarschijnlijk vindt dat ik geboft heb. Met het losgeld hebben we het huis in Costalpino kunnen kopen, en toen was er nog wat over en dat heb ik geïnvesteerd. Van het inkomen daarvan hebben we de boterhammen kunnen beleggen die ik met mijn schilderijen heb verdiend. Ik heb de rest van mijn leven op een mooie plek kunnen doorbrengen, waar ik mijn zoon heb kunnen grootbrengen en waar ik de dingen heb kunnen schilderen die ik wilde schilderen zonder me er te veel zorgen over te hoeven maken waar het geld vandaan kwam.

Jij hebt je moeder nooit gekend, en dat is de enige reden waarom je zou kunnen denken dat ik geluk heb gehad in mijn leven. Toen zij stierf, heeft ze het licht meegenomen. Jij bent sindsdien het enige echte lichtpunt in mijn leven geweest, en je moet niet onderschatten wat een vreugde het voor mij is geweest om deze jaren met jou te hebben doorgebracht. Het doet pijn dat ik niet zal zien wat je met de rest van je leven gaat doen. Je bent een heel bijzonder mens, Adam. Ik noem je zo, omdat het de naam is die wij samen voor je hebben uitgekozen.

*Ik zou graag willen dat je één ding voor me deed. Ik wil dat je
contact opneemt met je grootvader. Ik heb hem vorige week voor
het eerst gegoogeld: Sir Broderick Maclennan Grant. Zijn
vrienden noemen hem Brodie. Hij woont in Rotheswell Castle in
Fife. Zijn eerste vrouw, jouw grootmoeder, heeft twee jaar na de
dood van Catriona zelfmoord gepleegd. Hij is opnieuw getrouwd,
en hij heeft een zoon die Alec heet. Dus je ziet dat je familie hebt.
Je hebt een grootvader en een oom die nogal wat jonger is dan jij.
Geniet ervan, mijn jongen! Je hebt heel veel tijd in te halen en je
bent nu volwassen genoeg om een bullebak als Brodie Grant aan
te kunnen.*

*Dus nu weet je alles. Verklaar me schuldig of vergeef het me,
de keus is aan jou. Maar twijfel er nooit aan dat je in liefde bent
verwekt en dat er elke dag van je leven van je is gehouden. Zorg
goed voor jezelf, Adam.*

Met al mijn liefde,

Je vader, Mick de mijnwerker

Gabriel liet de laatste pagina boven op de rest vallen. Hij ging
weer terug naar de eerste pagina en las alles nog een keer door,
zich ervan bewust dat Matthias ondertussen was teruggekomen.
Het was alsof hij de korte inhoud van een film had gelezen. Hij
kon het gewoon niet met zijn eigen leven in verband brengen.
Het was te absurd om waar te zijn. Hij had het gevoel dat de
funderingen onder zijn leven waren weggeslagen, waardoor hij
ergens in de lucht bleef hangen als een stripfiguur die wacht tot
hij alsnog, met vertraging, omlaag ploft. 'Weet Ursula dit allemaal?' vroeg hij. Hij wist dat het niet zo'n belangrijke vraag was,
maar hij was toch nieuwsgierig naar het antwoord.

'Gedeeltelijk.' Matthias ging verdrietig tegenover Gabriel zitten, met een nieuwe fles wijn in zijn hand. 'Ze weet niet wie je
moeder was, of waar Daniel vandaan kwam. Ze weet dat hij een
zogenaamde ontvoering op touw heeft gezet, omdat hij bij jou
en je moeder wilde zijn. Maar ze weet niets over de schietpartij.'

De luchthartige manier waarop Matthias de dood van zijn
moeder beschreef, gaf Gabriel een schok. *Toby had ook een pistool.* Hij snoof spottend. 'Al die jaren heb ik gedacht dat ik leef-

de tussen een stelletje overjarige hippies met een hele hoop ouderwetse, linkse idealen. En nu blijken jullie in werkelijkheid voortvluchtige criminelen die een buitengewoon kapitalistische misdaad op hun geweten hebben.' Hij wist dat er belangrijkere gespreksonderwerpen waren, maar daarbij moest hij wat omzichtiger te werk gaan, als een hond die warm eten krijgt voorgeschoteld en die aan de rand begint te knabbelen, omdat hij de rest nog niet aankan. *Toby had ook een pistool.*

'Je ziet het helemaal verkeerd, man,' zei Matthias, die alweer een nieuwe joint aan het rollen was. 'Je moet ons meer zien als moderne Robin Hoods. Stelen van de rijken om het geld wat eerlijker te verdelen.'

'Jij en mijn pa die een lekker onbezorgd leventje leiden en die kunnen doen wat jullie willen – hoe valt dat te rijmen met de strijd tegen het internationale kapitalisme?' Gabriel deed geen enkele poging om de spot in zijn blik en zijn stem te verhullen. 'Als mijn grootvader de kunstzinnige ambities van mijn moeder had gesteund, was dit allemaal niet gebeurd. Kom er nou niet mee aanzetten dat dit een hoger doel diende. Jullie hebben het gedaan omdat jullie je eigen zin wilden doordrijven en jullie zagen de kans schoon om daar iemand anders voor te laten opdraaien.' Hij duwde de joint ongeduldig weg. Hij wilde zijn laatste restje helderheid niet kwijtraken.

'Hé, Gabe, man, je moet ons niet meteen veroordelen.'

'Waarom niet? Gaat Gesualdo daar ook niet over? Het is alsof hij mij op het allerlaatst vroeg om over hem te oordelen. Moet ik hem als een moordenaar zien of als een man die met zijn schilderijen veel heeft goedgemaakt? Of heeft hij dat gedaan door van me te houden en me zo goed mogelijk op te voeden?' Gabriel grabbelde in de brief, op zoek naar de laatste pagina. 'Hier staat het in zijn eigen handschrift: "Verklaar me schuldig of vergeef het me, de keus is aan jou." Hij wilde dat ik mijn eigen oordeel velde over wat jullie hebben gedaan.' Een hete woede verspreidde zich door zijn hele lichaam, waardoor hij bijna niet meer redelijk kon denken. *Toby had ook een pistool.*

'Je moet hem vergeven,' zei Matthias. 'Je twijfelt aan zijn motieven, maar ik kan je vertellen dat hij alleen maar uit was op een leven met jou en Cat. Hij had de omstandigheden tegen.

We hebben alleen maar geprobeerd het evenwicht te herstellen. Meer niet, Gabe.'

Zijn ontspannen zelfgenoegzaamheid werkte bij Gabriel als een rode lap op een stier. 'En sinds wanneer geeft dat jou het recht om voor mij keuzes te maken?'

'Waar heb je het over?'

'Jij en Daniel, jullie hebben gekozen hoe en wanneer ik te weten mocht komen wie ik ben. Jullie hebben me van mijn familie weggehouden. Jullie hebben gelogen over mijn verleden door me te laten geloven dat ik alleen Daniel had. En jou en Ursula. Jullie hebben me de kans ontnomen om in de loop van mijn leven mijn grootvader te leren kennen. Misschien had mijn grootmoeder nog geleefd als ze mij had gehad.'

Matthias blies een rookwolk uit. 'Gabe, we konden niet terug. Denk je dat je een beter leven had gehad als je onder het regime van Brodie Grant was opgegroeid?' Hij snoof minachtend. 'Dat zou je niet zeggen als je wist hoe hij Cat het leven zuur heeft gemaakt.' Hij stond op en pakte een blok hasj en een scherp mes om een nieuw plakje af te snijden.

'Maar dat weet ik niet, hè? Omdat ik nooit de kans heb gekregen om daarachter te komen, dank zij jullie beiden en de keuzes die jullie voor mij hebben gemaakt.' Gabriel sloeg met zijn platte hand op de tafel. 'Nou, ik ga de verloren tijd inhalen. Ik ga terug naar Schotland. Ik ga mijn grootvader opzoeken en ga hem zelf leren kennen. Misschien is hij het monster dat jij en Daniel van hem maken. Of misschien is hij gewoon iemand die het beste voor had met zijn dochter. En hiernaar te oordelen...' – hij sloeg zo hard met zijn hand op de brief dat de vellen papier in het donker opfladderden – 'zat hij er niet zo ver naast, hè? Ik bedoel, mijn vader was nu niet bepaald een modelburger, hè?'

Matthias liet het mes vallen en staarde Gabriel aan. 'Ik denk niet dat het zo'n goed idee is om terug te gaan.'

'Waarom niet? Het is tijd dat ik kennismaak met mijn familie, vind je niet?'

'Daar gaat het niet om.'

'Waar gaat dan wel om?'

Matthias maakte een hulpeloos gebaar. 'Ze zullen willen weten waar je de laatste twintig jaar bent geweest. En dat is voor mij wat problematisch.'

'Wat heeft dat met jou te maken?'

'Denk eens goed na, Gabe. Er is geen verjaringstermijn voor moord of ontvoering. Dan komen ze achter mij aan en zetten me voor het eerst van mijn leven achter de tralies.'

Toby had ook een pistool. 'Ik zal jouw naam niet noemen,' zei Gabriel, met een minachtende trek om zijn mond. 'Je hoeft niet bang te zijn voor je eigen hachje. Daar zal ik voor zorgen.'

Matthias lachte. 'Je hebt totaal geen idee wie je grootvader is, verdomme. Denk je dat je Brodie Grant gewoon iets kunt weigeren? Hij zal je hele verleden uitspitten, hij zal met terugwerkende kracht alles willen weten wat je in al die jaren hebt gedaan. Hij zal verdomme pas ophouden als hij mij ook aan het kruis heeft genageld. Dit heeft niet alleen maar met jou te maken.'

'Dit is míjn leven.' Ze schreeuwden nu allebei; woede en angst voegden zich bij de paranoia en de ongeremdheid die het gevolg waren van drugs en alcohol. 'Als hij mij terugkrijgt, waarom zou mijn grootvader zich dan in godsnaam nog om jou bekommeren?'

'Omdat hij nooit de mogelijkheid om wraak te nemen zal opgeven. Dan hoeft hij zich niet verantwoordelijk meer te voelen.'

'Verantwoordelijk? Verantwoordelijk voor wat?'

'Voor het vermoorden van Cat.' Toen hij dit zei, vertrok het gezicht van Matthias zich in afgrijzen. Hij besefte de draagwijdte van zijn woorden zodra hij ze had uitgesproken.

Gabriel staarde hem ongelovig aan. 'Je bent gek. Zeg je nu dat mijn grootvader zijn eigen dochter heeft doodgeschoten?'

'Dat zeg ik, ja. Ik denk niet dat het zijn bedoeling...'

Gabriel sprong overeind. Zijn stoel viel met veel lawaai op de grond. 'Dit is ongelooflijk! Jij smerige leugenaar! Je zegt maar wat,' schreeuwde hij onsamenhangend. 'Jij had ook een pistool bij je. Jij hebt haar zelf neergeschoten, hè? Dát is er echt gebeurd. Niet mijn grootvader. Jij. Daarom wil je niet dat ik terugga, omdat je dan eindelijk verantwoording moet afleggen voor wat je hebt gedaan.'

Matthias stond op en liep met uitgestrekte handen om de tafel heen naar Gabriel toe. 'Je zit er helemaal naast,' zei hij. 'Alsjeblieft, Gabe.'

Gabriels gezicht was een masker van woede en schok. Hij greep het mes dat op tafel lag en stortte zich op Matthias. In zijn hoofd was alleen maar plaats voor woede en pijn, niet voor een rationele gedachte. Maar het resultaat was even onomkeerbaar alsof er een zorgvuldig uitgewerkt plan aan ten grondslag had gelegen. Matthias zakte in elkaar en viel achterover; een donkerrood plekje verscheen en verspreidde zich al snel over de hele voorkant van zijn T-shirt. Gabriel stond hijgend en snikkend over hem heen gebogen. Hij deed geen poging het bloed te stelpen. Hij peinsde er niet over. *Toby had ook een pistool.*

Matthias greep naar zijn hart dat hem in de steek liet, terwijl het langzaam al het bloed verloor dat het door het lichaam moest pompen. Zijn zwoegende borstkas kwam langzaam tot rust, totdat hij niet meer bewoog. Gabriel had geen idee hoe lang Matthias erover deed om te sterven. Hij wist alleen dat zijn benen op het laatst zo moe waren dat hij bijna niet kon blijven staan. Hij viel voorover op de vloer, net buiten de rand van de langzaam stollende plas van het bloed dat onder het lichaam van Matthias was weggevloeid.

De tijd ging langzaam voorbij. Ten slotte kwam hij weer bij zijn positieven door de voetstappen en de vrolijke stemmen die over de loggia zijn richting uit kwamen. Max en Luka zwalkten naar binnen, nog vol van de succesvolle voorstelling van die avond. Bij het zien van het bloederige tafereel bleven ze stokstijf staan. Max vloekte. Luka sloeg een kruis. Toen kwam Rado binnen met Ursula. Ze kreeg Matthias in het oog en deed haar mond open in een geluidloze schreeuw, liet zich op haar knieën vallen en kroop naar hem toe.

'Hij heeft mijn moeder vermoord,' zei Gabriel volkomen emotieloos en kil.

Ursula draaide met een ruk haar hoofd naar hem om; haar lippen vertrokken zich in een grauw. 'Heb jij hem vermoord?'

'Het spijt me,' fluisterde hij. 'Hij heeft mijn moeder vermoord.'

Ursula begon te jammeren. 'Nee. Nee, dat is niet waar. Hij zou geen vlieg kwaad doen.' Ze stak aarzelend haar hand uit, met haar vingertoppen streelde ze over de dode hand van Matthias.

'Hij had een pistool. Het staat in de brief. Daniel heeft een brief voor me achtergelaten.'

'Wat moeten we nu doen, godverdomme?' gilde Max, en daarmee doorbrak hij de macabere intimiteit tussen hen. 'We kunnen de politie er niet bij halen.'

'Hij heeft gelijk,' zei Rado. 'Die schuiven het ons in de schoenen, een van de illegalen. Niet de zoon van de schilder.'

Ursula drukte haar handen tegen haar gezicht, haar vingers gespreid, alsof ze haar gelaat uiteen wilde scheuren. Haar lichaam schokte in een stuip alsof ze moest kokhalzen. Toen probeerde ze uit alle macht zich te herpakken. Met een gezicht dat was besmeurd met het bloed van Matthias, als een vreselijke parodie op nachtelijke camouflage, stortte ze zich op Gabriel, met een schreeuw die door merg en been ging.

Max en Luka wierpen zich instinctief tussen haar en Gabriel, sleurden haar weg en probeerden haar klauwende vingers van zijn ogen weg te houden. Hijgend spuugde ze op de grond. 'We hebben van je gehouden als van een eigen zoon,' huilde ze. Toen zei ze iets in het Duits dat klonk als een vloek.

'Hij heeft mijn moeder vermoord,' bleef Gabriel volhouden. 'Wist je dat?'

'Ik wou dat hij jou had vermoord,' schreeuwde ze.

'Haal haar hier weg,' riep Rado.

Max en Luka trokken haar overeind en brachten haar naar de deur; ze droegen haar meer dan dat ze liep. 'Ik hoop dat ik je nooit meer zie,' schreeuwde Ursula toen ze uit het zicht verdween.

Rado ging naast Gabriel op zijn hurken zitten. 'Wat is er gebeurd, man?'

'Mijn pa heeft me een brief nagelaten.' Hij schudde zijn hoofd, verdoofd van de schok en de drank. 'Het is nu allemaal voorbij, hè? Hij heeft mijn moeder vermoord, maar ik zal ervoor opdraaien.'

'Fuck, nee,' zei Rado. 'Ursula gaat niet naar de politie. Dat druist in tegen alles waar ze in gelooft.' Hij sloeg een arm om Gabriel heen. 'Bovendien kan ze het niet maken dat we nu allemaal in de problemen komen. Ik denk er niet aan om terug te gaan naar waar ik vandaan kom. Matthias is dood, we kunnen niets meer voor hem doen. We hoeven het niet nog erger te maken.'

'Ze zal willen dat ik hiervoor ga boeten,' zei Gabriel, terwijl hij zich tegen Rado aan liet zakken. 'Je hebt gehoord wat ze zei. Ze zal me iets willen aandoen.'

'We helpen haar wel,' zei Rado. 'We geven om je, man. En uiteindelijk herinnert ze zich wel weer dat zij dat ook doet.'

Gabriel liet zijn hoofd in zijn handen vallen en toen kwamen de tranen. 'Wat moet ik doen?' jammerde hij.

Toen het snikken wat was bedaard, trok Rado hem overeind. 'Ik wil niet graag overkomen als een gevoelloze klootzak, maar het eerste wat je moet doen is me helpen om het lichaam van Matthias te lozen.'

'Wat?'

Rado spreidde zijn handen. 'Geen lichaam, geen moord. Stel dat Ursula toch per se naar de politie wil, dan kunnen ze er niet veel mee beginnen als er geen lijk is.'

'Wil je dat ik je help hem te begraven?' Gabriel was bijna niet te verstaan, alsof dit een opdracht was die zijn krachten te boven ging.

'Hem begraven? Nee. Lichamen die begraven worden, duiken weer op. We dragen hem naar het veld beneden. De varkens van Maurizio vreten alles.'

Toen het morgen werd, wist Gabriel dat Rado gelijk had gehad.

Donderdag 5 juli 2007; Celadoria bij Greve in Chianti
Nu hij weer aan die nacht dacht, kreeg Gabriel het gevoel dat Bel Richmond zijn maag uitholde met een lepel. Dat hij zijn vader had verloren, was al erg genoeg. Maar de brief van Daniel en wat erna was gebeurd, hadden hem als een wrak achtergelaten. Het was alsof zijn leven een stuk stof was dat van boven naar beneden doormidden was gescheurd en toen in een hoek was gesmeten. De brief had hem al hevig aangegrepen, maar dat hij Matthias had vermoord, had alles oneindig veel erger gemaakt. Zijn vader was niet de man geweest die hij gedacht had dat hij was. Zijn leugens hadden zoveel vergiftigd. Maar Gabriel zelf was nog erger dan een leugenaar. Hij was een moordenaar. Hij had iets gedaan waartoe hij zichzelf nooit in staat

had geacht. Als de hele fundering waarop zijn leven was gebouwd op een verzinsel bleek te berusten, wat bleef er dan nog over waaraan hij zich kon vastklampen?

Hij was opgegroeid in de veronderstelling dat zijn moeder een tekenlerares was die Catherine heette en dat ze bij zijn geboorte was gestorven. Gabriel had zich daar schuldig over gevoeld zolang hij zich kon herinneren. Hij had gezien hoe eenzaam zijn vader was en hoe bedroefd, en hij had de schuld daarvoor ook op zijn schouders genomen. Hij was opgegroeid met een last op zijn schouders die gewoon nep bleek te zijn.

Hij wist niet meer wie hij was. Zijn verleden was een verhaaltje geweest dat was verzonnen om Daniel en Matthias te beschermen tegen de gevolgen van die verschrikkelijke gebeurtenis waar zij een groot aandeel in hadden gehad. Omwille van hen was hij weggerukt uit het land waar hij thuishoorde en was hij grootgebracht op vreemde bodem. Wie weet hoe zijn leven er had uitgezien als hij was opgegroeid in Schotland in plaats van in Italië? Hij voelde zich losgeslagen, als een persoon zonder wortels, beroofd van zijn geboorterecht.

Zijn kwelling werd nog verhevigd door een angst die hem constant achtervolgde. Telkens als hij het geluid van een auto hoorde, sprong hij overeind en ging met zijn rug tegen de muur staan. Op die momenten wist hij zeker dat het ditmaal menens was, dat de carabinieri hem op aandringen van Ursula kwamen inrekenen. Hij had geprobeerd zijn sporen uit te wissen, maar hij had niet zoveel ervaring als zijn vader en hij was bang dat zijn pogingen waren mislukt.

Maar de tijd was langzaam verstreken. Een paar weken had hij zich als een ziek dier schuilgehouden; toen was hij begonnen om de draad van het leven weer op te pakken. Heel geleidelijk had hij een manier weten te vinden om de schuld wat van zich af te schuiven. Hij had zichzelf wijsgemaakt dat Matthias twintig jaar lang een heerlijk leventje had gehad en dat hij nooit een cent had hoeven af te betalen van de schuld die hij had aan de dood van Catriona. Het enige wat Gabriel had gedaan, was hem te laten boeten voor de levens die hij had gestolen – van Catriona, van Daniel en van Gabriel zelf. Het klopte niet helemaal met het morele besef dat Daniel hem had proberen bij te brengen, maar door hierin te blijven geloven was Gabriel in staat voorzichtig door te leven en een plaatsje te vinden voor zijn wroeging en zijn pijn. Hij werd voortgedreven door één allesoverheersende gedachte. Hij wilde de familie vinden waar hij recht op had, de clan waar hij altijd naar had verlangd, de stam waartoe hij behoorde. Hij wilde het thuis dat hem altijd was ontzegd, en het land waarin de mensen op hem leken en niet op mensen die eruitzagen alsof ze waren weggelopen van een middeleeuws schilderij. Maar hij had geweten dat hij er nog niet klaar voor was. Hij moest zijn hoofd op orde hebben voordat hij met Sir Broderick Maclennan Grant in de slag ging. De spaarzame gegevens die hij in de brief van zijn vader had kunnen lezen, die hij had gekregen van Matthias en had gelezen op internet, hadden hem de zekerheid gegeven dat Grant het eventuele pretendenten niet gemakkelijk zou maken. Gabriel wist dat hij stevig in zijn schoenen zou moeten staan en dat hij zich aan zijn verhaal moest houden als die verschrikkelijke avond in april hem misschien ooit weer zou gaan achtervolgen.

En nu leek het erop dat dat het geval was. Die afschuwelijke Bel Richmond met haar graafwerk en haar vastbeslotenheid zou de enige hoop verwoesten waar hij zich de afgelopen paar weken aan had vastgeklampt. Ze wist dat ze iets op het spoor was. Gabriel had niet veel ervaring met de media, maar hij wist genoeg om te beseffen dat ze, nu ze de diverse draden van haar verhaal in handen had, niet zou opgeven totdat ze hem te pakken had. En als ze met haar sensationele verhaal naar buiten kwam, zou alle hoop op een nieuw leven met zijn nieuwe familie in rook opgaan. Brodie Grant zou niet staan te springen om een moordenaar te omarmen. Gabriel kon dat niet laten gebeuren. Hij kon niet alles voor de tweede keer verliezen. Het was niet eerlijk. Het was echt niet eerlijk.

Op de een of ander manier wist hij kalm te blijven, en hij sloeg zijn ogen niet neer voor haar doordringende blik. Hij moest erachter komen wat ze precies wist. 'Wat denk je dat er is gebeurd?' vroeg hij met een spottende uitdrukking op zijn gezicht. 'Of moet ik vragen welke versie je van plan bent aan de wereld te vertellen?'

'Ik denk dat jij Matthias hebt vermoord. Ik weet niet of het met voorbedachten rade was of dat het in een opwelling is gebeurd. Maar zoals ik al zei, er is een getuige die jullie eerder die dag samen heeft gezien. De enige reden waarom hij de politie nog niet heeft ingelicht, is dat hij het belang van wat hij heeft gezien niet onderkent. Maar als ik het hem zou uitleggen... Nou, het is geen kwantummechanica, hè, Adam? Ik ben er in drie dagen achter gekomen. Ik weet dat de carabinieri er bekend om staan dat ze wat traag van begrip zijn, dus misschien doen zij er wat langer over. Dat geeft jou, dunkt me, tijd genoeg om onder de beschermende vleugels van je grootvader te schuilen. O, maar hij is je grootvader niet, hè? Dat is ook weer gewoon een fantasietje van mij.'

'Je hebt nergens bewijzen voor,' zei hij. Hij schonk het laatste beetje wijn in haar glas en liep toen naar het wijnrek om een nieuwe fles te pakken. Hij had het gevoel dat hij in de val zat. Hij was door een hel gegaan. En nu kwam deze vreselijke vrouw en beroofde hem van de enige hoop die hem op de been had gehouden. Hij moest haar de pas afsnijden. En het moest nu.

Hij wierp een blik over zijn schouder. Bel lette niet echt op hem; ze ging helemaal op in de jacht en was alleen maar bezig het gesprek zo te manipuleren dat ze haar doel bereikte. Ze zei verstrooid: 'Er zijn manieren om aan die bewijzen te komen. En ik ken ze allemaal.'

Hij had haar de kans gegeven en zij had die niet gegrepen. Zijn verleden was al niet meer te redden. Het enige wat hij nog had, was de toekomst. Hij kon niet toestaan dat ze die van hem afpakte. 'Ik dácht het niet,' zei hij, terwijl hij achter haar ging staan.

Op het allerlaatste moment drong er nog een primitief waarschuwingssignaal haar hersens binnen en ze draaide zich om, net op tijd om de glinstering van het lemmet te zien dat onverbiddelijk naar haar op weg was.

Kirkcaldy
Phil had de aanzet gegeven, maar daarna was er geen houden meer aan geweest. Kleren uit. Huid op gloeiend hete huid. Hij boven. Zij boven. Dan naar de slaapkamer. Op haar buik, zijn

handen die haar borsten omvatten, haar handen die zich vast-
grepen aan de spijlen van het bed. Toen ze ten slotte even moesten stoppen om wat op adem te komen, lagen ze op hun zij elkaar stom toe te grijnzen.

'Hoe zit het eigenlijk met het voorspel?' vroeg Karen met een
giechel in haar stem.

'Dat zijn al deze jaren dat we hebben samengewerkt,' zei Phil.
'Voorspel. Ik heb je altijd opwindend gevonden. Je geest is even
sexy als je lichaam, weet je dat wel?'

Ze liet haar hand tussen hen in glijden en streelde met haar
vingertoppen over de zachte huid onder zijn navel. 'Dit heb ik
al zo lang willen doen.'

'Ik ook. Maar ik wilde onze werkrelatie niet verpesten. We
zijn een goed team. Ik wilde dat niet op het spel zetten. We
houden allebei te veel van ons werk om dat te riskeren. Bovendien mag het niet.'

'Wat is er dan opeens veranderd?' vroeg Karen, met een hol
gevoel in haar maag.

'Er is een vacature voor inspecteur in Dunfermline en ik heb
informeel te horen gekregen dat ik alleen nog maar hoef te sol-
liciteren.'

Karen trok zich wat terug en leunde op een elleboog. 'Ga je
weg bij het cct?'

Hij zuchtte. 'Ik moet wel. Ik moet hogerop en er is geen plaats
voor een tweede inspecteur bij het cct. Bovendien krijg ik op
deze manier jou erbij.' Hij keek ineens benauwd. 'Als je dat tenminste wilt. Dat spreekt vanzelf.'

Ze wist hoe fijn hij het vond om aan oude, onopgeloste zaken te werken. Ze wist ook dat hij ambitieus was. Nadat zij zijn
carrière geblokkeerd had met haar eigen promotie, had ze wel
verwacht dat hij vroeg of laat zou vertrekken. Waar ze geen rekening mee had gehouden, was dat zijzelf ook een rol speelde
in zijn overwegingen. 'Het is de juiste stap voor jou,' zei ze. 'Je
kunt er beter gauw vandoor gaan, voordat de Mop in de gaten
krijgt dat hij aan jou een even grote hekel moet hebben als aan
mij. Maar ik zal onze samenwerking wel missen.'

Hij ging dicht bij haar liggen en wreef met zijn handpalmen
zacht over haar tepels. 'Er staat wel wat tegenover,' zei hij.

Ze liet haar hand naar beneden dwalen. 'Kennelijk,' zei ze. 'Maar je hebt wel een heleboel goed te maken.'

Boscolata, Toscane
Carabiniere Nico Gallo trapte de sigaret uit onder de hak van zijn onberispelijk gepoetste laars en duwde zich af van de olijf- boom waar hij tegenaan leunde. Hij veegde de achterkant van zijn overhemd en zijn strakke broek schoon en ging weer op pad over het weggetje dat langs de rand van het olijfbosje van Bos- colata liep.

Hij baalde. Zijn huis in Calabrië was honderden kilometers van hier verwijderd. Hij woonde in een kazerne die amper meer comfort bood dan een vissershutje en hij werd constant met de rotklusjes opgezadeld. Er ging geen dag voorbij dat hij geen spijt had dat hij bij de carabinieri was gegaan. Zijn grootvader, die hem in zijn keuze had gesteund, had hem verteld dat vrouwen vielen op mannen in uniform. Dat was misschien vroeger zo ge- weest, toen de oude man nog jong was, maar de situatie was nu precies omgekeerd. Alle vrouwen van zijn leeftijd die hij tegen- kwam, leken feministe te zijn, of anders waren ze wel milieuac- tivist of anarchist. In hun ogen was zijn uniform een uitdaging van een heel andere soort.

En in zijn ogen was Boscolata gewoon weer zo'n hippiecom- mune, waar de mensen geen respect hadden voor de maat- schappij. Hij durfde te wedden dat ze niet eens belasting be- taalden. En hij durfde ook te wedden dat de moordenaar van het onbekende slachtoffer in Villa Totti zich hier ergens in de buurt bevond. Het was pure tijdverspilling om hier 's nachts te laten patrouilleren. Als de moordenaar zijn sporen uit wilde wis- sen had hij daar maanden de tijd voor gehad. En Nico was er absoluut zeker van dat iedereen in Boscolata wist hoe je in de vervallen villa moest komen zonder dat hij hun aanwezigheid in de smiezen had. In zijn eigen dorpje in het zuiden zou het niet anders zijn gegaan.

Nog een rondje om het olijvenbosje en dan ging hij terug naar de auto om een espresso te drinken uit de thermosfles die hij met vooruitziende blik had meegebracht. Dat waren de kostbare momenten waardoor hij wakker en alert kon blijven: koffie, sigaretten en kauwgum. Als hij zo dadelijk bij de hoek was, dicht bij Villa Totti, mocht hij weer een sigaret opsteken.

Toen de lucifer was opgebrand, realiseerde Gallo zich dat er in de stilte van de nacht nog een geluid te horen was. Hier, hoog op de heuvel, was de nacht stil, afgezien van de krekels, af en toe een uil en hier en daar een blaffende hond. Maar nu werd de stilte verstoord door het zwoegende geluid van een motor die met moeite de steile zandweg op reed naar Boscolata en nog verder. Vreemd genoeg werd het geluid niet vergezeld door de stralen van koplampen die op groot licht stonden. Hij zag een bleek schijnsel door de bomen en heggen heen, alsof het voertuig alleen maar zijn stadslichten aan had. In zijn ervaring kon dat maar één ding betekenen; de chauffeur voerde iets in zijn schild waar hij geen aandacht op wilde vestigen.

Gallo wierp een spijtige blik op zijn sigaret. Hij had ervoor gezorgd dat hij er genoeg bij zich had voor de hele nacht, maar dat betekende niet dat hij er eentje wilde weggooien. Dus legde hij zijn hand er in een kommetje omheen en liep naar de villa toe om personen die de plaats delict wilden betreden de pas af te snijden

Hij was er snel achter dat hij de foute keus had gemaakt. In plaats van de weg naar Boscolata en naar de villa in te slaan, zwaaiden de lichten naar rechts, achter het olijvenbosje langs. Vloekend nam Gallo nog een laatste trekje van zijn sigaret en begon toen zo vlug en zo geluidloos mogelijk langs de rand van het bosje naar beneden te lopen. Hij kon nog net de contouren van een klein autootje onderscheiden.

Hij bleef aan het eind van de bomenrij staan, waar het grondgebied van Villa Totti grensde aan het grote stuk grond van de varkensboer. Heette die oude man niet Maurizio? Ja, iets dergelijks. Gallo, die op een afstand van zo'n meter of twintig was blijven staan, probeerde zo geluidloos mogelijk wat dichterbij te komen.

Het binnenlicht van de auto sprong aan toen het portier van de chauffeur openzwaaide. Gallo zag een vrij grote man uitstappen, met een zwart trainingspak aan en een honkbalpet op, die vervolgens de achterklep openmaakte. Het leek net alsof hij een opgerold tapijt of iets wat daarop leek naar buiten trok. Hij bukte zich om het ding over zijn schouders te kunnen leggen. Toen hij rechtop ging staan, wankelde hij een beetje onder het gewicht van zijn last. Toen hij naar het stevige stalen hek toe liep dat de varkens moest binnenhouden, besefte Gallo met een afschuwelijk gevoel in zijn maag dat dit niet iemand was die midden in de nacht illegaal vuil aan het storten was. Het ging om iets veel ergers. Die klootzak stond op het punt om een lichaam aan de varkens te voeren. Iedereen wist dat varkens letterlijk alles vraten. En dit was ontegenzeggelijk een lichaam.

Hij pakte zijn zaklantaarn en knipte hem aan. 'Politie! Halt!' schreeuwde hij op de meest melodramatische toon die hij kon produceren. De man struikelde en viel voorover; zijn last bleef boven op het hek liggen. Hij hervond zijn evenwicht en rende terug naar de auto, en was Gallo een paar seconden voor. Hij sprong erin, startte de motor, gooide de versnelling in de achteruit, net toen Gallo zich op de motorkap stortte. De carabiniere probeerde zich aan de kap vast te klampen, maar de auto reed keihard achteruit. Stuiterend en hotsend reed de auto naar het weggetje toe, en ten slotte gleed hij eraf en bleef als een zielig hoopje op de grond liggen. De auto verdween in de nacht.

'O God,' kreunde hij. Hij rolde zich om, zodat hij bij zijn radio kon komen. 'Centrale? Hier Gallo, op de post bij Villa Totti.'

'Begrepen, Gallo. Wat is je tiencijferige code?'

'Geen idee. Maar er heeft net een kerel geprobeerd een lijk in een veld met varkens te dumpen.'

Vrijdag 6 juli 2007; Kirkcaldy

De telefoon drong bij de eerste keer overgaan al door de lichte slaap van Karen heen. Versuft en gedesoriënteerd graaide ze ernaar, en was meteen klaarwakker toen ze pal naast zich iemand 'telefoon' hoorde mompelen. Hij was er nog. Hij was er niet stiekem vandoor gegaan. Hij was er nog. Ze greep de telefoon en deed met veel moeite haar plakkerige oogleden open. Op de klok was het 05.47 uur. Ze zat bij het CCT. Ze kreeg nooit telefoontjes zo vroeg in de ochtend. 'Inspecteur Pirie,' gromde ze.

'Goedemorgen inspecteur Pirie,' zei een walgelijk opgewekte stem. 'Hier Linda van de telefooncentrale. Ik krijg net een telefoontje binnen van ene Capitano di Stefano uit Siena. Ik had u normaal gesproken niet gewekt, maar hij zei dat het dringend was.'

'Het is goed, Linda,' zei Karen. Ze rolde wat weg van Phil en probeerde zich te herinneren hoe een inspecteur zich ook alweer moest gedragen. Wat kon er in godsnaam bij een drie maanden oude, twijfelachtige moordzaak om kwart voor zes in de morgen zo dringend zijn?

'Laat maar horen.'

'Er valt niet veel te horen, inspecteur. Hij zei dat ik u moest zeggen dat hij een foto naar u heeft gemaild, en of u die kon identificeren. En het is dringend. Hij heeft dat drie keer gezegd, dus ik denk dat hij het meende.'

'Ik zal er zo naar kijken. Bedankt, Linda.' Ze legde de telefoon weer neer en Phil trok haar onmiddellijk naar zich toe, ook dringend, maar dan anders.

Ze spartelde tegen en probeerde zich te bevrijden uit zijn greep. 'Ik moet opstaan,' sputterde ze tegen.

'Ik ook.' Hij legde zijn mond op de hare en begon haar te kussen.

Karen maakte zich hijgend van hem los. 'Doe je aan vluggertjes?'

Hij lachte. 'Ik dacht dat vrouwen niet van vluggertjes hielden.'

'Je kunt daar maar beter goed in worden als je weer gewoon politiewerk gaat doen,' zei ze, en ze trok hem tegen zich aan.

Karen voelde zich maar een heel klein beetje schuldig toen ze inlogde op haar e-mail. Het beloofde bericht van di Stefano stond als laatste in haar inbox. Ze klikte het open en begon het bestand te downloaden, terwijl ze het begeleidende berichtje las. **Iemand heeft geprobeerd een lichaam te voeren aan de Cinta di Siena-varkens van Maurizio Rossi. Misschien is het andere slachtoffer daar ook wel. Hier is een foto van het gezicht. Misschien herkent u het?** God, wat een akelige gedachte. Ze had wel eens gehoord dat varkens alles behalve de gesp van de ceintuur opaten als onfortuinlijke boeren een ongelukje kregen in hun varkenskot, maar het was nog nooit bij haar opgekomen dat dit ook een manier kon zijn om je van een lichaam te ontdoen.

Er schoot haar een verschrikkelijke gedachte te binnen. *Varken vreet slachtoffer op. Varken neemt mens op in eigen vlees. Varken wordt tot salami verwerkt. En uiteindelijk eten mensen mensen op.* Maurizio hield vermoedelijk niet veel klanten over als dit nieuws naar buiten kwam.

Karen aarzelde. Waarom dacht di Stefano dat zij het slachtoffer zou herkennen? Zou dit Adam Maclennan Grant kunnen zijn? Zou de toekomst met zijn grootvader hem op het laatste moment nog door de neus zijn geboord? Of de op geheimzinnige wijze verdwenen Matthias, alias Toby Inglis? Angst snoerde haar keel dicht, maar ze klikte toch op de bijlage.

Het gezicht dat op haar scherm verscheen, was ongetwijfeld van een dode. Het sprankje leven dat zelfs comapatiënten nog hadden was volledig afwezig. Maar het was wel op een schokkende manier herkenbaar.

Karen had een dag eerder nog met Bel Richmond gesproken. En nu was ze dood.

A1, Florence-Milaan

Gabriel was tot de conclusie gekomen dat hij de huurauto van Bel niet hoefde te lozen. Nog niet. Die krankzinnige klootzak van een agent had hem de stuipen op het lijf gejaagd, maar hij kon onmogelijk het nummerbord hebben gezien. Niemand zou een auto die gehuurd was door een Engelse journaliste in verband brengen met wat er gebeurd was op een berghelling in Boscolata. Wat hij nu moest doen, was afstand scheppen tussen hemzelf en Toscane. Hij moest het verleden, en de verschrikkelijke dingen die door het verleden waren veroorzaakt, achter zich laten. Hij moest op een radicale manier met het verleden breken en de toekomst tegemoetrijden.

Het was afgrijselijk geweest, maar hij had het lichaam uitgekleed, deels om het de varkens gemakkelijker te maken het vuile werk voor hem op te knappen, en deels om het moeilijker te maken haar te identificeren in het onwaarschijnlijke geval dat ze zo snel gevonden zou worden dat identificatie nog mogelijk was.

Dat was uiteindelijk een prima besluit geweest. Het was al erg genoeg dat die idiote agent uit het niets was opgedoken. Het zou duizend keer erger zijn geweest als hij iets op het lichaam had achtergelaten waardoor ze gemakkelijker herkend zou worden.

En dus was de auto voorlopig veilig. Hij zou hem op de parkeerplaats voor langparkeerders zetten bij het vliegveld van Zürich en daarna een vlucht boeken. Omdat Daniel altijd had beweerd dat het Verenigd Koninkrijk voor hem een hels schimmenrijk was, was hij er nooit geweest, en hij had ook geen flauw idee waar de beveiliging uit zou bestaan. Maar waarom zouden ze extra goed naar hem of naar zijn Britse paspoort kijken?

Hij wou dat hij Bel niet had hoeven te vermoorden. Hij was echt geen keiharde moordmachine. Maar hij had al een keer alles verloren. Hij wist hoe dat voelde, en hij kon het niet verdragen dat het hem nog eens overkwam. Zelfs muizen vechten als ze in het nauw zitten, en hij had toch echt meer moed dan een muis. Ze had hem geen keus gelaten. Net als Matthias had ze hem te veel onder druk gezet. Oké, met Matthias was het anders geweest. Toen was hij door het lint gegaan. Het besef dat iemand van wie hij zijn hele leven had gehouden de moordenaar van zijn moeder was geweest, had in zijn hoofd een bron van pijn aangeboord en hij had hem neergestoken voordat hij zich zelfs maar bewust was van het mes in zijn hand.

Met Bel had hij geweten wat hij deed. Maar hij had gehandeld uit zelfbescherming. Hij had op het punt gestaan contact op te nemen met zijn grootvader, toen Bel zich met zijn leven ging bemoeien, waardoor alles op losse schroeven kwam te staan. Het laatste wat hij kon gebruiken, was dat zij openheid van zaken gaf en hem in verband bracht met de moord op Matthias. Hij wilde met een schone lei het huis van zijn grootvader binnengaan. Hij had al zoveel moeten missen in zijn leven, dat moest nu niet worden verpest door een journaliste die alleen maar uit was op een lekker sensatieverhaal.

Hij prentte zichzelf voortdurend in dat hij had gedaan wat hij moest doen. En dat het goed was dat hij zich schuldig voelde. Het liet zien dat hij in de grond een goed mens was. Hij had zich door de gebeurtenissen in de val laten lokken. Dat betekende nog niet dat hij slecht was. Hij moest dat absoluut blijven geloven. Hij was op weg naar een nieuw leven. Over een paar dagen zou Gabriel Porteous dood zijn en zou Adam Maclennan Grant door zijn rijke, machtige grootvader met open armen worden ontvangen.

Voor wroeging was er later nog wel tijd.

Rotheswell Castle

Susan Charleson was duidelijk niet blij met het onaangekondigde bezoek van de politie. Nadat Karen zich had gemeld bij het poorthuis had ze zo snel op de stoep gestaan dat de vrouwelijke rechterhand van Grant geen tijd had gehad om haar misnoegen te verbergen. 'U werd niet verwacht,' klonk het nu, in plaats van de vriendelijke woorden die eerder waren gebezigd.

'Waar is hij?' Karen stormde naar binnen, zodat Susan snel opzij moest springen.

'Heeft u het over Sir Broderick? Hij is nog niet beschikbaar.'

Karen keek demonstratief op haar horloge. 'Drie minuten voor half acht. Ik wed dat hij nog aan het ontbijten is. Brengt u me naar hem toe of moet ik hem zelf gaan zoeken?'

'Dit is schandelijk!' zei Susan. 'Weet adjunct-hoofdcommissaris Lees dat u hier bent en dat u zich zo eigenmachtig gedraagt?'

'Dat duurt vast niet lang meer,' zei Karen over haar schouder, terwijl ze de hal in liep. Ze gooide de eerste de beste deur open die ze tegenkwam: een garderobe. De volgende deur: een kantoor.

'Hou op,' zei Susan op scherpe toon. 'U gaat uw boekje te buiten, inspecteur.' De volgende deur: een kleine salon. Karen hoorde hoe Susan achter haar aan rende. 'Goed dan,' snauwde ze toen ze Karen inhaalde. Ze bleef voor haar staan met de armen wijd, kennelijk in de verkeerde veronderstelling dat Karen dan zou stoppen met zoeken. 'Ik breng u wel naar hem toe.'

Karen liep achter haar aan tot achter in het huis. Toen Susan de deur opendeed, zag ze een lichte ontbijtkamer die uitkeek op het meer en de bossen erachter. Karen had geen oog voor het uitzicht of voor het ontbijtbuffet dat stond uitgestald op het lange dressoir. Het enige waar ze oog voor had, was het echtpaar dat aan tafel zat, met hun zoontje tussen hen in. Grant stond onmiddellijk op en keek haar woedend aan. 'Wat is er aan de hand?' vroeg hij.

'Lady Grant moest Alec maar eens gaan klaarmaken voor school,' zei Karen. Ze besefte dat ze klonk als in een slecht toneelstuk, maar het kon haar niets schelen of ze een vreemde indruk maakte.

'Hoe durft u ongevraagd mijn huis binnen te vallen en dan nog een beetje te gaan staan schreeuwen?' Hij was de eerste die zijn stem verhief, maar dat had hij kennelijk niet in de gaten.

'Ik schreeuw niet, meneer. Wat ik te zeggen heb, is niet geschikt voor kinderoren.' Karen gaf geen krimp; ze bleef hem gewoon aankijken. Om de een of andere reden voelde ze die morgen geen angst meer voor de gevolgen van haar optreden.

Grant wierp een snelle, verwarde blik op zijn zoon en vrouw. 'Dan gaan wij wel ergens anders heen, inspecteur.' Hij ging haar voor naar de deur. 'Susan, koffie. In mijn kantoor.'

Karen moest moeite doen om zijn grote passen bij te houden. Ze had hem net ingehaald toen hij een spartaans ingerichte kamer binnenstormde waarin een glazen bureau stond met daarop een groot aantekenboek en een dunne laptop. Achter het bureau stond een ergonomisch verantwoorde kantoorstoel. Langs de ene muur stond een dossierkast. Tegen de andere stonden twee stoelen, die Karen herkende van een reisje naar Barcelona. Ze was daar een keer per ongeluk uit een stadsrondritbus gestapt en uitgekomen bij het paviljoen gewijd aan Ludwig Mies van der Rohe. Tot haar verbazing was ze in de ban geraakt van de rust en eenvoud van zijn ontwerpen. Het zien van die stoelen kalmeerde haar. Ze was niets minder dan wat voor rijke stinkerd dan ook, zei ze tegen zichzelf.

Grant liet zich als een verwend kind in zijn stoel vallen. 'Waarvoor is dit allemaal nodig?'

Karen liet haar zware schoudertas op de grond vallen en leunde met de armen voor haar borst gevouwen tegen een dossierkast aan. Ze had, om indruk te maken, haar chicste broekpak aangetrokken, een kledingstuk dat ze had gekocht bij de uitverkoop van Hobbs in Edinburgh. Ze had het gevoel dat ze de touwtjes in handen had. Brodie Grant kon de pot op. 'Ze is dood,' zei ze kortaf.

Grants hoofd schoot omhoog. 'Wie is dood?' Hij klonk verontwaardigd.

'Bel Richmond. Gaat u me nog vertellen waar ze naar op zoek was?'

Hij deed een halfslachtige poging om zijn schouders op te halen. 'Ik heb geen idee. Ze was freelancejournaliste, geen personeelslid van me.'

'Ze werkte voor u.'

Hij maakte een onverschillig handgebaar, duidelijk bedoeld om haar af te schepen. 'Ik had haar ingehuurd om als contact met de pers op te treden als er iets uit dit onderzoek zou komen.' Hij had zelfs nog het lef om spottend te kijken. 'Waar het op dit moment niet bepaald naar uitziet.'

'Ze werkte voor u,' herhaalde Karen. 'Ze deed veel meer dan optreden als contactpersoon met de pers. Ze was geen dagbladjournaliste. Ze was een onderzoeksjournaliste, en in die hoedanigheid werkte ze voor u. Ze was met onderzoek bezig.'

'Ik weet niet hoe u aan die ideeën komt, maar ik kan u verzekeren dat dit waanidee over deze zaak wel eens uw laatste kan zijn, als ik met Simon Lees heb gesproken.'

'Ga uw gang. Ik verheug me al op zijn gezicht als ik hem vertel dat Bel Richmond gisteren in uw privévliegtuig naar Italië is gevlogen. Dat ze op rekening van uw bedrijf een huurauto heeft opgepikt op het vliegveld van Florence. En hoe haar moordenaar werd gestoord toen hij probeerde haar naakte lichaam aan de varkens te voeren, een paar honderd meter van het huis waar Bel zelf de poster heeft gevonden die de aanleiding tot dit hele onderzoek is geweest.' Karen ging rechtop staan en liep naar het bureau toe. Ze steunde er met haar vuisten op. 'Ik ben godverdomme niet de onbenul waar u me voor houdt.' Ze keek even woedend als hij.

Voordat hij een reactie kon bedenken, kwam er een jonge vrouw in een zwarte jurk binnen met een blad met koffie. Ze keek onzeker om zich heen. 'Op het bureau, meisje,' zei Grant. Karen constateerde dat zij geen kopje kreeg aangeboden.

Ze wachtte tot ze de deur achter zich in het slot hoorde vallen en zei toen: 'Ik denk dat u me beter kunt vertellen waarom Bel naar Italië is gegaan. Dat is waarschijnlijk de reden waarom ze is vermoord.'

Grant stak zijn geprononceerde kin naar voren. 'Voor zover ik weet, inspecteur, heeft de politie van Fife niets te zeggen in Italië. U heeft hier niets mee te maken. Dus waarom pakt u uw biezen niet.'

Karen lachte hardop. 'Ik heb van betere mannen dan jij te horen gekregen dat ik moest opdonderen, Brodie,' zei ze. 'Laat me je vertellen dat ik hier ben op verzoek van de Italiaanse politie.'

'Als de mensen van de Italiaanse politie met me willen praten kunnen ze hierheen komen. Ik wil de orgelman zelf, niet het aapje. Zo doe ik dat. Bovendien had je die jongeman meegenomen om aantekeningen te maken als dit een officieel bezoek was. Ik ken de wet in Schotland goed, inspecteur. Ik heb het al eerder gevraagd, maar wilt u nu opdonderen?'

'Rustig maar, ik ga al. Maar even voor de goede orde: ik hoef voor de Italiaanse politie geen bevestiging van een getuigenverklaring te hebben. En ik zal je er gratis nog iets bij vertellen. Als ik jouw vrouw was, zou ik me ernstig zorgen gaan maken over al deze vrouwenlijken die jij in je kielzog meevoert. Je dochter. Je vrouw. En nu je huurlinge.'

Zijn lippen verstrakten in een slangachtige grimas. 'Hoe durf je!'

Ondanks haar vastberadenheid had Grant haar toch weten te raken. Karen raapte haar tas op en haalde er een plattegrond uit van de plaats waar het losgeld destijds was overhandigd. 'Daarom durf ik het,' zei ze, en ze spreidde de plattegrond op het bureau uit. 'Jij denkt dat je met je geld en je invloed alles kunt kopen. Jij denkt dat je de waarheid kunt begraven, zoals je je vrouw en je dochter hebt begraven. Nou, Brodie, dan kan ik nu het tegendeel bewijzen.'

'Ik weet absoluut niet waar je het over hebt.' Grant moest de woorden tussen zijn samengeknepen lippen uit persen.

'Het verslag zegt het volgende,' zei ze, en ze prikte met haar vinger op de kaart. 'Cat neemt de tas aan van je vrouw, de kidnappers vuren een schot af dat Cat in de rug raakt, waardoor zij sterft. De politie vuurt een schot af dat ieder doel mist.' Ze keek omhoog naar hem. Zijn gezicht was bewegingloos, bevroren in een masker van woede. Ze hoopte dat op haar gezicht te zien was dat ze tegen hem op kon. 'En dit is er werkelijk gebeurd: Cat neemt de tas van je vrouw aan, ze draait zich om en wil terug naar de kidnappers lopen. Jij begint met je pistool te zwaaien, de kidnappers doen de lampen uit waardoor het stikdonker wordt op het strand, jij schiet.' Ze keek hem recht in de ogen. 'En jij vermoordt je dochter.'

'Je hebt een zieke fantasie,' siste Grant.

'Ik weet dat je het al deze jaren niet hebt willen erkennen, maar het is de waarheid. En Jimmy Lawson is bereid openheid van zaken te geven.'

Grant sloeg keihard met zijn hand op de tafel. 'Een moordenaar die zijn straf uitzit? Wie gaat hem geloven?' sneerde hij. Zijn lip beefde.

'Er zijn anderen die weten dat je die avond een pistool had. Ze zijn nu met pensioen. Ze hebben niets meer van je te vrezen. Misschien dat je me door Simon Lees de mond kunt laten snoeren, maar de geest is nu uit de fles. Je kunt beter met me mee gaan werken om de moord op Bel Richmond op te lossen.'

'Maak dat je wegkomt,' zei Grant. 'De volgende keer kun je beter zorgen dat je een bevelschrift bij je hebt.'

Karen glimlachte even gespannen. 'Daar kun je op rekenen.' Ze had nog meer dan genoeg pijlen op haar boog, maar het was nu niet het juiste moment om die af te vuren. Mick Prentice en Gabriel Porteous konden nog wel even wachten. 'Het is nog niet voorbij, Brodie. Het is pas voorbij als ik het zeg.'

Gabriel Porteous, zoals hij zich nog even moest noemen, had geen moeite om het Verenigd Koninkrijk binnen te komen. De douanebeambte op het vliegveld van Edinburgh veegde met zijn paspoort ergens overheen, vergeleek zijn gezicht met de foto en knikte dat hij door mocht lopen. Ook voor het huren van een auto moest hij nog van zijn oorspronkelijke identiteit gebruikmaken. Deze botsing van verleden en toekomst was moeilijk in evenwicht te houden. Hij wilde Gabriel en alles wat hij had gedaan achter zich laten. Hij wilde schoon en onbelast aan zijn nieuwe leven beginnen. Hij wilde op geen enkele manier, of het nu emotioneel, psychologisch of praktisch was, meer aan zijn oude leven herinnerd worden. Hij wilde niet meer de kans lopen op lastige vragen van de Italiaanse autoriteiten. Hij hoopte vurig dat zijn grootvader zou accepteren dat hij een definitieve breuk met het verleden wilde. Eén ding was zeker: hij zou de schok en de pijn die zijn vaders brief bij hem had veroorzaakt niet hoeven te overdrijven.

Hij moest bij een benzinestation stoppen om de weg naar Rotheswell Castle te vragen, maar het was nog pas halverwege de ochtend toen hij de indrukwekkende hekken aan de voorkant naderde. Hij stopte en stapte uit, grijnzend naar de bewakingscamera's. Toen er over de intercom gevraagd werd wie hij was en waarvoor hij kwam, zei hij: 'Ik ben Adam Maclennan Grant. Daarvoor kom ik.'

Ze lieten hem bijna vijf minuten wachten voordat ze het buitenste hek openmaakten. Aanvankelijk stond hij zich daar enorm over op te winden. Zo erg dat hij er bijna gek van werd. Toen drong het langzaam tot hem door dat je dit soort voorzorgsmaatregelen alleen maar nam als er echt iets te beschermen viel. Dus wachtte hij en reed toen de ruimte tussen de twee hekken binnen. Hij onderging het bekloppen van de bewakers gelaten. Hij klaagde niet toen ze zijn auto van binnen en van buiten onderzochten en vroegen of hij zijn weekendtas en zijn rugzak open wilde maken, zodat ze erin rond konden snuffelen. Toen ze hem uiteindelijk op het terrein zelf toelieten en hij een eerste blik opving van wat hij kwijt was geraakt, stokte de adem hem in de keel.

Hij reed langzaam. Hij moest proberen zichzelf in de hand te houden. Hij wilde zo graag helemaal opnieuw beginnen. Geen miskleunen meer. Hij parkeerde op het grind bij de voordeur, stapte uit en rekte zich eens goed uit. Hij had te lang opgevouwen op stoeltjes gezeten. Hij rechtte zijn schouders en zijn rug en liep naar de deur toe. Toen hij dichterbij kwam, ging die met een zwaai open. Een vrouw in een tweed rok en een wollen trui stond in de deuropening. Ze sloeg haar hand voor haar mond en hijgde: 'O mijn god.'

Hij glimlachte vriendelijk. 'Hallo. Ik ben Adam.' Hij stak zijn hand uit. Eén blik op deze vrouw en hij wist dat het er in dit huis niet ontspannen aan toeging.

'Ja,' zei de vrouw. Zelfbeheersing won het van emotie en ze nam zijn hand in een stevige greep en bleef hem vasthouden. 'Ik ben Susan Charleson. Ik ben jouw grootva... ik bedoel, ik ben de persoonlijke assistente van Sir Broderick. Dit is een enorme schok. Verrassing. Donderslag bij heldere hemel.' Ze barstte in lachen uit. 'Moet je mij horen. Ik ben meestal niet zo. Het is gewoon dat... Nou ja, ik had nooit gedacht dat ik dit nog zou meemaken.'

'Dat begrijp ik. Het is voor mij ook nogal schokkend geweest.' Hij maakte voorzichtig zijn hand los. 'Is mijn grootvader thuis?'

'Kom maar mee.' Ze deed de deur dicht en liep met hem de hal door.

Dankzij het werk van zijn vader was hij in Italië in een aantal prachtige huizen geweest, maar hier was alles hem helemaal vreemd. De stenen muren, het kale interieur, alles voelde koud en naakt aan. Maar het kon geen kwaad om haar wat te paaien. 'Dit is een prachtig huis,' zei hij. 'Ik heb nog nooit iets dergelijks gezien.'

'Waar woon jij?' vroeg Susan toen ze een lange gang in liepen.

'Ik ben opgegroeid in Italië. Maar ik ben van plan om terug te keren naar mijn wortels.'

Susan bleef staan voor een zware, met spijkers versierde eiken deur. Nadat ze geklopt had, ging ze naar binnen en gebaarde naar Adam dat hij moest volgen. De kamer met boeken langs alle wanden was een plek om je in terug te trekken, maar hij zag alles in een waas. Hij had alleen maar oog voor de man met de witte haardos die bij het raam stond; zijn diepliggende ogen waren onleesbaar, zijn gezicht stond strak.

'Dag meneer,' zei Adam. Tot zijn verbazing kon hij bijna geen woord uitbrengen. Hij werd overmand door een volkomen onverwachte emotie en hij moest goed slikken om de tranen tegen te houden.

Het gezicht van de oude man leek voor zijn ogen uiteen te vallen. Een gezichtsuitdrukking die tussen een glimlach en verdriet in hing, leek hem te overspoelen. Hij zette een stap in de richting van Adam en bleef toen staan. 'Hallo,' zei hij, ook met een brok in zijn keel. Hij keek langs Adam heen en gebaarde naar Susan dat ze weg moest gaan.

De twee mannen keken elkaar gretig aan. Adam slaagde er als eerste in zichzelf onder controle te krijgen. Hij schraapte zijn keel. 'Meneer, ik weet zeker dat u meer mensen hebt gezien die beweerden de zoon van Catriona te zijn. Ik wil alleen zeggen dat ik niets van u wil hebben, en als u wilt dat ik tests onderga – DNA en zo – dan doe ik dat. Tot de dood van mijn vader, drie maanden geleden, had ik geen idee wie ik werkelijk was. Ik heb me tijdens de afgelopen drie maanden de hele tijd afgevraagd of ik contact met u moest opnemen of niet... en, nou ja, hier ben ik dan.' Hij haalde Daniels brief uit de binnenzak van zijn enige goede pak. 'Dit is de brief die hij voor mij heeft achtergelaten.' Hij strekte zijn hand uit naar Grant, die de gekreukelde velletjes papier aannam. 'Ik wil met plezier buiten wachten terwijl u hem leest.'

'Dat hoeft niet,' zei Grant bars. 'Ga daar maar zitten, waar ik je kan zien.' Hij ging zelf zitten tegenover de stoel die hij had aangewezen en begon te lezen. Verscheidene keren hield hij even op om Adam, die zichzelf dwong om stil en rustig te blijven zitten, onderzoekend aan te kijken. Op een bepaald moment sloeg hij de hand voor zijn mond met vingers die zichtbaar trilden. Hij kwam bij het eind en staarde Adam met een verlangende blik aan. 'Als je het niet bent, ben je wel verdomde goed.'

'Ik heb dit ook nog...' Adam haalde een foto uit zijn zak. Catriona zat op een keukenstoel, haar handen gevouwen over de hoge boog van een hoogzwangere buik. Achter haar leunde Mick over haar schouder, met een hand op haar buik. Ze grijnsden allebei. Het zag er een beetje onhandig uit, alsof ze wachtten op de zelfontspanner. 'Mijn vader en moeder.'

Nu kon Grant zijn tranen niet inhouden. Zonder woorden stak hij zijn armen uit naar zijn kleinzoon. Adam, die ook natte ogen had, stond op en nam de omhelzing in ontvangst. Het leek een eeuwigheid te duren en tegelijk een seconde. Ten slotte lieten ze elkaar los; beiden veegden met hun handen hun ogen af. 'Je ziet eruit zoals ik er vijftig jaar geleden uitzag,' zei Grant geëmotioneerd.

'U moet nog wel die DNA-tests laten doen,' zei Adam. 'Er zijn veel slechte mensen op de wereld.'

Grant keek hem lang en doordringend aan. 'Ja, ik denk dat je die overal hebt,' zei hij een beetje treurig. 'Bel Richmond werkte voor mij.'

Adam deed zijn best om niet te laten merken dat hij de naam kende, maar hij zag op het gezicht van zijn grootvader dat zijn poging niet gelukt was. 'Ze is bij me langs geweest,' zei hij. 'Ze heeft niet gezegd dat u haar baas was.'

Grant glimlachte wat dunnetjes. 'Ik zou niet willen zeggen dat ik haar baas was, maar ik heb haar wel gevraagd om iets voor me te doen. Ze deed het zo goed dat ze het niet heeft overleefd.'

Adam schudde zijn hoofd. 'Dat kan toch niet. Ik heb gisteravond nog met haar gesproken.'

'Het kan wel. Ik heb net de politie al over de vloer gehad. Blijkbaar heeft haar moordenaar geprobeerd haar aan de varkens te voeren, pal naast de villa waar je vriend Matthias illegaal woonde tot het tijdstip waarop je vader is gestorven. En de politie onderzoekt daar ook een ander vermoedelijk geval van moord,' vervolgde Grant grimmig. 'Die is gepleegd ongeveer toen Matthias en zijn poppenspelers zijn verdwenen.'

Adam trok zijn wenkbrauwen op. 'Dat is bizar,' zei hij. 'Wie is er dan nog meer dood?'

'Dat weten ze niet. De poppenspelers zijn in alle windrichtingen verdwenen. Bel was van plan ze allemaal te gaan opsporen. Maar ze heeft er de kans niet voor gekregen. Ze was een goede journalist. En ze was een doorzetter.'

'Zo klinkt het wel, ja.'

'Waar is Matthias?' vroeg Grant.

'Dat weet ik niet. De laatste keer dat ik hem zag, was op de dag van mijn vaders begrafenis. Ik ben met hem teruggegaan naar de villa, zodat hij me die brief kon geven. Ik was helemaal van slag toen ik besefte dat hij de hele tijd heeft geweten wie ik echt was. Ik was kwaad en overstuur dat hij en mijn vader onder één hoedje hadden gespeeld om mij al die jaren van u weg te houden. Toen ik wegging, heb ik gezegd dat ik nooit meer iets van hem wilde horen. Ik wist niet eens dat ze niet meer in Boscolata woonden.' Hij haalde veelbetekenend zijn schouders op. 'Ze hebben vast ruzie gekregen. Ik weet dat de anderen soms wat opstandig werden, omdat Matthias een groter deel van de inkomsten opeiste. Het moet uit de hand zijn gelopen. Daar is

iemand bij omgekomen.' Hij schudde zijn hoofd. 'Dat is erg.'
'En Bel? Wat heb je daar voor een theorie over?'

Adam had een hele nacht, in vliegtuig en auto, de tijd gehad om daar een antwoord op te bedenken. Hij aarzelde even, alsof hij alle mogelijkheden de revue liet passeren. 'Als Bel in Boscolata overal vragen stelde, kan de moordenaar daar lucht van hebben gekregen. Ik weet dat minstens één lid van de groep een relatie had met iemand die daar woonde. Misschien heeft zijn vriendin hem over Bel verteld en hielden ze haar in de gaten. Toen ze ontdekten dat ze naar mij op zoek was, hebben ze misschien gedacht dat ze te diep aan het graven was en dat ze weg moest. Ik weet het niet. Ik heb geen idee hoe dat soort mensen denkt.'

Grants gezicht was weer even uitdrukkingsloos als toen Adam hem voor het eerst had gezien. 'Je bent heel slim,' zei hij. 'Sommige mensen zouden misschien zeggen dat de appel niet ver van de boom valt.' Zijn gezicht vertrok even alsof hij pijn had. 'Je hebt gelijk over die DNA. Dat moeten we zo gauw mogelijk laten doen. Intussen moet je maar hier bij ons logeren. Dan kunnen we je vast wat leren kennen.' Zijn glimlach was voor meer dan één uitleg vatbaar. 'De wereld zal erg in jou geïnteresseerd zijn, Adam. Daar moeten we ons op voorbereiden. We hoeven daarbij niet altijd helemaal eerlijk te zijn. Ik heb altijd heilig geloofd in het recht op privacy.'

Dat was even kantje boord geweest, toen de oude man had laten weten dat Bel bij hem in dienst was. Zijn vragen waren lastiger geweest dan Adam had verwacht. Maar nu zag hij dat er een besluit was genomen, een besluit om te kiezen voor medeplichtigheid. Voor het eerst sinds Bel bij hem was langsgekomen, begon de ondraaglijke spanning wat af te nemen.

Vrijdag 13 juli 2007; Glenrothes
Dat ze weer eens ontboden werd in het kantoor van de Mop kwam ditmaal niet onverwacht. Karen had niet geaccepteerd dat hij haar nee verkocht, sinds ze een zakelijk getoonzette e-mail van Susan Charleson had gekregen waarin stond dat de verloren kleinzoon was teruggekeerd. Ze wilde dolgraag met

Brodie Grant en zijn moordzuchtige kleinzoon praten, maar uiteraard was dit haar al verboden, nog voordat ze haar zaak aan Lees had kunnen voorleggen. Ze had geweten dat het onaangename gevolgen zou hebben toen ze Grant had geconfronteerd met zijn daden op het strand, al die jaren geleden. Ze vond het niet vreemd dat Grant meteen wraak had genomen. Hij beschuldigde haar ervan dat ze wanhopig op zoek was naar een zondebok in een zaak waarin alle slechteriken al dood waren. Karen had de Mop moeten aanhoren die een verhaal hield over het belang van goede betrekkingen met de burgerij. Hij had haar eraan herinnerd dat ze drie oude zaken had opgelost, ook al zou er niemand voor berecht worden. Ze had het CCT een goede dienst bewezen en het zou alleen maar contraproductief werken als ze nu Sir Broderick Maclennan Grant tegen zich in het harnas joeg. Dan zou het hele positieve effect in één klap verdwenen zijn.

Toen ze voorzichtig was begonnen over de mogelijkheid dat Adam Maclennan Grant wel eens bij twee moorden in Italië betrokken zou kunnen zijn, was de Mop groen uitgeslagen en had haar te verstaan gegeven dat ze zich niet moest bemoeien met een zaak waar ze niets meer mee te maken had.

In de afgelopen weken had Karen regelmatig contact gehad met di Stefano, via de telefoon en per e-mail. Er was, zei hij, meer dan genoeg DNA op het lichaam van Bel gevonden. Een van de tieners die in Boscolata woonden had Gabriel, oftewel Adam, geïdentificeerd als de man die hij samen met Matthias had gezien op de dag dat er waarschijnlijk in Villa Totti een moord was gepleegd. Ze hadden het huis in de buurt van Greve gevonden waar een man die voldeed aan de beschrijving had gewoond. Ze hadden daar DNA gevonden dat overeenkwam met wat er op het lichaam van Bel was aangetroffen. Het enige wat ze nog nodig hadden om er een rechtszaak van te kunnen maken, was een DNA-monster van de vroegere Gabriel Porteous. Kon Karen daarvoor zorgen?

Ja, met sint-juttemis.

Nu had de Mop haar eindelijk bij zich geroepen. Terwijl ze haar gedachten probeerde te ordenen, liep ze zonder te kloppen bij hem naar binnen. Ditmaal was zij het die schrok. Op een stoel naast het bureau, schuin tegenover de Mop, maar met zijn gezicht naar de stoel voor de bezoeker, zat Brodie Grant. Hij glimlachte toen hij haar verwarring zag. Vrijdag de dertiende, jazeker.

Zonder te wachten op een uitnodiging ging Karen zitten. 'U wilde me zien, commissaris,' zei ze zonder de kant van Grant op te kijken.

'Karen, Sir Broderick is zo vriendelijk geweest om ons een door een notaris getekende verklaring te geven over de recente gebeurtenissen in Italië. Hij vond, en ik ben het met hem eens, dat dit de meest bevredigende manier was om verder te gaan.' Hij zwaaide naar haar met een paar papieren.

Karen staarde hem stomverbaasd aan. 'Commissaris, de volgende stap is toch een simpele DNA-test?'

Grant leunde naar voren. 'Ik denk dat u na het lezen van deze verklaring ook zult vinden dat een DNA-test een verspilling zou zijn van tijd en geld. Het heeft geen zin om iemand te testen die overduidelijk een getuige was en geen verdachte. De Italiaanse politie kan best naar iemand op zoek zijn, maar dat is niet mijn kleinzoon.'

'Maar...'

'En nog iets, inspecteur: mijn kleinzoon en ik zullen niet met de pers praten over waar hij de afgelopen tweeëntwintig jaar is geweest. Uiteraard zullen we wel naar buiten brengen dat er na zoveel tijd een buitengewone hereniging heeft plaatsgevonden. Maar geen bijzonderheden. Ik verwacht dat u en uw team dit respecteren. Mocht er toch informatie naar buiten komen, dan kunt u ervan verzekerd zijn dat ik de verantwoordelijke persoon zal vervolgen en dat ik ervoor zal zorgen dat hij of zij daarop zal worden afgerekend.'

'Vanuit dit bureau zal er niet worden gelekt, dat kan ik u verzekeren,' zei de Mop. 'Wat jij, Karen.'

'Nee, commissaris,' zei ze. Geen lekken. Niets wat een negatieve uitwerking kon hebben op de op handen zijnde promotie van Phil of op de goede naam van haar eigen team.

Lees zwaaide met de papieren naar Karen. 'Alsjeblieft, inspecteur. U kunt dit opsturen naar uw collega in Italië en dan kunnen we meteen een streep zetten onder onze eigen cold cases.'

Hij glimlachte innemend naar Grant. 'Ik ben blij dat we dit op een zo bevredigende wijze hebben kunnen oplossen.'

'Ik ook,' zei Grant. 'Wat ontzettend jammer dat we elkaar nu niet meer zullen zien, inspecteur.'

'Inderdaad. En kijk goed uit, meneer,' zei ze en ze stond op. 'U moet goed op uzelf passen. En op uw zoon. Het zou tragisch zijn als Adam nog meer verliezen zou moeten meemaken.' Ziedend beende Karen het kantoor uit. Ze liep woedend terug naar haar eigen kantoor, klaar om stoom af te blazen. Maar Phil zat niet achter zijn bureau en met iemand anders ging het niet. 'Shit, shit, shit,' mompelde ze, terwijl ze de kamer in stormde, net toen de telefoon ging. Voor deze ene keer lette ze er niet op. Maar de Prof stak zijn hoofd om de deur. 'Het is een vrouw die Gibson heet en die naar u op zoek is.'

'Geef haar maar,' zuchtte ze. 'Hallo, Misha, wat kan ik voor je doen?'

'Ik vroeg me alleen af of er nieuws was. Toen jouw brigadier een paar weken geleden langskwam om me te vertellen dat je er vrij zeker van was dat mijn vader eerder dit jaar is gestorven, zei hij dat hij misschien wel kinderen had gehad die we konden testen. Misschien was er een geschikte donor bij. Maar toen hoorde ik niets meer...'

Shit, shit, en nog eens shit. 'Het ziet er niet hoopgevend uit,' zei Karen. 'De persoon in kwestie weigert om een monster af te staan.'

'Wat bedoel je, weigert? Begrijpt hij niet dat er een kinderleven op het spel staat?'

Karen voelde de intensiteit van de gevoelens door de telefoonlijn heen. 'Ik denk dat hij zich meer bekommert om zijn eigen hachje.'

'Bedoel je dat hij een misdadiger is? Dat interesseert me niet. Snapt hij het niet? Ik geef zijn DNA heus niet aan iemand anders. We kunnen het vertrouwelijk behandelen.'

'Ik zal het verzoek doorgeven,' zei Karen mat.

'Kun je me niet rechtstreeks met hem in contact brengen? Alsjeblieft? Het gaat om het leven van mijn kleine jongen. Elke week die voorbijgaat, heeft hij minder kans.'

'Ik begrijp dat heel goed. Maar ik kan niets uitrichten. Het spijt me. Ik zal je verzoek overbrengen, dat beloof ik.'

Alsof ze voelde hoe gefrustreerd Karen zich voelde, veranderde Misha van tactiek. 'Het spijt me. Ik waardeer het dat je zo hard voor ons hebt gewerkt. Ik ben gewoon wanhopig.'

Na het telefoontje zat Karen een tijdlang voor zich uit te staren. Ze vond de gedachte onverdraaglijk dat Grant een moordenaar beschermde voor zijn eigen egoïstische emotionele doeleinden. Het kwam niet bepaald als een verrassing, gezien de manier waarop hij was omgegaan met zijn eigen schuld aan de dood van zijn dochter. Maar er moest een manier zijn om deze barrière te slechten. Phil en zij waren gedurende de afgelopen paar weken al zo vaak nagegaan wat ze nog konden doen dat ze het gevoel had dat er een gleufje in haar hersens was gesleten. Ze hadden het erover gehad om Adam te stalken, en dan te hopen op een colablikje dat in het openbaar was weggegooid, of een waterflesje. Ze hadden het erover gehad om de vuilnis van Rotheswell te stelen en het door River te laten uitpluizen totdat ze iets vond dat overeenkwam met het Italiaanse DNA. Maar ze hadden moeten toegeven dat ze zich niet aan een strohalm vastklampten, maar aan een ongrijpbare schaduw.

Karen leunde achterover in haar stoel en dacht na over de manier waarop dit alles was begonnen. Misha Gibson, die in haar wanhoop bereid was om alles voor haar kind te doen. Net als Brodie Grant voor zijn kleinkind. De banden tussen ouders en kinderen... En plotseling zag ze het duidelijk voor zich. Mooi en slim en de ironie ten top.

Ze liet haar stoel bijna omvallen toen ze recht overeind schoot en naar de telefoon greep. Ze toetste het nummer van River in en trommelde met haar vingers op het bureau. Toen River opnam, kon Karen nauwelijks een samenhangende zin produceren. 'Luister, ik heb opeens een idee. Als je een halfzus of -broer hebt, dan kun je de familieband terugzien in het DNA, hè?'

'Ja. Het is dan wel minder duidelijk dan bij een volle broer of zus, maar je ziet de relatie nog wel.'

'Als je wat DNA had en je kreeg een monster in handen dat een dergelijke relatie liet zien en je wist dat die persoon een halfbroer of halfzus had, denk je dat je dan een bevelschrift zou kunnen krijgen om een monster af te nemen van de halfbroer?'

River neuriede even. 'Ik zou er wel een zaak van kunnen maken,' zei ze. 'Ik denk dat het genoeg zou zijn.'

Karen haalde diep adem. 'Weet je nog dat we het DNA van Misha Gibson hebben afgenomen om dat te vergelijken met het skelet in de grot?'

'Ja,' zei River voorzichtig.

'Heb je dat nog?'

'Is jouw zaak dan nog niet gesloten?'

'Als ik ja zei, wat zou je dan antwoorden?'

'Als jouw zaak nog steeds niet is afgesloten, mag ik volgens de wet het DNA nog in bezit hebben. Als de zaak is afgesloten, moet het DNA vernietigd worden.'

'De zaak is nog open,' zei Karen. Wat in feite ook zo was, aangezien er alleen een indirect bewijs tegen Mick Prentice bestond bij de dood van Andy Kerr. Genoeg om het dossier te sluiten, dat zeker. Maar Karen had het nog niet naar het archief teruggestuurd, dus was het nog niet als zodanig gesloten.

'Dan heb ik het DNA nog.'

'Zou je me zo vlug mogelijk een kopie kunnen mailen?' vroeg Karen, terwijl ze triomfantelijk haar vuist in de lucht stak. Ze ging staan en maakte een dansje door het kantoor.

Een kwartier later was ze een kopie van het DNA van Misha Gibson naar di Stefano in Siena aan het mailen met een begeleidend berichtje. Vraag alsjeblieft aan de DNA-deskundige om dit te verwerken. Volgens mij is dit van de halfzus van de man die zich Gabriel Porteous noemde. Laat me het resultaat alsjeblieft weten.

Het volgende uur was een marteling. Toen de werkdag ten einde liep, was er nog steeds geen bericht uit Italië. Toen ze thuiskwam, kon Karen ook niet van de computer afblijven. Om de tien minuten sprong ze op om haar mail te checken. 'Het loopt niet weg, hoor,' plaagde Phil vanaf de sofa.

'Ja, leuk. Als ik het niet deed, deed jij het wel. Jij wilt net zo graag als ik dat die kleinzoon van Brodie door de mand valt.'

'Je slaat de spijker op de kop, chef.'

Het was even over negenen toen het langverwachte antwoord van di Stefano haar inbox binnenkwam. Met ingehouden adem maakte Karen het bericht open. Aanvankelijk kon ze het niet geloven. 'Geen relatie?' vroeg ze. 'Geen relatie, godverdomme? Hoe kan dat nou? Ik wist zo zeker...'

Ze liet zich op de sofa vallen en protesteerde niet toen Phil haar tegen zich aan drukte. 'Ik kan het ook niet geloven,' zei hij. 'We wisten allemaal zo zeker dat Adam de moordenaar was.' Hij tikte met zijn vinger tegen het papier waarop de slappe verklaring stond die Karen mee naar huis had genomen om aan hem te laten zien. 'Misschien vertelt hij de waarheid wel, ook al klinkt die nog zo bizar.'

'Dat kan niet,' zei ze. 'Moordzuchtige poppenspelers die Bel dwars door Italië volgen? Ik heb zelden zoiets absurds gehoord.' Ze nestelde zich op de sofa, bedroefd, haar hoofd verstopt onder Phils kin. Toen ze de nieuwe inval kreeg, schoot haar hoofd zo onverwacht omhoog dat hij bijna zijn tong afbeet. Terwijl hij zat te kreunen, bleef Karen maar zeggen: 'Het is een wijs kind dat zijn vader kent.'

'Wat?' vroeg Phil ten slotte.

'Stel dat Fergus gelijk heeft?'

'Karen, waar heb je het over?'

'Iedereen dacht dat Adam het kind van Fergus was. Fergus denkt dat zelf ook. Hij is op het juiste tijdstip met Cat naar bed geweest, die ene keer. Misschien had ze ruzie met Mick gehad. Of misschien was ze gewoon kwaad omdat het zaterdagavond was en hij bij zijn vrouw en kind zat, en niet bij haar. Wat de reden ook moge zijn, het is gebeurd.' Karen wipte op haar knieën op de sofa; van de opwinding werd ze weer een kind. 'Stel dat Mick het al die jaren bij het verkeerde eind heeft gehad? Stel dat Fergus echt de vader van Adam is?'

Phil greep haar vast en gaf haar een klinkende zoen op haar voorhoofd. 'Ik heb je meteen al gezegd dat ik van je geest hield.'

'Nee, je zei dat ik een sexy geest had. Da's niet helemaal hetzelfde.' Karen wreef met haar neus tegen zijn wang.

'Mij best. Je bent zo slim, dat windt me op.'

'Denk je dat het te laat is om hem op te bellen?'

Phil kreunde. 'Ja, Karen. Het is daarginds nog een uur later. Wacht ermee tot morgen.'

'Alleen als je me belooft dat je voor afleiding zult zorgen.'

Hij draaide haar op haar rug. 'Ik zal mijn best doen, chef.'

Woensdag 18 juli 2007

Karen strekte zich uit in het bad en genoot van het gevoel van schuim en water tegen haar huid. Phil was aan het cricketen. Ze was er inmiddels achter dat dat inhield dat hij een snel partijtje speelde om daarna heel lang met zijn vrienden naar de pub te gaan. Hij zou vanavond na sluitingstijd naar zijn eigen huis zien te komen met genoeg bier op om lekker dronken te worden. Ze vond het niet erg. Meestal maakte ze een afspraak met haar vriendinnen om heerlijk curry te gaan eten en te roddelen. Maar vanavond had ze genoeg aan haar eigen gezelschap. Ze verwachtte een telefoontje en ze wilde dat niet voeren in een drukke pub of in een lawaaierig restaurant. Ze wilde zeker zijn van wat ze hoorde.

Fergus Sinclair was achterdochtig geweest toen ze hem volkomen onverwacht had gebeld om hem om een DNA-monster te vragen. Haar verhaal was simpel geweest – er was een man opgedoken die beweerde dat hij Adam was en Karen wilde per se alles doen om erachter te komen of het in de haak was. Sinclair was beurtelings cynisch en opgewonden geweest. In beide stemmingen was hij ervan overtuigd geweest dat hijzelf de beste lakmoestest was die ze tot hun beschikking hadden. 'Ik weet het het beste,' bleef hij maar volhouden. 'Het is een instinct. Je kent je eigen kinderen.'

Het was niet een geschikt tijdstip om hem te vertellen over de statistische gegevens van River. Ergens tussen de tien en twintig procent van de kinderen was niet verwekt door hun officiële vader, en in het merendeel van deze gevallen hadden de vaders geen flauw idee dat ze niet de papa waren. Karen bleef er maar op hameren dat het zijn plicht was. Uiteindelijk had hij ermee ingestemd om naar het plaatselijke politiebureau te gaan om een DNA-monster af te staan.

Karen had de Oostenrijkse dienstdoende agent weten te overreden om het monster af te nemen en het onmiddellijk per koerier naar River te laten brengen. De Mop zou uit zijn vel springen als hij de rekening zag, maar dat kon haar niets meer schelen. Om de zaak nog wat te bespoedigen had ze di Stefano zover gekregen dat hij een kopie van het DNA van de Italiaanse moordenaar naar River mailde.

En vanavond zou ze het weten. Als uit het DNA bleek dat Fergus de vader van de Italiaanse moordenaar was, zou ze een bevelschrift kunnen krijgen om een monster van Adam af te nemen. Onder de Schotse wet had ze hem kunnen aanhouden om hem een DNA-monster af te nemen zonder hem te arresteren of hem in staat van beschuldiging te stellen. Maar ze wist dat haar carrière ten einde zou zijn als ze probeerde om Adam Maclennan Grant te behandelen als een willekeurige andere verdachte. Ze zou zich niet in zijn buurt wagen zonder een bevelschrift van de sheriff. Maar als zijn DNA eenmaal in het systeem zat, kon zelfs de machtige Brodie Grant hem niet meer redden uit de klauwen van de wet. Hij zou moeten boeten voor de levens die hij zo drastisch had ingekort.

Haar gedachten liepen dood toen de telefoon ging. River had negen uur gezegd, maar het was nog geen halfacht. Waarschijnlijk was het haar moeder of een van de vriendinnen die haar wilde overhalen om toch nog mee te gaan. Met een zucht rekte Karen zich uit om de telefoon te pakken die op het krukje naast het bad stond.

'Ik heb de analyse van het DNA van Fergus Sinclair voor me liggen,' zei River. 'En ik heb er ook een gekregen van Capitano di Stefano.'

'En?' Karen kon nauwelijks ademen.

'Een volmaakte match. Waarschijnlijk vader en zoon.'

Donderdag 19 juli 2007; Newton of Wemyss
De stem is zacht, als het zonlicht dat binnenstroomt door het raam. 'Zeg dat nog eens.'

'De ex-vrouw van een neef van John. Ze is naar Australië verhuisd. Ergens bij Perth. Haar tweede man is daar mijningenieur of zoiets.' Woorden struikelen over elkaar heen, een chaos van woorden.

'En ze is terug?'

'Dat zeg ik net.' Geërgerde woorden, een geërgerde toon. 'De school bestaat vijfentwintig jaar en er is een reünie. Haar dochter Laurel is zestien, ze is met haar meegekomen voor een vakantie. John heeft ze een paar weken geleden bij zijn moeder ontmoet. Hij heeft niets gezegd omdat hij me geen hoop wilde geven.' Een lachbui. 'Kan je nagaan, meneer de optimist!'

'En het klopt? Het gaat werken?'

'Ze passen, mam. Luke en Laurel. Zo'n kans krijgt hij nooit meer.'

En zo eindigt het.

DANKWOORD

Het begon ermee dat Kari 'Mrs Shapiro' Furre een merkwaardige ontdekking deed in de casa rovina onder aan de heuvel. De familie Giorgi uit de 'contrada della Chioccola' in Siena kwam met goede raad; de fantastische Mamma Rosa heeft vorstelijke maaltijden voor ons bereid en wij hebben als kleine kinderen naar haar verhalen geluisterd; Marino Garaffi fokt nog steeds de beste varkens, en dat geldt ook voor het biggetje dat vast kwam te zitten in het hek. Hun vriendschap, hun gemoedelijkheid en hun warmte geven mijn zomers een gouden randje.

In Fife in Schotland ben ik dank verschuldigd aan mijn moeder voor haar herinneringen; aan de vele mijnwerkers en musici wier liedjes en verhalen steeds weer opduiken in mijn jeugdherinneringen. Ook ben ik dank verschuldigd aan de man, net als ik supporter van de Raith Rovers, die vond dat het tijd werd dat ik weer eens een boek schreef over 'The Kingdom of Fife'; en aan de mensen uit de gemeenschap waarin ik ben opgegroeid, die zo zwaar hebben geleden onder de staking van 1984 en de naweeën ervan.

Als altijd heeft Professor Sue Black mij laten profiteren van haar deskundigheid. Eventuele fouten zijn voor mijn rekening. Enkele van de mensen die dit boek mogelijk hebben gemaakt kan ik niet meer persoonlijk bedanken. Mijn vader Jim McDermid, mijn grootvaders Tom McCall en Donald McDermid, beiden mijnwerker, en mijn 'ere'oom Doddy Arnold; alle vier hebben ze deuren voor mij geopend naar de wereld van de arbeiders, een wereld die veel te hoge eisen aan hen heeft gesteld.

Ten slotte zet ik een pluim op de hoed van het team dat me altijd aanspoort om het boek zo goed mogelijk te maken – mijn uitgever Julia Wisdom, mijn bureauredacteur Anne O'Brien en mijn agent Jane Gregory. En uiteraard bedank ik Kelly en Cameron, die ongelooflijk veel geduld met mij hebben.